LE CORPS
DES FEMMES

Du même auteur

AUX MÊMES ÉDITIONS

Naissance de la famille moderne
coll. « L'Univers historique », 1977
et coll. « Points-Histoire », 1981

EDWARD SHORTER

LE CORPS
DES FEMMES

TRADUIT DE L'ANGLAIS
PAR JACQUES BACALU

ÉDITIONS DU SEUIL
27, rue Jacob, Paris VIᵉ

Titre original : *A History of Women's Bodies.*

ISBN original : 0-7139-1581-1.
© Basic Books, New York, 1982.

ISBN 2-02-006971-7.
© Octobre 1984, Éditions du Seuil pour la traduction française.

A Anne Marie

À Anne Marie

Préface

Le corps de la femme a son histoire. Une histoire qui vaut d'être contée, car elle n'a pas été sans influer sur la façon dont les femmes perçoivent et vivent leur féminité. La thèse de ce livre est que, avant 1900 environ, la féminité était pour la plupart des femmes un concept entièrement négatif, quelque chose qui, pensaient-elles, les rendait inférieures aux hommes, un fardeau que Dieu leur avait imposé en chassant Ève du Paradis, et qu'elles portaient avec résignation. Au tournant du siècle intervinrent toute une série de mutations que nous allons étudier, et c'est seulement à partir des années 1930 que les femmes ont finalement été libérées du formidable carcan qu'avait été pour elles, tout au long de l'histoire, la précarité de leur santé. Révolution qui leur a permis de voir enfin dans la féminité une donnée fondamentalement positive, une force, une source de vie et d'épanouissement.

Poussons un peu plus loin. A la question : comment se fait-il que les femmes n'aient pas revendiqué le droit de vote au XIXe siècle ? l'une des réponses est précisément dans leur acceptation de ce statut d'infériorité. C'est parce qu'elles étaient plus exposées que les hommes à la maladie, parce qu'elles risquaient plus souvent la mort, et que d'une manière générale elles sortaient plus affaiblies qu'eux de maladies telles que l'anémie, qu'elles acceptaient autrefois leur subordination comme étant dans l'ordre des choses.

C'est l'élimination de tous ces handicaps qui allait créer les conditions *physiologiques* de l'émergence du féminisme. Historiquement, le féminisme, c'est la conquête par les femmes d'une autonomie personnelle égale à celle des hommes. Quel pouvait être en effet le sens d'un tel concept aussi longtemps que la femme restait physiquement beaucoup plus faible que l'homme ? La vie lui avait imposé trop de contraintes pour que l'idée même d'autonomie l'effleurât.

On peut donc considérer la subordination de la femme comme la résultante d'une triple infériorisation, sur laquelle s'articule la thèse de ce livre :

1. La femme a été victime de l'homme, par une accessibilité sexuelle sans limites. Le « devoir conjugal » l'exposait autrefois à une suite sans fin de grossesses non désirées. Nous consacrons plusieurs

chapitres aux conditions de l'accouchement et aux risques qu'il faisait courir à la moyenne des femmes.

2. La femme a été victime de ses enfants, et d'avoir à s'occuper d'une grande maisonnée sur la taille et la composition de laquelle elle n'avait aucun droit de regard. Résultat : la plupart des femmes du peuple, jusqu'à la fin du XIXe siècle, ont été écrasées par la lutte élémentaire pour l'existence, par la nécessité de s'occuper de leurs six enfants (moyenne historique), ainsi que des garçons d'écurie, de leur beau-père à la retraite et de leur beau-frère célibataire. Épuisement de la femme aux tâches domestiques, que traduit une nette surmortalité.

3. La femme était victime de la nature, c'est-à-dire des diverses maladies auxquelles l'homme n'est pas sujet et qui n'ont pas chez lui d'équivalent. Les maladies de l'homme, en effet, sont moins nombreuses et ne frappent pas dans la fleur de l'âge. Et la médecine et la chirurgie d'autrefois étaient d'une telle ignorance que les maladies de la femme (celles du bassin et des seins) exerçaient des ravages. C'est en cela que les femmes étaient victimes de la nature.

C'est entre 1900 et 1930 qu'ont été éliminées ces différentes sources d'asservissement. En acquérant la possibilité d'avorter dans des conditions relativement sûres, la femme a obtenu la maîtrise de sa fécondité. Les progrès de la médecine et de la chirurgie ont supprimé la plupart des maladies qui la frappaient autrefois. L'accouchement est devenu un acte à peu près sans danger. L'homme lui-même s'est ouvert aux problèmes de la femme. Bref, se sont trouvées réunies les conditions d'une véritable égalité physiologique entre les sexes.

Soyons clairs. Je ne prétends nullement que ce soient les progrès de l'hystérectomie ou l'amélioration des techniques d'avortement qui aient d'une manière ou d'une autre « provoqué » le féminisme. Les forces historiques qui sous-tendent ce mouvement sont extrêmement complexes : revendications nouvelles des femmes qui travaillent, nouvelle conception des droits individuels, bien d'autres choses encore y ont leur part. Ce que je soutiens, en revanche, c'est que la fin de l'infériorisation physique des femmes a été une condition *sine qua non* de la naissance du féminisme. Si, même après toutes ces autres mutations, la femme avait continué à souffrir de « descentes de matrice » et autres fléaux, il est probable que le féminisme n'aurait jamais vu le jour.

Mais cela, après tout, est du domaine de la spéculation. Notre propos dans ce livre n'est pas d'étudier le mouvement des femmes, mais leur expérience vécue des choses de leur corps. Ce livre n'a pour objet ni le regard que pouvaient porter les autres sur le corps de la femme, ni l'opinion des hommes de l'art à leur égard, ni leur rôle sexuel. Il traite de la réalité au ras du corps avec laquelle la femme moyenne du temps jadis était aux prises.

Les femmes du peuple ayant laissé peu de traces écrites, nous n'avons que des témoignages parcellaires sur ce qu'elles pensaient de la sexualité, de leur mari, de la condition féminine, etc. Certaines sources, toutefois, peuvent nous aider à restituer les préoccupations de la paysanne ou de la femme d'artisan moyen. J'ai beaucoup puisé, pour ce travail, dans les nombreuses observations laissées par les médecins. Au début du siècle dernier, divers centres médicaux entreprenaient de tenir un fichier de leurs malades et après 1850 est venu un flot de publications médicales sur tous les sujets possibles et imaginables. C'est pourquoi les sources de ce livre sont en partie médicales (rien toutefois qui ne soit à la portée du lecteur moyen). Les femmes elles-mêmes s'adressent à nous par divers biais : proverbes, chansons populaires, recettes de santé, rites magiques conservés dans les livres de raison. Et comme il existe encore bien d'autres types de sources, nous ne risquons pas de perdre de vue la femme ordinaire.

J'emploie souvent dans ce livre le terme « traditionnel », et ce pour décrire le monde que je connais le mieux : l'Europe et l'Angleterre entre le xviie et la fin du xixe siècle, par opposition au monde « moderne » qui lui a succédé. Quiconque connaît le moins du monde villages et bourgs d'autrefois ne peut qu'être frappé de la différence entre la vie qu'on pouvait y mener et celle de la société urbaine et industrielle qui a suivi. Les règles fondamentales du jeu social y étaient complètement différentes de ce qu'elles sont dans notre monde « moderne ». C'est pourquoi je tiens à cette notion d'un mode de vie spécifiquement traditionnel, point de départ de mes connaissances d'historien. Ce « monde que nous avons perdu » a pris fin à des époques différentes suivant les lieux. En Angleterre, la société traditionnelle a commencé à disparaître au début du xviiie siècle. Dans certaines régions reculées comme la Bretagne rurale, elle ne disparaîtra qu'à l'aube du xxe siècle.

Notre intérêt ira plutôt au peuple qu'aux élites. Si d'autres historiens de la femme ont fait fausse route, c'est en partie parce que, faute d'imagination, ils ont concentré leur attention sur les femmes des classes supérieures, soit 5 % seulement de la population : des femmes qui ou bien avaient des domestiques, ou bien avaient fait des études supérieures, ou encore avaient accès à la culture de la haute bourgeoisie. Rien à voir, donc, avec la vie des femmes du peuple, que ce livre, pour la première fois, se propose de restituer.

J'ai eu la chance de pouvoir travailler dans quelques-unes des meilleures bibliothèques de recherche au monde. Et je voudrais remercier tout particulièrement les personnels de la Wellcome Library for the History of Medicine de Londres, de la Bibliothèque nationale à Paris, de l'Universitätsbibliothek de Vienne, de la Staatsbibliothek de Munich, de la Staatsbibliothek de Göttingen, de la Deutsche Staatsbibliothek de Berlin-Est, et de la bibliothèque de la New York Academy of Medicine. Les personnels de la bibliothèque de l'Académie de médecine de Toronto et de la Science and Medicine Library de l'université de Toronto ont été pour moi d'une aide précieuse.

Ce travail a bénéficié du soutien financier du Canada Council, du Hannah Institute for the History of Medicine et de la Harry Frank Guggenheim Foundation, dont les directeurs, Lionel Tiger et Robin Fox, m'ont apporté tout leur encouragement. Diane Way a été mon assistante de recherche. Et je suis reconnaissant à Patricia O'Hara d'avoir tapé mon manuscrit.

Le Dr Kerry Connelly et le Pr Adrienne Harris m'ont fait l'amitié de lire et de critiquer mes premières ébauches. Les Drs Norman Farnsworth, Murray Enkin, Arthur Gryfe et James S. Thompson m'ont suggéré des retouches utiles dans plusieurs chapitres. Je ne saurais imaginer responsables d'édition plus compréhensifs que Martin Kessler et Phoebe Hoss, de Basic Books, et je leur exprime ici toute ma gratitude.

Pour leur aide en anatomie générale et en neuro-anatomie, j'aimerais enfin remercier Elizabeth Akesson et Anne Marie Sharkey. C'est à cette dernière que, pour des raisons tout à fait différentes, ce livre est dédié.

Toronto
décembre 1981

PREMIÈRE PARTIE

La femme, l'homme et leur corps

1

L'homme, la femme et le sexe

Notre propos, tout au long de ce livre ou presque, est de décrire le mal causé autrefois aux femmes par une activité sexuelle sur laquelle elles n'avaient aucune prise. « Aucune prise ? » s'étonnera le lecteur du xxe siècle. De nos jours, évidemment, la femme mariée qui répugne aux avances de son époux a toujours la ressource de demander le divorce, et la femme célibataire peut d'ordinaire, si tel est son désir, éviter les étreintes de l'homme. Mais notre époque est celle de la famille dite « moderne » — voire « post-moderne » —, et les choses sont tout à fait différentes de ce qu'elles étaient il y a deux siècles, lorsque l'épouse « approchée de son mari » ne pouvait en aucun cas se soustraire au devoir conjugal.

Qu'on se mette à la place de la femme type de l'époque, celle qui habite une petite ville ou un village. Ni elle ni personne d'autre n'a jamais entendu parler de la « période non féconde », et le moindre rapport sexuel risque de se solder pour elle par une grossesse. Elle doit subir son mari chaque fois que celui-ci veut la prendre. Résultat : elle se retrouve enceinte sept ou huit fois dans sa vie, mettant au monde une moyenne de six enfants vivants. Des enfants pour la plupart non désirés : car s'il y a dans ce travail un thème fondamental, c'est bien celui des multiples risques que ces grossesses répétées faisaient courir à la santé de la femme.

Premier point donc : l'homme. Qu'est-ce qui, dans la mentalité des maris, explique ce besoin d'imposer à la femme de perpétuels enfantements ?

La femme dominée

L'indifférence de l'homme au bien-être de la femme est dans la nature même du mariage d'autrefois[1]. Les gens se mariaient pour assurer leur « lignée » : l'homme avait besoin d'une femme pour l'aider à tenir la ferme et pour lui donner des enfants mâles à qui transmettre le patrimoine. Dans les relations entre époux, les sentiments ne tenaient guère de place. En fait, c'est parmi les autres

15

hommes que l'homme recherchait ses « compagnons spirituels », d'où cette « solidarité masculine » dont parle Lionel Tiger[2]. De même, les femmes n'imaginaient pas non plus que leur mari pût en quoi que ce soit les « comprendre » ; elles ne voyaient donc d'allié possible que parmi les autres femmes, d'où une « solidarité féminine ». Ainsi, l'homme comme la femme recherchant alors leurs grandes alliances affectives en dehors de la famille, les rapports de pouvoir à l'intérieur de celle-ci étaient profondément inégaux. Comme le dit un auteur à propos de la Bretagne, la femme n'était que la « première servante de ses fils et des principaux valets de la ferme[3] ». Quant à l'homme, il était « le maître de son petit royaume », le *Herr im Hause,* le « seigneur au logis », des Allemands.

Concernant la vie familiale d'autrefois, je voudrais faire ressortir plusieurs points. Mais, d'abord, j'attire l'attention du lecteur sur le côté anecdotique des témoignages qui vont suivre. On aimerait, bien sûr, disposer de statistiques sur des sujets tels que les femmes battues, mais il n'en existe tout simplement pas. Ce travail repose sur des années de consultation des sources, et ce qui suit est une impression générale personnelle sur les relations entre hommes et femmes : compte rendu anecdotique sans doute, mais qui, j'en suis convaincu, n'en est pas moins exact.

La domination écrasante du mari, c'est ce qui ressort de nombre de rites quotidiens. A table, plus on a d'importance et plus on est proche du siège du père. Dans les cuisines de ferme du Sauerland, en Allemagne, le père est normalement assis au haut bout de la table, les autres hommes prenant place auprès de lui sur le banc adossé au mur, les enfants mâles en dernier. Quant aux femmes, elles s'asseyent sur des tabourets de l'autre côté de la table. L'invité éventuel prend la place, non pas du père, mais de la mère, celle-ci et les autres personnes « du » sexe se décalant alors d'une place. Autre disposition possible : tous les hommes s'asseyent à table, d'abord le père, puis le grand-père retraité, puis le frère célibataire, puis les fils par ordre d'âge décroissant, les femmes, elles, restant debout[4]. Ou encore, comme dans le canton de Vaud, le père peut manger seul, servi par sa femme. « Personne n'ose élever la voix en sa présence[5]. »

Si écrasant est alors l'ascendant exercé par l'homme qu'en Languedoc, par exemple, l'épouse, pour ne pas enfreindre l'autorité du mari, va jusqu'à refuser en son absence d'ouvrir la porte aux gendarmes. Elle appelle son époux « notre homme » et observe le silence en présence d'un invité[6]. Dans le Limousin, la femme n'accompagne jamais son mari au marché, ne se tient jamais à ses côtés durant les cérémonies civiles ou religieuses, et le vouvoie. Le mari, pour sa part, ne parle jamais de son épouse en disant : « Ma femme a fait ceci ou cela », mais : « La fumelle de chez nous a fait ceci ou cela[7]. » D'ailleurs, les proverbes paysans français indiquent bien qui est le maître :

16

Un coq pas plus gros que le poing vient à bout d'une poule grosse comme un four (basse Bretagne).

Une femme qui ne craint pas son mari ne craint pas Dieu (Catalogne).

Un·homme est indigne de l'être qui de sa femme n'est pas le maître (Languedoc)[8].

Une ethnologue qui vécut dans un village allemand juste avant la Première Guerre mondiale rapporte comment la « subordination de la femme » y était inculquée à la jeune épouse dès le mariage. La malheureuse se retrouvait au milieu d'une famille inconnue, sous les regards inquisiteurs de sa belle-mère et de tous les parents : « Le mari critique sévèrement le travail de sa femme, et celle-ci commence à se dire que la bienveillance éventuelle de son époux envers elle dépend bien moins de ses qualités de femme que de ses capacités d'ouvrière agricole [...] La coutume, en outre, veut qu'une épouse ne sorte pas seule, même si elle paye sa sortie de sa poche. C'est la croix et la bannière pour obtenir du mari qu'il la laisse partir pour un court voyage ou un pèlerinage. Lui, par contre, se rend tous les dimanches après-midi à la taverne avec ses voisins, et y passe souvent en semaine l'après-midi ou la soirée[9]. » Certes, l'autorité réelle dans tel ou tel ménage était également fonction de la personnalité de chacun des conjoints. Mais la coutume voulait que l'affection et l'intimité n'interviennent guère dans la solution des problèmes de la vie conjugale. L'homme était le maître, un point c'est tout[10].

En outre, il était d'usage pour le mari, dans les petites villes et les villages, de battre sa femme. Juridiquement, il n'était pas certain qu'il en eût le droit. Mais n'était-il pas responsable des actes de sa femme, et une telle responsabilité n'impliquait-elle pas à l'évidence la possibilité de la corriger en cas de besoin[11] ? Si bien que la pratique était générale. Les sages-femmes, du fait même des rapports étroits qu'elles entretenaient avec les familles, étaient témoins de bien des actes de violence domestique. L'une d'elles, Lisbeth Burger, rapporte le cas d'un mari qui pressait sa femme avec insistance de se faire avorter. Cette dernière refusait avec obstination : « LUI : Pourquoi est-ce que tu ne vas pas tout simplement en ville comme tout le monde voir l'avorteur ? Si tu n'y vas pas, je te quitte. — ELLE : Non. Si je suis vraiment enceinte, alors notre enfant a le droit de vivre et je n'y toucherai pas. — LUI : Tu oses me dire ça en face ? Essaie un peu de me désobéir ! Qui est-ce qui commande ici, toi ou moi ? » Alors, « fou de rage, il empoigne sa femme par les cheveux et se met à lui donner des coups de pied en criant : " Bon Dieu, je vais te montrer de quel bois je me chauffe[12] ! " » Et il ressort du récit de la sage-femme que c'était là une scène de ménage extrêmement courante.

Les médecins, eux aussi, voyaient beaucoup de femmes battues.

Pour Eduard Dann, de Dantzig, si les femmes d'ouvriers ne buvaient pas de schnaps, c'est parce qu'elles subissaient déjà durement les conséquences de l'ivrognerie de leur mari, en particulier, dit-il, « d'effroyables corrections[13] ». La littérature obstétricale signale souvent, en passant, que telle fausse couche a été provoquée par des coups. Ainsi à Fischhausen (Allemagne), en 1765, le médecin demande à une femme victime d'une fausse couche : « Votre mari vous a-t-il frappée ce mardi-là ? — Il m'a frappée à la tête, ensuite je suis sortie de la pièce, et lorsque je suis rentrée, il m'a arraché ma robe[14]. »

Johann Storch, de Gotha (Allemagne), recherchant les causes du décès d'une femme en couches en 1724, découvre que celle-ci a une côte cassée, due sans doute à un coup de pied reçu de son mari pendant sa grossesse (Storch pensait que cette côte cassée avait provoqué l'adhérence du placenta à l'utérus, d'où le décès en couches)[15].

On pourrait continuer ainsi longtemps. Les coups infligés aux femmes ne bouleversaient pas spécialement les médecins, qui se contentaient d'en faire incidemment mention parmi d'autres observations.

Quant aux proverbes et plaisanteries populaires, qui révèlent l'âme même d'une culture, ils montrent eux aussi le mari usant tout naturellement de la force pour amender sa femme. Ainsi, dans la France paysanne :

> *Bon ou mauvais cheval veut l'éperon, bonne ou mauvaise femme veut le bâton* (Provence).
>
> *Pour la femme qui a une attaque de nerfs, un grand remède c'est le bâton* (Provence).
>
> *Mule et femme, le bâton les améliore* (Catalogne)[16].

Voici une histoire drôle tirée d'un recueil humoristique allemand du XVIIe siècle : « Un homme frappe sa femme si fort qu'il doit appeler le médecin et l'apothicaire, et les payer double. — Les payer double ? — Oui, double. Une fois pour aujourd'hui, et l'autre pour la prochaine[17]. »

Ces histoires et proverbes dépeignent sans aucun doute des situations familières aux hommes qui les racontaient. Si tel n'avait pas été le cas, ces textes auraient-ils revêtu à leurs yeux une telle signification ?

A cette brutalité non déguisée du mari envers sa femme venait s'ajouter l'indifférence évidente de l'homme face aux maladies, aux accouchements, à la mort même, de sa compagne. Ce point est important, car si les hommes se montraient insensibles dans ces moments de crise, ils devaient également être indifférents en général à la santé de leur femme. Dans un ouvrage précédent, j'ai émis l'hypothèse que l'impassibilité du paysan devant la mort de son épouse dénotait l'absence effective de chagrin et une égale absence d'affection[18]. Martine Segalen fait d'ailleurs remarquer que la perte de l'épouse était ressentie comme une délivrance par l'homme[19] et que la femme avait à peu près la même réaction à propos du mari[20]. Les adversaires de cette thèse soutiennent que les hommes, contrairement aux apparences, ressentaient alors de la peine, mais l'exprimaient selon des modes qui nous sont étrangers. Plusieurs ethnologues français — Françoise Loux, par exemple, à propos des décès d'enfants[21] — estiment que la douleur éprouvée à l'occasion de la disparition d'un être cher était tout aussi intense autrefois qu'aujourd'hui, mais qu'elle se manifestait de manière différente. C'est pourquoi j'aimerais présenter ici divers indices supplémentaires de l'indifférence masculine, difficilement contestables.

A commencer par l'omniprésence, dans les dictons populaires, de cette idée que, pour un paysan, les bêtes valent nettement plus que l'épouse :

> *Vache qui meurt, grand malheur,*
> *Femme qui meurt, petit malheur* (Hesse)[22].

> *Femme morte, on oublie,*
> *Cheval mort, on s'écrie* (Franconie)[23].

Logique de ce discours : les bêtes coûtent cher, tandis qu'une femme peut facilement être remplacée par une autre, qui à son tour apportera une dot. Si, par conséquent, la perte d'un cheval était un coup dur, la mort de l'épouse, elle, avait ses compensations.

Tout ce que ces proverbes révèlent de froid calcul, les observateurs du temps le confirment. Jacques Cambry dit de la Bretagne des années 1790 : « Si le cheval et la femme d'un Léonard tombent malades en même temps, il a recours au maréchal, et laisse opérer la nature sur sa moitié, qui souffre sans se plaindre[24]. » Un curé de la Marne pouvait écrire en 1777 : « Les paysans de la paroisse ont plus de soin de leurs vaches quand elles veulent déposer leurs veaux que de leur femme pour ce qui regarde leur accouchement[25]. » Ce témoignage, enfin, de Rudolf Dohrn, qui enseigna l'obstétrique à Königsberg : « Un médecin de campagne lituanien m'a raconté que la mort de sa femme en couches ne touche guère le paysan. La mort d'une vache lui est très pénible, mais, pour ce qui est de la femme, il n'aura aucun mal à en trouver une autre[26]. »

L'indifférence des hommes à la santé physique des femmes est particulièrement frappante en ce qui concerne l'accouchement. Comme nous le verrons plus loin, la maternité était un événement purement féminin survenant dans l'univers culturel des femmes. Ce qui intéressait surtout l'homme, c'était de voir naître un héritier. La sage-femme Lisbeth Burger fut un jour appelée au chevet d'une parturiente. Le paysan l'attendait. « Il faut que ce soit un garçon, dit-il, un héritier pour la ferme. — Et si c'est une fille ? demande la sage-femme. — Alors, que le diable l'emporte ! » répond le fermier [27].

Le chirurgien américain Max Thorek accouche une immigrante dans un taudis de Chicago au tournant du siècle : « Je venais de me mettre au travail lorsqu'un bruit me fit lever les yeux. Contre la porte fermée de la cuisine se tenait le mari : plus de cent kilos de chair, de sang et d'irascibilité. Dans une main, un long et gros tisonnier à l'ancienne mode. Dans l'autre, une énorme cafetière pleine de liquide bouillant. " D'accord, allez-y, cria-t-il. Mais je surveille. S'il arrive quoi que ce soit à ma femme, j' vous tue. " » Le bébé était un garçon et il se portait bien. « Le père se décrispa. Il se mit à pleurer, à prier, à rire. Tous ses autres enfants étaient des filles. Maintenant, il avait un fils [28]. » Ainsi le sexe du nouveau-né était-il d'une importance cruciale pour les pères, surtout lorsqu'il s'agissait de perpétuer un nom. Le reste était secondaire.

Que ce fût secondaire, nous en avons une autre preuve : bien des maris traditionnels répugnaient à payer les frais d'une sage-femme qualifiée ou d'un médecin. L'aide des voisines leur paraissait bien suffisante. Voici, par exemple, ce qu'écrit en 1775 un médecin de Soissons : « Les pères eux-mêmes contribuent par leur négligence à la multiplicité de ces malheurs [obstétricaux] : attachés à leurs intérêts particuliers avec autant ou plus de sagacité que les habitants des villes, ils sont très attentifs à tout ce qui y a le moindre trait. Ils ne négligent rien dès qu'il s'agit de leurs bestiaux, mais pour des intérêts bien plus réels, ils sont, la plupart, d'une immobilité stupide : l'heureuse délivrance de leur femme enceinte et la conservation de leurs enfants nouveau-nés n'obtiennent d'eux que des soins en second [29]. »

Maria Bidlingmaier, décrivant au début du XXe siècle la vie des paysannes du Wurtemberg, écrit ceci : « Lorsqu'un accouchement se présente mal, on fait appel à l'expérience et au savoir des vieilles du village. Le médecin est loin et le paysan se refuse à payer une telle dépense [30]. »

Quant à Lisbeth Burger, la sage-femme dont j'ai déjà cité le témoignage, elle a souvent eu affaire à cette clientèle parcimonieuse. Elle eut un jour besoin d'aide pour un accouchement difficile : « Eh, le paysan, as-tu finalement appelé le médecin ? — Quoi, qu'est-ce que c'est que ces histoires ? Il faut du temps à la nature. Il suffit de savoir attendre, dit-il. — Non, réplique-t-elle. Attendre ne changera rien à l'affaire. Je te dis qu'il y a quelque chose qui ne va pas. Envoie chercher le docteur ! — Il faut le temps, insiste l'homme. Dans l'étable, on attend facilement trois nuits entières. Mon Dieu, vous en faites des histoires, vous autres femmes ! » Et ainsi de suite sur le même ton. Survient un orage. « Le docteur prendra encore plus cher s'il doit venir par mauvais temps », gémit le paysan. Et la femme meurt [31].

Cette impassibilité ne peut s'expliquer que par une prodigieuse indifférence de l'homme aux souffrances de son épouse. Indifférence qui se situe aux antipodes du sentiment familial « moderne ». Qu'on ne s'y méprenne pas. Mon but n'est nullement de faire du mari traditionnel un monstre ; je veux seulement montrer quel abîme affectif le séparait de sa femme. Et cela posé, imagine-t-on un seul instant ces hommes s'abstenant de rapports sexuels avec leur femme à seule fin de lui épargner les conséquences physiques de grossesses à répétition ?

La qualité des rapports sexuels

Mais, diront certains, peut-être les femmes trouvaient-elles suffisamment de satisfactions dans leur vie sexuelle pour fermer les yeux sur ses inconvénients. Eh bien, pas du tout. Les rapports sexuels dans le couple traditionnel étaient brefs et brutaux, et rien ne permet d'affirmer — au contraire ! — que les femmes y prenaient beaucoup de plaisir.

Le trait dominant de la sexualité masculine d'autrefois, c'est sa violente impétuosité. Quand l'homme désirait sa femme, alors, tout simplement, il la prenait. C'était toujours à lui, par exemple, de prendre l'initiative. Les paysans du Limousin avaient recours, pour décrire cette attitude, à la métaphore coq-poule : « Quand la poule recherche le coq, l'amour ne vaut pas une noix[32]. »

Bien révélateur de cette fougue masculine : le refus des hommes de s'abstenir de tous rapports durant la période des couches. Les exemples abondent, dans la littérature, de maris qui, malgré les mises en garde du médecin, imposent le coït à leur femme aussitôt après l'accouchement. Or une reprise trop rapide des rapports peut être pour la mère une cause d'infection. Rien d'étonnant donc si, quelques jours seulement après un accouchement sans histoire, une Frau Stengel faisait une légère poussée de fièvre et présentait des saignements. « Voilà qui n'est pas normal », se dit notre sage-femme, Lisbeth Burger. « Avez-vous quitté votre lit hier, Frau Stengel ? » demande-t-elle. « Oh non, pas ça », répond la jeune mère d'un air embarrassé. Mais la sage-femme la presse de questions et l'autre finit par avouer : « C'est simplement que... mon mari... est venu me voir. » « Le misérable, le gredin ! » s'écrie la sage-femme. Suit un chapelet d'injures. Alors le mari : « Mais une femme, ça sert à quoi, alors[33] ? » C'était pratique courante dans le peuple, bien qu'il fût généralement recommandé d'attendre beaucoup plus longtemps. Selon une coutume hongroise, par exemple, les relations maritales devaient reprendre au plus tôt quinze jours après l'accouchement, et plus tard dans « la classe la plus intelligente[34] ».

21

Cette brutale impétuosité n'était d'ailleurs nullement l'apanage des paysans. Au xviie siècle, le très distingué Virginien William Byrd avait coutume de prendre sa femme sous l'impulsion du moment — sur la table de billard, par exemple — et son journal intime est émaillé de « je l'ai sautée » ou « je lui ai donné l'estocade ». Peut-être Mrs. Byrd prisait-elle ce traitement. Mais, selon l'historien Michael Zuckerman, la sexualité n'était, pour notre Virginien, qu'une fonction corporelle comme une autre, dépourvue de toute affectivité et « marquant l'entente et l'émotion humaine à leur niveau le plus élémentaire. Sauf en de très rares occasions, Byrd ne semble guère avoir prêté attention aux réactions de sa femme [35] ».

Un recueil de chansons populaires érotiques originaire de la Lettonie préchrétienne donne une idée de l'image que l'homme pouvait avoir de la femme dans une société traditionnelle. La violence y éclate à chaque ligne :

> *Cache-toi derrière les joncs, la chatte,*
> *Car voilà tes prétendants :*
> *Hank le hirsute, Tom les roustons,*
> *Et Indrick le dard en personne.*

> *Papa culbute maman et la bourre.*
> *Va-t-i' la défoncer ?*
> *Il s' repose un peu entre deux*
> *Et puis il repart à l'assaut.*

> *Au galop, Noiraud,*
> *Demain on s'ra à Riga.*
> *On enlèvera des filles*
> *Et on sabrera les rombières.*

> *Le vieux part soigner les bêtes.*
> *Il emporte sa tringle dans son sac.*
> *Et chaque coin noir qu'i' rencontre,*
> *Il y fourre sa tringle* [36].

Défoncer, sabrer, tringler : ce n'est pas là le langage de la tendresse.

Si les couples faisaient parfois entorse à la position dite du « missionnaire », il semble bien que ce fût le plus souvent à l'initiative de l'homme, et à son avantage. Dans les chansons lettones décrivant des rapports oro-génitaux — tant du point de vue masculin que féminin —, il est très rare que la femme mariée exprime sa satisfaction de voir son mari pratiquer sur elle le cunnilinctus [37]. Un exemple caractéristique :

> *Broute, broute, Trina,*
> *Broute-moi bien.*
> *Il reste encore au fumoir*

22

L'HOMME, LA FEMME ET LE SEXE

Trois choses à manger :
Du perdreau et de la bécasse fumés
Et de l'asperge d'homme [38].

Parfois, on voit la femme du paysan pratiquer sur son mari la fellation ou la masturbation. Selon un proverbe finnois, l'homme qui dans un coït interrompu vient de retirer sa verge du vagin de sa femme doit alors la lui mettre dans la bouche [39]. J'ai trouvé moins d'exemples où l'homme masturbe sa femme. (Le Dr G.H. Fielitz, toutefois, au XVIIIe siècle, semble avoir rencontré dans sa pratique un tel cas de réciprocité sexuelle, que d'ailleurs il désapprouve. Appelé pour un accouchement difficile, il s'interroge ensuite sur ses causes : « Comme tout dans l'attitude de cette femme m'avait paru plutôt suspect et qu'il n'était pas nécessaire de la ménager, j'obtins d'elle par une série de questions l'aveu [qu'elle pratiquait la masturbation], à ceci près qu'elle ne l'exerçait pas elle-même, mais que c'était son mari qui s'y livrait sur elle [40]. »)

L'ardeur masculine connaissait-elle des bornes ? La femme avait-elle la possibilité de dire non ? Si l'épouse, en effet, ne pouvait refuser les rapports, alors quelle vulnérabilité face au désir du mari ! Or peut-on dire de cette Mme Dubost qui se présente à l'hôtel-Dieu de Lyon en juillet 1812 qu'elle pouvait se soustraire aux étreintes de son mari ? Elle souffre d'un cancer du col : saignements, odeur fétide. Mais, pour cette femme de quarante-neuf ans, le problème numéro un est ailleurs : elle est enceinte, car, malgré l' « énorme tumeur sarcomateuse », M. Dubost, son époux, a exigé le respect de ses droits sur elle. Le 16 septembre, elle fait une fausse couche, et, peu après, elle meurt [41].

Rares, effectivement, étaient les femmes qui pouvaient éviter l'accouplement, même celles dont le bassin était trop étroit pour permettre le passage de la tête de leur enfant. Certaines devaient subir d'horribles accouchements au forceps et restaient mutilées et alitées des mois durant, avant de se retrouver de nouveau enceintes ! Témoin cette malheureuse qui meurt en août 1797 en mettant au monde son sixième enfant, et dont le bassin était anormalement rétréci. « Chacun des accouchements fut très difficile. Au second, elle fut délivrée au forceps ; au cinquième, l'enfant s'étant présenté par le bras, je fus contraint de pratiquer une laborieuse version [42]. » Le plus remarquable est que cette femme se trouvait continuellement enceinte. Parce qu'elle ne pouvait se passer des « joies de l'amour » ? Ou bien parce que son mari s'imposait à elle ?

Telles étaient les réalités du « devoir conjugal », ce bel euphémisme pour copulation obligatoire. L'obligation, du reste, valait pour les deux conjoints. Selon l'ancien droit allemand, en effet, le mari qui refusait de satisfaire sexuellement sa femme perdait la jouissance de la dot. Mais si c'était elle qui se refusait à lui, elle se voyait confisquer sa dot et se retrouvait sans le sou [43]. Était-il fréquent parmi les gens du peuple que le mari refuse sa femme? Il est permis d'en douter. Que risquait-il, du reste, à coucher avec elle? L'inverse est moins certain. Comme le montrera en détail une bonne partie de ce livre, la femme, elle, dans ses rapports intimes avec son mari, avait beaucoup à perdre.

Les femmes prenaient-elles du plaisir autrefois aux choses du sexe?

La question peut être abordée de deux points de vue radicalement opposés : celui de l'homme et celui de la femme. Dans l'esprit de l'homme traditionnel, la femme est un brasier de concupiscence. L'idée persiste depuis Galien (IIe siècle) que l'orgasme lui est nécessaire pour concevoir [44]. Et, depuis saint Augustin, au Ve siècle, la doctrine chrétienne considère d'un mauvais œil la sensualité de l'un comme l'autre sexe. Mais, à partir de la fin du Moyen Âge, l'Église se méfie tout spécialement de la femme, en qui elle voit « le plus dangereux des serpents [45] ». La vision médicale classique de la matrice ne fait que conforter cette image d'une sexualité féminine dévorante. Témoin ce texte de 1597 : « La matrice possède naturellement un insatiable désir de concevoir et de procréer. Elle est friande de recevoir la semence de l'homme, désireuse de la prendre, de l'attirer, de l'aspirer en elle et de la retenir [46]. » Visions qui, finalement, se ramènent à cette idée simple : les femmes sont des foyers de luxure qui, pour mener les hommes à leur perdition, n'attendent que l'occasion favorable.

C'est en partie pour ne pas donner dans ce piège que l'homme, autrefois, devait en imposer sexuellement à sa partenaire. Pour ne pas être dépouillé de sa substance au contact d'une aussi vorace sensualité, une seule attitude est possible : briser sexuellement la femme et la soumettre. « De la lubricité insatiable et contre nature de la femme, écrit Robert Burton en 1621, quelle est la région, quel est le village, qui n'ait à se plaindre [47]? » Quant aux proverbes français, ils la décrivent comme une « dévoreuse d'hommes ». Martine Segalen interprète une série d'entre eux comparant la femme couchée à l'arbre debout, comme signifiant que l'une et l'autre constituent pour l'homme un formidable défi : il ne sait jamais à l'avance quelle force il devra déployer pour mater l'une et abattre l'autre. Une autre série de proverbes la présentent comme sexuellement insatiable :

Femme à contenter, diable à confesser (Limousin).

Il est difficile de contenter tout le monde et sa femme (Picardie) [48]

24

Si l'homme, donc, se conduisait en amour comme une brute, c'est qu'il avait un objectif précis : neutraliser la puissance sexuelle de la femme avant qu'elle puisse avoir raison de lui.

En revanche, comment celle-ci voyait-elle la sexualité ?

Un point préliminaire, avant de répondre. Les documents sur la sexualité féminine dans la bourgeoisie et l'aristocratie commencent à s'accumuler au cours du XVIIIe et au début du XIXe siècle, c'est-à-dire au moment même où commencent à se faire jour dans ces couches sociales les attitudes modernes envers la vie familiale, attitudes valorisant chez la femme l'expression des sentiments [49]. Gardons-nous donc de considérer ces nouvelles mentalités sexuelles comme le moins du monde « traditionnnelles ». A la même époque s'accomplit également parmi les jeunes femmes célibataires des couches populaires une sorte de « révolution sexuelle », dans laquelle les rapports avant le mariage commencent à être considérés comme une nouvelle liberté individuelle, et non plus comme un vulgaire stratagème pour trouver un mari (ou comme une forme de viol [50]).

Mais, ce qui nous intéresse ici, c'est la grande masse des femmes mariées des couches populaires antérieures au XXe siècle. A l'exception de quelques témoignages, tels ceux réunis par Emmanuel Le Roy Ladurie dans *Montaillou* [51], ce qui ressort de l'écrasante majorité des documents, me semble-t-il, c'est que, pour la femme mariée tradition-nelle, l'acte sexuel était non pas une source de joie, mais une véritable corvée. Une corvée qui durait toute la vie.

La population la moins inhibée sexuellement de toute la société occidentale semble avoir été celle des Lettons préchrétiens. Et les dizaines de « chansons érotiques » qu'ils nous ont laissées constituent la meilleure documentation dont nous disposions sur ce sujet. Certes, dans certains de ces textes, la femme apparaît comme avide de copulation :

J' brandis mon battoir
En lavant l' pantalon d'un gars.
Ah! que j'aimerais avoir aussi l' battoir
Qui s' trouve dans c' pantalon-là!

Les filles, en lavant le linge, disent :
On n'a qu' les pantalons — les pantalons vides.
On voudrait bien aussi les couilles
Qui s' trouvent dedans [52].

Pourtant, dans ce recueil, la plupart des chansons grivoises appa-remment chantées par des femmes révèlent des sentiments tout autres : la hantise des violences masculines ou le désir d'utiliser le sexe comme une monnaie d'échange.

LA FEMME, L'HOMME ET LEUR CORPS

Ma mère prétend qu'elle m'a donnée
A un homme de cœur.
Quel cœur est-ce donc là ?
Il m'enfonce son dard dans l' ventre.

Marie-moi à qui tu voudras, maman,
Mais surtout pas à un forgeron.
Car il tâte les femmes sans pitié
Avec ses gros doigts noirs [53].

Certaines de ces chansons donnent à penser que, pour les femmes, la sexualité était davantage un moyen qu'une fin en soi :

J'ai dans l' bas de mon ventre
Une boîte petite, mais profonde.
Celui qui m' nourrira le haut,
Le bas, il y aura droit.

Mon ivrogne de mari veut m' baiser.
Pourquoi est-ce que j'accepterais sans rien en échange ?
Donne-moi donc un quart d'eau-de-vie,
Et après, baise et rebaise-moi [54].

Un dernier thème enfin : la répugnance de beaucoup de femmes pour tous ces rustres débraillés du vieux pays letton :

Par amour pour mon Jeannot
Quand j' vais pour l'embrasser,
Chaque fois que j' tends mes lèvres,
J' vois qu' mon Jeannot, il a des poux.
Les poux, passe encore,
Mais la morve, alors là c'est trop [55].

Ce thème de la répulsion revient très souvent dans la société traditionnelle. En mai 1693, l'accoucheur de La Motte eut à conseiller deux femmes incapables de lubrification lorsque leurs époux les approchaient. Sa conclusion fut que « l'épée était trop grosse pour le fourreau ». Mais il est plus probable qu'elles n'éprouvaient aucun désir pour leurs hommes. De La Motte leur conseilla de se tremper les doigts dans de l'huile et de procéder à une dilatation manuelle, ce qu'elles firent avec succès [56]. Le même de La Motte mentionne parfois, dans son *Traité complet des accouchements*, le cas de certaines femmes chez qui le coït provoque des vomissements, phénomène qui s'explique, dit-il, par une « étroite correspondance » entre l'estomac et la matrice. Et comme il n'accorde à ces troubles aucune importance particulière, c'est peut-être qu'ils étaient courants [57].

Lorsque, dans les années 1930, Margaret Hagood interrogera les femmes dans les régions rurales du sud des États-Unis, elle obtiendra des réactions rappelant étrangement celles de ces paysannes françaises

26

du XVIIᵉ siècle. L'une déclarera avoir « toujours détesté » l'acte sexuel, mais n'avoir « jamais laissé son mari prendre le dessus ». Une autre, plus âgée, s'estime « maintenant sans doute pareille aux autres femmes après la ménopause : elle se rend compte de ce qui se passe, mais ne sent rien [déclaration fréquente] ». « Je n'y ai jamais pris le moindre plaisir », déclare une troisième[58].

L'une des causes majeures de cette répulsion des femmes devant l'acte sexuel était évidemment la peur de la grossesse. En 1925, Marie Stopes, qui, dans son centre d'orthogénie à Londres, a interrogé bien des femmes, écrit ceci de l'une d'entre elles : « Elle pouvait à peine supporter d'entendre une inflexion aimable dans la voix de son mari, de peur d'être entraînée à accepter un rapport. Car elle se trouvait alors à la merci d'un homme à la maîtrise de soi plus qu'incertaine[59]. » Quant à Emma Goldman, la célèbre anarchiste, elle évoque, dans son autobiographie, les immigrantes qu'elle a accouchées à New York dans les années 1890, lorsqu'elle était sage-femme. « Pendant le travail, raconte-t-elle, certaines femmes jetaient l'anathème sur Dieu et sur les hommes, et particulièrement sur leur mari : " Emmenez-le ", s'écria une de mes patientes, " ne laissez pas cette brute m'approcher, je le tuerais[60] ". »

En fait, l'attitude la plus courante envers la sexualité parmi les paysannes et les ouvrières avant le XXᵉ siècle — et même plus tard dans certaines communautés isolées — semble avoir été la résignation. Pour les patientes de Lisbeth Burger, « refuser le mari était un péché[61] ». Et Marta Wohlgemuth, la jeune étudiante en médecine allemande qui, juste avant la Première Guerre mondiale, a vécu dans plusieurs villages du pays de Bade, évoque la place des « dimanches après-midi » dans la dépendance sexuelle de la femme d'agriculteur : tandis que le fermier est au cabaret « la fermière reste à la maison. Fatiguée par sa semaine de travail, elle fait une sieste, puis elle tricote un peu, ou lit quelques pages des magazines religieux du dimanche ou de la Bible, et parvient ainsi à cet état de soumission résignée que l'on voit si souvent sur le visage de ces femmes [...] Elle se révolte rarement contre son mari, et lorsque cela lui arrive, c'est pour le regretter aussitôt. Car, pour elle, obéissance et humilité sont des commandements religieux ». De même, la religion commande que « chaque année elle mette au monde un nouvel enfant[62] ». Que cette docilité soit le résultat d'une acceptation passive de la relation sexuelle, c'est ce que confirment, à la même époque, les observations de Maria Bidlingmaier dans d'autres villages : « Le mariage est ressenti par l'épouse comme un véritable fardeau, même si, dans sa jeunesse, elle a été vigoureuse et pleine de vie. De là souvent chez elle une amertume rentrée envers son mari, qui la domine physiquement et exploite les pouvoirs dont elle est dotée. Dès la première année, elle attend un enfant [...] Les naissances se succèdent [...] Sous la pression de ses premières années de mariage, la femme glisse peu à peu vers une attitude de soumission résignée à son sort. Certaines deviennent indifférentes, froides, inaccessibles à tout sentiment, et intéressées uniquement par le gain. D'autres cherchent refuge et protection dans la volonté du Seigneur et sous Sa conduite[63]. »

A la veille de la guerre de 14, la Women's Cooperative Guild de Londres fit circuler un questionnaire. Parmi les femmes de la classe ouvrière qui répondirent, certaines déclarèrent que l'acte sexuel n'était pour elles qu'une « obligation ». « Je me suis souvent soumise par devoir, écrit l'une d'elles, expliquant pourquoi elle a eu six enfants, car je savais que le mari devient très infidèle quand la famille est peu nombreuse. » Et cette autre, aux propos explicitement antiérotiques : « Ah ! si seulement il y avait une limite à la période où une femme doit avoir des enfants ! Je me dis souvent que les femmes sont bien plus malheureuses que les bêtes [...] Si la femme ne se sent pas bien, elle ne doit pas le dire, car l'homme a bien des moyens de punir une femme si elle ne lui cède pas[64]. »

Ce ne sont pas les documents qui manquent pour montrer qu'au tournant du siècle la femme mariée répugnait aux rapports conjugaux. Mais, ce que je voudrais souligner, c'est que cette pudibonderie et cette passivité dites « victoriennes », « puritaines » ou « bourgeoises » ne sont nullement une création du XIXe siècle. Elles ne font que perpétuer une attitude sexuelle négative de la femme, qui remonte en fait très loin dans le temps.

Nul doute que le présent chapitre ne soit anecdotique et sommaire. Mais il aide à planter le décor pour les cruelles réalités qui vont suivre. La femme, dans la société traditionnelle, était sexuellement dominée, affectivement violentée par l'homme. Il lui était impossible de se soustraire à l'acte sexuel, et elle ne trouvait de réconfort aux conséquences déplaisantes de celui-ci que dans la compagnie d'autres femmes. Il faudra attendre que les femmes aient résolu les problèmes de l'avortement, de la contraception et de l'accouchement — problèmes examinés ailleurs dans cet ouvrage — pour qu'elles puissent enfin assumer sans angoisse la sexualité conjugale.

2

La structure du corps

La charpente du corps, tant chez l'homme que chez la femme, est essentiellement affaire de génétique. Pourtant, certaines modifications intervenues dans leur morphologie au cours des siècles ont considérablement affecté la vie des femmes : elles ont grandi et pris du poids ; elles ont surmonté leur inégalité traditionnelle en matière d'alimentation ; leur bassin n'est plus aujourd'hui déformé par le rachitisme ; elles ont cessé de porter des corsets (encore que ce dernier facteur soit le moins important des quatre). Pour toutes ces raisons, la structure du corps de la femme a bien quelque chose qui ressemble à une histoire.

La femme gagne en corpulence

Que l'homme soit plus grand et plus fort que la femme, cela ne suffit pas — tant s'en faut — à expliquer sa domination historique sur la femme. Car dans le passé — quand cette domination était absolue —, la taille de celle-ci était beaucoup plus proche de celle de l'homme qu'elle ne l'est aujourd'hui. La croissance de l'être humain est largement fonction de ce qu'il mange. Et la taille et le poids des femmes ont augmenté à certaines époques, lorsque leur alimentation s'est améliorée, et diminué à d'autres, quand elles mangeaient plus mal. De ces fluctuations, peu d'éléments nous sont connus, car jusqu'au xixe siècle personne n'a jamais procédé aux mensurations nécessaires sur des échantillons de population suffisamment larges. Deux observations, cependant, peuvent être faites :

1. La taille des femmes a sans doute diminué entre le xive et le xviiie siècle, leur alimentation s'étant alors trouvée réduite par la crise générale de l'économie européenne. C'est ce que nous démontrerons dans un instant.
2. Une longue période de croissance de la taille des femmes semble s'être amorcée vers la fin du xviiie ou le début du xixe siècle. Elle ne s'est achevée que dans les années 1960.

Il n'existe du lointain passé, à ma connaissance, aucun relevé direct

29

des mensurations portant sur un grand nombre de femmes. Ce qui donne à penser que leur corpulence moyenne a dû régresser à la fin du Moyen Âge et au début de l'époque moderne, c'est le recul alors, semble-t-il, de l'âge des premières règles. La menstruation, en effet, serait d'autant plus précoce que l'alimentation est plus riche — et ce pour l'ensemble des femmes. Rose Frisch, par exemple, parvient à la conclusion que cela est dû à l'amélioration de la nourriture, par son apport supplémentaire en graisses[1]. Cette thèse toutefois a été critiquée de plusieurs côtés[2]. L'âge des premières règles ou « ménarche » est fonction à la fois de l'hérédité, de l'état de santé, du type racial et des habitudes alimentaires. Mais, historiquement, seul ce dernier facteur est susceptible d'avoir connu d'importantes fluctuations.

Une longue période de disette s'abat sur la société occidentale à la fin du Moyen Âge. Conséquence pour les femmes, semble-t-il : un recul de l'âge moyen de la puberté. Or plus la première menstruation est tardive, et plus la femme, sans doute, sera petite ; plus tôt, en revanche, arrive la puberté, et plus la femme a de chances d'être de grande taille[3]. C'est pourquoi le recul de l'âge des premières règles entre le XIVe et le XVIIIe siècle signifie certainement que la femme du XVIIe siècle était en moyenne moins robuste que la femme de l'an mille ou celle de la Rome antique.

Dans l'Antiquité grecque et romaine, ainsi qu'au Moyen Âge, l'âge de la première menstruation se situait, probablement, autour de 13-14 ans. D'après les sources, le ménarche n'est jamais apparu avant 12 ans, et rares sont les auteurs mentionnant des cas de puberté postérieurs à 15 ans. Voici ce qu'écrivent sur la fin du Moyen Âge deux chercheurs qui ont examiné tous les documents existants : « On ne trouve aucun signe encore du recul de l'âge des premières règles si évident à la fin du XVIIIe siècle[4]. »

Puis, au XVIIe et au XVIIIe siècle, l'âge moyen de l'apparition des règles semble avoir grimpé jusqu'à 16 ans, voire davantage. Témoin ce texte de 1610 sur la région d'Innsbruck : « Les jeunes paysannes de ce comté ont généralement leurs premières menstrues beaucoup plus tard que les filles de la ville ou de l'aristocratie, et rarement avant leur dix-septième, dix-huitième ou même vingtième année [...] Les femmes des villes ont d'ordinaire donné naissance à plusieurs enfants avant même que celles de la campagne aient leurs premières purgations. La raison semble en être que les habitants de la ville consomment davantage de graisses et de boissons, et qu'ainsi leur corps se fait mollet, tendre et gras, et parvient vite à la menstruation[5]. » On pourrait mettre ces chiffres en doute, car 17 ans comme âge *moyen* de la puberté, cela paraît beaucoup. Finalement, 16 ou 17 ans, le sens de ces statistiques est clair : pour la jeune fille des siècles passés, la période prépubertaire durait plus de la moitié de l'adolescence.

30

Vers la fin du xviiie ou le début du xixe siècle s'est produit une chute très nette de l'âge de la puberté, chute qui devait se poursuivre jusque dans les années 1960. En France, par exemple, l'âge moyen des premières règles semble avoir baissé comme suit :

1750 - 1799	15,9
1800 - 1849	15,5
1850 - 1899	15,1
1900 - 1950	13,9[6]

La même évolution s'est produite ailleurs, à en juger du moins par certaines statistiques moins complètes : l'âge de la première menstruation est passé en Norvège de 16 ans en 1840, à 13,3 ans aux environs de la Seconde Guerre mondiale ; en Suède, de 15,6 ans en 1886 à un peu moins de 13 ans en 1970[7]. Aujourd'hui, la plupart des filles, sans doute comme dans l'Antiquité, parviennent à la puberté vers 12 ans et demi ou 13 ans[8], et cela semble maintenant se stabiliser[9].

Si je me suis arrêté sur cette question, c'est qu'il existe, apparemment, une corrélation entre cet âge et la corpulence définitive de la femme. Les chiffres relatifs à l'accroissement « séculaire » de la taille et du poids des humains depuis quelques centaines d'années sont bien connus des spécialistes et nous ne les reproduirons pas ici. Simplement, n'oublions pas que, vers 1830, la femme belge, par exemple, ne mesurait en moyenne que 1,65 mètre et pesait environ 55 kilos. En 1970, la femme américaine était plus grande de 5 centimètres et plus lourde de 9 kilos[10].

Fin de l'inégalité alimentaire

Nous savons parfaitement que nous mangeons mieux que nos ancêtres. Mais je voudrais montrer que, dans la famille traditionnelle, la femme mangeait moins bien que l'homme. Avant toutefois de préciser ce point, j'aimerais donner au lecteur une idée de la façon dont les gens en général se nourrissaient. L'histoire de l'alimentation étant bien connue, un seul exemple suffira. Prenons une région relativement prospère, le margraviat de Hochberg, en 1783 :

> *Petit déjeuner :* « La plupart des habitants mangent une épaisse soupe de pain, à laquelle sont ajoutés des restes de haricots secs, de pois et de lentilles. »
>
> *Repas de midi :* « Principalement des légumes verts ou secs, ou des plats à base de pain, des soupes de boulettes, toutes sortes de pommes de terre, des compotes ou des fruits secs ou frais. »

31

> *Souper :* « Une soupe de pommes de terre séchées avec du sel ou du lait aigre, ou une salade préparée avec ce que l'on trouve, même des pommes de terre, et mouillée d'huile de noix. Les jours de fête, on ajoute du lard à la salade. »

Les habitants du Hochberg, comme beaucoup d'autres dans l'Europe préindustrielle, arrosent leur repas d'eau et de café, parfois de vin. La plupart des familles possèdent un ou deux cochons et, après l'abattage annuel, on sale le porc pour les douze mois qui suivent et on en sert au déjeuner une ou deux fois par semaine. Les sujets du margrave mangent « rarement » du bœuf, et jamais du veau [11]. Tous ces faits sont bien connus des historiens. Ils signifient qu'après le xviie siècle, la famine a pratiquement disparu, la pomme de terre et le pain de seigle apportant maintenant à l'organisme un minimum de calories. Et ce régime offre une certaine variété, contrairement à la sempiternelle « soupe de pain » caractéristique des régions les plus attardées. Reste qu'il peut comporter de graves déficiences protéiques et autres.

Mais, ce qui nous intéresse ici, c'est qu'à l'intérieur de ce régime alimentaire minimal, la femme est bien plus mal lotie que l'homme : elle a droit à moins de viande — lorsque viande il y a — et à moins de tout. La règle du jeu au village est — à tort ou à raison — que, le travail de l'homme étant physiquement plus pénible que celui de la femme, il a besoin de plus de nourriture. Beaucoup plus ? Au xviie siècle, les habitants des îles Féroé, qui se partagent les aliments dans le plat au lieu de le faire circuler, « donnent deux fois plus aux hommes qu'aux femmes ». Et on peut lire dans le livre de raison d'un pasteur norvégien, à l'année 1772, que les pains de seigle de Noël réservés aux hommes pèsent 1 350 grammes et ceux des femmes 900 grammes seulement [12].

Comme il existe différents lieux de vie sociale, l'homme ne prend pas nécessairement toute sa nourriture à la maison. Dans les environs de Sigmaringen, les hommes prennent leur repas du soir à la taverne, les femmes et les enfants se contentant « année après année d'une misérable soupe à l'eau [13] ». En Provence, jusqu'au début du xxe siècle, les hommes se réunissent chaque jour, ou simplement le dimanche, pour prendre ensemble leur repas dans une sorte de cercle pour hommes appelé la « chambrette ». Les provisions nécessaires à ces agapes sont prélevées dans le garde-manger familial [14].

La plupart des hommes, toutefois, mangent chez eux, où l'ordre strict des places à table leur assure la part du lion. Ainsi, la famille d'un négociant en vins du pays de Bade, qui se fournit en viande chez le boucher, se contente de « moins d'une livre pour six personnes ». Lorsque l'épouse a découpé la viande, le père, s'autorisant de son privilège, prend le plus gros et le meilleur morceau. Après lui viennent les fils, puis les filles, et pour finir, la femme elle-même [15] ». Que lui restait-il sur moins d'une livre de viande ? Lorsqu'on partageait la nourriture dans les familles paysannes de Norvège avant la Première Guerre mondiale, « c'étaient les hommes qui recevaient le plus, les femmes le moins ». « Les femmes ont besoin de moins que les hommes », ont répondu la plupart des participants à une enquête sur les coutumes et croyances populaires dans ce pays. Et dans certaines régions, « la politesse voulait » que les femmes mangent moins. Dans les districts de Sandeid et de Rogaland, dire d'une femme « elle mange comme un homme » était une forme de calomnie [16].

Les domestiques femmes souffraient également — de même que les domestiques hommes, mais il y avait beaucoup plus de femmes parmi les personnels à demeure. Lorsque l'on passait le plat, elles venaient en dernier, n'ayant droit, dans les régions où on salait le cochon pour toute l'année, qu'aux morceaux à vers. « Une fois, j'ai eu quinze vers dans mon assiette », rapporte une jeune femme. Et il arriva un jour, après la guerre de 14, que la servante de l'une de ces grandes fermes laissa accidentellement partir le plat dans la mauvaise direction, ce qui permit aux autres domestiques de se servir les premiers. « Vous auriez dû entendre le raffut dans la maison », raconte-t-elle. Les maîtres refusèrent les morceaux mangés aux vers [17].

Mieux servir le père, c'était également la tradition en milieu ouvrier. Ainsi le Dr Edward Smith en 1863 : « La remarque m'a très souvent été faite que c'est le mari qui gagne le pain, et qu'il doit donc recevoir la meilleure nourriture [...] L'ouvrier mange de la viande et du bacon presque chaque jour, tandis que sa femme et ses enfants n'en mangent qu'une fois par semaine ; et ils considèrent tous, lui et sa famille, qu'il doit en être ainsi pour qu'il puisse accomplir son travail [18]. » Un fils de tisserand allemand se souvient de la nourriture qu'il mangeait dans son enfance, vers 1840. Outre les traditionnelles pommes de terre, « il y avait parfois un hareng, qu'on m'envoyait chercher. Mon père en prenait la moitié et tendait l'autre à ma mère, qu'elle partageait alors avec nous autres [les enfants]. Si on n'avait pas assez, il y avait toujours le sel dans la salière [19] ». « Je mange du beurre, la femme et les gosses, eux, ils mangent de la margarine », déclare un autre ouvrier allemand [20]. Il est évident que ces ouvriers avaient un niveau de vie très supérieur à celui des paysans. Et pourtant, dans les deux milieux prévalait la même règle : l'homme a droit à plus.

Naturellement, les femmes, qui préparaient la nourriture, pouvaient soustraire autant de soupe au pain qu'elles voulaient. L'inégalité dont nous parlons portait uniquement sur les aliments riches en protéines et en graisses, comme la viande ou le poisson, que l'on apportait entiers à table pour les partager devant tout le monde. D'autre part, cette inégalité se répercutait moins, sans doute, au niveau de la corpulence que dans la capacité de résistance à l'infection ou dans la quantité d'énergie disponible.

Le rachitisme : fléau de la femme

Il est un point au moins sur lequel la morphologie féminine s'est modifiée avec le temps. Aujourd'hui, une femme, dans notre société, a toutes les chances d'avoir, à l'âge adulte, un squelette bien droit, un dos normalement cambré, un bassin ample. Avant la Seconde Guerre mondiale, nombreuses encore étaient les ouvrières européennes et les Noires américaines qui souffraient de déformations du squelette dues au rachitisme.

Disons-le d'emblée : le rachitisme, même s'il touchait aussi les garçons, était particulièrement grave pour les filles. Seule la femme enfante, et donc les déformations du bassin qui accompagnent le rachitisme n'ont de conséquences majeures que pour elle. Car une ossature déformée durant les premières années de la vie peut ne jamais se redresser.

Pour qu'une naissance se déroule sans problème, il faut que le bassin osseux de la mère soit suffisamment large pour laisser passer la tête de l'enfant. Or le rachitisme déforme le bassin, et une femme qui a été atteinte de la maladie dans son enfance risque de connaître de graves difficultés pour accoucher[21].

Perspective si redoutable qu'elle poussait parfois à de fâcheuses extrémités. Selon Percivall Willughby : « Les Irlandaises sauvages ne craignent point de briser l'os pubis des filles dès la naissance. Et j'ai entendu des vagabondes irlandaises affirmer de même, et qu'elles connaissent des moyens pour empêcher ces os de se joindre. Elles font cela pour être sûres que l'accouchement sera aisé et rapide. Et j'ai observé que beaucoup de vagabondes de cette nation ont la démarche dandinante et claudicante[22]. » Que des mères aient pu chercher à modifier ainsi le corps de leurs propres filles pour leur permettre d'accoucher un jour plus facilement, voilà qui donne la mesure de l'angoisse que pouvait susciter autrefois chez les femmes l'idée d'un bassin trop étroit.

La cause première du rachitisme réside dans une carence du squelette en calcium et en phosphore. Le calcium, après combinaison avec le phosphore, se fixe entre les cellules osseuses et les durcit. Si les os ne reçoivent pas assez de calcium, ils auront tendance à fléchir dès que s'exercera sur eux un poids. Le problème ne vient pas à proprement parler d'une insuffisance de calcium dans la nutrition — l'enfant en absorbe presque toujours assez avec son lait —, mais d'une incapacité à l'assimiler. Pour que s'effectue l'absorption du calcium et du phosphore dans l'intestin, la présence de vitamine D est nécessaire. Or cet apport ne dépend pas uniquement du régime alimentaire (seuls le jaune d'œuf et les poissons gras en contiennent de grandes quantités) ; la vitamine D est, pour l'essentiel, synthétisée au niveau de la peau par exposition au soleil. Le rachitisme est donc beaucoup plus le fait d'une carence de soleil que d'une insuffisance nutritionnelle. Toutefois, chez un enfant peu exposé aux rayons du soleil, l'ingestion d'huile de foie de morue peut prévenir la maladie. Le problème ne se pose donc pas dans les climats ensoleillés ou lorsque les enfants jouent dehors, même en hiver. Selon un responsable des services de santé de l'État de Californie en 1920, « le rachitisme est si négligeable en Californie que nos services n'ont jamais cherché à établir la moindre statistique sur cette maladie [23] ». Et August Hirsch notait à quel point la maladie était rare en Afrique et en Asie [24]. Croire, comme tant d'Européens traditionnels, que l'exposition à l'air donne le rhume et qu'il est dangereux de sortir les enfants en bas âge, c'est faire le lit du rachitisme. « Dans tous les cas de rachitisme que nous avons pu observer, écrit le Londonien James R. Smyth en 1843, l'enfant avait été tenu plus ou moins à l'écart de l'influence salutaire du soleil [25]. » Smyth mentionne également d'autres « causes », telles que l'humidité du logement. A Lodève à la même époque, beaucoup de parents gardent leur bébé « dans une chambre, rarement salubre, confiné dans son berceau et enveloppé de langes humides [...] Il ne sort guère de l'habitation et n'est pas porté au soleil en hiver [...] Bientôt, les fruits de cette conduite apparaissent : l'enfant ne marche pas comme les autres, ses membres se déforment. On accuse des chimères, une chute, un lait trop nourrissant [26] ».

De toutes les pratiques éducatives qui, autrefois, tenaient l'enfant éloigné du soleil, la plus néfaste sans doute est l'emmaillotement : le nourrisson est enveloppé comme une momie dans une longue bande d'étoffe, qu'il conserve pendant ses six premiers mois d'existence. C'est le cas, par exemple, à Montereau. Aussi n'est-on pas étonné d'apprendre, dans la *Topographie médicale* de cette ville, rédigée en 1819 par le Dr Olivet, que le rachitisme y est « presque général ». La maladie, explique l'auteur, apparaît vers le cinquième mois. A douze mois, les enfants de Montereau ne manifestent pas le désir de marcher, et même à deux ans, ils ont de la peine à y parvenir. Leur dentition est lente et irrégulière. Et, à quinze ans encore, poursuit le Dr Olivet, nombre de filles présentent des déformations de la colonne vertébrale et du dos [27]. Le Dr Olivet ne parle pas des os du bassin, mais on voit mal quel miracle les aurait épargnés.

Ce qui vient d'être décrit est le schéma traditionnel du rachitisme. Un schéma lié davantage à un certain type de pratiques éducatives qu'à un milieu donné. Et un schéma vieux comme le monde. Selon un spécialiste du paléolithique moyen, « tous les crânes d'enfants de Neandertal examinés à ce jour présentent les signes possibles d'un grave rachitisme » — bien que, pour H. Grimm, les lésions osseuses observées puissent être imputables parfois à d'autres affections [28]. Et les squelettes vikings du xve siècle découverts au Groenland présentent, eux aussi, nombre d'altérations dues à cette maladie dans une population féminine dont la taille moyenne ne dépassait pas 1,5 mètre. L'une de ces femmes avait le bassin si étroit qu'elle était « incapable de mettre un enfant au monde ». Une autre avait la colonne vertébrale déformée et le bassin extrêmement plat, ce qui excluait apparemment pour elle toute possibilité d'accouchement spontané [29]. Le rachitisme, ce sont « les écrouelles des pays froids », écrit un médecin français du xviiie siècle. Une définition qui en dit long, quand on sait combien était courante alors chez l'enfant cette maladie des « écrouelles », autrement dit la tuberculose autre que pulmonaire [30].

Ce schéma traditionnel se retrouve à la campagne comme en ville, partout où les enfants manquaient de soleil au cours de leurs deux premières années. Les paléopathologistes ont tendance à penser qu'il s'agit d'une maladie de milieu urbain et industriel essentiellement [31]. Toutefois, on trouve de nombreuses références au rachitisme dans les écrits des médecins des bourgs et des campagnes [32]. Le mal apparaît très souvent dans les anciennes topographies médicales. Il était incroyablement répandu dans certaines régions, inconnu dans d'autres [33]. Voici ce qu'écrivait le Dr W. Fordyce en 1773 : « Je ne m'écarte point de la vérité lorsque j'affirme qu'il doit y avoir en ce moment, à Londres et Westminster, et dans les faubourgs, près de 20 000 enfants atteints de fièvre hectique, le ventre ballonné, les poignets et chevilles enflés, ou les membres déformés [34]. » Bien que l'on ne puisse avancer d'estimation chiffrée, il est évident que le rachitisme était omniprésent dans l'Europe d'autrefois.

Puis, au xixe siècle, avec la disparition progressive des anciennes méthodes éducatives, le rachitisme cesse d'être lié à la peur du « coup de froid » et à l'emmaillotement. Il devient une maladie du milieu industriel, due non plus à la claustration des enfants pour raisons d'hygiène, mais à leur enfermement en divers lieux — l'usine, l'école, la ville — où les rayons du soleil sont masqués par la suie et les fumées (car le rachitisme peut également frapper les enfants plus âgés). Au milieu du xixe siècle, à Vienne, le rachitisme est si répandu parmi les enfants qui travaillent à l'usine que, selon un auteur de l'époque, il aurait fallu l'appeler non pas la « maladie anglaise », mais la « maladie viennoise [35] ». Sa géographie dans l'Angleterre de la fin du xixe siècle se confond avec celle de la révolution industrielle, « se concentrant dans les grandes villes et les régions fortement peuplées, spécialement là où se poursuivent des activités industrielles ». Dans les campagnes, la maladie est rare. Une enquête effectuée par des médecins anglais dans les années 1880 conclut à sa présence essentiellement dans les « grandes régions industrielles du Lancashire, du Yorkshire, du Cheshire, du Derbyshire et du Nottinghamshire », ainsi que dans le pays Noir, les régions minières et industrielles du sud du pays de Galles, et à Londres [36]. Étaient également mentionnées la Tyne, la Tees et la côte du Durham. Et seuls les cas graves étaient répertoriés. Plus près de nous, un rapport de 1932 sur Bradford, capitale de la laine peignée, nous apprend que « les femmes ont tendance à être petites et chétives [...] Il fut un temps où le rachitisme était extrêmement répandu ; il a régulièrement régressé depuis une vingtaine d'années, et il y a maintenant peu de rachitisme caractérisé ». Mais, naturellement, celles qui avaient été atteintes de la maladie vingt ans plus tôt lorsqu'elles étaient enfants étaient maintenant en âge de procréer : « On a l'impression dans les services de consultation prénatale que les femmes ont souvent le bassin petit et aplati [37]. » Cette observation valait également pour bien d'autres endroits.

Effectivement, pendant le premier quart du xxᵉ siècle — on le sait grâce à des enquêtes médicales systématiques —, le rachitisme était encore partout présent. Sur 800 enfants soignés à l'Infants' Hospital de Boston en 1898, 80 % « présentaient des signes plus ou moins nets de rachitisme [38] ». A Manchester, sur 1 600 enfants de moins de deux ans examinés en 1933, plus du quart présentaient des signes cliniques de rachitisme [39]. A Dortmund, en 1921, 43 % des enfants de deux à dix ans étaient atteints de la maladie ou l'avaient été ; à Berlin, 60 % [40]. Et parmi la population juive polonaise de l'East End de Londres, « environ 80 % » des enfants souffraient également de rachitisme [41].

Dans quelle proportion les filles étaient-elles guéries lorsqu'elles parvenaient à l'âge adulte ? Pour William Smellie, qui fut l'un des premiers à établir une corrélation entre le rachitisme chez l'enfant et les anomalies du bassin chez l'adulte, on n'échappait guère aux séquelles : « La plupart de celles qui ont souffert de rachitis dans leur petite enfance — qu'elles restent petites et contrefaites ou, au contraire, que, se remettant de la maladie, elles deviennent de grandes et belles femmes — ont d'ordinaire le bassin étroit et déformé ; et sont par conséquent sujettes à des couches laborieuses [42]. » Jugement extrême ? Voire. On considère aujourd'hui que, si l'enfant n'est pas guéri avant la seconde année, il risque fort alors d'avoir des ennuis par la suite [43]. Mais le rachitisme dans sa forme grave et prolongée a pratiquement disparu aujourd'hui. Dans la France du xviiiᵉ siècle, où il était fréquent, la guérison intervenait rarement, nous dit un auteur de l'époque, avant « la cinquième ou sixième année. Ceux qui ne cessent pas d'en être affectés à cet âge sont ordinairement valétudinaires et contrefaits le reste de leur vie [...] Les filles qui ont été nouées jusqu'à l'âge de huit ou neuf ans ont pour l'ordinaire la cavité du bassin fort étroite [44] ».

Une femme qui, dans son enfance, avait été atteinte de rachitisme bénin risquait fortement d'avoir un bassin « aplati » ou « aplati et rachitique », c'est-à-dire dans lequel la paroi postérieure se développe trop près de la paroi antérieure (anatomiquement, alors, le sacrum s'affaisse vers l'avant, et se trouve ainsi trop rapproché du pubis). Lorsque le bassin était plat, la tête de l'enfant pouvait avoir du mal à « s'engager », c'est-à-dire à se glisser dans le bassin. Mais une fois cet obstacle franchi, l'accouchement pouvait se dérouler tout à fait normalement.

Dans les cas de rachitisme grave, la femme pouvait se retrouver affligée d'un bassin « généralement rétréci » ou « généralement rétréci et aplati ». Cette fois, c'était l'ensemble du bassin — et non plus seulement le diamètre antéro-postérieur — qui était trop petit. Dans les deux cas, le bas du bassin ressemblait à un entonnoir, les parois latérales s'étant alors trop rapprochées l'une de l'autre (anatomiquement, dans ce cas, le pubis est rétréci et la distance entre les os iliaques plus courte). Dans le bassin généralement rétréci, la tête de l'enfant peut avoir du mal, non seulement à franchir le haut du bassin (le « détroit supérieur »), mais également à descendre[45].

Voici comment se répartissent les différents types de rétrécissement du bassin dans les statistiques de douze maternités allemandes à la fin du XIXe siècle :

25 %	généralement rétréci
15 %	généralement rétréci et aplati
33 %	aplati
25 %	aplati et rachitique[46]
100 %	

La distinction entre «aplati» et «aplati et rachitique» ne signifie vraisemblablement pas grand-chose, car, dans un cas comme dans l'autre, l'anomalie était le plus souvent, sans doute, due au rachitisme. Il en va de même pour la plupart des bassins «généralement rétrécis», les autres causes de déformation — accidents, luxation de la hanche et maladies osseuses — étant relativement rares. Aujourd'hui, par exemple, où le rachitisme a pratiquement disparu, seules 5 % environ des femmes présentent un rétrécissement du bassin de nature à entraver l'accouchement[47].

N'oublions pas, cependant, que bien des régions ne connaissaient pas du tout le rachitisme, et que, par conséquent, les femmes y avaient sans doute le bassin normal. Ainsi, à Chambéry, dans les années 1780, les femmes avaient « le bassin large et bien conformé ». Il faut dire que, dans cette région, l'emmaillotement était en voie de disparition[48]. A Eschwege, en Allemagne, où l'emmaillotement ne durait que les trois premiers mois, « les femmes, nous dit-on, sont bien formées, il se produit rarement des anomalies du bassin, et jamais au point de rendre nécessaire une césarienne sur une femme en vie[49] ». Je ne voudrais pas donner l'impression que toutes les femmes, partout, étaient autrefois sujettes à ces graves déformations.

Beaucoup, cependant, l'étaient. Sur 8 000 accouchements à Florence entre 1883 et 1895, 18 % étaient compliqués par des déformations du bassin[50]. Sur 275 parturientes hospitalisées à la maternité de Giessen, en Allemagne, 20 % présentaient un rétrécissement du bassin[51]. Sur 6 400 femmes de race blanche ayant accouché au Johns Hopkins Hospital de Baltimore entre 1896 et 1924, 14 % avaient le bassin plus ou moins rétréci (parmi les Noires, 43 %[52]). Et Franz von Winckel, en 1905, sur la base d'un certain nombre de rapports, concluait que 14 à 20 % des naissances étaient gênées par un rétrécissement du bassin, grave dans 3 à 5 % des cas[53].

Il paraît vraisemblable que, avant les années 1920, lorsque la vitamine D fut finalement isolée et le mécanisme du rachitisme élucidé, une citadine des couches populaires sur quatre avait les os du bassin suffisamment déformés pour retarder un accouchement. L'importance de ce retard, la nécessité ou non pour cette femme de subir une dangereuse intervention obstétricale, les risques d'infection et autres conséquences possibles, toutes ces questions seront traitées dans les chapitres ultérieurs. Disons simplement ici — mais avec force — que, derrière ces statistiques arides sur les « anomalies du bassin », se cache en fait tout un monde de souffrances que nous avons en grande partie oublié. « Le 13 mars 1660, écrit Willughby, je fus appelé auprès d'une jeune femme qui était en travail d'enfant depuis trois jours, et les sages-femmes ne savaient comment la délivrer. » L'accoucheur avance alors la main pour sortir l'enfant, « mais, poursuit-il, à cause de la mauvaise position des os et de la grosseur de l'enfant, qui était tout enserré, je ne parvins ni à le mouvoir ni à atteindre le haut de la tête avec ma main. La femme était petite et le passage était étroit, et, en cet endroit, mal conformé ». Willughby finira par désenclaver l'enfant et la femme sera sauvée. Mais, note-t-il, « cette femme, dans son enfance, avait été atteinte de rachitis[54] ».

Le corset : une mise au point

Des livres entiers ont été consacrés au corset par les historiens de la mode. Et pourtant, on est passé à côté de deux points essentiels : d'une part, très peu de femmes, en dehors de l'aristocratie et de la bourgeoisie urbaine, ont jamais porté un corset ; et, d'autre part, qu'elles en aient porté ou non, cela ne change pas grand-chose à leur santé, car, d'une manière générale, le corset était inoffensif.

Le lecteur non averti ignore sans doute quels effets pernicieux sur le corps de la femme on a pu attribuer au corset. Selon un spécialiste du XIXᵉ siècle, « jamais dans l'histoire [...] le corps féminin n'a été aussi dissimulé et déformé par le vêtement[55] ». Pour Samuel Thomas Soemmerring, chef de file des nombreux médecins qui ont vitupéré l'engin, le corset était responsable d'une kyrielle de maladies : déformations de la colonne vertébrale, tuberculose, hémorragies internes de toutes sortes, évanouissements, diarrhées, descente de l'anus, etc.[56] Et un médecin danois écrivait en 1931 : « On voit moins souvent qu'auparavant sur la table d'autopsie le foie caractéristique du port du corset, et lorsqu'on le rencontre, c'est uniquement parmi les femmes âgées[57]. » Si donc la sagesse courante s'accorde sur un quelconque aspect de la complexion féminine, c'est pour affirmer que le corset a mutilé et déformé d'innombrables générations de femmes. Une erreur que nous voudrions ici redresser.

Le laçage des vêtements féminins commence vers le XIe ou XIIe siècle, avec la découverte de la « forme » de leur corps par les femmes de l'aristocratie. Au XIVe siècle, selon Paul Diepgen, une forme de corset faisait partie pour ces femmes du vêtement obligé[58]. A un moment donné — sans qu'on sache encore exactement quand —, le corsetage apparaît également parmi les « bourgeoises » des petites villes. Son triomphe est ensuite brièvement interrompu par le « classicisme » de la fin du XVIIIe siècle, c'est-à-dire le goût du vêtement ample et flottant, tel qu'on l'imaginait alors chez les anciens Grecs. Mais, dans les années 1820-1830, il revient à la mode, pour être finalement balayé au début du XXe siècle par les idées nouvelles sur la liberté du corps.

Nul doute, donc, que dans les grandes villes d'Europe le corset fît partie du vêtement féminin dans les classes les plus aisées. Sur cette question, Lawrence Stone, par exemple, nous donne tous les détails pour l'Angleterre du XVIIIe siècle[59]. En Allemagne, dans des villes comme Cologne, Memel ou Berlin, tous les médecins étaient d'accord pour accuser le corset de tous les maux imaginables, depuis la constipation jusqu'au cancer[60]. Ainsi nous décrit-on la toilette d'une jeune femme du monde dans la capitale autrichienne, au début du XIXe siècle : « Elle se lève à neuf heures, le corps déjà amolli par un trop long séjour dans un douillet lit de plumes [...] A peine est-elle debout qu'elle se met en devoir de se comprimer à nouveau la poitrine et le ventre, lesquels durant la nuit avaient été libérés de tous leurs liens serviles, entre les tenailles d'un corset tyrannique[61]. » Tout cela est connu, pour avoir constitué depuis des années une des principales sources auxquelles s'abreuve un certain type d'histoire sociale.

Ce qui est moins connu, en revanche, mais non moins exact, c'est que le corset était également fort prisé des femmes de notables dans les petites villes européennes et américaines au XIXe siècle. John et Robin Haller ont montré à quel point la « folie du corset » était répandue parmi les dames de la bonne société américaine qui pouvaient se payer une bonne[62]. Des femmes de la petite ville allemande de Schwandorf, on disait en 1799 que, « si elles montaient à cheval, la cuirasse que constituaient leur corset et leurs nombreuses et épaisses jupes les ferait ressembler davantage à des cavaliers bien armés qu'à des représentantes du sexe[63] ». Et les bourgeoises des petites cités telles que Weiden et Gmünd, en Allemagne, ou Mantes, en France, s'accoutraient de la même façon[64].

Mais le corset s'arrête là. Car si j'en juge d'après les sources, les femmes du peuple n'en portaient que certains rares jours de fête. Soemmerring lui-même écrit : « Parmi les ordres inférieurs des villages et des bourgs, et surtout lorsqu'un dur labeur et le port de terribles fardeaux empêchent de trop engraisser [...] combien ne voit-on pas de belles formes féminines, et jamais un corset[65] ! » (Soemmerring pensait que le corset, loin de maintenir le squelette, ne faisait que le déformer.) Un historien du canton de Vaud au XVIIIᵉ siècle dit n'avoir pas trouvé trace de port du corset chez « les femmes du peuple[66] ». Jean-Marie Munaret note, en 1862 : « Nos paysannes ne portent point de corsets baleinés[67]. » Et que disent les deux chercheuses qui ont étudié la paysannerie allemande juste avant la Première Guerre mondiale ? Que les femmes ou bien n'en portaient jamais, ou alors seulement les jours de fête[68]. Ainsi, quels qu'aient pu être les méfaits du corset sur les 5 % de femmes du haut de l'échelle sociale, son incidence sur la santé des 95 % qui restent a été nulle.

Mais, même pour la petite minorité qui en portait, on se demande aujourd'hui si le corset pouvait réellement faire du mal. Comme on le verra au chapitre 9, c'est à lui que les médecins attribuaient l'anémie, et pourtant, on en est à peu près sûr, la plupart des femmes qui souffraient de cette maladie n'avaient jamais porté de corset. Une bonne partie des fameuses charges relevées contre cet accessoire — côtes prétendument écrasées, organes internes pliés, intestins broyés — s'avèrent aujourd'hui fantaisistes ou improbables. Elle est morte d'un « corsetage trop serré », concluait en 1871 le Dʳ W.H. Sheehy après avoir autopsié une femme et découvert « une rate et des reins fortement congestionnés et hypertrophiés, les membranes du cerveau également fort congestionnées [et] une tache apoplectique à la surface de l'hémisphère droit avec épanchement de lymphe[69] ». Or tout ici semble indiquer un cas de méningite, et ce médecin, à l'évidence, n'y connaissait rien. D'autres hommes de l'art s'appesantissaient à l'autopsie sur d'imaginaires déformations de la cage thoracique, ignorant manifestement que celle-ci peut présenter de multiples variations de structure. En fait, la seule lésion que l'on puisse avec certitude attribuer à un corset trop serré, c'est la « hernie hiatale », dans laquelle une partie de l'estomac pénètre la cage thoracique. Quant aux autres symptômes, c'était sans doute soit des coïncidences, soit le produit d'une imagination médicale trop fertile[70].

Ainsi donc, la structure du corps féminin a bien une histoire. Pas tout à fait celle qu'avaient vue jusqu'à présent certains historiens, en négligeant le rachitisme pour s'intéresser au corset, pourtant secondaire. Mais une histoire quand même, où l'on voit la femme gagner en corpulence et devenir mieux proportionnée. Ces questions, toutefois, ne sont pas les plus intéressantes parmi celles qui font l'objet de ce livre. Beaucoup plus passionnante est l'histoire de ce qui *advenait* aux femmes lorsqu'elles accouchaient ou que la maladie les frappait. C'est sur cet aspect-là des choses que nous allons maintenant nous pencher.

Histoire
de l'accouchement

DEUXIÈME PARTIE

Histoire
de l'accouchement

3

L'accouchement traditionnel : une affaire de femmes

Jusqu'en 1900 environ, l'écrasante majorité des femmes, en Europe et en Amérique du Nord, étaient assistées en couches par une autre femme, généralement une sage-femme ou une matrone, mais parfois simplement une voisine ou une commère de village. De même que les trois quarts des accouchements actuels dans le tiers monde se déroulent sous la surveillance des seules sages-femmes[1], dans la société occidentale traditionnelle, les médecins étaient normalement absents du lieu de l'enfantement, sauf dans la haute bourgeoisie anglo-saxonne. Pour comprendre ce qu'était l'accouchement d'une femme moyenne à l'époque, il importe donc de savoir quelle était précisément alors la compétence des sages-femmes.

Deux thèses ici s'affrontent. Les militantes de mouvements féministes voient dans la sage-femme traditionnelle une bénédiction pour les femmes. L'une d'entre elles écrit : « Il semble qu'à aucun moment ou presque de l'histoire, le médecin n'ait eu quoi que ce soit à offrir de plus aux parturientes que la sage-femme[2]. » Et selon Catherine Scholten, auteur d'un travail sur la Nouvelle-Angleterre à l'époque coloniale, « le plus souvent possible, la sage-femme traitait l'accouchement en laissant faire la nature » (et pourtant, admet cet auteur, « elle examinait le col de temps à autre[3] »).

L'auteur du premier manuel à l'usage des sages-femmes, Eucharius Rösslin, était, lui, en 1513, nettement moins élogieux :

Ce sont toutes sages-femmes
Dont les têtes sont vides,
Et qui, par horrible négligence,
Sont cause que partout à la ronde
Enfants meurent qui voudraient venir au monde[4].

Le mépris affiché par Rösslin se retrouve chez des dizaines et des dizaines d'auteurs à travers l'Europe et en Angleterre, et ce pratiquement jusqu'au début du xxᵉ siècle[5]. Je m'abstiendrai de les citer, car le problème de la compétence des sages-femmes dans les accouchements normaux — par opposition aux urgences — a été généralement fort mal posé.

En effet, plutôt que de nous interroger dans l'absolu sur les capacités de ces sages-femmes, il nous faut poser la question suivante : leur niveau de connaissances était-il pour l'époque le plus élevé possible ? Et peu importe en vérité qu'elles fussent meilleures ou moins bonnes que la moyenne des médecins, car, à l'exception de quelques célébrités, l'homme de l'art, en ce temps-là, ne pratiquait pas d'accouchements. Mais, s'il apparaissait que le savoir des sages-femmes était très en deçà de ce qu'on aurait pu attendre d'elles, alors, et alors seulement, nous serions fondés, avec le recul de quatre siècles, à les déclarer incompétentes.

Sage-femme des villes et matrone traditionnelle

Jusque vers 1800 environ, il existe deux types de sages-femmes bien distincts : la sage-femme des villes, hautement qualifiée et contrôlée par un corps composé de ses paires, et la sage-femme traditionnelle exerçant dans les bourgs et les villages, sans formation ni contrôle. Cette dernière, du reste, mérite-t-elle le nom de sage-femme ? Simple accoucheuse ou matrone, elle exerce rarement à plein temps, n'est mue par aucun sens professionnel et se trouve totalement démunie devant le moindre imprévu. C'est généralement une femme assez âgée et pauvre, sans autre source de revenus. Tout son savoir lui vient de sa seule expérience ou de la tradition féminine locale, d'où l'appellation « traditionnelle ». Elle fait comme on a toujours fait, et sans toujours très bien savoir pourquoi. Ce qui ne veut pas dire pour autant qu'elle soit incapable d'aider une femme dans un accouchement normal.

La sage-femme urbaine, en revanche, puise son savoir dans un corpus de connaissances théoriques transmis de génération en génération depuis l'Antiquité (mais guère enrichi depuis). Même si, en général, elle ne lit pas de manuels d'obstétrique et ne suit pas de cours en faculté, elle est néanmoins soumise à une étroite surveillance de la part d'autres femmes dans le cadre d'une corporation [6]. Elle peut faire appel, en cas d'urgence, aux compétences de ces femmes, et elle a généralement le statut d'une petite employée municipale.

C'est en Allemagne que les sages-femmes des villes bénéficient du maximum d'autonomie. La corporation a généralement à sa tête une « maîtresse » (*Obfrau*), sur qui ni le médecin du lieu ni le conseil municipal n'ont aucun pouvoir légal. Cette supérieure a sous sa direction une poignée d'« inspectrices », appelées à aider les accoucheuses de la ville lorsque celles-ci ne suffisent plus à la tâche. La maîtresse sage-femme exerce bénévolement ses fonctions, mais ses collègues, elles, sont rémunérées partiellement — ou entièrement — par la ville. Et leur nombre est limité. Chacune des sages-femmes en titre a le droit de prendre une stagiaire, qui parfois patiente dix ou vingt ans avant d'avoir un poste. Lorsqu'elles prennent leur retraite, ces sages-femmes perçoivent une pension[7]. Avec quelques variations d'une ville à l'autre, l'organisation est entièrement régie par des femmes. Voici, par exemple, la composition du corps des sages-femmes de Nuremberg en 1652 : sept « honorables dames [...], pour la plupart des veuves appartenant à l'élite de la cité » et dont le travail consiste à organiser la charité et à donner des conseils en cas d'urgence ; huit « sages-femmes surveillantes », dont la tâche spécifique, nous disent les textes, consiste à administrer les lavements, mais qui, à l'évidence, prêtent assistance dans les accouchements difficiles ; et enfin vingt sages-femmes titulaires. Toutes ces femmes prêtent serment chaque année lors d'une petite cérémonie à la mairie, où elles signent le registre de la ville. Après quoi, pour les fêter, on leur offre « du vin, du pain et des petits gâteaux[8] ».

Les sages-femmes de Nuremberg se gouverneront ainsi jusqu'en 1755, date où elles passeront sous la tutelle administrative du collège des médecins[9]. A Francfort, une ordonnance de 1573 stipule que l'examen d'accès à la profession doit être organisé par les « matrones surveillantes[10] ». A Leipzig, aux termes d'une ordonnance de 1653, c'était la femme du bourgmestre qui devait les examiner et les nommer[11]. A Munich, les accoucheuses ont été supervisées par d'autres femmes au moins jusqu'en 1716 (cinquante ans plus tard, c'est le chirurgien barbier de la cour qui fut nommé contrôleur[12]). Ainsi donc, même s'il était parfois stipulé qu'en cas de difficulté la sage-femme devait appeler le médecin — comme à Heilbronn à la fin du xve siècle —, la naissance était généralement une affaire de femmes[13].

Ces associations indépendantes de sages-femmes allemandes remontent loin dans le Moyen Âge. Ainsi est-il fait mention, en 1298, à Coblence, d'une certaine Frau Aleyt, sage-femme dans la Nonnen-gasse, comme ayant « droit de cité », un honneur à l'époque s'il en fut[14]. En 1355, un nouveau faubourg de Francfort adresse une requête au conseil de cette cité pour qu'il « laisse ouvertes [la nuit] les portes de la vieille ville, où demeurent les sages-femmes », afin que celles-ci, dit le texte, puissent éventuellement se rendre auprès des femmes en travail[15]. Et c'est en 1427 que les archives de la ville suisse de Baden font état pour la première fois de l'existence d'une sage-femme en titre ; deux ans plus tard, la cité fait l'acquisition d'une chaise d'accouchement[16].

Cette autonomie existe aussi ailleurs, mais à un degré moindre. A Bruges, par exemple, une ordonnance municipale de 1551 stipule que, dans les cas difficiles, la sage-femme doit prendre l'avis d'un médecin ou d'autres femmes ; le même texte fixe également pour la profession de telles normes de compétence que la ville aura du mal à recruter[17]. Quant aux sages-femmes des villes bretonnes, elles possèdent au xviiie siècle tout un système de qualifications. Et bien que les postulantes aient à subir un examen devant un jury composé de chirurgiens, c'est quand même l'apprentissage auprès d'une aînée qui assure l'accès à la profession[18]. On pourrait continuer longtemps ainsi, mais mon propos n'est pas d'écrire l'histoire institutionnelle des sages-femmes. Je veux seulement montrer que, dans bon nombre de villes européennes autrefois, les personnes chargées d'assister les parturientes avaient un haut niveau de compétence professionnelle, et ce de par la volonté même d'autres femmes.

Une compétence qui dépasse même, peut-on dire, celle des meilleurs médecins de leur temps. Car il ne faut pas oublier qu'il a fallu attendre le début du xviiie siècle pour voir l'obstétrique sortir du long sommeil dans lequel elle était restée plongée depuis l'Antiquité. A l'exception de quelques procédés commodes en cas d'urgence, dont nous reparlerons dans les chapitres suivants, rien d'utile à l'accouchement normal, en effet, n'était venu s'ajouter aux connaissances depuis l'Antiquité romaine. Pour la moyenne des médecins, l'obstétrique était une activité avilissante, et les manuels de médecine étaient encore farcis d'expressions telles que « les chambres de la matrice », ou « comment le fœtus participe à sa propre expulsion ». Les sages-femmes urbaines, en revanche, avaient derrière elles des siècles d'expérience, une expérience transmise non pas par de vagues « contes de bonne femme », mais par des structures professionnelles.

De plus, elles refusaient de faire partager leur savoir aux médecins. Témoin cette admonestation figurant dans une ordonnance de Heilbronn à la fin du xve siècle : « Si vous êtes appelées à vous présenter devant messieurs les médecins de la ville afin d'être interrogées et examinées sur votre profession, vous n'y ferez point obstacle, mais devrez vous montrer pleines de respect et fournir des renseignements exacts tirés de votre expérience[19]. » A la fin du xviiie siècle, le Dr Friedrich Osiander interroge une sage-femme de village sur son travail : « Mais elle me fit comprendre, rapporte-t-il, que son art était fait de secrets qu'elle n'était point disposée à révéler[20]. » Même mur de silence pour le Dr Goldschmidt quelques dizaines d'années plus tard : « Les matrones [...] préfèrent ne rien dévoiler au médecin de leurs méthodes d'accouchement. Et elles exercent un tel ascendant que les mères aussi restent muettes sur les procédés qu'emploient les sages-femmes pour hâter le travail et organiser la période des couches[21]. » A cette époque pourtant, les médecins n'avaient plus vraiment besoin de connaître les méthodes des sages-femmes, car la médecine avait beaucoup progressé depuis le xvie-xviie siècle, lorsqu'elles tenaient le haut du pavé. Il n'empêche, elles se considéraient comme les dépositaires d'un savoir particulier qui, à leur avis, ne pouvait qu'être bénéfique à leur patientes et qui, de surcroît, devait rester un secret de femmes.

Quant à l'accoucheuse traditionnelle, celle des campagnes, elle était loin de valoir sa collègue urbaine. Elle ressemblait davantage à la meurtrière petite vieille que dépeint la littérature médicale. Un médecin silésien plante ainsi le décor en 1802 : « C'est la foire au village, et l'on voit des vieilles rôder autour des éventaires, emplissant leur panier de pilules laxatives, de gouttes pour l'utérus, d'autres gouttes pour faciliter le travail, de calmants, etc. Qui sont-elles ? Des sages-femmes qui font office de médecins. » Supposons, poursuit cet auteur, qu'elles soient appelées auprès d'une femme en couches : « Elles portent sur leur dos une lourde chaise d'accouchement, qui sert également de chaise percée [...]. Le col est-il tant soit peu dilaté, la femme doit aussitôt s'y installer. » On lui barbouille ensuite le vagin de divers produits : « huiles pestilentielles, crèmes de travail, marjolaine, safran et eau-de-vie [22] ». De cette scène se dégage une des idées majeures de notre analyse : dans l'Europe traditionnelle, l'accouchement le plus normal s'accompagne, de la part de la sage-femme, d'un intense déploiement d'activité.

A l'inverse de leurs homologues urbaines, ces accoucheuses de campagne ignorent l'anatomie. La littérature est pleine de récits d'horreurs sur leur compte. Percivall Willughby, par exemple, rapporte une histoire de matrone qui, appelée pour ce que l'on croyait être un accouchement, « plongea la main dans [le corps de la femme], se saisit d'elle ne savait trop quoi et s'efforça violemment de l'extraire ». Impossible. On appelle Willughby. Celui-ci découvre, « au lieu d'un enfant, une tumeur carcinomateuse de la matrice, qui donnait à cette femme des élancements terribles et des douleurs cuisantes ». La malheureuse devait mourir quelques mois plus tard [23]. Soyons juste : il est arrivé aussi à des médecins de confondre un cancer de l'utérus ou une tumeur de l'ovaire avec une grossesse. Mais ces cas sont beaucoup moins nombreux que pour les accoucheuses traditionnelles, dont les connaissances en anatomie et en pathologie étaient à peu près nulles.

Principale tare des accoucheuses des bourgs et des campagnes : leur absence de formation. Un rapport de 1739 sur la région d'Ansbach constate que, sur 200 d'entre elles, 30 seulement sont « formées et brevetées ». Naturellement, poursuit le rapport, cela s'explique : l'insuffisance de la rémunération rebute les plus compétentes, et souvent les parrain et marraine de l'enfant n'offrent même pas de gratification [24].

Mais alors, en quoi son savoir consiste-t-il ? En « une routine aveugle », transmise de génération en génération, répond un médecin de l'époque [25]. Mireille Laget, dans une étude récente, évoque à ce propos le respect des traditions, un certain « climat rituel » et une résistance à l'innovation [26]. Autre témoignage encore, celui de Gebel sur l'Allemagne : « Les accoucheuses qui tiennent leur savoir de leurs mères et grand-mères acceptent rarement de suivre les cours de notre école de sages-femmes. Elles sont persuadées qu'elles en savent déjà bien suffisamment. » Et elles font les choses « machinalement, comme les faisaient il y a deux cents ans leurs arrière-arrière-grand-mères[27] ».

Ignorantes, donc, elles l'étaient. Du point de vue, au moins, de l'homme de l'art. Car elles restaient persuadées, pour leur part, de la haute valeur de leur savoir hérité du passé. Celui-ci s'avérait-il parfois insuffisant ? C'est que Dieu Lui-Même, sans doute, avait voulu rappeler à Lui la mère.

Réglementation de la profession

Conscients de ces carences, les gouvernements européens, à partir du XIIIe siècle, vont s'efforcer d'instaurer un minimum de contrôle sur les sages-femmes non encore organisées professionnellement. Sans vouloir retracer ici l'historique de cette réglementation, je voudrais au moins en donner une idée générale. Car son impact sur la vie des femmes a été considérable à travers les âges.

On peut distinguer en gros trois étapes :

— Aux XVe et XVIe siècles, l'Église et les communes adoptent des règlements régissant les aspects moraux et religieux de la pratique des accouchements.

— Au XVIIe siècle, commencent à apparaître des textes confiant aux médecins le soin d'examiner et de contrôler les sages-femmes.

— Au XVIIIe siècle, se créent les premières écoles de sages-femmes.

Commençons par l'aspect « moral ». Ce à quoi l'Église tient par-dessus tout, c'est à s'assurer que les accoucheuses administrent le baptême selon la formule sacramentelle lorsqu'elles ont des raisons de craindre que l'enfant ne vive pas. Le synode de Trèves, en 1277, décide donc que les prêtres devront apprendre aux femmes laïques les paroles de l'ondoiement. Un autre synode, en 1310, fait obligation aux sages-femmes de prononcer de tels baptêmes[28]. Le plus ancien serment de sage-femme qui nous soit parvenu est celui de Ratisbonne, en 1452. L'intéressée y promet, entre autres, d'accoucher toute femme, « riche ou pauvre » — à l'exception des juives ; de faire traduire devant le conseil des surveillantes toute femme surprise à pratiquer illégalement des accouchements ; d'observer une certaine tempérance ; et de ne pas quitter le chevet d'une femme en travail pour se rendre auprès d'une autre, plus fortunée[29]. Même type de serment à Aix-la-Chapelle, avec en plus, en 1527, l'obligation de faire connaître aux autorités toute « naissance clandestine » (cela afin de lutter contre l'infanticide)[30]. Voyez aussi l'ordonnance prise en 1544 par les autorités ecclésiastiques de Hildensen (Allemagne), qui prescrit aux sages-femmes de « prier continûment » si l'enfant tarde[31].

A l'évidence, ce début de contrôle exercé sur la profession n'avait guère amélioré la qualité des soins dispensés. Le contrôle médical, lui, sera institué en gros au xviie siècle. Les hommes de l'art, connaissant désormais mieux que les accoucheuses l'anatomie du bassin et les mécanismes de l'accouchement, vont exercer un droit de regard : examen des candidates à la profession, supervision des personnes en exercice. A ma connaissance, la première ordonnance où apparaisse ce type de rapport est celle prise à Zurich en 1554 : elle donne pour mission aux médecins de former les sages-femmes. Or 1554 est aussi l'année, rappelons-le, où Jakob Rüff, dans cette même ville de Zurich, publie son manuel d'obstétrique, le premier du genre depuis l'Antiquité (l'ouvrage antérieur d'Eucharius Rösslin, paru en 1513, était remarquablement peu pratique)[32]. Beaucoup plus tard, d'autres communautés procéderont de même : Amsterdam en 1668, Darmstadt en 1669, certaines régions de Bavière en 1699, etc.[33] Au début du xviiie siècle, les raisons morales et religieuses qui jusque-là inspiraient les autorités avaient largement fait place à des considérations d'ordre humain et nataliste. A preuve cette ordonnance de 1706, par laquelle la ville allemande de Schwäbisch-Hall charge ses médecins de superviser l'activité des accoucheuses : « Il est du devoir de toute autorité chrétienne de veiller à ce qu'il soit pris le plus grand soin possible des femmes, avant, pendant et après l'accouchement. Seront par conséquent nommées [sages-femmes] des personnes intelligentes, consciencieuses et expérimentées[34]. »

Même évolution dans le reste de l'Europe. La première ordonnance parisienne relative aux sages-femmes date de 1560[35]. Un synode de 1617 impose un serment aux sages-femmes de la région d'Angers[36]. Et les premières réglementations couvrant l'ensemble du territoire français datent de 1726 et 1730, même si, en bien des endroits, ces textes devaient rester lettre morte[37]. Il faudra en fait attendre la Révolution pour que soit institué dans le pays un système national de formation et de nomination des sages-femmes.

En Angleterre, moins efficaces encore étaient les rares contrôles existants. En 1512, les évêques sont habilités à faire passer un examen aux sages-femmes, entre autres personnels médicaux. Et en 1567, les candidates à la profession prêtent normalement serment devant l'Église, telle cette Eleanor Pead, du diocèse de Canterbury, qui fait le vœu de n'avoir recours à « aucune manière de sorcellerie ou incantation durant le travail d'aucune femme en couches » et de ne procéder à l'ondoiement qu'avec de l'eau ordinaire. Pourtant, selon la grande spécialiste de l'histoire des sages-femmes anglaises, Jean Donnison, peu d'entre elles sont patentées. Au reste, le problème sera peu à peu oublié au cours du xviiie siècle, et il n'y aura aucune réglementation nationale de la profession de sage-femme en Angleterre avant 1902[38]. C'est en 1872 que l'Obstetrical Society de Londres commence à délivrer un diplôme aux sages-femmes ; avant cette date, à l'exception d'un ou deux cours mineurs organisés dans les maternités londo-niennes, les sages-femmes britanniques ne recevaient pratiquement aucune formation médicale [39].

L'accoucheuse traditionnelle des bourgs et des campagnes accédera au rang de sage-femme lorsque seront créés pour elle de véritables cours de formation. Contrairement à une idée fort répandue, les hommes de l'art médical ne cherchèrent nullement à garder leur savoir scientifique pour eux. Ils firent au contraire ce qu'ils pouvaient pour le faire partager aux sages-femmes. Ils exigèrent d'elles, tout d'abord, qu'elles assistent de temps à autre à une autopsie pour mieux connaître l'anatomie. Ainsi, le duc Julius de Braunschweig-Wolfen-buttel demande, en 1573, aux médecins de sa cour, d'autopsier toutes les femmes mortes en couches en présence des sages-femmes locales, afin que, dit-il, « à l'avenir, les autres femmes affligées des mêmes dangereux et pénibles maux puissent être secourues [40] ». De même, les ordonnances de Francfort, Paris et bien d'autres communautés réglementant l'activité des accoucheuses demandaient-elles à celles-ci de se former en assistant aux autopsies [41]. Mais ces femmes, qui ne connaissaient que la langue vernaculaire, furent rebutées, semble-t-il, par le foisonnement des termes grecs et latins et se tinrent à l'écart de ce genre d'exercice [42]. (Je dois dire que j'ai moi-même trouvé cette terminologie anatomique plutôt rébarbative, et j'imagine sans peine ce qu'a pu être leur réaction lorsqu'on leur parlait de *testes muliebris* devant un ventre ouvert.)

A l'évidence, la meilleure façon de donner aux sages-femmes une réelle formation médicale était de leur faire suivre des cours pendant quelques semaines ou quelques mois, de préférence dans une mater-nité. La première école du genre semble avoir été celle créée à Munich en 1589 ; la seconde à Paris avec la reconstruction de la maternité de l'Hôtel-Dieu en 1618 [43]. Suit une longue période de stagnation. Au XVIIIe siècle, de nouveaux établissements vont s'ouvrir, à commencer par l'école de sages-femmes de Strasbourg en 1737 [44]. Puis viendront : Würzburg (1739), Berlin (1751), Neuötting (1767), Bâle (1771), Coblence (1772), pour ne citer que celles-là [45].

En France, la mise en place de cours pour sages-femmes commen-cera plus tardivement, mais deux facteurs vont l'accélérer : un édit gouvernemental de 1759, et le fameux tour de France et des Pays-Bas accompli par Mme du Coudray, démontrant sur son mannequin les manœuvres de l'accouchement [46]. Quant à de véritables écoles dispo-sant en propre de locaux et de lits, on n'en trouvait guère encore en dehors de Paris.

Ainsi, à l'aube du XIXe siècle, l'Europe centrale ne manque pas d'accoucheuses médicalement formées. En France, c'est le cas de quelques villes seulement. Dans les pays anglo-saxons, il n'existe alors, pour l'essentiel, que des matrones du type traditionnel.

La sage-femme vers 1800 : un bilan

Et maintenant, faisons le point sur ces femmes qui, pour la plupart, exerçaient dans les bourgs et villages d'Europe. En voici quelques-unes, parmi celles qui pratiquaient vers 1760 dans les districts de Rötteln et Sausenberg, en pays de Bade :

— Verena Kusterin, soixante-quatorze ans, en exercice depuis vingt-quatre ans, « objet de toutes les louanges, fort habile et expérimentée » ; avait mis au monde 558 enfants.

— D'autres matrones des villages voisins, dont l'auteur du rapport, le Dr G.V. Jägerschmidt, fait également l'éloge.

— D'une autre, âgée de soixante-cinq ans, et qui exerce depuis dix-huit ans, il est dit qu'elle a « une bonne réputation, mais [qu'elle] est affaiblie à cause de son âge ».

— Le rapport le plus négatif du Dr Jägerschmidt concerne une femme jugée « cancanière dans l'exercice de ses fonctions, mais bonne accoucheuse[47] ».

Âgées, la plupart des accoucheuses l'étaient effectivement. Une étude concernant la région du Niederlausitz, en Allemagne, dans les années 1790, n'en dénombre que 3 % de moins de quarante ans[48].

Malgré les récits d'horreur transmis par les médecins, il serait erroné de ne voir dans ces matrones de village que des créatures ignares et malfaisantes. Comme nous le verrons, la plupart des naissances se déroulaient normalement. Après tout, pour mener un accouchement à bonne fin, deux grandes qualités suffisaient : le jugement, pour reconnaître une anomalie ; et la patience, c'est-à-dire la volonté de ne céder ni aux instances de la parturiente et de sa famille, désireuses de voir terminer rapidement l'accouchement, ni aux sollicitations de sa propre vie privée.

Âge avancé, longue expérience, donc, mais aussi une extrême pauvreté. Sauf dans certaines régions, auxquelles nous reviendrons dans un instant, c'est le besoin, semble-t-il, qui motive la plupart des accoucheuses. Alois Valenta, de Ljubljana, qui a dispensé plus de soixante cours d'accouchement, sait par expérience que les matrones se recrutent parmi « les paysannes les plus pauvres[49] ». Selon le personnel de l'école de sages-femmes de Calau (Allemagne), les paysans considèrent généralement le travail de l'accoucheuse comme une occupation dégradante, ne convenant qu'à celles qui « ont perdu tout sens de l'honneur et bu toute honte », et qui veulent ainsi « avouer à la face du monde leur désespoir de ne pas gagner leur vie d'une manière plus honorable[50] ».

C'est qu'une tâche aussi rude suscite bien peu de vocations. Ainsi, dans le village d'Oppin, en Allemagne, la matrone doit « non seulement accoucher la mère, mais également la veiller toutes les nuits jusqu'au baptême de l'enfant, laver les couches et le maillot, convier les invités au baptême et changer chaque jour le nouveau-né jusqu'aux relevailles, c'est-à-dire pendant trois semaines au moins. Et pour tout cela, l'accoucheuse reçoit huit groschens. Huit groschens!» Rien d'étonnant, conclut l'auteur, si les vocations sont rares[51].

Dans quelques rares communautés, toutefois, la sage-femme, semble-t-il, a rang de notabilité, de véritable « autorité sociale » (*Vertrauensperson*), selon une expression de l'époque. Et c'est sans doute parce que, dans ces communautés, l'accoucheuse est élue par les autres femmes. De là quelques frappants contrastes. Dans la région de Kiel, « la majorité des élèves sages-femmes étaient des femmes réduites à cette activité par la nécessité, des femmes obligées de subvenir aux besoins d'un mari ou d'un père malade. De vocations, pratiquement point ». Quelle différence en Hesse, poursuit Rudolf Dohrn, qui connaît les deux régions pour y avoir dirigé les écoles de sages-femmes : « Dans ces villages, le bourgmestre annonce l'élection en faisant sonner les cloches, et chaque mère doit confirmer son choix en apposant sa signature, agrémentée souvent de commentaires [...] Dans certains villages, on considère l'élection de la sage-femme comme un acte civique majeur[52]. » De même dans le nord-est de la France, et notamment en Lorraine, la coutume voulait que les accoucheuses fussent élues, alors que, dans le reste du pays, elles étaient normalement désignées par l'assemblée locale ou par les notables. En Lorraine, les candidates étaient généralement des femmes assez âgées, sans doute parce que, pour les mères, l'âge était synonyme d'expérience[53].

Loin de moi l'intention d'opposer de façon manichéenne l'image d'une prêtresse d'un côté à celle d'une vieille sorcière de l'autre. Il est probable que les femmes du cru ont toujours eu leur mot à dire, sinon elles se seraient amèrement plaintes en cas de faute commise ultérieurement par la sage-femme. De même, étant donné les obligations morales imposées aux accoucheuses, il est certain que le clergé local intervenait lui aussi.

Si je me suis étendu sur ces procédures complexes et depuis longtemps oubliées, c'est pour une raison bien simple : la personne de la sage-femme, la façon dont elle était choisie, étaient d'une énorme importance pour la multitude des femmes qui constituent l'objet de notre étude. Son prestige à leurs yeux devait égaler celui du pasteur ou du curé. Qu'elle ait reçu ou non une formation, qu'elle ait été ou non digne de confiance, cela était donc d'une importance capitale.

Dans ce bilan du rôle des sages-femmes vers 1800, il nous faut maintenant mentionner les aspects négatifs.

Tout d'abord, même si l'Europe occidentale commence alors à être équipée en écoles de sages-femmes, ces écoles ont bien du mal à recruter des élèves dignes de ce nom. Certains enseignants, confrontés à un nouveau type d'accoucheuses, se plaignent que les candidates soient trop jeunes et inexpérimentées. Débarquant de leur campagne, elles « comprennent à peine le français », déplore Jean-Marie Munaret en 1862. Comment alors leur faire saisir « que les diamètres obliques du bassin s'étendent de la symphyse sacro-iliaque à l'éminence ilio-pectinée » ? Et même une fois jurées, poursuit cet auteur, ces accoucheuses se montrent « trop timorées et trop inactives quand il faudrait agir [54] ». Sans doute étaient-elles effarouchées par les complexités de la science médicale.

Les plus traditionnelles d'entre elles paraissaient trop âgées et trop peu malléables. « On envoie à l'école des sages-femmes des vieilles décrépites et fragiles, des femmes qui ont déjà assisté à des naissances et qui nourrissent des préjugés et des superstitions totalement indéracinables [...] Tous nos efforts et tout notre travail ne servent de rien, nous finissons par les renvoyer, et le village a gaspillé six à huit thalers [55]. » Ce genre de récrimination, qui revient souvent dans les textes, dénote surtout un irréductible antagonisme entre savoir traditionnel et savoir scientifique. La matrone était captive du premier, car c'était tout ce qu'elle connaissait. Les médecins, bien sûr, voyaient d'un très mauvais œil la « passivité des matrones », les « pratiques paysannes » et tout ce qui, de près ou de loin, évoquait la superstition ou simplement la coutume. C'est ainsi que l'enseignement dispensé par les écoles était aussi vite oublié qu'appris.

Du reste, même lorsque les diplômées étaient de qualité, rien ne les obligeait à s'installer à la campagne, où le travail de la sage-femme était pénible et mal payé. Elles préféraient exercer en ville. Une sage-femme qualifiée « gagnait à peine une croûte de pain » dans les villages voisins de Hambourg, et ne s'y installait « que si on lui promettait un emploi en ville au bout de quelques années [56] ». Vers 1870 en Finlande, plus des trois quarts des sages-femmes diplômées vivaient en ville, car « les paysans se refusaient généralement à payer les honoraires pourtant modiques qu'elles demandaient [57] ».

C'est bien là le fond du problème. Comme nous l'avons vu au chapitre 1, les paysans ne jugeaient pas nécessaire de faire appel, pour une naissance, à une personne qualifiée. C'est ce qui explique que la matrone de village ait subsisté à côté de la sage-femme au XIXe siècle, en Limousin par exemple, et même jusqu'au XXe siècle en Sologne [58]. En 1900 encore, dans la région de Königsberg, c'étaient des matrones et non des sages-femmes qui accouchaient plus de la moitié des femmes à la campagne [59]. Dans la Bretagne du XVIIIe siècle, nous apprend J.-P. Goubert, « les sages-femmes jurées qui habitent les villes sont rares et trop chères pour les paysans. Elles exigent douze livres pour aller à deux lieues faire un accouchement ; encore faut-il les voiturer. La plupart des paysans préfèrent une mauvaise accoucheuse ou la mort [60] ».

Après 1800, toutefois, le nombre des sages-femmes s'accrut. Ainsi, dans l'île de Rugen, en Allemagne, armées de leur « chaise d'accouchement Stein » et de leur seringue à lavements, elles passaient alors pour n'être « pas mauvaises » ; elles avaient été formées par des médecins et agréées par le collège d'hygiène de Griefswald [61]. C'est surtout dans les villes que leur nombre augmentait. Depuis le milieu du XVIIIᵉ siècle, les sages-femmes de Francfort s'étaient tellement modernisées que, selon un témoin du temps, « elles vont ici et là, parlant axe du bassin [62] ». Ce genre de témoignage abonde.

Reste l'essentiel : donner une formation aux accoucheuses, c'était sauver des vies de femmes. Les progrès de l'obstétrique se traduisent, dans la seconde moitié du XVIIIᵉ siècle, par une baisse générale de la mortalité en couches dans les villes, nous le verrons au chapitre 5. Il s'agit seulement ici d'attirer l'attention sur l'indiscutable corrélation qui existe entre l'amélioration de l'instruction des sages-femmes et l'accroissement des chances de survie de la parturiente.

Pour résumer, nous pouvons dire qu'il y a d'abord l'accoucheuse des villes avant 1750 environ ; sans doute supérieure au médecin moyen, elle est à la pointe du progrès pour l'époque. Il y a ensuite la matrone traditionnelle antérieure à 1750 — et postérieure également à cette date, dans la mesure où son savoir est resté exclusivement empirique : elle possède sans doute le jugement et la patience qu'apporte l'expérience, mais elle est incapable de faire face à la moindre urgence obstétricale ou de se rendre compte du mal qu'elle peut faire dans certains cas. Il y a enfin la sage-femme qualifiée, qui commence à sortir vers 1750 des écoles spécialement ouvertes pour elle sous le patronage de l'État ; parfaitement compétente, elle n'a plus recours, pour un accouchement normal, aux pratiques dangereuses de la matrone traditionnelle ; elle sait quand faire intervenir le médecin. Malheureusement, elle n'exerce guère que dans les grandes villes de l'Europe continentale.

4

Un accouchement traditionnel

On a souvent, aujourd'hui, de la naissance dans la société traditionnelle, une vision idyllique. Nous imaginons plus ou moins la « bonne mère » du village assise les bras croisés à attendre la naissance de l'enfant, après quoi les voisines se mettent à danser autour de l'heureuse accouchée. A chaque stade du travail, nous dit-on, on laisse faire la nature sans que personne, jamais, n'intervienne. Ainsi, selon un ouvrage souvent cité, « l'accouchement était dans l'ordre naturel des choses ». Les femmes l'abordaient « instinctivement et sans crainte », ignorant « ce que nous appelons les douleurs de l'enfantement ». Et l'auteur de préciser que les sages-femmes « répugnaient à intervenir dans l'accouchement, afin de ne pas créer une situation contre nature susceptible de faire souffrir la femme en couches [1] ». On a même vu certains spécialistes d'obstétrique prendre ces élucubrations pour argent comptant. Selon une auguste institution médicale : « Par le passé, les femmes accouchaient chez elles. Là, entourées de leur famille et d'amies, elles n'étaient pas des " malades ", ni l'enfantement une " maladie ". C'était un processus naturel [2]. »

Vision largement erronée. Car, s'il est vrai que la femme, autrefois, accouchait chez elle et que les voisines s'empressaient à son chevet, il est faux, par contre, de dire que l'on considérait l'accouchement comme un « processus naturel » et que l'on s'abstenait d'influer sur son déroulement. La mère, en fait, depuis le moment où elle s'apercevait qu'elle était enceinte jusqu'à la purification rituelle des relevailles un mois après la naissance, était sans cesse en butte à toutes sortes d'interventions intempestives.

Ce chapitre relate le déroulement, autrefois, d'une grossesse normale. Nous suivrons pour cela la femme type depuis la « surveillance prénatale » que la société lui impose jusqu'au moment où, après extraction du placenta par l'accoucheuse ou l'accoucheur, elle repose dans son lit de plumes surchauffé. Dans tout ce processus, pas une seule phase, en vérité, où les personnes qui l'entourent ne se sentent tenues de donner un coup de pouce à la nature. Pas une seule phase, c'est-à-dire sauf, précisément, lorsque pareille action eût pu être utile.

La surveillance prénatale

Qui dit surveillance prénatale aujourd'hui veut surtout dire surveillance par un médecin, qui mesure le bassin de la femme enceinte pour s'assurer qu'elle pourra accoucher normalement, et qui à intervalles réguliers, vérifie également tension, poids, composition des urines. Dans l'Europe traditionnelle, on ignore la nécessité d'un tel contrôle, et, naturellement, rien de tout cela n'existe. La future mère, pourtant, bénéficie d'une certaine surveillance. Mais d'un tout autre type.

Tout d'abord, il lui faut se prémunir contre toutes sortes de menaces émanant du monde surnaturel, de ces forces obscures qui, dans l'esprit de la plupart de nos ancêtres, rôdent en permanence aux portes des maisons. Ainsi, dans certaines régions de Lorraine, les gens pensaient que, si la femme enceinte « jurait, blasphémait ou proférait des paroles de malédiction, l'enfant deviendrait un monstre ». Les villageois d'autrefois croient que toute émotion un peu vive ressentie par la mère durant sa grossesse s'imprimera sur l'enfant. Pour éviter toute rencontre désagréable, elle « sortira le moins possible de chez elle [et] ne quittera jamais sa demeure depuis le coucher du soleil jusqu'à l'aurore ». Elle ne regardera pas la lune « afin d'éviter que son enfant devienne lunatique ou somnambule [3] ». Dans les environs de Nurtingen (Wurtemberg), il suffit, pense-t-on, que la future mère sursaute lorsque bondit un représentant de l'espèce canine pour que son enfant naisse avec « des pattes de chien ». Pour des raisons identiques, elle doit aussi éviter toute rencontre avec un individu difforme [4]. Dans la Rhön (Allemagne), elle refuse d'être la marraine d'un nouveau-né, « sinon l'un des deux enfants — celui qui est né ou celui qui doit naître — mourra [5] ».

On pourrait remplir des pages et des pages de ces superstitions. La femme enceinte doit sortir son baquet à linge d'une certaine façon, éviter les chats, toucher certains endroits de son corps pour prévenir les taches sur la peau de l'enfant. Tout ce lacis de règles dans lequel elle est enserrée constitue une forme de « surveillance prénatale », dont le but — à l'époque comme aujourd'hui — est de produire un enfant bien constitué et en parfaite santé. Ces règles ont un caractère essentiellement restrictif, et, outre qu'elles remplissent la future mère d'inquiétude face aux puissances des ténèbres qui entourent la naissance, elles ont également pour effet de restreindre ses moindres activités.

Autre forme d'intervention en cours de grossesse, beaucoup plus directe celle-là : la saignée. Parce que, croit-on, c'est l'excès de sang ou « pléthore » qui est la cause des maladies, on incise une veine au scalpel et on retire à la « malade » un demi-litre ou plus de l'encom-

58

brant liquide. Certains tiqueront peut-être de voir figurer ce procédé parmi les pratiques de la médecine populaire, car la médecine savante a également beaucoup employé la saignée thérapeutique jusqu'au milieu du xixe siècle. Les médecins du passé ont même été cloués au pilori par les féministes bon teint pour avoir saigné les femmes durant les grossesses normales[6]. Mais ce que l'on sait moins, c'est que la saignée était beaucoup plus répandue encore dans la médecine paysanne.

Voyez cette comtesse normande qui, le 13 mars 1697, fait appeler Guillaume de La Motte pour une saignée. Sa grossesse est presque à terme. De La Motte estime qu'elle n'a nul besoin qu'on lui tire le sang. « Mais, explique-t-il, elle le voulut absolument et je fus obligé d'obéir [...] La plupart des femmes, poursuit-il, sont même si bien prévenues de cette prétendue nécessité [de la saignée] par une tradition qui passe chez elles de l'une à l'autre, qu'il y en a peu qui ne se crussent en danger d'avoir un mauvais accouchement si elles ne se faisaient saigner à la moitié de leur terme[7]. » Jusqu'à la fin du xviiie siècle, les femmes de la petite ville autrichienne de Saint-Pölten tenaient « absolument à être saignées au moins une fois durant leur grossesse ; beaucoup voulaient qu'on leur fît deux ou trois bonnes saignées, sinon, croyaient-elles, l'enfant naîtrait couvert de sang[8] ». (Et selon la même source, d'ailleurs, les femmes enceintes non mariées demandaient à subir la saignée « pour obtenir le résultat inverse », c'est-à-dire l'avortement !)

Un médecin viennois écrivait en 1800 : « La coutume voulait naguère que toute femme enceinte, sans exception, se fît tirer le sang au moins trois fois, au cinquième, au septième et au dernier mois, et ce afin d'éviter que l'enfant prît trop d'embonpoint[9]. » Dans les années 1860 encore, la saignée est fréquente en haute Bavière : « Pour les paysannes, ne pas se faire saigner durant la grossesse serait faire preuve d'une négligence coupable. C'est pourquoi chez certains barbiers [Baderstube], où sont conservés les registres de saignée, [...] des centaines de livres de sang, le plus souvent parfaitement sain, sont encore tirées chaque année[10]. »

Lorsque ce ne sont pas les chirurgiens barbiers qui pratiquent la saignée, ce sont les sages-femmes. Et même au début du xxe siècle, 16 des 28 sages-femmes du comté de Fischhausen la pratiquent encore à l'aide de ventouses. Raison invoquée : « les personnes âgées ont tellement l'habitude d'être saignées » que, si les sages-femmes ne le faisaient pas, d'autres, moins qualifiés, le feraient à leur place[11].

Quant au régime alimentaire, élément aujourd'hui primordial de la surveillance prénatale, la société traditionnelle n'en avait cure. Nous savons maintenant que, pour une grossesse optimale, la femme doit prendre de 10 à 12 kilos, et qu'il lui faut un net apport supplémentaire de protéines, fer, calcium et autres minéraux et vitamines. On ignorait tout, autrefois, de ces questions. Pourtant, la femme enceinte ressentait bien, semble-t-il, le besoin de manger davantage, si toutefois on interprète le folklore relatif à de prétendues caries dentaires pendant la grossesse comme l'expression d'une frustration alimentaire collective (« tout enfant coûte une dent à sa mère », disait-on couramment en Norvège et en Allemagne [12]). Mais se nourrissait-elle mieux pendant ces neuf mois ? La réponse, semble-t-il, est un non catégorique.

Certes, la coutume dit parfois que les envies alimentaires de la femme enceinte doivent être satisfaites [13]. En Allemagne, par exemple, la coutume villageoise précise souvent en termes exprès les privilèges alimentaires auxquels elle a droit. Ces règles stipulent qu'elle peut cueillir fruits et raisin en tous lieux, que son mari ou ses domestiques peuvent passer outre aux règlements de chasse les plus draconiens et tuer du gibier à son intention, et que, même là où la pêche est interdite « sous peine de perdre un œil », la femme qui attend un enfant est autorisée à pêcher pour ses propres besoins [14]. Quel pouvait être l'effet de pareilles dérogations sur le déroulement de la grossesse ? On l'ignore.

Mais l'octroi par la communauté de quelques cerises gratuites ou autres ne dénote pas encore une réelle volonté collective de mettre fin aux prérogatives alimentaires de l'homme. Un médecin de Franconie rapporte avoir constaté dans cette région « la plus totale indifférence » à l'alimentation des femmes enceintes, lesquelles n'ont droit qu'à « des légumes, de maigres plats à base de pain, et de l'eau ou de la mauvaise bière ». En Périgord, même si les plus aisées ont droit à de la potée deux fois par jour, ou encore à des œufs et à des fruits, les femmes pauvres, elles, reçoivent, au dire d'un médecin, une nourriture « guère différente de celle des animaux [15] ». Une étude systématique des campagnes norvégiennes au xxe siècle parvient à la conclusion suivante : « On ne considère pas que la femme enceinte ait besoin d'une alimentation particulière [16]. » Et l'étude d'un village allemand depuis 1900 nous montre des femmes enceintes réduites à chaparder des pommes de terre dans l'auge à cochons [17]. Ainsi donc, jusqu'à la fin du xixe siècle, la femme enceinte ne bénéficiait, dans la plupart des cas, d'aucune attention diététique particulière.

Aucun traitement de faveur non plus sur le plan du travail : la paysanne enceinte n'est nullement déchargée par son mari de ses tâches habituelles. Et par « tâches habituelles » il faut entendre ici bien autre chose que les seules besognes domestiques. Pour les populations de l'Europe traditionnelle, l'« activité physique normale », c'est d'abord le harassant travail aux champs. Et la future mère n'en est pas exemptée. Dans la région de Wangen, en Wurtemberg, « les femmes enceintes ne prêtent pas attention à leur état, rapporte le Dr Zengerle, elles soulèvent et portent exactement les mêmes fardeaux que les hommes [18] ». La plupart des femmes de la campagne travaillaient jusqu'aux premières douleurs. Sur 65 femmes interrogées dans deux villages du pays de Bade vers 1911, 3 seulement déclarent avoir cessé de travailler plus tôt ; la plupart ont travaillé « jusqu'à la dernière minute [19] ». Dans un village du Wurtemberg, 11 seulement des 108 femmes questionnées vers la même époque affirment avoir pu « souffler un peu » durant leur grossesse ; les trois quarts d'entre elles ont « travaillé aux champs jusqu'au bout [20] ». Et selon le Dr Louis Caradec, il est fréquent, dans le Finistère, que les premières douleurs surprennent la femme « au milieu des champs » ; elle entre alors « dans la maison la plus voisine » et s'en remet « à la première matrone venue pour se faire délivrer [21] ». Il en était de même aux États-Unis aux alentours de la Première Guerre mondiale [22].

Cette coutume, fruit en réalité des contraintes économiques et de l'indifférence du mari à la santé de sa femme, était censée faciliter l'accouchement. Pour les paysans finlandais, par exemple, travailler dur tout au long de la grossesse, « mais surtout dans les derniers mois [...], rendait la naissance plus facile en écartant les os [du pubis] et en ouvrant les voies génitales [23] ». Lorsque le pasteur Höhn enquête dans le Wurtemberg en 1909, il constate que les femmes enceintes commencent à se ménager ; mais, lorsque tel n'est pas le cas, la raison invoquée, rapporte-t-il, est qu' « un dur labeur permet un accouchement aisé [24] ». De même dans les environs de Metz, les femmes devaient se reposer au début de leur grossesse, puis se livrer à des travaux pénibles pendant les dernières semaines, pour « obtenir que l'enfant descende et décolle bien [25] ».

On connaît bien, de nos jours, les méfaits d'un travail excessif en fin de grossesse [26]. Mais au niveau de la culture populaire, les communautés rurales avaient mis au point tout un discours pour justifier le travail aux champs des femmes en état de grossesse avancée. Quant à savoir ce que les femmes elles-mêmes pensaient de cette coutume, c'est une autre affaire. Et le seul témoignage que je connaisse sur ce point est celui de ces femmes d'ouvriers anglais qui, en 1914, ont répondu au questionnaire de la Women's Cooperative Guild. « Je m'en suis plutôt bien tirée pour une femme d'ouvrier, déclare une mère de six enfants, mais c'est un souvenir désagréable. Rendez-vous compte ! Penchée sur le baquet à linge à faire la lessive une heure ou deux peut-être avant la naissance de l'enfant. » Écoutons encore cette autre femme nous expliquer — réponse typique — comment, son mari étant au chômage et elle enceinte de son dernier-né, il lui a fallu travailler « debout toute la journée à laver et repasser. A cause de ça, dit-elle, j'ai attrapé des varices dont j'ai souffert, et mon bébé s'est trouvé coincé, ce qui a failli nous coûter la vie à tous les deux [27] ». Il est peu probable, donc, que la femme d'autrefois ait beaucoup apprécié cette « surveillance prénatale » très particulière dont elle faisait l'objet.

Le décor

LES PERSONNAGES

Lorsque la fille de Samuel Sewall accouche le 31 janvier 1701, à Boston, sont présentes : sa mère et sa belle-mère, la sage-femme, ainsi que Mmes Usher, Pemberton, Hubbard et Welsteed, sans oublier « la gouvernante Johnson ». Soit huit femmes au moins dans la chambre de la parturiente[28]. A la même époque, Guillaume de La Motte est appelé pour accoucher la femme d'un boucher dans la petite bourgade normande de Montebourg. Il s'est produit une complication, nous explique l'accoucheur, il lui faut donc accomplir une certaine manœuvre, et ce « en présence de plus de trente personnes[29] ». La naissance traditionnelle est donc bien un événement collectif.

Et toutes ces présences sont porteuses d'un savoir qui est celui de la communauté tout entière. « La femme du peuple ressemble en cela à la reine, écrit un médecin français qui connaissait bien la campagne, son accouchement se fait porte ouverte et aux yeux de tous. Quand une paysanne accuse les premières douleurs, les voisines accourent, remplissent son étroit taudis. Les unes la promènent, les autres la frottent, la massent. Celles-ci lui soufflent dans la bouche pour empêcher la matrice de remonter[30]. »

Le travail a commencé. La foule se rassemble. D'abord viennent les femmes âgées ; puis, l'accouchement heureusement terminé, les plus jeunes[31]. Elles exigent que la pièce soit surchauffée, car, dans la mentalité paysanne, un souffle d'air peut être fatal[32].

Si toutes sont là, c'est évidemment pour soutenir la femme en travail et l'encourager. Louables intentions. Mais si, pour nous, l'encouragement est une notion fondamentalement positive, il en va tout autrement pour le paysan traditionnel, pétri de fatalisme et habité par la peur du surnaturel. De là sa préoccupation permanente : veiller à ce que n'arrive aucun mal. « Ne chuchotez point devant la femme en couches [afin de ne pas l'effrayer] », commande l'article 8 de l'ordonnance sur les sages-femmes prise par la ville de Kaufbeuren en 1737[33]. « A mesure que progresse le travail, écrit un médecin de Francfort en 1884, on relate à la femme pour la distraire les exploits professionnels de sa sage-femme, ainsi que d'horribles histoires de grossesse et d'accouchement, qui ne contribuent guère à l'apaiser, ou encore les divers cas d'impéritie et de négligence dont se sont rendus coupables les médecins du voisinage[34]. » A travers ces citations, deux cultures s'affrontent : qui restera auprès de la femme en couches et quels propos lui tiendra-t-on ? A cet égard, les conseils prodigués en 1862 à ses confrères par le Dr Munaret annoncent un tournant dans l'histoire de l'accouchement : « Faites sortir les commères qui remplissent habituellement la chambre, vicient l'air, agitent votre cliente, l'inquiètent, la tourmentent, qui vous embarrasseront durant les manœuvres et vous critiqueront ensuite si elles ne réussissent pas[35]. » Quant aux hommes, parfois ils sont présents, parfois non. Par exemple, dans l'est du Languedoc au XIXe siècle, seules les femmes assistent à la naissance. Les femmes, c'est-à-dire « les parentes et amies [et] une jeune fille non initiée ». Mais, dans le Languedoc central, « l'accouchement rassemble dans la grande salle de la maison, outre les commères, la totalité de la famille, y compris les hommes et les enfants ; il donne lieu, surtout l'hiver, à une véritable veillée : les hommes " font aux cartes ", les enfants jouent, de temps à autre on va constater l'évolution du travail, un grand chaudron est sur le feu pour le lavage de la mère, de l'enfant et la lessive de la literie[36] ». Ailleurs, le mari est absent, comme par exemple en Sologne : « Si le mari intimidé voulait discrètement se retirer suivant l'habitude vers quelque auberge en attendant que la chose se fasse, sa femme lui faisait ironiquement remarquer : " Puisque tu as été à la façon, tu s'ras à la récolte[37]. " » Notre sentiment, donc, est que, si l'homme participait parfois, la scène se jouait surtout entre femmes.

LES POSITIONS DE L'ACCOUCHEMENT

Aujourd'hui, dans les maternités, la position normale est celle dite gynécologique. Elle est récente, et il existait autrefois pour les naissances à la maison toute une gamme de postures.

On croit, au Moyen Âge, dans le droit-fil de la médecine hippocratique, que l'enfant participe à sa mise au monde. Vers le neuvième mois de la grossesse, pense-t-on, le fœtus, qui commence à manquer de nourriture dans la matrice, décide de quitter son habitacle. Il bascule alors de la position tête en haut, qui était censée avoir été la sienne pendant presque toute la durée de la gestation, vers la position tête en bas, qui doit lui permettre de se glisser au-dehors. Ce sont ses efforts pour rompre les membranes et se frayer par les voies génitales un chemin vers l'extérieur qui provoquent les douleurs de l'enfantement. Pour faciliter sa progression, la femme en couches doit donc aller dans le sens de la pesanteur, et par conséquent se tenir debout ou accroupie.

Puis, au XVe siècle, les sages-femmes des villes allemandes commencent à pratiquer la chaise d'accouchement, innovation empruntée à l'Italie, où elle était utilisée depuis l'Antiquité[38]. Selon Heinrich Fasbender, elle est mentionnée pour la première fois dans les œuvres de Soranos d'Éphèse, au IIe siècle de notre ère[39]. Pourquoi l'adoptent-elles alors, on n'en sait trop rien. Peut-être leurs toutes récentes organisations professionnelles estimaient-elles la chaise plus appropriée au raffinement des femmes des villes ? Toujours est-il qu'au xvie siècle elle est d'usage courant dans les villes d'Europe centrale [40]. Elseluise Haberling nous en explique l'utilisation : lorsque la parturiente est sur le point d'expulser l'enfant, l'accoucheuse lui demande de s'installer sur la chaise. « La sage-femme place une assistante de manière à ce que la mère puisse s'adosser à elle. Cette assistante est toujours une femme expérimentée, soit une apprentie de la sage-femme, soit une femme du voisinage [...] Elle tient la mère par-derrière avec ses bras et favorise les contractions en appuyant plus ou moins fort sur le fond [le haut] de l'utérus, suivant les instructions de la sage-femme. » Les autres femmes se tiennent de part et d'autre du siège pour encourager la mère et aider la sage-femme [41].

En dehors des villes, les femmes d'Europe centrale semblent avoir préféré les postures traditionnelles : debout ou accroupie. Voici ce qu'écrit un médecin dans les années 1890 sur la région de Tölz, en Bavière : « Il y a encore quelques dizaines d'années, les femmes de par ici accouchaient dans la position accroupie traditionnelle. Une parfaite conformation du bassin et une robuste constitution ont pu contribuer à cette forme aisée d'accouchement [42]. » Plus nombreux encore sont les récits d'accouchements debout. Lorsque, par exemple, les paysannes des environs de Memel entrent en travail, elles agrippent une étoffe attachée à deux poutres et se balancent d'avant en arrière, tandis que « l'assistance les encourage à pousser [43] ». Et même dans les années 1920, les paysannes suisses de la vallée reculée du Lötschental accouchent encore debout en se tenant à une sangle [44]. Ainsi a longtemps subsisté en Europe centrale une double pratique : la chaise pour les citadines, et l'accouchement debout, avec point d'appui, pour les paysannes. J'ajouterai seulement que, si parfois les paysannes accouchaient allongées sur une couche de paille à côté du lit, c'était uniquement pour épargner les draps ! Ainsi, dans le village de Gy, en Sologne, « la plupart des femmes accouchaient sur des sacs au pied du lit ou devant la grande cheminée [45] ». Et dans de nombreux hameaux et villages du Valais, la parturiente était étendue sur une litière de paille fraîche ; ou encore, « on couvrait la paille de vieux journaux ou d'un drap. On n'utilisait jamais de draps propres, ni pour l'accouchement, ni pour la période des couches [46] ». Et l'on retrouve, en Hongrie aussi, le même souci de ménager la literie. Et même lorsque médecins et sages-femmes réussissent à persuader les femmes jeunes de rester dans le lit, « les plus vieilles [sages-femmes] s'accrochent à l'idée que l'enfant naîtra plus vite et plus facilement si la femme se tient debout, à genoux, assise ou allongée sur le sol. Certaines sages-femmes, en outre, préfèrent l'accouchement sur un sol en terre battue pour avoir le moins possible à nettoyer ensuite [47] ». Cette question de la position horizontale n'est donc pas simple. Certaines femmes l'évitaient pour une raison dont on sait aujourd'hui qu'elle est parfaitement fondée : l'enfant se présente effectivement mieux lorsque la parturiente est assise ou accroupie. D'autres la refusaient pour des raisons d'économie. D'autres encore enfantaient couchées, mais hors du lit. Autrement dit, bien des facteurs interviennent : le médecin ne faisait pas la loi.

La conclusion générale que l'on peut tirer de tous ces récits, c'est que la femme traditionnelle accouchait dans des positions qu'elle trouvait relativement commodes. (A l'époque, le bien-être de l'enfant n'entrait tout simplement pas en ligne de compte.) Au-delà, les préférences personnelles de la parturiente cédaient à l'insistance de telle sage-femme à utiliser une chaise d'accouchement, ou à la volonté des autorités de lui en imposer l'usage. Ce qui nous pose problème pour la suite de l'ouvrage : si le lit, finalement, l'a emporté sur ces postures traditionnelles, est-ce parce que les femmes ont été amenées à prendre la position horizontale par des médecins impatients d' « intervenir dans le processus naturel de la parturition »? Ou bien est-ce parce que les femmes avaient toujours effectivement trouvé le lit plus confortable, mais évité de l'utiliser [48]?

L'intervention de la sage-femme

La première intervention de l'accoucheuse sera probablement de percer la poche des eaux, c'est-à-dire perforer avec son ongle ou avec une sorte de dé pointu la poche de liquide amniotique qui enveloppe le fœtus dans l'utérus. Le travail, dans ce cas, avait déjà commencé, et ce geste avait pour but d'accélérer les choses. Willughby raconte : « Une certaine Mrs. K.F., sage-femme londonienne, ayant eu à se rendre auprès d'une autre femme, fit ceci, dans l'espoir de la délivrer promptement (comme, pressée de questions, elle m'en fit la confidence), qu'elle lui déchira les membranes. Toutes les eaux se répandirent au-dehors. L'enfant, privé d'humidité, périt dans la matrice. » Pratique courante, précise le médecin [49].

Les esprits sceptiques diront peut-être que Willughby cherche ici à calomnier ses concurrentes. Et pourtant, les exemples d'accoucheuses crevant la poche des eaux abondent. En 1769, dans son manuel à l'usage des sages-femmes, Moritz Thilenius explique comment les contractions rompent naturellement la poche des eaux : « Je n'ai pas de mots assez forts pour condamner la fâcheuse habitude qu'ont les sages-femmes de percer la poche arbitrairement et sans raison [50]. » En 1737, la ville de Kaufbeuren interdit à ses accoucheuses de garder un ongle long dans le but de perforer la poche des eaux [51]. Et, dans les années 1920 encore, une vieille sage-femme suisse exhibait fièrement devant un médecin en visite un doigtier à l'extrémité dentelée dont elle se servait pour crever les membranes. « D'où vous est venue l'idée, Marjosa ? demande le visiteur. Est-ce là votre propre invention ? — Oh non, répond-elle, ma grand-mère l'utilisait déjà[52]. »

Bon nombre de sages-femmes ne se contentent pas de cela : elles pratiquent également l' « exploration ». Ce qu'il faut entendre par là, le Dr J.H. Wigand, de Hambourg, nous l'explique : elles « repoussent la tête dans la matrice, elles font trop de place entre celle-ci et le bassin, et laissent s'échapper non seulement les eaux, mais le contenu entier de la matrice [le cordon ombilical notamment] ». Pourquoi une telle volonté d'intervenir ? Wigand répond qu'une bonne sage-femme, pour les Hambourgeoises, « n'est autre que celle qui se met en transpiration de la tête aux pieds. Les accoucheuses savent exploiter ce préjugé. Elles plongent continuellement leur main dans le vagin. Elles l'écartent, l'étirent et le manipulent comme s'il avait une âme revêche. Elles soupirent et grognent de manière si démonstrative que l'on désespérerait presque de voir jamais naître l'enfant[53] ».

Ainsi, contrairement à la thèse récente qui voudrait que ce passé fût l'âge d'or, les accoucheuses de l'Europe et de l'Angleterre traditionnelles intervenaient frénétiquement dans le processus naturel de l'accouchement. Tirant constamment sur les voies génitales de la mère, sur la tête de l'enfant, sur le placenta, elles étaient prisonnières d'une vision populaire qui voulait que la meilleure sage-femme fût celle qui intervînt le plus. Au cas où le lecteur aurait des doutes, précisons que masser la région située entre les cuisses, dilater le vagin, ou tenter avec ses mains de « guider » la tête de l'enfant, sont autant de pratiques inutiles, voire nuisibles, risquant de déchirer les tissus de la femme ou de l'infecter[54]. Ces procédés font aujourd'hui l'unanimité contre eux, et des pratiques telles que l'application du forceps ne peuvent se justifier que par la nécessité d'extraire l'enfant le plus vite possible lorsque son cerveau risque de ne plus être suffisamment irrigué[55].

Ni la sage-femme ni le médecin traditionnel ne connaissent rien à l'infection. Mais plutôt que de rester les bras croisés, la sage-femme préfère s'activer. Normalement, la future mère n'aurait pas dû prendre position sur la chaise avant que le travail soit déjà bien avancé, mais, dans la pratique, bon nombre d'accoucheuses forcent leur cliente à s'y installer dès les premières douleurs, les exhortant à pousser inutilement des heures durant. C.F. Senff, qui avait une certaine sympathie pour les sages-femmes, écrit ceci en 1812 : « On sait de quelle impatience les sages-femmes font généralement preuve durant le travail, comment elles incitent habituellement [la parturiente] à pousser plus fort, comment elles la placent prématurément sur la chaise obstétricale [...] surtout lorsqu'elles ont été appelées pour un autre accouchement[56]. » Autre témoignage, celui d'un médecin de Sulzbach : « Les femmes sont si épuisées d'avoir eu à pousser prématurément que, lorsque les choses arrivent à leur terme et qu'il est nécessaire d'exercer une pression, elles sont à bout de forces[57]. »

Contre cette impatience des sages-femmes, les autorités, en Europe centrale, partent en guerre. Elles ont beau s'intéresser davantage à la préservation du nouveau-né qu'au bien-être de la mère, elles n'en prennent pas moins la défense de cette dernière. Ainsi, en 1669, la ville de Darmstadt ordonne à ses sages-femmes de « ne point inciter la femme prématurément, mais plutôt la cajoler quand vient le moment, pour le cas où elle refuserait de pousser vers le bas de crainte de souffrir. La sage-femme devra également ne point porter la main dans les parties de manière tyrannique ou maladroite [58] ». Mêmes conseils de la ville de Francfort à ses sages-femmes en 1703 [59].

Voici quelques exemples de la lutte menée tout au long du XVIIIe siècle par les villes allemandes contre l'excès de zèle de leurs accoucheuses :

— Il est décidé qu'à compter de 1782, sur le territoire des communes d'Oettingen et Wallerstein, « la dangereuse pratique s'étant répandue parmi les sages-femmes de déchirer le col de la matrice et les parties externes de la génération [...], il leur est rigoureusement interdit d'intervenir d'autre façon que pour maintenir le périnée [60] » (en pressant sur cette région à chaque contraction, on pensait éviter à la parturiente les déchirures dues à une expulsion trop rapide du fœtus).

— En 1779, la ville de Ratisbonne interdit aux sages-femmes de placer la parturiente sur une chaise d'accouchement avant rupture de la poche des eaux, et de « porter les doigts dans l'orifice de la matrice dans le but d'élargir celui-ci ou même de le déchirer, ou de percer les membranes avec leurs ongles [61] ».

— En 1797, la ville de Lippstadt constate que « de nombreuses sages-femmes [...] élargissent les voies avec leurs ongles dans l'intention de faciliter le passage de la tête, ou bien déchirent les membranes, ou encore repoussent le coccyx en arrière, ou appuyent sur le ventre [62] ». Toutes ces pratiques, qui effectivement risquent de déchirer l'utérus ou le col, et de provoquer l'infection, sont désormais proscrites.

L'accumulation des exemples serait fastidieuse. Notons plutôt que ce n'est pas sans inquiétude que les sages-femmes qualifiées voient leurs collègues déployer un zèle aussi fâcheux. Louise Bourgeois, maîtresse sage-femme à l'Hôtel-Dieu de Paris, déclare en 1626 : « Je ne doute point qu'il ne soit de très habiles sages-femmes, mais non en si grand nombre que d'autres ; le moyen de les discerner est que toute femme qui aura la crainte de Dieu aimera mieux l'honneur que le lucre, n'ayant jamais envie de dépêcher l'une pour courir aux autres, comme font celles qui ont toujours leurs maisons pleines de filles et femmes sans mari, lesquelles sentent avoir affaire qui les presse [63]. »

Divers auteurs plus tardifs relatent comment les matrones françaises « travaillent la matrice » pour hâter l'accouchement [64]. Quelles sont les causes de l'incontinence d'urine qui advient aux femmes nouvellement accouchées? demande le chirurgien rouennais Jacques Mesnard. Réponse : « Le plus souvent, les mauvaises maximes des sages-femmes qui, dans le temps qu'une femme est en travail pour accoucher, portent leur doigt avec trop de force vers les os pubis de la malade, pensant dilater le passage [de sorte que], en dilatant le vagin de la malade du côté de son anus et en lui repoussant le coccyx en arrière, [elles font que] ces parties s'enflamment et s'ulcèrent[65]. »

Enfin, le témoignage le plus saisissant sur la précipitation des accoucheuses traditionnelles est celui qu'a laissé Percivall Willughby. S'adressant au xviie siècle à un public de sages-femmes, le médecin anglais, qui n'est pas un ennemi de leur profession, souhaite néanmoins les admonester. N'intervenez surtout pas dans le déroulement normal du travail, leur dit-il, « l'office ou devoir de la sage-femme dans un accouchement naturel ne consiste en rien d'autre qu'à recevoir l'enfant, puis à aller chercher l'arrière-faix si besoin est[66] ».

Willughby ayant surtout été appelé pour des urgences, son témoignage ne nous retiendra pas trop ici. Mais l'accouchement d'une Mrs. Wolaston, demeurant dans Threadneedle Street à Londres, et dont il eut à s'occuper en 1657, en dit long sur un certain comportement des sages-femmes : « Lorsque la sage-femme comprit qu'on m'envoyait chercher, elle résolut de précipiter son travail. Elle demanda à plusieurs femmes de tenir de force la mère par le milieu, tandis qu'elle-même, avec d'autres, tirait l'enfant par les membres d'un côté, et les femmes, le corps de la malheureuse, de l'autre. A la fin, l'enfant fut par violence extrait de sa mère. Il produisit à la séparation (ainsi qu'elle me le rapporta) une détonation si forte qu'on eût dit un coup de feu[67]. »

L'accoucheuse européenne traditionnelle, c'est clair, intervenait bien tout au long de l'accouchement normal. Les témoignages de médecins à cet égard ne sauraient être écartés sous prétexte qu'ils seraient partisans, car inspirés par la rivalité. Tout le monde était en effet d'accord à l'époque pour considérer que c'était à la sage-femme qu'incombait l'accouchement à domicile. Et la question est d'importance, car la façon dont était autrefois traitée la femme en couches ne pouvait qu'affecter directement la vie de toutes les futures mères et accouchées.

Sur le débordement de zèle des sages-femmes, une remarque encore. Ce sont les médecins, au début, qui les ont incitées à se mêler de tout. Pour le médecin grec Soranos d'Éphèse, l'accoucheuse doit constamment distendre le vagin avec ses doigts et écarter les lèvres de la vulve. Une fois l'orifice de la matrice entièrement dilaté, la sage-femme, dit-il, doit tirer sur la tête de l'enfant entre deux contractions. Pendant ce temps, les aides de l'accoucheuse appuieront sur le ventre de la femme afin de faire descendre l'enfant[68]. Soranos ne faisait-il que reprendre à son compte les pratiques de son temps, ou bien est-ce lui qui introduisit dans l'obstétrique populaire ces conceptions néfastes ? La question reste posée.

Quoi qu'il en soit, au XVIᵉ siècle, lorsque la littérature médicale redécouvre l'obstétrique, les médecins croient encore aux anciennes idées. Ainsi Jakob Rueff, à Zurich, recommande-t-il aux sages-femmes, avant tout examen gynécologique, d'enduire leurs mains — et de frictionner le ventre de la parturiente — avec de l'huile de roses, et, au cas où les muscles du bassin paraîtraient contractés, de procéder à une dilatation manuelle du vagin et du col[69]. Quant au médecin français du XVIᵉ siècle Jean Liébaut, il propose, pour aider la parturiente, « que la sage-femme, avec le doigt, lui ouvre et relâche les lieux ». Et de conseiller placidement de crever de même la poche des eaux[70].

Le drame, c'est que, quand les médecins dans leur ensemble changent d'avis à la fin du XVIIIᵉ siècle et recommandent de laisser faire « Dame Nature », ils ne parviennent pas à arracher les sages-femmes à cette tradition millénaire établie par leurs lointains confrères. Dans son manuel d'obstétrique publié en 1690, la très compétente sage-femme berlinoise Justine Siegemundin ne recommande pas la dilatation manuelle du vagin. Mais personne ne voulut l'entendre[71]. En Angleterre, Willughby sera le premier à demander à celles qu'il appelle « ces grandes tirailleuses du corps des femmes » de ne pas intervenir dans un accouchement normal[72]. Elles n'en continueront pas moins leurs néfastes pratiques jusqu'au XXᵉ siècle.

La délivrance

Après la naissance a lieu la dernière phase de l'accouchement : la délivrance, ou expulsion du placenta, cette masse violette qui relie le fœtus au sang maternel. Normalement, le placenta se détache de la paroi utérine quelques minutes après la naissance et, même s'il est encore en place au bout d'une demi-heure, il n'y a aucune raison de s'alarmer. Dans l'obstétrique traditionnelle, pourtant, l'usage veut qu'on le décolle immédiatement à la main. C'est la dernière occasion d'intervention dans un accouchement normal.

Si le placenta paraît coller à la paroi utérine, c'est le plus souvent parce que l'utérus ne s'est pas entièrement contracté. Mais, parfois, l'un des segments du placenta ou cotylédons adhère à la muqueuse de l'utérus. Dans ce cas, tirer sur le cordon ombilical ou sur l'extrémité du placenta peut provoquer une hémorragie ou un « renversement de matrice ». Le choc à lui seul peut entraîner la mort de la mère. Et introduire la main risque, au minimum, de provoquer l'infection. Nul doute, par conséquent, que ces pratiques soient dangereuses.

Et néanmoins fort courantes autrefois. Nicolas Saucerotte écrit en 1777 : « Il faut sans doute attribuer au désir qu'a une femme d'être bientôt délivrée dès que son enfant est venu au monde, et à la joie qu'en ressentent aussi les assistants, l'usage où sont la plupart des sages-femmes de faire l'extraction du placenta immédiatement après la sortie du fœtus[73]. » Et même à l'aube du xxᵉ siècle, l'accoucheuse rurale suisse Marjosa décolle encore elle-même le placenta, en disant à ses clientes : « Il est grand temps qu'on le sorte, sinon il va remonter[74]. »

Conséquence de ces ingérences forcenées : le nombre élevé des renversements de matrice après des accouchements normaux. « Je fus appelé en toute hâte auprès d'une femme à deux lieues et demie de mon domicile », écrit Edmund Chapman en 1735. Pour découvrir en arrivant que la femme est morte depuis une heure : « La sage-femme me déclara que l'arrière-faix collait si fort en un certain endroit qu'elle n'avait pu, en usant de toute sa force, le lui retirer […] elle avait tiré très fort sur le cordon, et provoqué ainsi la chute de la matrice, dont, aussitôt qu'elle l'avait pu, elle s'était alors saisie. Puis, elle avait de nouveau tiré avec une violence extrême, sans se laisser détourner de sa " tâche " par les cris perçants que poussait la malheureuse. Celle-ci, au bout de quelques minutes, fut prise de violentes convulsions et expira[75]. »

C'est encore Louise Bourgeois qui, dans ses *Observations* de 1626, nous apprend que, dans trois cas au moins à Paris en l'espace de quatre ou cinq ans, l'utérus avait été arraché avec le placenta[76].

Cette démangeaison des doigts, cette rage de préhension, un minimum de formation professionnelle aurait pu l'empêcher. Mais les accoucheuses traditionnelles, blessées dans leur amour-propre, refusent cette instruction. En décembre 1782, un médecin de Saxe est appelé par une famille pour aider une sage-femme. Celle-ci, à l'évidence, ressent l'arrivée de l'homme de l'art comme une insulte, et lorsqu'il la met en garde contre toute manœuvre intempestive du cordon encore pendant, elle passe outre : « Soudain, elle s'en empara et tira avec tant de force que le placenta vint avec, mais déchiré. Et elle se vanta d'être assez habile pour se passer de toute aide extérieure. » Le médecin s'étant penché pour examiner le placenta, la matrone lui crie : « Voilà le reste qui vient ! » Alors, se retournant, notre homme s'aperçoit, à son grand étonnement, « qu'elle avait tiré aussi la matrice, de sorte que le col pendait maintenant hors du passage ». La mère devait succomber à l'infection[77].

Parce que le savoir traditionnel leur enjoignait de tirer sur tout ce qu'elles pouvaient, les matrones, au travers de ces récits, font figure de monstres. Répétons-le, ces pratiques néfastes furent à l'origine enseignées par la médecine savante, et ce n'est que plus tard qu'elles ont été reprises à leur compte par les accoucheuses. Pendant un millénaire, la science médicale avait professé que le placenta doit être immédiatement retiré, sinon l'utérus se contracte et rend la délivrance impossible [78]. Malheureusement, il ne suffira pas que la Faculté, enfin, se rétracte pour que les sages-femmes lui emboîtent le pas. Pendant un siècle encore, obstinément, elles feront de l'accouchement le plus normal une épreuve à l'issue toujours douteuse.

Le repos

Les femmes de la haute bourgeoisie, qui ont jusqu'à présent monopolisé l'attention des historiens, restaient alitées une ou deux semaines après l'accouchement. Les femmes des couches populaires, elles, étaient généralement sur pied vingt-quatre ou quarante-huit heures après.

Le libéralisme de la Faculté à l'égard du repos suivant l'accouchement est un fait récent. Presque tout le monde, autrefois, croit à la nécessité, pour l'accouchée, de garder le lit neuf jours, même si bien peu, il est vrai, suivent cet avis. Les médecins recommandent à la mère de rester allongée sur le dos au moins une semaine, sans même bouger pour laisser faire son lit. Au bout de quinze jours, écrit Francis Ramsbotham en 1841, « elle pourra commencer à poser le pied au sol [79] ». Les sages-femmes aussi préconisent neuf jours de repos au lit, durant lesquels elles rendent visite à l'accouchée une ou deux fois par jour [80]. Évoquant les suites de couches d'autrefois, une mère anglaise écrit en 1914 : « Changer de sous-vêtements avant une semaine, c'était vouloir la mort. Pendant toute une semaine, nous devions coucher dans du linge raide et souillé, et l'odeur sous les vêtements était abominable. En plus, on nous ordonnait de garder le bébé en dessous [81]. » Pratique anglaise traditionnelle confirmée par le Dr Lapthorn Smith : « La matrone préhistorique [sic] n'autorise pas la mère à lever la tête de l'oreiller, et en conséquence il subsiste pendant dix jours dans le vagin de gros caillots ainsi que des débris en décomposition provenant de l'utérus [82]. »

Nous savons aujourd'hui que ce long séjour en position horizontale pouvait entraîner des problèmes de circulation dans les membres inférieurs, au point de former des caillots susceptibles de léser les poumons et de provoquer la mort par « embolie pulmonaire ». Mais peu importe qu'il existât ou non une justification médicale à la position prolongée sur le dos ; l'essentiel est qu'à l'époque on le croyait. Lorsque Ramsbotham écrit que les accouchées considèrent le neuvième jour de leur convalescence comme « critique », il fait sans doute allusion aux risques d'infection, de « fièvre puerpérale [83] ». Ce risque, nous le verrons, était énorme, et comme les symptômes pouvaient se déclarer tardivement, ce n'est qu'au bout de neuf jours environ que l'accouchée se sentait tirée d'affaire.

71

La coutume voulait, au cours de cette longue convalescence, que l'on provoque la sudation de la mère. Les assistants vont bourrer le poêle, puis emmitoufler la « convalescente » dans un édredon de plumes, provoquant une forte transpiration des jours durant. « Parfois, les trois premières semaines des suites de couches sont une cause de vive anxiété, écrit le Dʳ Rieger, de Cadolzburg, car la mère est mise au lit et les neuf jours de sueurs qu'elle doit subir sont organisés avec beaucoup de soin et de prévenance[84]. »

Mais quelles que soient les raisons données à ces convalescences prolongées, l'essentiel est ailleurs : celle qui peut se le permettre reste au lit une semaine ou deux après l'accouchement.

Et celles qui ne le peuvent pas, c'est-à-dire la grande majorité des femmes des classes populaires ? Celles-là sont sur pied dès le second ou le troisième jour. A Sulz-sur-Neckar (Allemagne), constate le Dʳ Wunderlich au début du xixᵉ siècle, vivent « des femmes du peuple qui se préoccupent si peu de leurs couches que je vis une fois, dit-il, une femme qui avait accouché le matin même, debout dans l'après-midi et rapportant un seau d'eau du puits[85] ». Vous seriez étonné, écrit Moritz Thilenius en 1769, « de voir les paysannes vaquer à leurs tâches domestiques le soir même après leur accouchement[86] ». Si ces femmes sont si vite de retour au travail, c'est qu'il le faut. « Elles reprennent le collier au bout de deux ou trois jours, écrit l'auteur d'une enquête sur un village suisse dans les années 1930, car très peu de maris savent traire une vache. Ils en savent moins sur la vie de la maison que le citadin moyen[87]. »

En fait, le repos au lit après l'accouchement n'excédait guère deux à quatre jours pour les femmes des paysans et artisans traditionnels. Ce chiffre ressort d'un certain nombre de documents, dont nous ne ferons ici que deux citations. D'abord le Dʳ Caradec, à propos de la Bretagne : « Heureusement que chez elles [les femmes de la campagne] la parturition est une chose généralement si simple, car il n'est pas rare de les voir reprendre leurs occupations dès le troisième ou quatrième jour[88]. » Et un auteur autrichien, ensuite, qui constate qu'en Styrie, non seulement les femmes « continuent d'accomplir les tâches les plus rudes jusqu'aux premières douleurs et au-delà », mais qu'elles sont de nouveau sur pied « le deuxième jour après [l'accouchement] pour effectuer les travaux du ménage[89] ».

Enfin, il sera question plus loin des « fêtes de femmes » célébrant l'heureux événement ou le baptême du nouveau-né. Naturellement, ces fêtes nécessitent certains préparatifs culinaires. Et s'il est vrai que les voisines apportent fréquemment des plats, c'est souvent la mère elle-même qui descend tant bien que mal du lit peu après l'accouchement pour faire le gros du travail. Ainsi, dans les environs de Bamberg, « on voit souvent la mère se lever tranquillement du lit pour préparer ce qu'on appelle la " lippée du baptême " (*Gevatterschmause*), tandis que les autres membres de la maisonnée et les amis accompagnent l'enfant à la cérémonie[90] ». Un médecin, horrifié, décrit le même scénario dans les campagnes du pays de Bade, et s'inquiète : « Un tel comportement ne peut manquer de nuire à la santé de la mère comme de l'enfant[91]. » Peut-être, peut-être pas. Catherine M. Scholten affirme que, dans l'Amérique coloniale, les femmes étaient confinées au lit « de manière idéale pendant trois ou quatre semaines[92] ». Cette estimation, tout comme la thèse du même auteur évoquant une sombre conspiration des médecins contre les parturientes, me paraissent des plus discutables. Toujours est-il que les femmes de la campagne et des petites villes n'avaient guère le temps, en général, de se remettre de leur accouchement.

Il est de mode aujourd'hui de prétendre qu'autrefois les femmes étaient plus ou moins maîtresses de leur accouchement, et qu'actuellement elles ne le sont plus. Ce qui prouverait la supériorité des pratiques traditionnelles[93]. Or c'est tout le contraire qui ressort du présent chapitre : les femmes n'ont jamais réellement exercé de droit de regard sur leur propre accouchement, car elles ont toujours été tributaires, pour ne pas dire prisonnières, des règles et coutumes propres à chaque communauté. Aujourd'hui, dans les maternités, tout est prévu et strictement réglementé. Non moins sévères étaient les règles, même implicites, suivies par la sage-femme traditionnelle. Lorsque la coutume pèse d'un tel poids sur la façon dont les gens organisent leur vie, il est ridicule de penser que la femme, dans l'accouchement, ait eu la maîtrise de quoi que ce soit.

5

Souffrances
et mort en couches

La grossesse a beau être un acte physiologique naturel, et non un processus pathologique, elle n'en comporte pas moins certains risques. Ce sont ces risques que nous étudierons dans ce chapitre, étant entendu qu'ils ne touchaient qu'une minorité de cas. Mais les nouvelles s'ébruitent. Une femme qui en fréquentait dix ou quinze autres en connaissait sans doute une qui était morte, ou qui allait mourir, en couches. De quoi faire naître bien des peurs collectives. Aussi nul doute que, jusqu'à l'aube du xxe siècle, la future mère voyait approcher le terme de sa grossesse avec appréhension.

Les peurs

Une femme du Massachusetts, Sarah Stearns, affrontant pour la première fois l'accouchement, écrit ceci dans son journal, après avoir reçu la communion : « C'est peut-être la dernière fois qu'il m'est donné de me joindre à mes amis ici-bas[1]. » Une Mrs. A., de New York, accompagne son mari dans les années 1840 en Angleterre, où elle devient enceinte pour la première fois. Elle refuse de dévoiler son âge au praticien qui l'examine, le Dr W.B. Kesteven, mais ne lui cache pas, en revanche, son inquiétude. Le médecin relate : « C'est avec une rare assurance que je m'efforçai de dissiper en elle l'*abattement ordinaire* aux femmes enceintes à l'approche de l'accouchement, abattement qui, dans le cas présent, exerçait sur la malade une emprise toute particulière » (c'est moi qui souligne)[2]. Évoquant vers 1914 les grossesses d'antan, une femme d'ouvrier anglais déclare : « Je m'attendais tout le temps à mourir, et je suis sûre qu'à ce moment-là toutes les femmes connaissent un vide horrible[3]. » Mais, dira-t-on, ce ne sont là que des exemples isolés, des témoignages épars, que dément peut-être une réalité plus profonde, faite de joie et d'optimisme à l'idée qu'un enfant va naître. Hélas, dans la littérature, ce sentiment d'angoisse revient constamment, et je n'y ai guère trouvé trace d'une quelconque allégresse à la perspective d'un accouchement, singulièrement chez les femmes qui attendent leur premier enfant.

74

Lorsque se propage la « fièvre puerpérale », les futures mères sont prises d'une folle appréhension. Un médecin de Dunkerque décrit une épidémie qui s'est déclarée en 1855 : « Le sort des nouvelles accouchées préoccupait beaucoup de femmes pendant leur grossesse. Elles cherchaient à savoir le nombre des malades, le répétaient en l'exagérant, et finissaient par connaître la mortalité, malgré les précautions prises pour la leur cacher[4]. »

Ces craintes fort justifiées vont s'incorporer à la mentalité féminine et donner naissance, dans la sagesse populaire, à des préceptes ayant pour but de déjouer la mort. A commencer, bien sûr, par des prières et des rites. Lorsque, en 1702, Magdalena Geisenhöfin, du village bavarois de Pfarrstetten, apprit qu'elle était de nouveau enceinte, elle « ne fut pas peu troublée, car cette fois-ci comme la dernière, les choses pouvaient fort mal tourner. Aussi, lorsque ses douleurs se déclenchèrent, on lui passa au doigt un anneau qui avait été auparavant placé dans le gobelet miraculeux de notre bon saint Magne[5] ». Les Alsaciennes s'enveloppent, durant le travail, de longues bandelettes de papier, découpées, dit-on, « à la vraie longueur du Christ », et sur lesquelles ont été inscrites des prières[6]. Dans la province autrichienne de Styrie, lorsque approche la période du travail, les femmes glissent sous leur oreiller des objets consacrés, prient sainte Marguerite, patronne des femmes en couches, ou boivent de l'eau « sainte » qui a été bénite le 27 décembre. Et le travail une fois commencé, elles se mettent sur le corps des images pieuses et récitent des oraisons extraites d'un livre où l'on peut lire : « Quiconque porte sur lui cette prière sera protégé de la mort subite [...] et toute femme en mal d'enfant accouchera facilement[7]. » De même, les villageoises anglaises prient sainte Marguerite ou la Vierge Marie « afin d'atténuer les douleurs de l'enfantement[8] ».

On cherche aussi à lire des présages dans le ciel. « Temps couvert le mercredi des Cendres, nouvelles accouchées mortes dans l'année », proclame un dicton du Wurtemberg[9]. Coutumes qui dénotent ce que Mireille Laget appelle « une conscience collective de la brutalité subie par la mère[10] ». Usages qui, répétés d'une génération à l'autre, viennent rappeler aux femmes les risques inhérents à leur condition.

Les complications

Un mot, d'abord, sur le nombre des naissances laborieuses. La notion d'accouchement « normal » est chose en partie subjective. Comme nous le verrons, une infection post-partum peut paraître normale à la mère, mais anormale à son médecin. Ce qui semblera à la femme en couches être un travail anormalement long — quatorze heures, par exemple — apparaîtra peut-être — statistiquement — comme pure routine.

Les sages-femmes elles-mêmes croyaient-elles souvent avoir affaire à une complication ? Les statistiques sur la fréquence de leurs appels au médecin accusent de nettes variations : de 7 % de l'ensemble des accouchements (dans tel village allemand vers 1900) à 23 % (parmi les sages-femmes anglaises qualifiées dans les années 1920). Moins la sage-femme a reçu de formation, ou plus le médecin a de chemin à parcourir à cheval, et moins on appelle celui-ci à l'aide. Les médecins, pour leur part, évaluaient le pourcentage des accouchements difficiles à un sur dix[11].

Estimation en gros corroborée par les intéressées elles-mêmes. Parmi les femmes qui viennent consulter au centre de planning familial de Margaret Sanger à New York, 21 % déclarent qu'au moins un de leurs accouchements a été difficile (cf. tableau 5.1). Chacune de ces femmes a accouché en moyenne trois fois. Ainsi, du point de vue de la mère, l'accouchement type comporte 7 % de risques de complications (pour une femme n'ayant que trois enfants).

Les complications autres que l'accouchement difficile étaient-elles fréquentes ? Pas très. Pour nos New-Yorkaises, elles n'augmentent que de 5 % environ les 20 % de risques d'accouchement difficile, ce qui porte à 25 % le risque global de complications sur toute la durée de la vie féconde (le tableau 5.1 en donne une idée). Mais attention : il s'agit du risque global d'ennuis obstétricaux et non du risque pour chaque grossesse.

TABLEAU 5.1

**COMPLICATIONS DE LA GROSSESSE
POUR 28 000 ACCOUCHEMENTS**
(signalées par les intéressées)
(New York, années 1920)

Complications	% des grossesses à complications
Eclampsie, néphrite, vomissements	1,7
Troubles nerveux et mentaux	0,2
Troubles gastro-intestinaux et cardiaques	0,2
Saignements, affections placentaires	1,6
Infections (génitales et mammaires)	0,2
Accouchement difficile	20,8
Total des complications	24,7

Nota : Les taux d'éclampsie et de troubles mentaux ont été calculés sur l'ensemble des 39 000 grossesses et non sur les seules 28 000 menées à terme.
Sources : Voir notes des tableaux, en fin d'ouvrage.

En d'autres termes, gardons-nous de croire que, si aujourd'hui « 95 % » des accouchements ne sont marqués par aucune complication[12], il en allait de même autrefois. Les matrones de l'Europe traditionnelle n'appelaient guère l'homme de l'art dans plus de 5 % des cas, ce qui doit correspondre au chiffre minimal des très graves complications. Mais les sages-femmes qualifiées étaient beaucoup plus souvent confrontées à des problèmes. Et les intéressées elles-mêmes estimaient qu'elles risquaient au moins une fois sur quatre, au cours de leur vie féconde, une fâcheuse « anomalie », généralement un accouchement « difficile » et pénible.

LES ACCOUCHEMENTS LENTS

Des différentes causes d'accouchement lent, la moins importante tient à la position du fœtus dans le ventre de la mère. La partie de l'enfant qui se présente la première dans les voies génitales détermine ce qu'on appelle la « présentation ». De tous les aspects de l'accouchement, c'est sans doute celui qui a le moins évolué au cours des siècles. La plupart des enfants naissent la tête la première. Mais de 2 à 4 % des présentations peuvent être pour la mère une source d'ennuis sérieux.

Normalement, au terme de la grossesse, la tête du fœtus se présente à l'entrée du bassin. L'enfant est alors couché sur le côté gauche, tête fléchie, menton reposant sur le thorax. Lorsque débute le travail, les contractions utérines font descendre l'enfant le long des voies génitales à travers le bassin osseux. Le menton reste appuyé contre la poitrine, mais la tête tourne et s'oriente verticalement. Ainsi, la naissance se fera par la base du crâne, c'est-à-dire l'occiput. C'est la présentation dite « du sommet » ou « céphalique ».

Parfois, le fessier, les pieds ou les genoux apparaissent en premier. Cette présentation dite « du siège » ne retarde guère en fait le processus normal. Mais la tête de l'enfant, qui sort en dernier, se trouve alors particulièrement exposée[13]. Cela se produisait autrefois, comme aujourd'hui, dans 3,5 % environ des cas.

Il existe, enfin, deux présentations à risque particulier. L'enfant, alors, a beaucoup de mal à naître, et la mère, si elle ne dispose pas d'une aide spécialisée, ou si ses contractions ne parviennent pas à rectifier naturellement la position du fœtus, risque d'y laisser la vie sans avoir accouché. Dans 0,5 % des cas environ, on a affaire à une présentation « de la face » (ou « du front »), la tête plus ou moins renversée en arrière au lieu d'être inclinée en avant. L'enfant ne peut naître tant qu'il se trouve dans cette posture. En fait, quatre cinquièmes des présentations de la face se corrigeaient autrefois d'elles-mêmes plus ou moins rapidement, permettant ainsi un accouchement naturel. Dans le service d'obstétrique de Marie Lachapelle à

Paris, sur 101 présentations de la face enregistrées entre 1812 et 1820, 88 donnèrent lieu finalement à une naissance sans intervention médicale [14]. Mais ce processus occasionnait souvent pour la mère une prolongation insupportable de l'accouchement, ainsi que des déchirures des muscles du périnée.

Autre présentation, nettement moins susceptible, celle-là, de correction spontanée : la présentation « transversale ». Dans 1 % environ des cas, l'enfant, au lieu de se présenter verticalement, apparaissait dans le bassin maternel selon un axe horizontal, l'épaule en premier. Dans cette position, le bras sort d'abord et l'accouchement est impossible. Les contractions peuvent parfois y remédier naturellement, mais, en général, le seul recours, pour éviter que la mère meure sans avoir accouché, est l'intervention chirurgicale. Sur 118 cas de ce type, les sages-femmes de Marie Lachapelle ne devaient réussir que 12 accouchements par les voies naturelles [15]. Les autres se terminèrent par une intervention.

Le petit tableau qui suit, établi sur 31 000 accouchements dans le district rural suisse de Sursee entre 1891 et 1929, montre à peu près la fréquence relative de ces diverses présentations.

Présentation céphalique, nez vers le bas (occipito-iliaque antérieure)	92,9 %
Présentation céphalique, nez vers le haut (occipito-iliaque postérieure)	1,4 %
Présentation de la face	0,6 %
Présentation du siège (pieds, genoux, hanches)	3,1 %
Présentation transversale [16]	2,0 %
	100,0 %

Ainsi, 93 % des naissances étaient des présentations du sommet parfaitement normales, le nez de l'enfant tourné vers le bas. Pas de gros problèmes non plus avec les 3 % de présentations par le siège. C'est seulement lorsque l'enfant se présentait le nez vers le haut (position occipito-iliaque postérieure), ou lorsque sa face s'enclavait dans le vagin, ou encore lorsqu'il offrait une présentation transversale, que la mère risquait de ne pouvoir accoucher ou de subir une naissance interminable. Ces cas ne représentaient que 4 % du nombre total.

Dans l'absolu, 4 %, cela ne paraît pas tellement, mais ce chiffre variait considérablement d'un endroit à l'autre. Dans treize études ayant porté chacune sur plus de 10 000 accouchements, les présentations de la face et du front représentent parfois jusqu'à 1 % du total, comme par exemple à Londres dans les années 1840 et 1850. Et si 0,2 % seulement des accouchements enregistrés au Rotunda Hospital de Dublin dans les années 1820 étaient des présentations transversales, on en trouve plus de 2 %, en revanche, en Autriche vers la fin du XIXe siècle [17]. Ainsi, pour des raisons obscures, certains groupes de femmes se trouvaient plus exposés que d'autres à des présentations vicieuses.

De plus, même si ces pourcentages paraissent faibles, ils n'en représentent pas moins un profond traumatisme pour un grand nombre de femmes. Parmi les 108 femmes de tel village du Wurtemberg ayant eu des enfants au début de ce siècle, on relève 8 présentations transversales sur quelque 475 accouchements. A supposer que c'était chaque fois une femme différente, cela voudrait dire que près d'une femme sur dix, dans ce village, avait connu cette horrible situation [18] ! Ainsi donc, les mauvaises présentations — notamment celles de la face et de l'épaule — étaient, pour la moyenne des femmes, plus qu'une vague éventualité : un risque bien réel.

L'accouchement « difficile » est celui qui se prolonge bien au-delà de douze heures environ, durée moyenne actuelle. La durée « normale » peut varier considérablement, certains se terminant en moins d'une heure ou deux, d'autres durant beaucoup plus longtemps. Chez la femme primipare (celle qui met au monde son premier enfant), le travail dure six heures de plus environ que chez la multipare (quatorze heures au total contre huit) [19]. Il n'y a aucune raison de penser que la femme avait autrefois les muscles utérins plus faibles qu'aujourd'hui, ou qu'elle mettait au monde des enfants plus gros (en fait, les nouveau-nés étaient généralement plus petits). Si donc l'accouchement moyen se prolongeait durant seize heures, c'est que, à l'époque considérée, on intervenait moins[20]. Pour Augustus Granville, par exemple, directeur d'un service londonien de sages-femmes à domicile au début du XIXe siècle, aucun geste médical ne se justifie avant une cinquantaine d'heures de travail[21] ! Au XIXe siècle, le tiers peut-être des accouchements pour lesquels nous disposons d'informations duraient plus de vingt heures. De nos jours, un sur dix seulement[22]. (C'est vers la vingtième heure que l'accoucheur intervient aujourd'hui, car, au-delà, la vie de l'enfant risque d'être compromise[23]. Selon une formule imagée, « c'est courir un risque que de laisser le soleil se coucher deux fois pendant un accouchement[24] ».)

Il ressort de ces statistiques que, jusqu'à l'aube du XXe siècle, la femme passait en moyenne cinq heures de plus en travail qu'aujourd'hui. Elle avait une chance sur trois environ de rester en travail plus de vingt heures, et la littérature est pleine d'accouchements se prolongeant au-delà de quarante-huit heures.

Ces accouchements laborieux ou « dystociques » pouvaient avoir pour origine la rigidité du col. La dystocie pouvait également s'expliquer par l'insuffisance des contractions ou par l'étroitesse du bassin. Ou encore par un volume démesuré de la tête de l'enfant, dû par exemple à une hydrocéphalie (excès de liquide céphalo-rachidien). En d'autres termes, il existe bien des causes possibles d'accouchement lent, que nous n'exposerons pas ici en détail. Et d'ailleurs, exception faite pour le rétrécissement du bassin dû au rachitisme, on ignore bien souvent la cause de ces phénomènes.

Mais lenteur n'est pas forcément synonyme de désastre. Pour bien des femmes dont le seul problème était la lenteur de la dilatation du col, en définitive, tout se terminait bien. Lorsque le retard, toutefois, avait pour cause une obstruction d'origine mécanique — étroitesse du bassin ou présentation anormale —, les choses pouvaient très mal tourner. En août 1697, de La Motte est appelé chez une femme très pauvre de la paroisse de Gréneville. Il la trouve « avec un hoquet continuel, le ventre dur, tendu et élevé jusqu'à la gorge, les yeux creux, le nez retiré, les lèvres violettes, l'haleine puante, les extrémités froides et presque sans pouls » ; autant de signes d'une grave infection et d'un profond état de choc. La malheureuse était apparemment en travail depuis longtemps et dans l'impossibilité d'accoucher, car le bras de l'enfant « était sorti [du vagin] jusqu'à l'épaule, gros, noir, mollasse et froid ». De La Motte va délivrer cette femme et, chose étonnante, elle se rétablira[25].

Un travail d'une telle durée n'était pas en soi une condamnation à mort. Mais plus il se prolongeait, moins la femme avait de chances d'en sortir vivante. La détresse l'envahissait, son cœur cognait, sa respiration se faisait de plus en plus rapide, elle se déshydratait et devenait fiévreuse sous l'effet de l'acidose (accumulation d'acides dans le sang), qui l'épuisait. Et l'interruption des échanges d'oxygène dans le placenta sous l'effet des contractions successives était également une source de souffrance fœtale (mise en danger du fœtus). Il fallait faire quelque chose.

Que faire ?

PREMIÈRE POSSIBILITÉ : NE RIEN FAIRE

Dans nombre de sociétés traditionnelles, la femme qui s'avère incapable d'accoucher naturellement est tout simplement abandonnée à son triste sort[26]. L'Europe d'avant 1800 n'est pas tout à fait la même société traditionnelle que le Maroc, l'Algérie ou les îles de l'Océanie au XIXe siècle : il s'y manifeste au moins la volonté d'intervenir en cas d'urgence obstétricale, volonté qui vient tout droit de l'Antiquité gréco-romaine. Mais nombre de matrones et de voisines secourables se trouvent si démunies lorsqu'une femme a du mal à accoucher qu'elles la laissent tout bonnement mourir, elles aussi. L'experte sage-femme Louise Bourgeois, au XVIIe siècle, déplore cette situation : on a vu des accoucheuses « si ennemies de nature [...] qu'elles ont renvoyé le chirurgien qui était appelé par les amies, et ont laissé ainsi mourir

mère et enfant [27] ». Quant à Percivall Willughby, il trouvait souvent
« la mère non accouchée, et celle-ci et l'enfant morts avant qu'[il ait]
pu parvenir jusqu'à eux, à cause de l'ignorance de telles sages-
femmes [28] ».

Bien des sages-femmes, en cas d'imprévu, abandonnent tout
simplement la partie. « L'ineptie de ces [sages-femmes] est si grande,
s'inquiètent dans la France d'Ancien Régime les subdélégués pour
Agde, Mende et Barre-des-Cévennes, que si l'accouchement n'est pas
naturel, la mère et l'enfant périssent [29]. » Et Moritz Thilenius note
que, « dans les villes et les autres lieux où l'on trouve une sage-femme
experte, il est très rare qu'une femme meure en couches ». A la
campagne, en revanche, « les accoucheuses ne savent point que faire
en cas de présentation vicieuse, et d'ordinaire elles laissent faire la
Nature trop longtemps [...] Leur ignorance est cause que bien des
mères meurent avec leur enfant pendant l'accouchement [30] ».

DEUXIÈME POSSIBILITÉ : LES REMÈDES POPULAIRES

Par remède populaire, il faut entendre ici toute solution traditionnelle de la dystocie excluant l'intervention directe sur les voies
génitales. A commencer par les recettes magiques. Un des
« charmes » les plus couramment utilisés autrefois dans les campagnes
irlandaises consistait à dégager d'entraves tout lieu, personne ou objet
situé à l'intérieur ou aux abords de la maison, à ouvrir toutes les
serrures et verrous, à retirer les barres des portes et des fenêtres, à
défaire tous les nœuds, et même à détacher les vaches de l'étable. La
logique de tout cela ? En libérant ainsi l'environnement, on incite
l'utérus, pensait-on, à faire de même de son contenu [31]. Dans le comté
de Heveser, en Hongrie, la coutume voulait que, en cas de couche
difficile, le mari enjambe trois fois son épouse et procède à des
fumigations de la vulve en brûlant la ceinture de ses caleçons ou
encore des poils de ses aisselles ou de celles de sa femme. Ces remèdes
s'avéraient-ils inefficaces, restait un suprême recours : le rapport
sexuel [32]... Et nous pourrions continuer longtemps encore. Les
recettes magiques contre la dystocie étaient courantes dans le peuple,
et nous intéressent non pas pour leur efficacité (!), mais en tant
qu'elles attestent une indéniable volonté d'aider la parturiente en
difficulté.

Second moyen de lutte : les drogues. On a noté une préoccupation
constante du monde paysan pour la pharmacopée, où chacun s'administre force « infusions » et « potions » contre toutes les maladies
possibles et imaginables. Face aux désordres du corps, les Européens
traditionnels affectionnaient les médecines à base de plantes locales. Il
semble bien que certaines d'entre elles contiennent des substances
chimiques qui agissent spécifiquement sur l'utérus. Nous les passerons

81

en revue dans le chapitre consacré aux remèdes abortifs, aussi ferai-je simplement remarquer ici que quelques-unes de ces potions pouvaient effectivement stimuler les contractions utérines. On sait, par exemple, que l'ergot fortifie le muscle utérin : les alcaloïdes fabriqués à partir de cette substance sont très utilisés aujourd'hui en salle de travail. Les paysannes d'Europe en absorbaient bien avant sa redécouverte par la médecine en 1808[33]. Mais la liste est longue des substances qu'elles ingéraient en cas d'accouchement laborieux, certaines pouvant faire de l'effet, d'autres au contraire étant presque sûrement inefficaces, voire toxiques. « A Mittelfranken, rapporte un auteur à propos de la Bavière, les gens préfèrent utiliser en cas d'accouchement difficile l'astragale d'un lapin tué l'un des trois premiers vendredis de mars. On en rogne trois morceaux au couteau, que l'on donne à la mère. » Ou bien : « Donnez à la femme qui souffre deux rouelles de racine de lis blanc. » Ou encore : « Donnez-lui une ou deux cuillerées d'une eau dans laquelle ont cuit deux œufs[34]. » Dans une autre région de Bavière, les paysannes dont l'accouchement tardait avaient recours à leur flacon d'*essentia dulcis* ou de *spiritus apoplecticus*, ainsi qu'à leurs vermifuges et à leurs bâtons de cannelle[35]. Interminable était la liste et presque immuable le scénario. Lorsque les choses ne se déroulaient pas comme souhaité, la femme en couches, une fois épuisées les ressources des prières, charmes et amulettes, ingurgitait généralement quelque infâme décoction.

Les médecines échouaient-elles, il ne restait plus alors qu'une solution : tenter de faire tomber le fœtus en secouant la mère ou en la renversant cul par-dessus tête. Voici ce que dit le Dr Wilde à propos des « ordres inférieurs » d'Irlande : « Dans certaines localités, il n'était pas rare autrefois, lorsque le travail était très lent, que l'on fît appel à deux ou trois solides gaillards pour violemment secouer d'avant en arrière dans son lit l'infortunée malade [...] Pour cette besogne, la préférence allait le plus souvent à un laboureur, mais celui-ci, pour être efficace, devait venir tout droit de sa charrue[36]. » Willughby, pour sa part, fait état d' « une pauvre femme, non loin d'Ashburn, qui était disposée à subir n'importe quelle épreuve pourvu qu'on la délivrât [...] Le suprême recours de sa vaniteuse sage-femme avait été [...] de la faire sauter dans une couverture, comme certains font aux chiens, espérant que ce violent mouvement contraindrait l'enfant à sortir du corps de sa mère[37] ». Dans le district de Karasjok, en Laponie, si l'enfant tardait à apparaître, on empoignait la mère par les jambes, on la renversait et on la secouait trois fois, pour corriger, pensait-on, un vice de présentation[38]. En France, l'équivalent consistait à attacher la mère tête en bas sur une échelle[39]. On imagine aisément les méfaits de ces recettes populaires : ruptures de l'utérus, déchirures des voies génitales, hémorragies.

TROISIÈME POSSIBILITÉ : TIRER SUR TOUT CE QUI SE PRÉSENTE

En cas d'échec des remèdes « de bonne femme », la matrone pousse sa technique d'un cran : elle va tenter de faire sortir l'enfant récalcitrant en l'attrapant par où elle peut. La tradition paysanne est pleine de récits où l'on voit la « bonne mère » tirer sur tout ce qui se présente. « Si la sage-femme a affaire à une présentation inhabituelle, note un observateur en 1752, elle perd contenance et [...] entreprend de tirer, fût-ce sur un polype attaché à la matrice, acte que la mère, souvent, paye de sa vie [40]. » Il semblait naturel de retirer des « parties de la génération » tout corps étranger.

Si donc tous les traitements précédents avaient échoué, l'accoucheuse empoignait ce qu'elle trouvait et tirait à toute force [41]. Cible privilégiée : la tête de l'enfant lorsqu'elle apparaissait à la vulve, les épaules bloquées derrière. Il existe des moyens simples pour négocier cette « dystocie de l'épaule », mais tirer violemment sur la tête est la dernière chose à faire, car on risque alors de la décoller. Une situation, pourtant, à laquelle de La Motte s'est souvent trouvé confronté. « Le 21 de juillet de l'année 1704, raconte-t-il, je fus mandé pour accoucher une femme à la paroisse de Sainte-Colombe [...] Je trouvai en arrivant que la sage-femme avait arraché la tête de l'enfant, sans avoir beaucoup tiré ni fait de trop grands efforts. Elle était si contrite et si affligée que je tâchai plutôt de la consoler que je ne me sentis porté à lui faire réprimande [42]. » (Si quelques tractions suffisaient à séparer la tête du corps, quelle ne devait pas être la fréquence, à la naissance, des atteintes au nerf spinal et aux nerfs cervicaux !)

Si c'était le bras de l'enfant qui apparaissait (présentation transversale), une traction, et c'était la catastrophe. Que faire, en pareil cas ? Repousser le bras vers la matrice, répondaient les plus avancés des hommes de l'art, et attendre que cette présentation vicieuse se corrige naturellement. Et si les contractions naturelles de la mère ne réussissaient pas à rectifier la position de l'enfant, c'était à l'accoucheuse de le « tourner » (nous allons y revenir) [43]. Mais, dans les campagnes, la « solution » habituelle consistait à exercer une forte traction sur le bras dans l'espoir de faire sortir l'enfant — ce qui est anatomiquement impossible. Ou encore à sectionner le bras pour voir ce qui allait se passer [44]. Du côté de Soissons, rapporte le Dr Augier du Fot, si c'est un bras ou une jambe qui apparaît en premier, les matrones, tout simplement, le coupent [45].

Voici une accoucheuse allemande type, et même plutôt expérimentée. Nous sommes en 1822, elle a affaire à une présentation transversale. La matrone du lieu s'étant révélée incompétente, les voisins et la famille de la parturiente ont décidé de faire appel à la sage-femme Veronika Paul, qui a la réputation « d'avoir souvent agi avec habileté dans des accouchements difficiles ». Elle arrive une douzaine d'heures plus tard, examine la femme et déclare qu'elle « a déjà effectué avec succès dix ou onze accouchements de ce genre ». Après quelques manipulations, Frau Paul réussit à sortir du vagin une des mains de l'enfant, et se met à tirer dessus, « avec tant de force, nous est-il rapporté, que le bras se sépara du corps tandis que le tronc de l'enfant demeurait dans la mère ». Après un certain nombre de tentatives infructueuses, la mère succomba [46]. Ainsi donc, même une accoucheuse de renom ne trouvait rien de mieux à faire, dans un cas difficile, que de tirer sur ce qui se présentait.

Une rage de préhension, donc, une propension à tirer sur tout, bien ancrées dans la pratique obstétricale traditionnelle. Et si j'insiste sur ce point, c'est seulement parce que, dernièrement, on nous a trop parlé de ces « bonnes mères » d'autrefois et de leur savoir particulier, fait de siècles d'expérience, et ainsi de suite [47]. La réalité, hélas, est plus banale : le savoir traditionnel convenait à l'accouchement normal, mais, à la moindre complication, il ne pouvait plus rien.

QUATRIÈME POSSIBILITÉ : UNE INTERVENTION OBSTÉTRICALE

Bien qu'il n'existe à proprement parler qu'une seule opération traditionnelle — l'embryotomie —, certains types « modernes » et importants d'intervention étaient connus dans les campagnes depuis le XVIe siècle.

La version : La première méthode à laquelle médecins et sages-femmes avaient recours en cas de présentation « contre nature », de volume excessif de la tête ou de contractions insuffisantes, c'était la version. Non pas la version externe parfois pratiquée aujourd'hui, mais la version interne : on plongeait la main dans l'utérus pour retourner l'enfant. Certains médecins de l'Antiquité grecque, par exemple, plaçaient l'enfant sur la tête (version céphalique) de manière à ce qu'il puisse mieux « aider à sa propre naissance ». D'autres préféraient le tourner les jambes vers le bas pour pouvoir ensuite l'extraire par les pieds (version podalique avec extraction). Durant le Moyen Âge, la médecine savante oublia l'existence de ce procédé et il fallut attendre l'année 1550 pour voir Ambroise Paré décrire la version podalique comme étant le meilleur remède à une présentation vicieuse [48]. On peut supposer, par contre, que la manœuvre était pratiquée par les sages-femmes expérimentées des villes. Peu avant 1550, en effet, un médecin bavarois, le Dr Ortolff, s'adressant à un public d'accoucheuses, fait allusion à la version comme si aucune explication n'était nécessaire. Et en 1513, Eucharius Rösslin, dans son manuel à l'usage des sages-femmes, ne mentionne les versions podalique et céphalique qu'en passant, tant il est sûr, sans doute, que la manœuvre est déjà connue de ses lectrices [49]. C'est donc la médecine officielle qui, au sortir d'une longue léthargie, redécouvre la version au xvi⁰ siècle. Le manuel de Paré connut une grande diffusion, et, dans la période que j'appelle traditionnelle (1500-1850 en gros), la procédure choisie en cas d'obstruction du travail était bien la version podalique par manœuvre interne.

Voici les instructions que donnait sur ce point à ses sages-femmes la ville de Runkel-Wied : « En cas de position vicieuse, d'absence de douleurs, d'hémorragie et autres anomalies, la sage-femme devra pratiquer une version. Elle devra s'abstenir d'user d'expressions telles que " l'enfant reste collé à la matrice et ne peut donc point sortir ", au lieu de quoi elle se contentera de plonger rapidement la main dans la matrice pour tourner l'enfant, c'est-à-dire chercher d'abord un pied, puis l'autre. Elle tire alors sur les deux pieds ensemble et, tandis que la mère pousse, elle tire l'enfant vers le bas et hors du corps de la mère, en prenant bien soin que les talons de l'enfant soient dirigés vers la sage-femme, et ses orteils vers la mère [50] » (cette dernière précaution pour s'assurer que l'enfant sorte bien face vers le bas, et que son menton, par conséquent, ne vienne pas s'enclaver contre la symphyse pubienne). Dans ce texte, tout paraît simple. En réalité, la manœuvre était horriblement douloureuse, par suite de l'absence d'anesthésie (éther et chloroforme n'ont été utilisés en obstétrique qu'à partir de 1847).

Que l'intervention fût douloureuse, cela se savait. Et parfois, lorsque c'était la seule façon d'accoucher une femme, il fallait employer la ruse. Ainsi de La Motte, lorsqu'il est appelé, en 1704, au chevet d'une femme de fermier dont l'enfant se présente transversalement, un bras entièrement sorti. A peine a-t-il entamé ses explications que la mère l'interrompt. Elle n'ignore pas les raisons de sa présence et lui lance, du fond de son malheur, qu'elle ne veut être délivrée que « par le côté », c'est-à-dire par césarienne. Et s'il ne veut pas, eh bien, qu'il s'en aille ! De La Motte promet, tire de sa sacoche tous ses instruments, « bistouris, grande lancette, bec de corbin, sondes et ciseaux », et fait comme s'il allait pratiquer l'incision. Mais, au lieu de l'opérer, il plonge la main dans le vagin afin, dit-il, de vérifier la position de l'enfant. Quatre hommes eurent bien du mal à tenir la parturiente qui se débattit furieusement. Le médecin réussit néanmoins à tourner l'enfant, qui était mort depuis un certain temps déjà, et la mère survécut [51]. Fallait-il qu'elle eût mauvaise presse dans les campagnes, cette manœuvre de la version, pour que les femmes lui préfèrent encore une césarienne !

Avant l'existence de la césarienne, 2 accouchements sur 100 environ nécessitaient une version. De tous les chiffres que j'ai pu voir, le plus faible est de 0,4 pour 100 accouchements à domicile à Londres vers 1840, le plus élevé, de 3,6 % dans la ville allemande de Memmingen vers 1800. Plusieurs grandes séries statistiques, comme, par exemple, les 32 000 naissances du district de Sursee, en Suisse, donnent un taux d'environ 2 %. Les plus touchées étaient les femmes qui avaient été atteintes de rachitisme dans leur enfance. Ainsi, une mère qui mettait au monde quatre enfants avait une chance sur dix environ de subir un jour une version[52].

Ce n'était pas, répétons-le, une manœuvre réservée à l'homme de l'art ; la plupart des accoucheuses traditionnelles se sentaient parfaitement capables de l'accomplir. « Je ne nie point, déclare en 1735 l'accoucheur londonien Edmund Chapman, que bien des sages-femmes sachent probablement retourner un enfant, ni qu'elles soient capables, sur certains sujets, de pratiquer cette manœuvre avec succès. Mais considérant les nombreuses difficultés imprévues qui peuvent surgir, et particulièrement le fait que la tête puisse s'enclaver contre les os du bassin », il est préférable, poursuit Chapman, que ce soit un médecin qui pratique cette intervention[53]. Et en Prusse, vers 1890, un débat agitait le corps médical sur l'opportunité ou non d'interdire la version aux sages-femmes ; à quoi les sages-femmes jurées rétorquèrent que toutes les matrones en faisaient, et que, de toute façon, une sage-femme autorisée qui ne pourrait plus pratiquer une telle manœuvre perdrait aussitôt le respect de ses clientes[54]! Ainsi, les sages-femmes qualifiées comme les simples matrones pratiquaient régulièrement des versions.

Le forceps : Et si la version était impossible? Si, par exemple, la femme était depuis si longtemps en travail que la tête de l'enfant se trouvait complètement enclavée dans le bassin, empêchant ainsi l'accoucheuse de lui attraper les pieds? Ou si celle-ci ne voulait pas risquer une rupture de l'utérus — rien de plus facile lors d'une version — ni faire atrocement souffrir la mère?

Avant l'invention du forceps, il ne restait alors qu'un seul recours : sacrifier l'enfant en lui perforant la tête, évacuer le contenu du crâne, puis laisser la mère accoucher naturellement du reste du corps — un procédé horrible auquel je reviendrai un peu plus loin. Mais, à compter du milieu du XVIIIe siècle, on dispose d'une option permettant d'épargner l'enfant et de réduire pour la mère les risques de déchirure occasionnés par les palettes servant à sacrifier le fœtus ou par les fragments de son crâne : le forceps. L'instrument fut inventé par une famille d'accoucheurs londoniens, les Chamberlen, dont les débuts remontent à la fin du XVIe siècle. Apres au gain, ils garderont pendant de nombreuses années leur invention pour eux, opérant sous le couvert d'un drap. Finalement, vers 1730, le principe de l'instrument s'ébruite et, peu après, deux autres accoucheurs, William Smellie et André Levret, en donnent des modèles améliorés[55].

Le forceps est tout simplement une grosse pince dont les deux branches courbes ou « cuillères » viennent s'appliquer généralement de part et d'autre de la tête fœtale. Puis, elles sont réunies et le médecin exerce une traction sur le manche. Tout cela a l'air simple, mais l'opération devient délicate si la tête de l'enfant n'est pas encore descendue dans le bassin, ou si le col de l'utérus n'est pas encore parvenu à dilatation complète. Le médecin français Jean-Marie Munaret rapporte avoir souvent vu à la campagne « plusieurs personnes » tirer ensemble sur le forceps « jusqu'à l'arrachement du part [l'enfant] [56] ». Grâce à sa forte prise, le forceps offrait l'avantage de mettre rapidement fin à un travail lent. Mais c'est précisément en cela qu'il pouvait s'avérer mortel.

Un accouchement au forceps chez soi, sans anesthésie, pouvait être une épreuve redoutable. La sage-femme Lisbeth Burger nous raconte comment, en une certaine occasion, elle et le père durent tenir la femme pendant que le médecin appliquait les « fers » : « Les plaintes et gémissements de la mère emplissaient la pièce, les secousses et soubresauts de son corps torturé [...] Après tous ces tiraillements et ajustements, ces prises et saignements, l'enfant finalement apparut entre les jambes de la mère. Déchirée et perdant son sang, à bout de forces, la malheureuse mère était renversée contre les coussins [57]. »

Au début, le forceps était à peine plus utilisé que la version. C'est dire la répulsion des médecins pour l'instrument, quand on sait à quel point tourner l'enfant était plus dangereux pour la mère. Ainsi, dans tel quartier de Londres vers 1840-1860, on a noté davantage de perforations du crâne fœtal que d'accouchements au forceps [58] ! En revanche, sur plusieurs millions de naissances en Bavière entre 1878 et 1890, 1,6 % ont été faites au forceps [59]. Et, à la fin du XIXe siècle, le forceps était appliqué en Europe centrale dans 2 % environ des accouchements, la version, quant à elle, étant alors en voie de disparition.

Le forceps est apparu trop tardivement pour jamais faire partie — à la différence de la version — de la panoplie de la sage-femme qualifiée. Si certains récits, parfois, font état de la présence du forceps dans la trousse des accoucheuses, la plupart d'entre elles préféraient en fait en laisser l'usage aux médecins [60] ; bien plus, elles en avaient horreur. « Pour l'emploi des instruments, écrit Friedrich Osiander en 1787, j'en trouvai peu [parmi les accoucheuses du cru] qui fussent d'aucune aide. Certaines se prenaient les mains et s'enfuyaient dès que je parlais d'appliquer les fers. Sur les dix-neuf accouchements au forceps que j'ai pratiqués dans la région au cours des quatre dernières années — tous heureusement terminés pour la mère —, je n'ai obtenu l'aide de la sage-femme présente sur les lieux que dans un quart à peine des cas. » Et de se plaindre tout spécialement qu'aucune d'entre elles ne fût capable de maintenir en place la première cuillère pendant qu'il appliquait la seconde [61].

Cette réticence des accoucheuses traditionnelles à l'égard du forceps, bien des raisons l'expliquent, à commencer par leur amertume de se voir coiffer, aux yeux de leurs clientes, par les médecins. Il n'empêche qu'elles répugnaient déjà à se servir de l'instrument bien avant de s'en voir interdire l'usage. Certaines sages-femmes anglaises, telle Elizabeth Nihell, se sont farouchement opposées aux hommes de l'art et à leurs forceps. Et pourtant, j'ai plutôt l'impression que les accoucheuses, pour la plupart, se souciaient davantage de la santé de leurs patientes et de celle des nouveau-nés que de leur situation économique personnelle. Et elles se rendaient bien compte que, quoi qu'aient pu en dire certains, le forceps pouvait éviter des souffrances inutiles. La Londonienne Margaret Stephen n'écrit-elle pas en 1975 : « [...] le forceps est de la plus grande utilité [...] De tous les instruments qu'il m'ait été donné de voir, aucun n'est aussi bien conçu pour sauver des vies d'enfants [62]. »

Le forceps inspirait-il crainte ou confiance aux futures mères ? L'un des premiers médecins-accoucheurs français, Jean-Louis Baudelocque, donnait une des branches du forceps à tenir à la parturiente et attendait que celle-ci la lui ait rendue pour commencer l'intervention. Ses successeurs, toutefois, ne reprirent pas cette habitude. « Nous nous sommes aperçus qu'aucune démonstration ne saurait créer la confiance, et que seuls des actes — l'application adroite et indolore du forceps, suivie d'un heureux résultat — peuvent dissiper leurs craintes [63]. »

Un siècle plus tard, le Berlinois Max Hirsch estime que l'attitude des femmes a complètement changé : « Je ne pense point me tromper en affirmant que la peur du forceps n'est pas particulièrement grande dans le peuple, et que, au contraire, l'application de l'instrument est souvent demandée pour terminer rapidement un accouchement [64]. »

Si les femmes ravalaient ainsi leurs craintes, en partie tout au moins, ce n'était pas sans raison : la mortalité des suites d'accouchement au forceps à domicile avait régulièrement baissé. Vers 1830, dans la province de Fulda, les risques de décès lors d'un accouchement au forceps étaient de 1 sur 25 ; en haute Hesse, de 1 sur 33 [65]. En 1890, dans le reste de l'Allemagne, ces risques étaient tombés à 1 sur 100. Et la tendance allait se poursuivre : 1 sur 200, puis 1 sur 500 ; et, pour finir, en 1920, le taux de la mortalité due au forceps était négligeable [66].

L'embryotomie : Si la mère ne pouvait être délivrée ni par une version ni par le forceps, il ne restait plus qu'une possibilité : supprimer l'enfant par une opération mutilante dite « embryotomie ». Ou encore « craniotomie » lorsque le crâne du fœtus était percé à l'aide d'un couteau, puis extrait au moyen d'un tire-tête.

Lorque Adrian Wegelin, médecin à Saint-Gall, est appelé auprès d'une femme de vingt-huit ans attendant son premier enfant, il y a déjà dix heures qu'elle est en travail. « La version était impossible », explique Wegelin, car la tête, « anormalement gonflée », était enclavée au milieu du bassin, empêchant la main du médecin de passer. Alors, avec un confrère appelé à la rescousse, il essaie le forceps. Ils ne réussissent à en appliquer qu'une seule branche, laquelle, du reste, glisse sans cesse et finit par se tordre ! Il ne reste plus qu'à perforer le crâne, ce qu'il fait en perçant un trou dans le frontal ; après quoi il extrait l'enfant avec un crochet. Il faudra six semaines à la mère pour se remettre[67].

On voit bien pourquoi l'embryotomie a constitué au cours des siècles un tel sujet d'opprobre. Elle causait souvent la mort du fœtus, même si un médecin catholique n'était censé y recourir que si l'enfant avait déjà péri[68]. Elle provoquait dans les chairs de la mère de terribles lésions, car les couteaux et tire-têtes pouvaient toujours glisser et déchirer les voies génitales. Et elle augmentait considérablement les risques d'infection. En conséquence, les médecins ne la pratiquaient qu'en toute dernière extrémité. Fleetwood Churchill, pour sa part, a calculé que l'embryotomie était pratiquée, en gros, dans 1 accouchement sur 900, encore que l'opération fût nettement plus fréquente en Angleterre qu'en Allemagne (1 sur 200 naissances contre 1 sur 2000 — parce que les Anglais répugnaient à l'emploi du forceps[69] !) Mais les sages-femmes, elles, y recouraient assez souvent.

La sage-femme urbaine qualifiée d'autrefois a toujours dans sa trousse des crochets métalliques pour l'extraction éventuelle du fœtus *mort*. Si la mère n'a pas accouché spontanément et que les diverses décoctions avalées sont restées sans effet, elle est censée alors appeler ses collègues, ainsi que sa responsable. Si toutes sont d'avis que le fœtus est mort *in utero*, on procède à l'extraction. Et les sages-femmes doivent veiller tout spécialement à ne pas « blesser la matrice, ni la renverser[70] ».

En réalité, semble-t-il, tous ces couteaux, palettes, crochets et autres pinces servant à décapiter le fœtus ou à lui vider le crâne faisaient partie de la panoplie de quantité d'accoucheuses et de matrones traditionnelles, et pas seulement des sages-femmes qualifiées des villes. Et l'intervention se pratiquait dans l'utérus aussi bien sur un fœtus vivant que déjà mort. Willughby rapporte plusieurs histoires, dont celle-ci : « Une brave femme de Brincliffe, près de Sheffield, tomba durant des couches difficiles entre les mains d'une ignorante. Celle-ci mit l'enfant en pièces dans le corps de la mère. Par le couteau de cette sage-femme, et par les os de l'enfant, le corps de la femme fut blessé durant l'extraction. Et par la remontée du col de la matrice, il devint ulcéré[71]. »

Si la sage-femme ne transportait pas normalement un crochet dans sa trousse, on en trouvait toujours un quelque part dans le village. « Dans presque tous les accouchements laborieux, [les sages-femmes de la campagne] se servent d'un crochet qui, communément, est celui d'une romaine ou de tout autre ferrement semblable », rapporte le Dr Augier du Fot, de Soissons[72]. Quant au chirurgien français Jean-Louis Baudelocque, il se plaint que, lors des accouchements difficiles, « les sages-femmes et chirurgiens de la campagne, qui généralement possèdent peu d'instruments, ont recours, pour extraire la tête, aux crochets de fer que les paysans utilisent pour suspendre leurs lampes [73] ».

Mais qu'on ne s'y trompe pas : taillader et charcuter, les chirurgiens, barbiers et autres bergers s'y entendaient, eux aussi, à merveille. L'incapacité de certains à pratiquer des interventions obstétricales est absolument confondante. A preuve ce chirurgien appelé auprès d'une parturiente en difficulté, à Sarstedt, près de Hanovre. La première fois, il se contente d'ordonner des fomentations. La seconde fois, agacé, il agit... en arrachant à l'enfant une partie de l'occipital (l'os postérieur du crâne), puis repart après avoir prescrit des boissons chaudes [74]. Les sages-femmes, on le voit, n'avaient pas le monopole de la brutalité ni de l'incompétence. Mais elles étaient beaucoup plus proches des femmes de la campagne et des petites villes, et, pour leur venir en aide, elles étaient prêtes à utiliser n'importe quel instrument, excepté le forceps.

Cette section aura été une sorte de descente aux enfers. Dans l'accouchement traditionnel, la moindre complication, et le pire pouvait arriver. De tous les procédés mentionnés ici, seule la version offrait un réel espoir de soulagement, à moins qu'il se trouvât dans le voisinage un médecin suffisamment à la page pour savoir manier le forceps. Et donc, lorsque nous répétons le truisme selon lequel « la plupart des accouchements étaient normaux », gardons-nous bien d'oublier que ceux — quantité non négligeable — qui ne l'étaient pas pouvaient facilement se terminer par la mort ou la mutilation de la mère.

Autres complications

Deux cas particuliers méritent qu'on s'y attarde : les femmes au bassin rétréci et les primipares âgées.

Nous avons vu que, dans certaines régions, près d'une femme sur quatre présentait un rétrécissement du bassin, dû pour un certain nombre de cas au rachitisme. Une anomalie qui réduisait les chances d'accouchement spontané. « Certaines femmes ont le bassin si petit, écrit un médecin de Cassel, en Allemagne, que l'orifice par où doit passer l'enfant est trop étroit [...]. L'enfant est en position normale, la poche des eaux apparaît, les eaux s'écoulent, mais la tête reste immuablement enclavée, et les plus vives douleurs restent vaines [75]. »

La moitié environ des femmes au bassin rétréci finissaient par accoucher spontanément, comme le montre le tableau 5.2. Pour l'autre moitié, il fallait une intervention, faute de quoi elles mouraient sans avoir accouché. La distance normale entre le sacrum (à l'arrière) et le bas de la symphyse pubienne (à l'avant) est d'environ 12,5 cm.

C'est ce qu'on appelle le diamètre pubio-sacré ou antéro-postérieur du bassin, celui que le médecin ou la sage-femme peuvent le plus facilement mesurer. Comme le montre le tableau 5.2, sur 665 rétrécissements du bassin relevés dans les maternités parisiennes au milieu du XIXe siècle, la moitié étaient des rétrécissements légers (diamètre d'au moins 10 centimètres). Ces femmes avaient accouché spontanément dans les trois quarts des cas environ ; mais elles mouraient en couches beaucoup plus souvent que les femmes « normales », sans doute parce que leur travail était plus long, et plus élevés par conséquent les risques d'infection. (Taux de mortalité : 19 % contre 6 % seulement pour l'ensemble des accouchements dans les maternités parisiennes vers la même époque [76].) Mais plus le bassin était étroit, et plus l'issue risquait d'être grave. Ainsi, parmi les femmes dont le bassin avait un diamètre inférieur à 8 centimètres, 4 % seulement pouvaient accoucher spontanément, et la moitié environ mouraient en couches.

TABLEAU 5.2

RETRECISSEMENTS DU BASSIN OBSERVES DANS LES
MATERNITES PARISIENNES AU MILIEU DU XIXe SIECLE,
ET LEUR ISSUE OBSTETRICALE

Diamètre du bassin	Nombre de femmes	Pourcentage d'accouchements spontanés	Pourcentage de décès
Plus de 10 cm	301	72	19
9-10 cm	215	42	22
8-9 cm	94	12	22
Moins de 8 cm	55	4	49

Nota : Les mesures sont celles du diamètre sacro-sous-pubien, c'est-à-dire antéro-postérieur.
Sources : Voir notes des tableaux, en fin d'ouvrage.

Les rétrécissements importants posaient au médecin et à la sage-femme des problèmes quasi insolubles. Ainsi pour Margery Barker, de Derby (Angleterre), on fit venir Willughby. Celui-ci constata que la femme avait « un passage étroit et [que] l'enfant n'était point du tout descendu, en étant empêché par ceci que l'extrémité large du [sacrum] était inversée, et point souple, et l'enfant trop gros pour un passage aussi étroit ». Il eut donc recours à la version. Cette femme se retrouva derechef enceinte. Mais, cette fois, Willughby était absent. Après être restée six jours en travail, la malheureuse mourut sans avoir accouché. Lorsque Willughby fut de retour, « la sage-femme [lui] dit que l'enfant n'était jamais descendu ni venu dans les os [du bassin] et que le corps de la femme étant étroit, elle n'avait su comment la délivrer [77] ». De tels témoignages abondent sous les reliures anciennes d'une littérature médicale aujourd'hui oubliée. Témoignages dont l'intérêt est de nous laisser entrevoir les souffrances de milliers de femmes anonymes. Au début de ce chapitre, j'ai évoqué le grand nombre de femmes qui, malgré une présentation céphalique normale de leur enfant, connaissaient un accouchement « long » ou « difficile ». L'origine en était souvent dans ces déformations osseuses : la mauvaise conformation du bassin ne permettait tout simplement pas à l'enfant de naître.

Second facteur contribuant à toutes ces déchirures et autres accidents dus à la lenteur : l'âge relativement élevé de la mère. Les obstétriciens considèrent généralement que la « meilleure » période pour avoir un enfant se situe entre la vingtième et la vingt-cinquième année : c'est l'âge où le col met le moins de temps à se dilater en travail, où les muscles de l'utérus et de l'abdomen ont le plus de force pour pousser, où les organes génitaux reviennent le plus vite à leur état premier après l'accouchement. Une femme qui accouche pour la première fois à trente-cinq ans est considérée comme une « primipare tardive » et fait l'objet d'une surveillance particulière[78].

L'accouchement-carnage d'autrefois s'éclaire donc d'un jour nouveau lorsqu'on sait que, dans les villages de l'Europe traditionnelle, quelque 40 % des femmes en couches, et 37 % des primipares, avaient plus de trente-cinq ans[79] !

De là une multiplication des risques. S'il n'y a, pour l'ensemble des femmes, que 4 % des accouchements qui durent plus de vingt-quatre heures, ce pourcentage atteint presque 25 % chez les primipares de plus de trente-cinq ans[80]. Âgées de trente ans ou plus, elles étaient, à Innsbruck dans les années 1880, trois fois plus souvent que l'ensemble des parturientes victimes de déchirures du périnée[81].

Si tant de femmes accouchaient tardivement, c'était parce qu'elles ne se mariaient pas toutes jeunes. Retard que l'obscurantisme obstétrical de la société villageoise leur faisait payer fort cher. Citons, par exemple, le Dr Adrian Wegelin, de Saint-Gall, qui, entre 1795 et 1802, eut à faire face à une centaine d'urgences obstétricales. Un tiers concernait des primipares, dont la plupart avaient plus de trente-cinq ans (et douze plus de quarante ans). « En février 1801, raconte-t-il, je fus appelé au chevet d'une femme primipare de quarante ans, qui était en travail depuis une quinzaine d'heures déjà. » La tête de l'enfant n'était pas engagée, le bassin était quelque peu rétréci et le col non encore dilaté. L'accoucheuse avait essayé diverses recettes : bains de vapeur, lavements, opium, mais en vain. Wegelin dut sortir l'enfant au forceps, « mais, poursuit-il, à cause de la raideur des voies, le périnée eut à souffrir. La déchirure, toutefois, ne s'étendait pas jusqu'à l'anus[82] ». Si donc tant de femmes, autrefois, souffraient de déchirure du col, de difficultés à s'asseoir par suite d'une déchirure périnéale mal cicatrisée, ou encore d'inflammation chronique du bassin, c'est en partie parce qu'elles avaient leur premier enfant fort tard.

92

Convulsions et hémorragies

Même si l'enfant descendait bien dans les voies génitales, la mère traditionnelle avait encore trois autres périls à redouter : l'infection, l'hémorragie, les convulsions. L'infection est un sujet suffisamment intéressant pour que nous lui consacrions entièrement le prochain chapitre. Mais la femme moyenne du village savait aussi bien ce qu'étaient la mort par hémorragie et les convulsions.

LES HÉMORRAGIES

Le placenta est relié directement au système sanguin de la mère, et, au moment de son expulsion, le sang des vaisseaux maternels s'écoule librement jusqu'à involution de l'utérus et occlusion desdits vaisseaux. Normalement, la femme ne perd pas plus d'un demi-litre de sang. Mais si l'involution utérine ne se produit pas à temps, il risque d'y avoir hémorragie et par conséquent état de choc.

Il n'est pas exceptionnel que la déperdition sanguine atteigne un litre environ ; c'est le cas aujourd'hui dans 5 % environ des accouchements [83]. Mais, maintenant, la parturiente peut recevoir une transfusion ; les médecins savent arrêter l'hémorragie, soit en administrant des produits médicamenteux, soit même en procédant à une hystérectomie (ablation de l'utérus). Avant 1900, aucune de ces possibilités n'existait, à l'exception peut-être de l'ergot, dont les effets étaient très lents. En ce temps-là, l'hémorragie était une catastrophe.

Ainsi la sage-femme allemande Lisbeth Burger, qui exerçait dans une petite ville au tournant du siècle, nous fait-elle part dans ses mémoires de l'appréhension qu'elle ressent lorsqu'elle se rend un jour à la boulangerie où Frau Schulz vient d'accoucher : « Debout devant la porte, quelques voisines parlent à voix basse. Les dix enfants viennent de rentrer de l'école et se tiennent autour, tout déconcertés. A l'intérieur, la maison est dans un état effrayant. Il y a dans la cuisine une mare de sang, et on en voit les traces jusque dans la boutique et à travers le salon. Et la chambre ! On dirait qu'il y a eu un meurtre. La literie est sens dessus dessous, une cuvette, le plancher, tout est couvert de sang. Frau Schulz est au lit, pâle comme la cire et creuse comme la mort. Alors, je renvoie tout le monde, enfants et voisines [84]. »

Ces hémorragies étaient-elles courantes ? Réponse de De La Motte : « Il n'est que trop commun de voir des femmes grosses périr dans une perte de sang [...] le nombre n'est pas petit de celles qui ont fini leurs jours par cet accident après être accouchées, dans le temps que tout le monde ne songeait qu'à se réjouir de l'heureuse naissance d'un enfant souhaité, et du prétendu bon état de la mère, dont la vie a coulé avec le sang, et dont la mort est arrivée doucement, avant que l'on y eût pensé. » Car il suffit d'une faible déperdition sanguine pour mettre une femme en état de choc[85]. Quant à François Mauriceau, il mentionne 94 cas d'hémorragie obstétricale, soit plus que d'aucune autre complication observée par lui[86].

L'existence d'un véritable folklore villageois ayant l'hémorragie pour thème conduit à penser que le phénomène était relativement fréquent. Dans telle région de Finlande, les villageois, pour combattre l'hémorragie, mettaient une chemise propre de femme à un chien de chasse tout juste rentré de la forêt, et la passaient ensuite, encore humide, à la mère[87]. Et du côté de Tübingen, les sages-femmes obligeaient la mère, en cas d'hémorragie, à tenir dans sa main une « pierre à sang » (*Blutstein*). La confiance en ce remède était telle que la famille d'une parturiente en pleine hémorragie interdit un jour à Friedrich Osiander d'intervenir. Le médecin assista, impuissant, à l'agonie de la femme[88].

De nos jours, les derniers mois de la grossesse s'accompagnent de saignements dans environ 3 % des cas[89], généralement par suite du décollement prématuré du placenta normalement implanté. Toutefois, certains saignements prénatals résultent d'une mauvaise implantation du placenta : celui-ci, au lieu de se fixer au fond de l'utérus, s'est développé en bas, près du col ; on a affaire à un *placenta praevia*, c'est-à-dire « venant en premier ». Et même si, des principales formes d'hémorragie pré- et post-natale, celle-ci est la moins courante, elle n'en est pas moins la plus redoutable : l'enfant ne peut naître sans déloger le placenta ; ce déplacement provoque une forte hémorragie, laquelle, survenant avant même la naissance de l'enfant, déconcerte tout particulièrement la sage-femme et ses aides. Ainsi, de La Motte, appelé en février 1696 dans une paroisse voisine, découvre-t-il en arrivant dans la cour de la ferme toute une communauté en désarroi : « Plusieurs femmes sortirent, avec un cri effrayant au possible, qui me marqua mieux que tout ce qu'elles m'auraient pu dire, l'extrême danger où cette pauvre femme se trouvait, ce qui me fit descendre bien vite de cheval et aller où elle était. Je trouvai l'arrière-faix qui venait d'être poussé dehors le vagin par une dernière douleur, et la perte de sang qui venait en grande abondance. » Il délivra aussitôt l'enfant en pratiquant une version, et la mère survécut[90].

Réussir un accouchement avec un placenta praevia exigeait donc beaucoup de sang-froid et d'expérience. Rien ne permet de penser que la sage-femme urbaine qualifiée ait manqué de l'une ou l'autre qualité. Nombre d'ordonnances réglementant l'activité des sages-femmes prémodernes leur accordent en effet l'entière responsabilité du traitement des hémorragies prénatales[91].

Mais une femme au placenta praevia qui tombait dans les mains d'une matrone de village avait peu de chances d'en réchapper, tant était profonde dans les mentalités populaires la répugnance à intervenir face à une hémorragie. Ainsi, la sage-femme parisienne Louise Bourgeois fut appelée un jour « pour voir la femme d'un fripier de la place Maubert » qu'une matrone « soignait » pour hémorragie depuis quatre ou cinq jours. « Je la trouvai en une sueur froide, le pouls d'une personne qui se mourait [...]. La sage-femme lui disait qu'il fallait laisser faire nature et qu'elle avait eu autrefois de mêmes. » La femme devait mourir un quart d'heure après l'arrivée du chirurgien que Louise Bourgeois avait appelé [92].

Si j'ai quelque peu insisté sur le placenta praevia, c'est parce que ces récits révèlent l'impuissance du savoir obstétrical traditionnel face aux urgences les plus graves. Au XIXe siècle, on n'était plus totalement démuni devant un placenta praevia, mais, auparavant, la seule solution était encore d'accoucher la femme au plus vite en pratiquant une version [93].

Il existait d'autres risques de saignement, le placenta praevia n'entrant que pour un sixième environ dans les différentes causes d'hémorragie obstétricale (voir tableau 5.3). Au total, il se produisait une hémorragie dans environ 6 accouchements sur 1 000.

TABLEAU 5.3

**HEMORRAGIES PENDANT LA GROSSESSE
ET L'ACCOUCHEMENT AUX XIXe ET XXe SIECLES
(POUR 1 000 ACCOUCHEMENTS)**

	Placenta praevia	Toutes hémorragies
Avant 1850	0,9	6
De 1850 à 1900	2,3	18
De 1900 à 1940	2,8	22
Actuellement	5	—

Nota : Ces chiffres sont des moyennes statistiques établies sur différentes études.
Sources : Voir notes des tableaux, en fin d'ouvrage.

Enfin, on notera que la plupart des évolutions décrites dans ce livre sont des évolutions « heureuses », en ce sens qu'elles représentent pour les femmes un mieux-être constant. Or la fréquence des hémorragies pendant la grossesse semble avoir augmenté au cours des XIXe et XXe siècles. Les chiffres donnés au tableau 5.3 ne sont pas à prendre trop littéralement, l'accroissement apparent entre « avant 1850 » et les années 1930 étant certainement pour une part le résultat d'une meilleure observation clinique. Aussi peut-être le pourcentage des hémorragies entre 1900 et 1940 n'a-t-il pas vraiment été trois fois plus élevé qu'avant 1850. Il n'est pas non plus certain que le placenta praevia soit cinq fois plus fréquent aujourd'hui qu'il ne l'était vers 1800 au Rotunda Hospital de Dublin. Mais est-il possible que les quatre cinquièmes des placentas praevia apparus dans leurs services aient échappé aux médecins de l'hôpital irlandais, pionniers de la science de leur temps ? Cela paraît peu probable. Impression, donc, d'une progression effective du taux des complications hémorragiques. Impression corroborée, d'ailleurs, par les chiffres du pays de Bade, qui, d'année en année, sont comparables. Le pourcentage des placentas praevia y est passé de 2,7 pour 1 000 entre 1871 et 1900, à 3,8 entre 1901 et 1925 [94]. D'autres sources médicales encore ont signalé une augmentation de l'incidence des hémorragies pendant l'accouchement [95]. C'est pourquoi, sur ce point limité, mais important, de mon étude, il m'est interdit d'affirmer que le début du xxe siècle ait apporté une quelconque amélioration.

L'ÉCLAMPSIE

Sans doute le lecteur est-il las de toutes ces complications. Il me faut pourtant dire quelques mots de celle qui, aujourd'hui encore, est la plus effrayante de toutes, parce que ses causes restent inconnues et ses conséquences horribles. Je veux parler des convulsions ou éclampsie. Autrefois appelée « toxémie de la grossesse », elle est aujourd'hui classée parmi les « maladies de l'hypertension », aucune toxine n'ayant jamais été découverte dans le sang des éclamptiques. D'abord apparaissent certains signes annonciateurs : présence de protéines dans les urines, gonflement des tissus, notamment au niveau des poignets et des chevilles, élévation de la tension artérielle. Puis, d'un seul coup, sans autre avertissement, la femme enceinte est prise de convulsions et meurt. Ainsi cette pauvre femme de Ship Street, à Londres, prise de convulsions en plein travail, et criant sans arrêt : « Oh ! ma tête ! » Son médecin décrit la scène : « Les convulsions revenaient tous les trois quarts d'heure ; pendant les paroxysmes, le corps et les membres se convulsaient fortement, elle avait l'écume à la bouche, ses traits se tordaient, ses mains se crispaient [96]. » L'éclampsie frappe surtout les primipares [97]. « Le 23 mars 1669, rapporte François Mauriceau, j'ai accouché une femme âgée de vingt-cinq ans, qui, étant en travail de son premier enfant, fut surprise de si furieuses convulsions durant un jour et demi, avec perte de toute connaissance, qu'elle s'était coupé presque toute la langue avec les dents [98]. » Ainsi, la seule idée qu'une femme puisse tomber en convulsions suscitait l'alarme dans son entourage. La maladie elle-même n'était rien de moins qu'une catastrophe.

Statistiquement, l'éclampsie survenait dans environ 1 accouchement sur 600 ; ce qui n'est guère fréquent [99]. Dans les petites communautés, des vies entières pouvaient s'écouler sans que les mères entendent jamais parler de « convulsions puerpérales ». L'accoucheuse Marjosa, par exemple, n'en vit pas un seul cas au cours de dizaines d'années de pratique dans la région suisse du Lötschental[100]. Un médecin londonien du xviiie siècle rapporte que l'éclampsie est « rarement rencontrée par le praticien de campagne, mais [que], dans les villes, on la rencontre parfois chez les dames de complexion délicate et sensible. » (Il n'existe aucune corrélation entre « complexion » et éclampsie.) Pour sa part, précise-t-il, il n'en a connu que 4 cas[101]. Et pourtant, Mauriceau, à Paris, en décrit 31 cas, sans compter tous ceux dont, semble-t-il, il avait entendu parler[102].

La crainte des convulsions faisait apparemment partie de la culture féminine : n'existait-il pas contre cette maladie des remèdes populaires ? Donnez à la malade de l'eau de mélisse, ou mettez-lui entre les mains une « pierre à sang », disaient les paysans des environs de Bamberg[103].

Une femme anglaise de milieu ouvrier a raconté à la Women's Cooperative Guild, en 1915, quels avaient été chez elle les symptômes prémonitoires de l'éclampsie : une enflure telle qu'elle ne pouvait plus « mettre de gants ni de chaussures » ; des dépôts dans les urines, etc. Puis elle décrit les convulsions d'une de ses jeunes amies : « Elle est tombée malade au huitième mois ; elle a passé un mauvais moment, une crise après l'autre, et pour finir, après la naissance de son bébé, elle est restée deux jours dans le coma. » Mais ce témoignage vaut surtout pour la suite : si elles n'avaient pas consulté un médecin, ni elle ni son amie, c'était par « pure ignorance », reconnaît cette femme, et aussi, dit-elle, à cause de « l'idée qu'il fallait tout supporter jusqu'au bout des neuf mois ». Ce qui donne à penser que l'éclampsie et ses signes précurseurs (pré-éclampsie dans le langage actuel) étaient connus de la moyenne des femmes[104].

Il semblerait que le nombre des cas d'éclampsie ait augmenté au fil des ans, du moins jusque vers 1940, lorsque sont apparus les premiers traitements permettant d'enrayer la maladie. D'après le tableau 5.4, les convulsions ont été plus fréquentes au xxe siècle qu'au xixe, tant parmi les primipares — qui sont les plus exposées — que parmi les multipares. Ces données composites ne sont pas d'une précision extrême, car les circonstances sont très variables d'une étude à l'autre. Mais le pays de Bade a fort soigneusement établi les statistiques de l'éclampsie entre 1886 et 1925, et on constate que durant cette période la fréquence de la maladie a doublé[105]. Il ne fait donc guère de doute qu'il y a eu progression.

Étant donné tous les efforts accomplis dans le même temps par la médecine pour réduire les risques inhérents à l'éclampsie, toute progression de la maladie ne peut que surprendre. Alors pourquoi une telle augmentation ? Qu'est-ce qui a bien pu changer dans la vie des femmes pour qu'elles soient davantage sujettes à cette maladie ? Selon un médecin de Caroline du Nord, la progression de l'éclampsie dans la population noire de cet État serait due à une certaine prospérité économique. Plutôt que de se nourrir des produits de leur jardin, comme ils l'avaient fait en période de vaches maigres, ces gens, explique-t-il, se remplissaient maintenant « de porc salé, de mélasse et de farine de maïs », d'ou cette recrudescence de l'éclampsie [106]. Une telle théorie ne repose sur aucune base scientifique réelle. Il n'empêche, l'évolution du régime alimentaire pourrait bien être une explication.

TABLEAU 5.4

INCIDENCE DE L'ECLAMPSIE
(CONVULSIONS) AUX XIXᵉ ET XXᵉ SIECLES
(POUR 1 000 ACCOUCHEMENTS)

	Primipares essentiellement	Multipares essentiellement
Avant 1850	4,1	1,8
De 1850 à 1900	4,4	2
De 1900 à 1940	8,4	3,3

Nota : Il s'agit de moyennes statistiques établies à partir de différentes études.
Sources : Voir notes des tableaux, en fin d'ouvrage.

Le plus étonnant peut-être, c'est qu'il ait fallu attendre les années 1940 et 1950 pour que les progrès de la médecine commencent à se faire sentir. Au milieu du XIXᵉ siècle, les principales thérapies utilisées contre la maladie étaient la purge et la saignée, et la mortalité était de l'ordre de 20 à 25 %. Dans les années 1930, les armes employées étaient les barbituriques, conjugués à l'accouchement précoce, et la mortalité tournait encore autour de 20 % [107]. Le principal facteur de guérison a été le traitement au sulfate de magnésium, utilisé pour la première fois vers 1916, mais qui ne devait se généraliser qu'après la dernière guerre. En second lieu, on administre aujourd'hui à la mère pour la calmer des piqûres de sulfate de morphine, et on ne cherche pas à forcer l'accouchement aussi longtemps que durent les convulsions. Résultat : la mortalité par éclampsie n'est plus actuellement que de 5 % environ [108].

Le principal, toutefois, reste la prévention pure et simple de la maladie, point essentiel de la surveillance prénatale. Or celle-ci est un acquis tout récent ! Il a fallu attendre 1948 pour que des médecins décident, dans un hôpital de Sydney, de prendre la maladie à bras-le-corps. Résultat : 1 cas seulement sur 15 000 accouchements dans les cinq années qui suivirent. Mais avant 1948, le taux d'éclampsie dans cet hôpital était de 2,5 pour 1 000, c'est-à-dire le même que dans l'Europe du début du XIXe siècle [109].

La mortalité en couches

Cette étude repose largement sur les témoignages des médecins. N'auraient-ils pas déformé les faits dans le but de dénigrer leurs rivales, les sages-femmes ? A cette question, voici un élément de réponse. Nous savons qu'autrefois c'étaient les sages-femmes qui effectuaient la grande majorité des accouchements. Or les statistiques montrent que bien des femmes mouraient en couches. Est-il pire condamnation des matrones traditionnelles que ces statistiques ?

Avant 1800, 1 à 1,5 % des accouchements se soldaient par le décès de la mère, la moyenne exacte dans les études consultées étant de 1,3 %. Le taux de mortalité en couches, considéré dans la longue durée, dépassait rarement 2 % (encore que ce fût le cas, semble-t-il, dans le quartier londonien d'Aldgate au XVIe siècle, ainsi qu'en Nouvelle-Angleterre à l'époque coloniale [110]). De même était-il rarement inférieur à 0,5 %, même si ce fut parfois le cas dans certains villages d'Allemagne. Si l'on considère qu'une femme vivant jusqu'au bout de ses années fécondes mettait au monde une moyenne de six enfants, on peut donc dire que ses chances de mourir en couches étaient de six fois 1,3, soit 8 % [111].

Que signifient ces 8 % comparés aux autres risques auxquels étaient exposées les femmes en âge de procréer ? Cette question sera examinée en détail au chapitre 9, mais notons d'ores et déjà que dans le Brabant, par exemple, un quart des décès parmi les femmes de quinze à cinquante ans étaient d'origine obstétricale [112]. Dans les classes dirigeantes de l'Europe des XVIIe et XVIIIe siècles, un décès sur quatre parmi les femmes fécondes survenait en couches [113].

L'enfantement était donc, pour les femmes en âge de procréer, l'une des deux principales causes de mortalité (la première étant généralement la tuberculose) [114] : 1,3 % de risques de mourir lors d'un accouchement, cela peut paraître faible, mais multiplié par six accouchements en moyenne dans une vie de femme, cela finit par chiffrer.

On remarquera au tableau 5.5. que la mortalité en couches a décliné plus tôt et beaucoup plus rapidement dans les grandes villes que dans les petites villes et les campagnes, où, en revanche, n'apparaît pas le moindre recul au cours du XVIIIe siècle. Elle semble même avoir connu une évolution en dents de scie — sans baisse réelle — dans tout un ensemble de villages et bourgs allemands. Et en Suède, le taux ne commence à régresser qu'au XIXe siècle [115]. Un tel contraste entre villes et campagnes montre clairement, je pense, les effets positifs des divers progrès accomplis en obstétrique — formation médicale des sages-femmes, usage du forceps, etc. —, progrès qui ont d'abord été diffusés en ville. Certes, cela reste à prouver dans le détail. Il me paraît cependant vraisemblable que, si les Londoniennes mouraient moins en couches en 1790 que deux siècles plus tôt, c'est parce qu'à la fin du xviiie siècle les conditions avaient changé [116] : il y avait maintenant de bons médecins, les sages-femmes étaient sans doute beaucoup plus compétentes, et toute une série de manœuvres, telle la version, pouvaient désormais éviter à la mère les horreurs que j'ai passées en revue dans le présent chapitre [117].

TABLEAU 5.5

MORTALITE EN COUCHES URBAINE ET RURALE
JUSQU'EN 1850 (POUR 1 000 ACCOUCHEMENTS)

Villages		Villes		Villes	
Villages allemands		*Londres*		*Königsberg*	
1650-1699	10	1583-1599	24	1769-1783	13
1700-1749	4	1629-1636	16	1784-1793	10
1750-1799	12	1670-1699	19	1794-1803	8
1800-1849	8	1701-1746	14	1804-1814	7
		1747-1795	12		
Villages du Brabant		1828-1850	4	*Berlin*	
1624-1640	19	*Edimbourg*		1720-1724	11
1641-1700	n.d.*			1746-1757	12
1701-1756	17	1750-1759	14	1758-1774	12
1750-1791	18	1770-1779	8	1784-1794	7
		1790-1799	6	1819-1822	7
				1835-1841	4

* Non disponible.
Sources : Voir notes des tableaux, en fin d'ouvrage.

A partir des années 1870, la mortalité maternelle commence à régresser partout, grâce aux progrès de la médecine, et notamment l'introduction de l'antisepsie par Joseph Lister, en 1867. Malheureusement, la même période connut aussi un accroissement spectaculaire du nombre des morts par infection post-abortum. Et la plupart de ces décès étant à l'époque comptabilisés dans les « décès en couches », les statistiques globales donnent l'impression que la mortalité maternelle à terme n'avait pas baissé. Or elle n'a, au contraire, cessé de décliner à partir de 1880 environ, nous le verrons au chapitre suivant.

La Suisse a été l'un des rares pays à exclure de ses statistiques de mortalité maternelle les décès par infection post-abortum. Les données débutent en 1901, lorsque le taux des décès en couches est de

0,5 %, alors quil était encore de 1 à 1,5 % vers 1800. En 1930, il ne sera plus que de 3,7 pour 1 000, pour tomber en 1970 à 0,2 pour 1 000, soit 2 pour 10 000 [118]. La mortalité maternelle pour la Suisse se mesurera bientôt en termes de *n* décès pour 100 000 accouchements, ce qui veut dire qu'il faut attendre 100 000 accouchements pour voir se produire un seul décès. En d'autres termes, un taux négligeable. Et ce qui est vrai pour la Suisse l'est aussi pour les autres pays : lente régression de la mortalité maternelle dans les années qui ont suivi l'introduction de l'antiseptie, régression rapide après la découverte des sulfamides en 1936, chute pratiquement à zéro grâce aux gigantesques progrès de l'obstétrique des vingt dernières années [119].

Pour bien saisir l'évolution de la mortalité maternelle au cours des ans, il faut avoir présente à l'esprit la situation des femmes en couches face à la maladie aux différentes époques : d'abord vers 1860, avant que débute la lutte contre l'infection ; dans les années 1930, lorsque les médecins eurent appris à prévenir et à traiter quelques-unes des maladies les plus fréquentes ; et enfin aujourd'hui, où le décès en couches est devenu tout à fait exceptionnel. Le tableau 5.6 montre cette évolution.

TABLEAU 5.6

EVOLUTION DES CAUSES DE LA MORTALITE EN COUCHES (EN %)
(AVORTEMENTS ET GROSSESSES EXTRA-UTERINES NON COMPRIS)

	Etat de Bade (1864-1866)	New York (1930-1932)	Etats-Unis (1976)
Infections	57	33	4
Phlébite-embolie	?	6	17
Hémorragies	17	12	15
Eclampsie-«toxémie»	6	15	21
Choc-traumatismes	8	11	6
Autres causes obstétricales	–	1	24
Causes «médicales» connexes	11	22	13
	100	100	100
Nombre de décès en couches pour 1 000 accouchements	*5,4*	*4,5*	*0,1*

Sources : Voir notes des tableaux, en fin d'ouvrage.

On remarquera que, dans les années 1860, dans une partie de l'État de Bade, survenaient les maladies « connexes », telle la tuberculose, auxquelles les femmes succombaient parce qu'elles étaient en état de moindre résistance.

A New York, dans les années 1930, l'infection posait encore des problèmes, notamment dans les accouchements comportant l'emploi d'instruments, en premier lieu la césarienne. Nombre de femmes mouraient aussi d' « arrêt du cœur », des suites d'un rhumatisme articulaire aigu [120]. Enfin, les New-Yorkaises de milieu ouvrier couvertes par ces statistiques étaient sans doute victimes de l'étonnante recrudescence de l'éclampsie dont j'ai parlé plus haut.

Dans les années 1970, enfin, la parturiente américaine n'avait plus de raison de craindre la mort. La principale cause des très rares décès était l'éclampsie. Autres responsables : les maladies subites (attaque ou « embolie du liquide amniotique »), tragédies que l'accoucheur moyen ne rencontre plus guère aujourd'hui. La mort banale, prévisible, celle due à l'infection, au traumatisme, a été purement et simplement éliminée de la salle de travail.

Comment de telles mutations n'auraient-elles pas influé sur la façon dont les femmes perçoivent la sexualité, la maternité, la nature de leurs relations avec les hommes ? Aujourd'hui, la maternité est pour l'essentiel une expérience heureuse, vécue et non plus subie, d'autant plus précieuse qu'elle est inaccessible à l'homme. Nous avons voulu, dans ce chapitre, montrer qu'il y a encore cent ans il en allait tout autrement.

6

Les infections
après l'accouchement

Son père l'avait battue et jetée au bas de l'escalier. Alors, « par un froid glacial et fort peu vêtue », la jeune femme, qui devait bientôt accoucher, fit à pied le chemin de Torgau à Berlin. C'était à la fin de l'hiver 1825. Admise à la maternité royale, elle accoucha, puis mourut d'une infection.

« La peur, la honte, les soucis et le chagrin consécutifs aux mauvais traitements infligés par le père, le fait aussi d'avoir été livrée au danger, au besoin et au désespoir », telles étaient, selon le médecin, les causes du décès[1]. Il semblerait plutôt que la malheureuse soit morte de « fièvre puerpérale », dont une épidémie sévissait alors à la maternité de Berlin. Depuis toujours, les femmes en couches ont risqué ce genre d'infection. A Athènes, au Ve siècle avant l'ère chrétienne, par exemple, l'épouse d'un certain Droméade, deux jours après son accouchement, est prise de frissons, accompagnés d'une forte fièvre. Au troisième jour, elle se plaint de douleurs au ventre et de nausées ; elle délire, sa respiration devient irrégulière, ses urines « épaisses, blanches et troubles ». Au cinquième jour, la fièvre redouble. Les frissons persisteront jusqu'au lendemain, lorsque, « les extrémités glacées », le souffle « rare et long », le corps agité de spasmes, elle mourra[2]. Cette femme, très vraisemblablement, avait succombé à une infection post-partum, terme par lequel on désigne aujourd'hui ce que l'on appelait autrefois la « fièvre puerpérale », et qui, de tout temps, a empoisonné la vie des femmes.

Rien de tel, d'ailleurs, qu'une étude précise de ces infections bactériennes pour comprendre en quoi le vécu physique des femmes a été historiquement différent de celui des hommes. La femme en couches a toujours et partout eu la hantise de l'infection. Statistiquement, celle-ci menaçait davantage que le cancer, tout en frappant, comme lui, apparemment au hasard. Elle se déclarait généralement vers le troisième jour après l'accouchement, lorsque la mère commençait à se sentir rassurée. « Rien n'est plus brutal que l'évolution de l'état de ces femmes, écrit le Dr J.S. Parry, du Brockley Hospital de Philadelphie, en 1874. Le matin, elles sont gaies, souriantes et paraissent en bonne santé. Et pourtant, elles sont consumées de fièvre ; le pouls rapide, les traits pâles et creusés, la mort se lit sur leur front. Elles sombrent et meurent sans avoir lutté[3]. » Ces décès, écrit un médecin français vers la même époque, « sont le spectacle le plus triste qui se puisse voir, car [ces femmes] conservent [jusqu'au bout] une grande loquacité[4] ».

Pour autant qu'on puisse le savoir au travers de sources clairsemées, il semble bien que la fièvre puerpérale ait été pour les femmes une cause de vive appréhension. Un proverbe alsacien, faisant allusion à la longue incubation de certaines infections, déclare que « le ciel reste neuf jours ouvert pour la femme en couches » : si dans ce délai aucun symptôme n'est apparu, alors, et alors seulement, la femme est hors de danger[5]. Les villageois de Styrie disaient : « si une femme meurt en couches, deux autres la suivent bientôt », allusion au caractère contagieux des « fièvres[6] ». Le gynécologue anglais J. Matthews Duncan s'indigne : « La mort d'une femme en couches, tout le monde ici le sait, suscite toujours beaucoup d'intérêt [...] mais si l'on apprend que la cause du décès est la fièvre puerpérale, ou quoi que ce soit s'y rattachant, alors c'est l'affolement dans le voisinage, et on accuse le médecin et la soignante[7]. » L'idée que l'infection se répandait comme la peste, voilà, bien sûr, ce qui terrifiait les femmes.

Fréquence de l'infection

Quels risques la femme moyenne, et non une petite fugitive à demi morte de faim dans un hôpital sans asepsie, courait-elle effectivement de contracter une infection post-partum ? Cette question, nous allons maintenant tenter d'y répondre, en montrant que rares étaient autrefois les femmes qui parvenaient au terme de leur vie féconde sans en avoir contracté une seule, ou au moins sans être venues en aide à une voisine qui en était atteinte.

La forme d'infection la plus fréquente, et aussi la plus bénigne, était la « fièvre de lait ». Médecine savante et croyance populaire expliquaient les fièvres post-partum par la montée du lait qui quittait le sang maternel (où il était censé avoir son siège) pour « se porter aux mamelles ». Ou, par dévoiement, vers d'autres parties du corps. Les paysans hongrois, par exemple, expliquaient que la fièvre apparaissait lorsque le lait « se portait dans le cerveau[8] ». Moritz Thilenius, ce médecin allemand du milieu du xviiie siècle, la considère, après accouchement, comme normale : « Pendant les couches, on est fébrile, et on le demeure ensuite. D'ordinaire, la fièvre se déclare vraiment vers le troisième jour, et on lui donne le nom de fièvre, ou frisson, du lait. Elle est généralement fort bénigne, et il suffit que le lait s'écoule et soit tété pour que la fièvre disparaisse sans laisser de traces[9]. » Normale aussi, semble-t-il, pour l'accoucheur français de La

Motte, qui explique que la femme d'un procureur qu'il a accouchée en janvier 1706 a guéri de la sienne après le cinquième jour. Guéri ? Voire : car, sur ce, elle fut « surprise d'un frisson, qui fut suivi d'une chaleur extraordinaire » et « un cours de ventre [une diarrhée] se joignit à la fièvre ». Une « fièvre du lait » qui, décidément, ressemble fort aux débuts d'une infection, partie, comme très souvent, de l'utérus pour aboutir à une péritonite (« le ventre dur, tendu et douloureux », observe de La Motte) [10].

Infections que les médecins minimisaient. Ainsi Robert Bland, à Londres : « Bien des femmes [accouchées par les sages-femmes du Westminster General Dispensary dans les années 1770] souffraient de sérieuses douleurs après leurs couches, ou avaient ce qu'on appelle la fièvre de lait, mais ces incommodités se dissipant d'ordinaire au bout de trois ou quatre jours, et ne paraissant pas avoir pour effet de retarder le rétablissement [...], on n'y porte point attention [11]. » Et près d'un siècle plus tard, à Londres, ces formes relativement peu graves d'infection étaient encore si courantes qu'on les tenait pour normales. « Dans tous les cas étudiés ici, écrit William Squire en 1867, lorsqu'il préconise l'adoption en obstétrique du thermomètre médical, le plus constant, le plus évident dérèglement de la température est celui qui annonce et accompagne la formation du lait [12]. »

Pur fruit de l'imagination, naturellement, que cette « fièvre du lait ». Il s'agissait vraisemblablement d'une forme bénigne d'infection. Aujourd'hui, ces légères poussées de température ne se produisent que dans un petit nombre de cas (au-delà des premières vingt-quatre heures) et accompagnent généralement l'endométrite, c'est-à-dire l'infection de la muqueuse utérine [13]. Ainsi la prétendue fièvre du lait était-elle sans doute le plus souvent une endométrite, même si, dans 25 % des cas, ces fièvres ont pour origine une infection située en dehors des voies génitales (au niveau de la vessie ou des seins, par exemple) [14]. Mais ce que l'on craignait tant, c'était que l'infection utérine gagne le système sanguin, la cavité abdominale, le bassin ou les jambes. Telle était la réalité des fièvres puerpérales : graves complications de l'endométrite, qui rendaient la maternité si dangereuse pour tant de femmes.

Médecins et sages-femmes d'autrefois étaient souvent incapables de déceler la nature obstétricale d'une infection, et diagnostiquaient alors une « entérite » ou une « pneumonie », réservant le terme de « fièvre puerpérale » pour la péritonite, qu'ils associaient au ventre ballonné et douloureux. Ainsi, les médecins de la maternité de Hadamar, en Allemagne, n'enregistrent, entre 1822 et 1844, parmi leurs nouvelles accouchées, que 5 cas de « fièvre puerpérale ». A quoi s'ajoutent :

10 cas de « fièvre gastrique »

6 cas de « fièvre purement rhumatismale »

6 cas de « fièvre purement catarrhale »

1 cas de pneumonie

3 cas de « pleuritis vera »

4 cas d'érysipèle facial

2 cas d'éruption cutanée (*Friesel*)

17 autres cas de troubles gastro-intestinaux « sans fièvre »

11 « affections rhumatismales diverses [15] »

En réalité, la plupart de ces maladies « non obstétricales » sont des infections du post-partum. Infections du bassin ayant atteint les muscles du côlon et provoquant constipation ou diarrhée : voilà pour la « fièvre gastrique ». Infections du sang ayant gagné les poumons ou le cœur : c'est la « pleurite » ou la « fièvre purement rhumatismale ». Infection streptococcique ayant provoqué une éruption cutanée : voilà qui explique l'érysipèle. Etc. Mais infections sans les signes classiques de la péritonite, et que, par conséquent, on considérait comme étant sans rapport avec l'accouchement.

L'historien, s'il ne veut pas gravement sous-estimer le nombre des cas d'infection, doit partir du principe que presque toutes celles qui survenaient moins d'un mois après l'accouchement étaient de nature obstétricale. Comme le notait un médecin de Nouvelle-Angleterre à propos des certificats de décès des accouchées, « nous nous apercevons que, dans un nombre étonnant de décès, l'état puerpéral se trouve compliqué de malaria, pneumonie, fièvre typhoïde, etc. Il est curieux de constater que le diagnostic est établi après l'accouchement, jamais avant [16] ». C'est bien pourquoi, si nous n'élargissons pas l'acception du terme « fièvre puerpérale », nous risquons d'être piégés par des illusionnistes, tel ce Dr Alex Miller, de Glasgow, qui répartit comme suit ses six décès sur mille accouchements :

1 décès par hémorragie et choc, des suites d'un placenta praevia

1 décès par tuberculose

1 décès des suites d'une « fièvre entérique »

1 décès après trois semaines, des suites d'une « syncope cardiaque » (c'est-à-dire d'un arrêt du cœur)

1 décès par congestion cérébrale

1 décès après accouchement au forceps, dû à une septicémie puerpérale

Et le bon docteur de se féliciter : « Ma mortalité en couches peut sans difficulté être ramenée à deux cas, à savoir la septicémie puerpérale et le placenta praevia, et vous serez certainement de mon avis lorsque je dis que je ne suis pour rien dans le second décès. Quant à l'autre, je regrette de ne pas avoir insisté davantage à l'époque pour avoir une infirmière digne de ce nom [17]. » A y regarder de plus près, toutefois, ce n'est pas un, mais bien *quatre* décès, semble-t-il, que l'homme avait à se reprocher : la septicémie, dont il essaie de rejeter la responsabilité sur l'infirmière ; la « congestion cérébrale » ; l'arrêt cardiaque trois semaines après la naissance ; et la « fièvre entérique ». Dans chacun de ces cas, la mère avait probablement été infectée lors de l'accouchement par une invasion bactérienne du sang.

Dans la société traditionnelle, 4 % environ des accouchements au foyer donnaient lieu pour la mère à une infection, et à une infection *grave*. En effet, le taux de mortalité en couches par infection, avant 1860, semble avoir été de l'ordre de 8 pour 1 000 (voir tableau complémentaire 6.A, p. 293). Or le pourcentage des infections graves dont l'issue était fatale varie, dans les estimations, de 9 à 40 % selon l'époque, le lieu et l'acception donnée au mot « grave ». Mon sentiment à la lecture des sources est que, dans l'ensemble, il mourait environ un cinquième des mères atteintes d'infection [18]. D'où ce calcul : 8 fois 5 = 40, soit 4 %.

Si l'on considère maintenant que la femme qui vivait jusqu'à quarante-cinq ans pouvait accoucher en tout, disons, six fois, on parvient à la conclusion que ses chances totales de contracter une infection puerpérale grave étaient égales à six fois 4 %, soit 25 % environ. Risque non négligeable, on le voit : une chance sur quatre, pour chaque femme, d'être victime, à un moment ou à un autre de sa vie féconde, d'une de ces horribles infections que je vais maintenant décrire.

Les divers types d'infection

Une simple infection utérine peut dégénérer en maladie très grave de quatre manières différentes :

1. Par *péritonite*, lorsque les bactéries se propagent à partir de l'utérus, des trompes et des ovaires infectés jusqu'à la muqueuse de la cavité abdominale (le péritoine).

2. Par *bactériémie*, lorsque les bactéries se propagent des veines utérines infectées au système sanguin tout entier, en disséminant des poisons appelés « toxines ».

3. Par *thrombophlébite infectieuse*, c'est-à-dire infection d'un caillot sanguin formé dans une veine enflammée. Des fragments du caillot infecté sont transportés par le sang en différents points du corps, tels les poumons, qu'ils infectent à leur tour. Lorsque des bactéries pyogènes (productrices de pus) sont à l'œuvre dans le sang, on dit qu'il

y a « pyémie ». Pyémie et bactériémie sont parfois désignées en bloc sous le nom de « septicémie ».

4. Par *cellulite,* c'est-à-dire par infection du tissu conjonctif du bassin. Cette infection peut s'accompagner de la formation de grosses poches de pus (des « abcès ») qui, au mieux, sont douloureuses et cause d'affaiblissement, et, au pire, peuvent crever à l'intérieur de la cavité abdominale, provoquant une grave maladie.

Dans la réalité, contrairement à la description théorique, ces différentes formes d'infection se combinent entre elles. Si donc la mère succombait, plusieurs phénomènes pouvaient en être la cause : invasion bactérienne des poumons, empoisonnement des organes vitaux par les toxines, état de choc dû à l'infection, ou tous ces phénomènes réunis. Sur 222 autopsies pratiquées en 1829 à la Maternité de Paris, par exemple, une écrasante majorité révélait une forme ou une autre de péritonite ; et la moitié environ une thrombophlébite [19]. Sur 163 autopsies post-partum pratiquées dans telle maternité de Vienne à l'époque de la Première Guerre mondiale, on relève environ 50 % de thromboses, 50 % de péritonites ; et très souvent les deux à la fois [20]. Infections cumulatives, nous l'avons dit, dont les mécanismes sont encore mal élucidés.

Du vivant de l'intéressée, toutefois, l'une de ces quatre infections ressortait par rapport aux autres. Selon les symptômes relevés, le médecin se prononçait pour l'une ou l'autre. Observations intéressantes, car l'autopsie était rare avant le milieu du XIXᵉ siècle et n'était pratiquée que sur les femmes décédées dans une maternité. Or le type d'infection qui affectait la mère était d'une importance extrême pour sa santé future — à supposer, naturellement, qu'elle survécût. Comme le déclare un manuel de gynécologie des années 1880, « il est tout à fait exceptionnel d'examiner un bassin de femme multipare sans trouver de traces d'une cellulite ou d'une péritonite [21] ». Ces « traces » prenaient des formes diverses : abcès, adhérences, infection chronique des trompes. Et constituaient pour la mère un souvenir douloureux et durable de sa maladie. Une infection du sang, même lorsqu'elle ne produit pas du pus en abondance, peut laisser un autre type de souvenir : lésion cardiaque ou maladie rénale. C'est pourquoi, aussi horribles qu'ils puissent paraître au lecteur d'aujourd'hui, tous ces détails étaient en fait de la plus haute importance dans la vie des femmes d'autrefois.

LA PÉRITONITE

Au printemps 1774, Jean Reid met au monde son troisième enfant à l'hôpital d'Édimbourg. Deux jours plus tard, elle est prise de « douleurs au bas-ventre ». Elle se plaint d' « un refroidissement et de frissons », ainsi que de maux de tête.

Au troisième jour apparaissent nausées, vomissements et diarrhée. La malade se plaint de « douleurs dans la région de la matrice et de gonflements et ballonnements du ventre ». À quoi s'ajoute un arrêt des lochies.

Au quatrième jour, l'utérus est douloureux au toucher, elle a horriblement soif et ses joues sont « cramoisies ».

Au cinquième jour, le pouls est à 160. Le médecin note « la chaleur brûlante et sèche de sa peau ». Et ceci : « Mrs. Reid avait sous la peau, en maints endroits du corps, de petites tumeurs rouges, mobiles et douloureuses. »

Au sixième jour, elle a « le dos de la main droite enflé et rouge ». Aucun pouls. Elle a le souffle « très rapide », mais ne ressent aucune douleur. Ses propos sont encore cohérents lorsqu'elle s'éteint quelques heures plus tard.

À l'autopsie, on découvrit que « la cavité abdominale contenait environ deux livres d'un liquide laiteux et fétide ».

Le médecin notait enfin : « Les petites tumeurs sur la peau [...] faisaient songer à l'érysipèle qui sévissait alors de manière endémique dans les services [et] les chirurgiens de l'hôpital observèrent qu'il survenait un érysipèle à chaque incision[22]. »

Ce décès par péritonite plus bactériémie et état de choc appelle plusieurs remarques. L'infection avait dû se propager de l'utérus à l'abdomen. La douleur causée par la péritonite s'était sans doute répercutée sur le côlon, interrompant l'activité musculaire de celui-ci et provoquant une accumulation des liquides non absorbés et des gaz intestinaux. À en juger par l'infection apparue sur la peau de la patiente et par l'« érysipèle » dont se plaignaient tous les chirurgiens de cet hôpital, il est vraisemblable que cette femme avait été infectée par un streptocoque hémolytique extrêmement virulent. Celui-ci, en s'attaquant à l'énorme surface vasculaire du péritoine, avait déversé ses toxines dans le sang. Pendant ce temps, les défenses naturelles du péritoine luttaient contre les bactéries, d'où le pus découvert dans l'abdomen. Déjà, tout l'appareil circulatoire était envahi, le choc entamé sous l'effet des toxines. Le pouls de la malheureuse se précipitait à mesure que son cœur tentait de compenser la diminution de la quantité de sang renvoyé par les veines. Et les tissus périphériques, recevant du cœur de moins en moins d'oxygène, renvoyaient maintenant du gaz carbonique, dont la malade, à l'évidence, essayait de se libérer par ses halètements. La cause exacte du décès reste obscure, comme elle l'est encore aujourd'hui dans ce type de choc.

Reste que, pour une personne atteinte de péritonite, cette femme semble avoir assez peu souffert. Bien qu'une étude ait conclu que, dans un dixième des cas environ, les malades atteints de péritonite n'éprouvent aucune douleur abdominale, et que, à l'instar de Jean Reid, le tiers environ d'entre eux ne souffrent que pendant un jour ou deux, la majorité des malades, en revanche, ressentent des douleurs

109

aiguës et prolongées[23]. Le « cri aigu si particulier [de la femme souffrant de péritonite] suffit seul pour reconnaître cette maladie », écrit un médecin français familier des salles de maternité de l'Hôtel-Dieu de Paris[24]. Parmi les femmes des petites villes et des campagnes normandes qu'il aide à accoucher au début du xviiie siècle, de La Motte, pour sa part, observe, dans les cas d'« inflammation de la matrice » après l'accouchement, que de vives douleurs accompagnent la « tension du ventre ». Et de préciser : « Il n'est pas possible de s'y méprendre, parce que la malade souffre une grande douleur en la région hypogastrique [le bas-ventre], qu'elle a de la peine à rester dans une autre situation que sur le dos[25]. »

Nombreuses sont les observations décrivant des cas de péritonite, telle cette Mary Lord, de Manchester, dont le ventre était « si extrêmement douloureux qu'elle ne pouvait supporter qu'on y touchât[26] ». Ou encore Mary Tanner, de Londres, soignée pour une fièvre puerpérale par Augustus Granville à la mi-janvier 1818 : « Elle redoutait l'approche de ma main, et même le linge de lit lui semblait un poids trop lourd[27]. »

D'autre part, la péritonite ne s'annonce pas nécessairement par un « claquement des dents » lorsque l'organisme réagit à la poussée infectieuse[28]. Des frissons, Jean Reid en eut, mais, selon l'accoucheur américain Joseph B. DeLee, « les formes les plus graves de l'infection sont celles où la malade a le moins de frissons[29] ».

Enfin, bien que Jean Reid, à sa mort, ait eu l'abdomen rempli de pus et de fibrine, certaines de ces bactéries peuvent agir avec une telle rapidité que la suppuration n'a pas le temps de se produire. L'envahissement peut être si brutal que l'intestin ne devient pas ballonné, ni les muscles abdominaux enflammés et douloureux, et on ne trouve pas alors ce ventre gonflé et dur comme du bois que de La Motte et ses confrères tenaient pour caractéristique de la péritonite[30]. Il n'empêche, la mère sera bien morte quand même d'une infection abdominale, et non d'« apoplexie laiteuse », comme on disait dans ce cas au xviiie siècle.

LA THROMBOPHLÉBITE INFECTIEUSE ET LA PYÉMIE

Point n'est besoin, pour une femme, de sortir de couches pour que se forment des caillots dans son sang (thrombophlébite). En fait, l'infection n'est que l'une des causes possibles de cette maladie. Mais chez celles qui nous intéressent ici, à savoir les paysannes et les habitantes des petites villes de la société traditionnelle, l'infection avait toutes les chances d'être la cause principale de la thrombophlébite.

Même sans infection, la thrombophlébite peut être très dangereuse. Résumons le processus : il se forme dans une veine un gros caillot.

110

Celui-ci se fragmente, et ses divers débris remontent jusqu'au cœur, lequel les envoie ensuite dans les artères pulmonaires. Là, ils bloquent la circulation vers les poumons, provoquant un état de choc. La victime d'une embolie pulmonaire éprouve une atroce douleur dans la poitrine, puis meurt. Le phénomène conserve aujourd'hui encore certains aspects mystérieux. L'« embolie » était autrefois l'un des diagnostics les plus fréquents en cas de décès en couches : il ne mettait personne en accusation, et donnait à entendre que la mère avait été frappée par le sort : nul, donc, n'y pouvait rien.

Mais, ce qui nous intéresse ici, c'est ce qui se passe lorsque ce gros caillot, apparu dans l'une des veines du bassin ou des jambes, est en même temps infectieux. Mrs. A., cette Londonienne de trente ans qui accoucha en juin 1828, en avait sans doute un à la jambe droite. L'accouchement avait été « interminable ». Elle s'était mise ensuite à saigner, et l'accoucheuse avait dû retirer le placenta à la main. Toutes les conditions étaient ainsi réunies pour une infection, mais, durant un peu plus d'une semaine, son état resta satisfaisant.

Le neuvième jour, « violent accès de fièvre » et délire, « bientôt suivi d'un gonflement diffus et douloureux au niveau de l'articulation du genou droit ».

Apparaissent alors les signes caractéristiques d'une infection aiguë du sang, avec « une étrange expression de folie dans le regard », un pouls très rapide, une respiration « précipitée et angoissée ». Le treizième jour, le médecin constatait « un gonflement circonscrit et douloureux [...] au milieu du mollet de la jambe droite, où les téguments étaient tout échauffés, et de couleur rouge sombre ».

Quatre jours plus tard, cependant, la malade parut remonter la pente ; durant la semaine qui suivit, elle alla beaucoup mieux. Mais le 1er juillet voyait le retour de tous les symptômes fébriles et de l'enflure à la jambe droite. Le poignet droit était également gonflé par une arthrite infectieuse, « et une semaine durant, elle souffrit de douleurs épouvantables à la cheville gauche et à l'épaule droite », pour finalement succomber le 24 juillet, « complètement épuisée par la diarrhée, la fièvre » et les divers œdèmes qu'elle avait sur le corps [31].

Un caillot infectieux s'était sans doute formé peu à peu dans la jambe droite. Des fragments s'en étaient détachés qui, charriés par les vaisseaux, étaient remontés jusqu'aux poumons. Là, les germes avaient dû encore proliférer, avant d'essaimer vers d'autres parties du corps, poignet, épaule, cheville, genou. A la différence de la péritonite, la thrombophlébite se déclare généralement une semaine ou deux seulement après l'accouchement, et évolue très lentement (cf. annexe, p. 279).

La phlébite survenant dans une veine de la jambe provoque parfois l'occlusion des artères alimentant celle-ci, lui donnant une coloration pâle. C'est ce que les Anglais appelaient la « jambe de marbre » ou « jambe blanche », le terme médical étant *phlegmasia alba dolens*.

Ainsi Percivall Willughby, appelé en décembre 1670 au chevet de Jane Spencer, une femme de tisserand : « Le lendemain [de l'accouchement], sa jambe gauche se mit à enfler. Elle devint fort douloureuse et froide. On eût dit une vessie gonflée d'air et toute luisante [32]. » Même si, comme je l'ai déjà noté, la « jambe blanche » peut n'être pas due à une infection, elle l'était généralement autrefois [33].

LA BACTÉRIÉMIE

Comme on le verra un peu plus loin, certaines des bactéries provoquant l'infection chez la femme en couches sont extrêmement virulentes. Lorsque le sang traverse un tissu infecté, il emmène avec lui les toxines engendrées par les bactéries et les répand dans tout l'organisme. Ou encore, les bactéries elles-mêmes migrent le long des vaisseaux sanguins, détruisant les globules rouges, s'accumulant sur les valvules du cœur, envahissant les poumons. D'où endocardite, pleurésie, hypertrophie de la rate, etc., toutes complications que l'on rencontre surtout, aujourd'hui, dans les infections terminales accompagnant les maladies envahissantes, tel le cancer. Ces maladies étaient très fréquentes par le passé, singulièrement chez la femme en couches.

Fréquence illustrée, malgré le peu de détails dont nous disposons, par les circonstances du décès de Mary Wollstonecraft, la célèbre féministe. Une sage-femme l'avait accouchée chez elle à Londres de son second enfant, le mercredi 30 août 1797. Malheureusement, le placenta ne voulait pas décoller. Son mari, William Godwin, fit venir un médecin du Westminster Lying-In Hospital, lequel, rapporte Godwin dans son journal, retira le placenta « par morceaux, jusqu'à ce qu'il fût certain d'avoir tout enlevé. Ce en quoi, toutefois, il apparut ensuite qu'il s'était trompé ». C'est seulement le dimanche suivant que Mary commença à être secouée de frissons, « symptômes, écrit encore Godwin, d'une nette mortification, occasionnée par la partie du placenta demeurée dans la matrice ». En fait, ces frissons étaient plus vraisemblablement dus à une infection du sang, provoquée par la main de la sage-femme ou celle du médecin. On n'en sait pas plus sur l'évolution de la maladie, si ce n'est que Mary Wollstonecraft mourut une semaine plus tard, le 10 septembre. Victime notoire, s'il en fut, de la septicémie puerpérale [34].

LA CELLULITE

Bien que l'infection du tissu conjonctif du bassin fût courante, nous n'en savons pas grand-chose historiquement, car un examen est nécessaire pour la distinguer de la péritonite ou de l'endométrite bénigne. Or, du temps de l'obstétrique traditionnelle, les médecins ne procédaient pas à un réel examen des malades : ils se contentaient d'examiner la face, les selles et de prendre le pouls. Cette maladie laissait à long terme des séquelles particulièrement déplaisantes, il faut donc la décrire.

Cette infection peut donner lieu à la formation de grosses poches de pus. Ces poches remontent la paroi postérieure de l'abdomen, ou se massent de part et d'autre de l'utérus — comprimant celui-ci —, ou encore se déplacent le long de la paroi antérieure de l'abdomen pour venir « mûrir » du côté de l'os iliaque. Faute de pouvoir s'écouler là, ces abcès peuvent se vider par le vagin ou le rectum, ou bien ils peuvent ne pas se vider du tout et se transformer pour très longtemps en douloureuses boules de pus. Autre possibilité encore : les abcès crèvent tout simplement dans la cavité péritonéale à un moment inopportun, lors d'un autre accouchement par exemple, mettant en danger la vie de la femme.

La lutte de l'organisme contre la cellulite se manifeste par une fièvre de l'après-midi et des sueurs nocturnes, les abcès produisant sous la peau de grosses boules palpables et qui paraissent se déplacer. Ce sont ces abcès qui expliquent en partie l'état d'extrême faiblesse — les « langueurs » — dont se plaignaient autrefois tant de femmes long-temps encore après leur accouchement. Une femme membre de la Women's Cooperative Guild raconte ainsi, en 1914, l'un de ses propres accouchements : « Ce qu'on appelle l'arrière-faix m'avait poussé au côté. » Le médecin, arrivé « presque saoul », ne réussit pas à tout retirer. « J'ai eu d'abord la fièvre de lait, raconte l'intéressée, et ensuite la fièvre puerpérale. J'ai complètement perdu la raison, je n'ai reconnu personne pendant exactement trois mois. Ensuite, j'ai dû me faire opérer pour me faire enlever tout ça [les abcès s'étaient vraisemblablement ouverts], ce qui m'a laissée très mal en point. Lorsque j'ai pu me lever, l'enfant avait déjà huit mois[35]. » James Young, un gynécologue d'Édimbourg, pouvait encore écrire, bien après l'avènement de l'obstétrique scientifique : « La gynécologie hospitalière est alimentée à 60 % par les anomalies de la périnatalité, au premier rang desquelles les maladies infectieuses[36]. »

Parmi ces victimes, une certaine Hannah Philips, de Birkenhead (Angleterre), qu'une sage-femme avait accouchée de son sixième enfant à la fin avril 1850. Le placenta adhérait, et l'accoucheuse avait, « pour le retirer, procédé à une manipulation qui causa à la femme une vive douleur. Sans doute avait-elle plongé la main dans les organes ». Cinq semaines plus tard, Mrs. Philips se présente à l'hôpital de la ville : elle se plaint d'une « forte douleur au bas-ventre, particulièrement au côté droit ; ne peut se tenir allongée que sur le dos, les jambes repliées ; elle est épuisée et émaciée, presque sans lait ; a constamment envie d'aller à la garde-robe, avec l'impression qu'elle va évacuer quelque chose ». Elle a aussi un peu de fièvre et des sueurs nocturnes. Un examen rectal révélera la présence d'un « phlegmon mobile » et, « le 8 juin, alors qu'elle était sur la chaise percée, une grande quantité de pus s'écoula par le rectum, après quoi elle éprouva un grand soulagement [37] ».

Détails horribles, mais détails révélateurs des calamités qui, dans cette société d'autrefois, guettaient la femme en couches. L'utérus de l'accouchée étant comme une plaie chirurgicale ouverte, la femme était beaucoup plus sujette que l'homme aux maladies infectieuses.

Le type de bactérie est-il important ?

Un minimum de bactériologie pour préciser que la violence de l'accouchement, l'importance de l'hémorragie, l'étendue des dégâts au niveau des voies génitales dépendaient pour une part du type de microbe qui infectait la mère.

Certaines bactéries sont plutôt bienfaisantes pour l'homme. Elles accomplissent dans notre organisme d'importantes fonctions de « commensalisme ». Mais, pour peu qu'elles aboutissent dans une cavité corporelle protégée où elles n'ont normalement pas leur place, alors elles peuvent se multiplier et provoquer, par les toxines qu'elles fabriquent, des dégâts considérables. Ces micro-organismes utiles font preuve d'« opportunisme » : toute occasion leur est bonne pour s'installer dans un caillot sanguin, un fragment de tissu mort ou un corps étranger, et proliférer à l'abri de l'oxygène du sang. Certaines de ces bactéries sont dites « anaérobies » : elles se plaisent à l'écart des cellules saines que le sang continue d'alimenter en oxygène. Les autres, dites « aérobies », ont besoin d'oxygène. Particularités fondamentales donc que ces diverses réactions des germes à l'oxygène des cellules.

Je dois faire encore une distinction. Il existe d'autres bactéries qui, normalement, ne se rencontrent pas dans le corps. Oxygène ou non, il suffit qu'elles pénètrent les cellules tissulaires pour déclencher l'infection. Parmi ces bactéries pathogènes, une famille a joué un rôle immense dans l'histoire de l'accouchement : c'est le streptocoque hémolytique bêta du groupe A. C'est à lui que les médecins, il n'y a pas si longtemps encore, imputaient presque tous les cas de fièvre puerpérale. Imputation erronée, nous le verrons.

Le streptocoque est une des premières bactéries à avoir été identifiée, en 1860, par Pasteur, mais il en existe de toutes sortes [38]. L'une de ces espèces détruit les globules rouges, c'est le streptocoque hémolytique. Un bactériologiste devait ajouter à ce nom l'appellation « bêta » pour distinguer ce streptocoque d'un autre type, dit « alpha », qui ne détruit ces globules rouges que partiellement. Enfin, Rebecca Lancefield découvrit qu'il existe différents groupes de streptocoques hémolytiques bêta, dont le plus virulent est, de loin, le groupe A. Ce microbe aérobie avait autrefois la réputation d'être un grand faucheur de femmes en couches, et ce pour deux raisons :

1. Il est extrêmement « contagieux », en ce sens qu'il peut se transmettre directement d'une femme à une autre, car il peut survivre à peu près n'importe où. De là, au XIXe siècle, l'effrayante mortalité parmi les blessés des hôpitaux militaires de campagne, où le streptocoque hémolytique pullulait. Ou la non moins effroyable mortalité, à la même époque, des femmes faisant leurs couches à l'hôpital : nous y reviendrons un peu plus loin.

2. Avant la fin des années 1920, on ne se préoccupait guère des conditions nécessaires à la culture des bactéries craignant l'oxygène. Or, on s'en souvient, les anaérobies meurent dès qu'ils sont exposés à l'air. Si, par conséquent, aucune précaution n'est prise pour les tenir à l'abri de l'air aussitôt qu'a été prélevé l'échantillon du sang ou des lochies à examiner, ces bactéries mourront et l'analyse de laboratoire conclura à l'absence de germes. Il a fallu attendre la fin des années 1890 pour que deux bactériologistes allemands constatent chez une accouchée la présence d'anaérobies et qu'en 1910 Hugo Schottmüller apporte la preuve irréfutable de la responsabilité des anaérobies dans les infections mortelles du post-abortum, ainsi que dans certaines infections du post-partum [39].

Naturellement, c'était dans les hôpitaux que les médecins découvraient les aérobies, tel le streptocoque hémolytique ; là où précisément affluent ceux qui en sont porteurs, là aussi où, tout simplement, de telles analyses étaient possibles. Seulement voilà : la plupart des femmes atteintes d'infection avant les années 1930 avaient accouché, non pas à l'hôpital, mais chez elles. C'est pourquoi on ignorait tout simplement si, dans les infections qui frappaient la plupart des femmes, étaient impliqués d'autres microbes que le streptocoque hémolytique. Ce n'est que vers 1930 qu'on a commencé à procéder à des cultures systématiques du sang et des lochies des accouchées, tant en milieu aérobie qu'anaérobie : le schéma des causes d'infection en couches s'en est trouvé totalement bouleversé.

Comment savoir de quels microbes les femmes mouraient du temps où n'existaient pas les analyses de laboratoire ?

Plusieurs approches sont ici possibles. L'une consiste à rechercher les coïncidences entre la fièvre puerpérale et telle autre forme d'infection que l'on sait due à un streptocoque. Si les deux apparaissent simultanément dans tel service hospitalier, dans tel village, on pourra alors raisonnablement supposer qu'une même bactérie en est la cause. L'érysipèle, par exemple — maladie infectieuse de la peau caractérisée par des rougeurs accompagnées d'œdèmes —, est dû à un streptocoque. Et la scarlatine est une infection classique du sang par l'une des souches du streptocoque groupe A.

A partir du XVIIe siècle, scarlatine et érysipèle apparaissent dans toute l'Europe en même temps que la fièvre puerpérale. Parfois, médecins et sages-femmes atteints eux-mêmes de scarlatine contaminent l'accouchée par un simple toucher. Parfois, un érysipèle ou une « angine ulcéreuse » se déclare chez les personnes qui ont été en contact avec une accouchée malade. Parfois encore, c'est la fièvre puerpérale elle-même qui prend la forme d'un érysipèle [40].

Érysipèle et scarlatine surviennent tout spécialement autrefois dans les maternités des grands hôpitaux. Par exemple, sur les six femmes mortes de fièvre puerpérale à l'hôpital de Vienne (Autriche) en 1806, « quatre avaient également la scarlatine [41] ». Jusque dans les années 1870, scarlatine et érysipèle fauchent les femmes à la Maternité de Paris. Ainsi, « pendant l'année 1843, il sembla régner sur les élèves sages-femmes de la Maternité une constitution érysipélateuse : beaucoup furent prises d'érysipèle, quelques-unes très gravement, une entre autres qui succomba après avoir présenté des symptômes de méningite ». (De janvier 1843 à avril 1844, 267 accouchées succomberont également.) Une nouvelle épidémie de « scarlatinoïde puerpérale » se produit à la Maternité en 1860-1861 [42]. Et ainsi de suite. On peut donc conclure que la fièvre puerpérale était causée par les mêmes bactéries que l'érysipèle et la scarlatine, à savoir le streptocoque.

Même coïncidence des trois maladies dans les accouchements à domicile. Robert Storrs, de Doncaster (Angleterre), rapporte qu'un de ses amis médecin « eut à s'occuper de divers cas de fièvre, et [que], parmi ceux-ci, l'un présentait un très gros abcès du cou, qui nécessita des visites quotidiennes. Un soir qu'il était ainsi occupé, il fut appelé pour assister une dame en couches. Bien qu'il le souhaitât, il ne put se changer avant de se rendre chez cette femme. Vingt-quatre heures après l'accouchement, cette seconde malade fut prise des symptômes de la péritonite puerpérale banale ». Mais ce n'est pas tout : « La servante de ladite dame, qui soigna sa maîtresse avec un grand dévouement tout au long de cette pénible épreuve, vint à se couper le doigt, dont elle fit ensuite usage en épongeant la malade. » Et naturellement, l'infection contractée par la servante lui fut fatale. Comme le relate l'auteur, elle mourut cinq jours plus tard, « du premier accès de frissons [43] ».

Statistiquement, une « épidémie » de fièvre puerpérale avait davantage de chances de s'accompagner d'érysipèle qu'un cas isolé, ce qui semblerait mettre tout spécialement en cause le streptocoque dans les épidémies. Un échantillonnage établi sur deux siècles et englobant épidémies et cas isolés survenus aussi bien à domicile qu'à l'hôpital montre qu'en milieu hospitalier l'érysipèle apparaît dans 22 % des épidémies, mais dans 3 % seulement des cas isolés. Pour les malades soignées chez elles, en revanche, on relève l'érysipèle dans 31 % des épidémies et dans 14 % seulement des cas isolés (cf. annexe, p. 279). (Nul doute qu'en réalité l'érysipèle était encore plus fréquent, mais il passait inaperçu.) Ainsi, à domicile comme à l'hôpital, lorsqu'une épidémie de « fièvre » frappait les femmes en couches, le responsable en était vraisemblablement un streptocoque.

Et pourtant, même si les épidémies avaient plus de chances de figurer dans les annales médicales que les cas isolés, elles ne représentaient pas la norme. La plupart des décès imputables à une maladie infectieuse étaient des cas isolés, en ce sens qu'ils ne s'inscrivaient pas dans un schéma général de contagion. En Saxe, par exemple, entre 1887 et 1901, 88 % des sages-femmes responsables d'un décès par fièvre puerpérale *n'ont pas provoqué de second décès* dans l'année. Et c'est seulement dans 8 des 3 600 décès par infection comptabilisés durant cette période que la sage-femme responsable eut au moins quatre morts sur la conscience dans la même année[44]. Comment reconnaître le germe responsable de ces milliers de décès « isolés », à domicile ou à l'hôpital ?

Par l'odeur, et c'est la seconde démarche possible. Certains streptocoques hémolytiques moins virulents que le streptocoque hémolytique groupe A, ceux du groupe B, répandent une odeur fétide[45]. D'autres micro-organismes encore produisent une odeur fécale pestilentielle. Et lorsqu'on rencontre ce genre d'observation, on est en droit d'inférer que l'infection a été provoquée non par le fameux streptocoque, mais par de banales bactéries anaérobies qui se développent dans l'intestin[46].

Ce fut probablement le cas pour cette Mrs. Harpur, qu'une sage-femme avait accouchée en novembre 1669. Le placenta n'ayant pu être retiré, les amies de la parturiente firent venir Percivall Willughby. Celui-ci trouva « les humeurs qui sortaient du corps si puantes, exhalant une odeur cadavérique si suffocante, que les visiteurs supportaient mal d'être dans la chambre pour la raison qu'elle causait chez certains d'entre eux un soulèvement d'estomac[47] ».

Ces odeurs n'étaient pas rares. « On localise habituellement les poches [de pus] à la première incision de l'abdomen, note Lukas Boër à propos des autopsies pratiquées sur les victimes de la fièvre puerpérale à l'hôpital de Vienne. Elles sont jaunes, ou jaune-brun, [...] piquent un peu les doigts et sentent mauvais[48]. » Une idée fort répandue parmi les hommes de l'art voulait en effet que le cancer, le pus, etc., « piquent » les doigts à l'examen. Mais le plus intéressant est ailleurs : si Boër trouvait normal de découvrir à l'autopsie du pus fétide dans la cavité abdominale, c'est vraisemblablement parce que la bactérie responsable n'appartenait pas au groupe A. De même, à Odessa, vers la fin du XIXe siècle, la présence de telles odeurs chez les nouvelles accouchées victimes d'infection était considérée comme normale : « Voici comment les choses se déroulent habituellement : le troisième ou quatrième jour, l'accouchée commence à être fiévreuse ; en même temps, les lochies changent de couleur et dégagent bientôt une odeur âcre ; l'utérus se ramollit[49]. »

Les deux tiers environ des infections obstétricales ayant tendance à être « mixtes », c'est-à-dire à associer les effets de plusieurs micro-organismes, l'odeur ne signifie pas nécessairement que l'infection du sang soit due à la même bactérie [50]. Elle indique, en tout cas, qu'on est en présence d'autre chose que d'une simple infection par streptocoque hémolytique.

Troisième approche possible : rechercher s'il y a ou non présence de gaz. Certaines bactéries, en effet, dégagent, une fois installées dans les tissus, de fortes quantités de gaz. Le *Clostridium perfringens,* en particulier, provoque la « gangrène gazeuse » : un des spectacles les plus horribles qui soient. Un jeune médecin allemand visitant la toute nouvelle Maternité de Paris a décrit l'agonie d'une jeune femme de vingt-deux ans, emportée par une telle infection. Nous épargnerons au lecteur les détails, mais un point est intéressant à noter : lorsque le médecin déclare au chef de service, Mme Lachapelle, que cette infection est pour lui « tout à fait nouvelle », l'autre lui répond que, lorsqu'elle était à l'Hôtel-Dieu, « la gangrène du bassin était chose courante ». Effectivement, remarque notre médecin, à la nouvelle Maternité, « l'événement ne parut pas inquiéter outre mesure [51] ».

Sinistres maladies, et qui frappaient aussi les femmes accouchant chez elles. Ainsi, vers 1750, cette « pauvre femme vivant dans un misérable logis » du comté de Ravensberg, et qui, vers le huitième jour après l'accouchement, fut prise de vives douleurs dans le corps et dans tous les membres. Le lendemain, son corps et ses jambes avaient enflé, et, le surlendemain, elle mourait. « Aussitôt après la mort, le corps gonfla comme s'il allait exploser, et un pus fétide s'écoula par le nez et par la bouche [52]. »

Pour que les anaérobies déclenchent une infection utérine foudroyante, il faut que soit remplie l'une des conditions suivantes :

1. Qu'il y ait interruption de l'irrigation des tissus des voies génitales. L'accouchement, disons, aura été long, la pression exercée par la tête fœtale aura empêché les tissus du col utérin et du vagin de recevoir suffisamment d'oxygène, et ces tissus vont commencer à mourir, offrant aux germes un milieu idéal.

2. Qu'il y ait présence d'un corps étranger : une suture, par exemple, après déchirure du périnée.

3. Qu'à la suite d'une opération ou des meurtrissures et déchirures dues à un accouchement violent, les tissus aient été « traumatisés », c'est-à-dire détruits.

4. Que les tissus génitaux soient déjà dévitalisés par une infection due à un germe aérobie, tel le streptocoque groupe A, créant ainsi un terrain favorable à ces anaérobies normalement inoffensifs [53].

Tout cela explique plusieurs choses. Le rôle particulier, d'abord, des anaérobies dans la thrombophlébite infectieuse : ils s'installent confortablement dans le thrombus (la masse sanguine coagulée), à l'abri de l'oxygène du sang environnant, et sont ainsi transportés dans de petits caillots à l'autre bout du corps. Le fait, ensuite, que la rétention partielle du placenta était souvent à l'origine d'une infection : le tissu placentaire mort offrait un terrain d'élection aux bactéries qui, autrement, auraient été entraînées hors de l'utérus par les lochies. Le lien, enfin, entre l'intervention obstétricale et l'infection qui en résultait : ce n'était pas simplement que la main ou les instruments de l'accoucheur étaient contaminés ; les dégâts causés aux tissus par l'intervention créaient également un terrain propice au développement de germes qui, sans cela, seraient sans doute restés inoffensifs.

Courante aussi autrefois, la contamination par les matières fécales. Une autorité médicale du xviiie siècle préconisait, pour faciliter l'accouchement, de plonger la main dans le rectum pour appuyer sur le menton de l'enfant[54]. Sur 59 matrones interrogées à Glasgow vers 1907 et munies d'une seringue de Higginson, « 22 reconnurent qu'elles utilisaient celle-ci indifféremment pour la douche vaginale et pour le lavement, fréquemment sur la même personne, et toujours sans se donner la peine de désinfecter l'embout autrement qu'en en frottant l'extérieur[55] ».

Informations édifiantes. Du moins permettent-elles de supposer que le fort pourcentage d'infections anaérobies observé à partir de la fin des années 1920, c'est-à-dire lorsqu'on a commencé à cultiver des prélèvements du sang et du col utérin dans des conditions tant aérobies qu'anaérobies, que ce pourcentage donc n'est pas le fruit de circonstances qui auraient été propres à cette période, mais la révélation d'un état de choses *qui avait toujours été* (cf. tableau annexe 6.B, p. 295). Cela met en évidence un point fondamental : le « royaume du streptocoque » n'a jamais été qu'un mythe. La grande majorité des infections graves de la femme en couches était due, en fait, aux micro-organismes habituellement utiles dont nous sommes entourés[56].

Qui était responsable ?

Pour certains historiens, la réponse est simple : « C'était le médecin trop zélé qui infectait la mère en intervenant avec son forceps dans le déroulement naturel de l'accouchement[57]. » Réponse qui, sans être fausse, a néanmoins le défaut de n'envisager que l'une des hypothèses les moins vraisemblables. Car il y avait en fait quatre sources possibles d'infection.

L'AUTO-INFECTION

Au tournant de ce siècle, le diagnostic d' « auto-infection » était monnaie courante. Par ce terme, on entendait qu'une lésion préexistante des voies génitales s'était envenimée, ou que des germes provenant d'une autre partie du corps et transportés par le sang avaient atteint l'utérus ou le péritoine. Avant qu'aient été pleinement différenciés les divers types de streptocoques, on expliquait certaines graves infections du sang par la pénétration dans l'utérus de streptocoques logeant naturellement dans le vagin[58]. En fait, les streptocoques présents dans le sang appartenaient presque certainement à des groupes différents de ceux de la flore vaginale[59]. Lorsque l'infection était plus particulièrement due à des bactéries du groupe A, c'était de l'extérieur qu'elles étaient venues.

Chez une femme atteinte de blennorragie, le sang pouvait après l'accouchement se trouver infecté, les gonocoques, généralement peu envahissants, ayant alors remonté jusque dans l'utérus. Mais cela se produisait rarement, compte tenu de la fréquence de cette maladie vénérienne avant la Seconde Guerre mondiale.

Chez une femme déjà atteinte d'infection au niveau d'une autre partie du corps, les microbes pouvaient théoriquement, via le sang, provoquer une péritonite, même si très souvent — pour des raisons obscures — cela ne semble pas être le cas (l'impétigo, par exemple, ne provoque pas un rhumatisme articulaire aigu). Les médecins, il n'empêche, sautaient à pieds joints sur cette explication : évacuation commode de leurs propres carences[60].

Mais la thèse de l'auto-infection comme mode majeur de contamination se heurte à un argument de taille : ce sont les longues séries statistiques où n'apparaît aucun décès par infection après l'accouchement, ni même aucune fièvre puerpérale. Telle accoucheuse suisse traditionnelle du Lötschental n'a jamais vu une seule femme mourir en couches. Ni rencontré un seul cas de fièvre puerpérale. Et le médecin allemand incrédule qui l'interroge dans les années 1950 ne trouvera pas mention, dans les registres de la paroisse, d'un seul décès post-partum[61] ! Quelle qu'en soit l'explication, le fait est là : ces femmes du Lötschental ne connaissaient pas l'auto-infection.

Autre coup dur pour la thèse de l'auto-infection : l'absence totale de décès par infection parmi les 3 300 accouchements enregistrés dans les services externes de la Maternité d'Édimbourg entre 1839 et 1847[62]. Une sage-femme allemande affirme n'avoir jamais rencontré, en trente années de pratique, un seul cas d'infection grave : n'ayant pas mis en doute les témoignages des médecins, je ne vois aucune raison de récuser celui de cette sage-femme[63]. Citons enfin le cas de la sage-femme lapone Inger Solheim, morte centenaire en 1880, et qui, disait-on, avait exercé soixante ans durant sans voir, elle non plus, un seul décès en couches[64]. Exceptionnelle donc, sans doute, l'auto-infection.

Mais il y avait plusieurs autres causes d'infection possibles, majeures celles-là. La minceur des sources nous empêche de les classer dans quelque ordre que ce soit. Mais je tiens à préciser que, en l'état actuel de nos connaissances, tous ces facteurs paraissent également importants, et qu'un seul d'entre eux met en œuvre le scénario classique du médecin trop zélé appliquant sans utilité un forceps contaminé.

LE TRAUMATISME DE L'INTERVENTION OBSTÉTRICALE

Les interventions obstétricales avant la césarienne étaient, nous l'avons vu, d'une grande brutalité : les voies génitales en sortaient déchirées par les forceps, lacérées par les fragments du crâne fœtal brisé, meurtries et nécrosées par la version. Autant de tissus dévitalisés, autant de foyers idéaux d'infection. Et quantité de séries statistiques démontrent que moins l'accouchement est spontané, plus le taux d'infection est élevé (cf. annexe, p. 279). Par ailleurs, 40 % des décès par infection enregistrés en Écosse de 1929 à 1933 étaient consécutifs à un accouchement artificiel (par technique instrumentale ou par manœuvre[65]). Parmi les femmes accouchées instrumentalement à l'hôpital Lariboisière à Paris entre 1884 et 1886, 33 % présentèrent ensuite une forte fièvre, contre 2 % seulement de celles qui avaient accouché spontanément[66]. Mais attention ! Si l'intervention prédisposait effectivement à l'infection, *la majorité des accouchées atteintes d'infection n'avaient néanmoins subi aucune intervention.* Et constater que le tiers des accouchées mortes d'infection au Mecklembourg en 1904 avaient été triturées par des instruments n'est certes pas flatteur pour les médecins et sages-femmes de cette région d'Allemagne, mais ne change rien au fait que les deux tiers de ces mères décédées avaient accouché spontanément[67] !

LA MAIN QUI EXAMINAIT

Seconde source importante d'infection : la main du médecin ou de la sage-femme qui examinait. Même si la plupart des femmes en couches ne subissaient pas d'intervention obstétricale, elles étaient néanmoins soumises à un examen vaginal, et par une main non lavée. Le médecin venait chez la parturiente directement de chez le scarlatineux ; la matrone, elle, accourait tout droit de l'écurie[68]. Et la première chose que l'un ou l'autre faisait une fois à pied d'œuvre, c'était, comme on l'a vu au chapitre 4, de plonger la main dans le vagin de la femme en travail, afin de juger de la position de l'enfant, de l'état des membranes et du degré de dilatation du col. « Étant donné que l'examen interne est la plupart du temps parfaitement inutile, et qu'on le pratique uniquement dans le but de satisfaire sa propre curiosité, ou la curiosité de la femme qui accouche et de sa famille, écrivait un médecin de Prusse-Orientale, le nombre des infections et des décès imputables uniquement aux touchers pratiqués par les sages-femmes n'en est que plus regrettable[69]. »

UN MILIEU INFECTIEUX

Troisième grande source d'infection : la simple exposition à un milieu infectieux. Dans une maison où sévissait la scarlatine, dans une maternité sans hygiène, la parturiente pouvait échapper aux touchers, à l'agression instrumentale, aux déchirures du périnée, et attraper quand même une infection. Des bactéries contre lesquelles elle n'était pas immunisée s'infiltraient dans son vagin lorsqu'elle y portait la main, s'asseyait sur la chaise percée, ou frôlait le paletot de laine de l'accoucheuse. Eh oui, le paletot de laine : c'est à cause de lui, explique Franz Unterberger, que, dans le Mecklembourg, davantage d'accouchées meurent d'infection en hiver qu'en été : les vêtements de laine de l'accoucheuse transmettent les germes d'une femme à l'autre[70].

De plusieurs études sur la mortalité maternelle effectuées au début des années 1920, il ressort que le quart environ des infections mortelles s'expliquent par l'exposition à un milieu contaminé. Janet Campbell, dans son étude sur 256 décès par infection couvrant l'ensemble de l'Angleterre en 1921-1922, constate que, dans 25 % des cas, il n'y avait eu aucune intervention, pas même un toucher vaginal[71]. Même conclusion des médecins du Johns Hopkins Hospital de Baltimore en 1925[72]. « Les infections dues au streptocoque hémolytique groupe A, écrit l'Australien Arthur Hill un quart de siècle plus tard, ont l'air de " tomber du ciel ". Très souvent, en pareil cas, il n'y a eu en cours d'accouchement ni manœuvre, ni usage d'instruments, ni même examen par toucher vaginal. Le " ciel " d'où est tombée l'infection n'est autre que de l'air contaminé par quelques gouttelettes ou par des poussières[73]. »

Impossible, à vrai dire, d'imaginer milieu plus infectieux que celui d'une maternité avant l'avènement de l'antisepsie (à la fin du XIXᵉ siècle). Voici l'Hôtel-Dieu de Paris en 1788 : « Pour reconnaître complètement par l'odorat la malpropreté de cette maison, explique Jacques-René Tenon, il faut s'y rendre à l'heure du pansement du matin, sans quoi l'on n'en a point d'idée. » Naturellement, poursuit-il, cette situation est inévitable, avec « quatre rangs de lits, disposés dans toutes sortes de sens, avec des ruelles, des passages obscurs ; où les murs sont salis par les crachats, le plancher par les ordures qui découlent des paillasses et des chaises percées lorsqu'on les vide, ainsi que par le pus et le sang qui proviennent, soit des blessures, soit des saignées ». Femmes atteintes d'infection et femmes en bonne santé, rapporte encore Tenon, sont mises côte à côte dans le même lit, dans la même salle puante que les victimes de maladies vénériennes à l'article de la mort, dans des locaux situés juste au-dessus de la morgue. Quant au linge souillé, on l'empile « dans un cabinet au bout de la salle des accouchées », où il « fermente et accroît la corruption ». Ainsi, conclut le célèbre médecin, « en aucun endroit de l'Europe, en aucune ville, en aucun village, en aucun hôpital, rien n'est comparable à la perte qu'on fait des accouchées à l'Hôtel-Dieu de Paris [74] ». La mortalité y touchait alors une accouchée sur dix !

Nous avons vu au chapitre précédent que le taux de mortalité à l'hôpital culmine vers le milieu du XIXᵉ siècle. En 1866, Léon Lefort constate que 7 % seulement des accouchées ainsi décédées avaient subi une intervention obstétricale ; toutes les autres avaient eu un accouchement spontané [75]. Un exemple : sur 157 accouchées atteintes d'une infection à l'hôpital général de Vienne (Autriche) en 1861, 13 % seulement avaient subi un forceps ou une autre intervention [76]. Et nous savons, grâce aux travaux d'Ignaz Semmelweis, que, dans cet hôpital précisément, l'infection puerpérale était véhiculée par des mains contaminées. Mais même après 1847, lorsque Semmelweis eut exigé de tous les étudiants qu'ils se lavent les mains au chlorure de chaux avant de procéder à tout examen interne (ce qui eut pour effet de réduire considérablement la mortalité maternelle), un grand nombre de femmes continuèrent à mourir dans cet hôpital [77].

Les femmes qui accouchaient à l'hôpital étaient donc fauchées par deux types de bactéries : 1° les bactéries fécales, contre lesquelles on pouvait finir par être immunisé, mais qui étaient fortement pathogènes pour des nouvelles accouchées exposées pour la première fois aux matières *des autres ;* et 2° des micro-organismes extrêmement virulents et contre lesquels personne n'acquiert jamais d'immunité, du fait de leurs multiples formes.

Fortement contaminé également, le milieu domestique. La femme qui accouchait dans une masure paysanne ou dans un sous-sol de cité ouvrière était entourée de la plus effroyable crasse. Et la maison était ouverte aux germes pathogènes les plus contagieux. L'étude écossaise déjà mentionnée établissait que, dans 11 décès sur 68 après un accouchement spontané et où la cause d'infection a pu être établie, la mère avait été en contact avec un tiers dont la gorge était porteuse de streptocoques hémolytiques ; dans 8 cas, il s'agissait de la sage-femme, dans les 3 autres, d'un parent ; 13 de ces 68 mères avaient été contaminées par un membre de leur propre famille et 14 avaient été en contact avec une personne atteinte de scarlatine, dans 8 cas un membre de leur propre famille [78]. Ainsi nombre de microbes hautement pathogènes circulaient-ils dans les foyers à la veille de la Seconde Guerre mondiale. Mais la mortalité était nettement plus faible à la maison qu'à l'hôpital, car la contamination y était, somme toute, bien moindre.

Il y a toutefois une autre raison pour laquelle la mortalité par infection était beaucoup moins forte à la maison qu'à l'hôpital : c'est que nombre de mères étaient sans doute plus ou moins immunisées à la longue contre leurs propres microbes. Un médecin de Cincinnati s'exprime ainsi, en 1918, sur la mortalité maternelle : « [...] les gens qui vivent dans des conditions insalubres, comme ceux qui depuis leur naissance sont habitués à une mauvaise alimentation ainsi qu'à une eau et à un air impurs, acquièrent une certaine immunité contre les maladies auxquelles d'autres n'échapperaient pas qui ont toujours vécu dans un milieu des plus salubres, bénéficiant d'une nourriture saine, d'une bonne eau potable et d'un air pur [79]. » Sur les 81 femmes accouchées au début des années 1920 à Hull (Angleterre) par une « sage-femme qualifiée », 22 étaient classées « très sales » et un tiers dans les catégories « propreté moyenne » ou « défavorable ». Et pourtant aucune d'entre elles ne mourut. Et on n'observa aucun cas d' « infection puerpérale ou ombilicale [80] ». En revanche, les femmes des classes moyennes, qui vivaient dans un environnement plus salubre et n'avaient probablement pas acquis de telles défenses, étaient, ironie de l'histoire, plus exposées aux infections puerpérales. Telle est du moins l'explication la plus plausible de cette curieuse tendance des femmes pauvres à mourir d'infection *moins souvent* que celles des classes plus aisées. Phénomène autrefois constaté par bien des observateurs, tel ce médecin de Prague : « Il est remarquable que la fièvre puerpérale affecte surtout les femmes des classes protégées. Une longue expérience enseigne qu'elle [la fièvre] frappe à peine 1 % des accouchées pauvres, alors que 3 % de nos dames de la bonne société y succombent [81]. » En Angleterre, plus on est bas dans l'échelle sociale, et plus la mortalité par infection est faible :

**NOMBRE DES DECES PAR INFECTION
PUERPERALE EN ANGLETERRE (1930-1932)
(POUR 1 000 ACCOUCHEMENTS) [82]**

«Professions libérales et cadres»	1,45
Main-d'œuvre qualifiée	1,33
Semi-qualifiée	1,21
Sans qualification	1,16
Moyenne	*1,29*

L'étude écossaise de 1932 sur l'infection après accouchement normal a cherché à établir s'il existait un lien entre la fréquence de la maladie et le surpeuplement. Réponse : c'est chez les mères du tiers « le moins surpeuplé » de l'échantillon que le taux d'infection était le plus élevé [83].

On voit bien maintenant pourquoi la femme qui accouchait chez elle risquait moins l'infection que celle qui accouchait à l'hôpital : elle se défendait mieux contre les germes de son environnement immédiat, auxquels elle était accoutumée ; et la maison abritait moins de ces streptocoques hémolytiques virulents contre lesquels personne n'est jamais réellement immunisé. Par contre, elle était tout aussi exposée que la parturiente hospitalisée aux autres grandes sources d'infection : examens internes et traumatisme obstétrical.

Mais, diront peut-être certains, si les femmes qui accouchaient à l'hôpital étaient davantage atteintes d'infection, n'était-ce pas parce que c'étaient généralement des jeunes femmes des classes les plus pauvres, ballottées par la vie ? N'était-ce pas, autrement dit, parce que leur *résistance* à l'infection était moindre ? A l'une comme à l'autre question, il m'est difficile de répondre par l'affirmative. Il n'y avait probablement pas de différence nette dans la capacité respective des deux catégories de femmes à résister à la maladie. Bien sûr, nombre de parturientes des hôpitaux étaient usées par la misère. Mais bien des femmes qui accouchaient chez elles étaient également pauvres, épuisées, affamées. Sans compter les fatigues de grossesses répétées et d'une ribambelle d'enfants à élever. Par ailleurs, la durée d'une maladie mortelle est un bon indice de la capacité de résistance du malade. Or cette durée était à peu de chose près la même à l'hôpital qu'à la maison. Dans un relevé portant sur deux siècles d'infection puerpérale (cf. annexe, p. 279), la durée moyenne d'une infection fatale est de 13,5 jours pour les parturientes hospitalisées, et de 12,2 jours pour celles ayant accouché chez elles. Et chez les femmes mortes d'infection lors de telle épidémie à l'hôpital général de Vienne (Autriche) en 1861, la maladie avait duré en moyenne 12,3 jours [84]. Il paraît donc difficile d'affirmer de l'un ou l'autre groupe de femmes qu'il ait été plus résistant à ces terribles infections.

Le grand recul des infections mortelles : maison ou hôpital

Entre 1870 et 1939 s'est produit une chute spectaculaire de la mortalité due aux infections puerpérales. Et alors que, dans les années 1860, accoucher à l'hôpital était en gros six fois plus risqué qu'accoucher chez soi, en 1920-1930 l'hôpital et la maison offraient les mêmes garanties, en ce qui concerne du moins les risques d'infection.

Ces affirmations, fruit de mes recherches, s'inscrivent totalement en faux contre la thèse couramment admise, tant pour ce qui est de l'époque où ce recul s'est produit que pour ce qui concerne les risques respectifs de l'accouchement à la maison et à l'hôpital. Aussi me faut-il rapidement expliquer comment je suis parvenu à ces conclusions, et pourquoi les observateurs ont été si longtemps induits en erreur par les statistiques officielles.

Tout d'abord, l'opinion courante veut bien admettre que la révolution de l'asepsie a fortement réduit la mortalité à l'hôpital dans les années 1880-1890, mais soutient en revanche qu'après cette date la mortalité globale par infection est restée forte du fait de l'interventionnisme obstétrical. De même, l'inexpérience des médecins et leur impatience à agir sur le déroulement naturel de l'accouchement les auraient fait intervenir beaucoup plus souvent qu'il n'eût été souhaitable, aussi bien sur la parturiente à domicile qu'à l'hôpital[85]. Interventionnisme qui aurait même eu pour résultat d'accroître le taux des infections mortelles dans les accouchements à domicile entre 1880 et 1930[86]. La thèse reçue, enfin, voudrait que de tout temps l'accouchement chez soi ait été moins risqué que l'accouchement à l'hôpital[87].

Comment a-t-on pu se tromper à ce point sur la nature véritable du recul de l'infection depuis un siècle ? C'est que les observateurs ont fait fond sur les statistiques nationales. Or celles-ci donnent une idée fausse de la mortalité à terme de causes infectieuses, car on y avait fait entrer une masse de décès après avortement (voir tableau 8. A en annexe, p. 298). Les chercheurs savaient que la très forte mortalité par avortement nuisait au bon comptage des décès en couches proprement dits et ils pressaient les responsables des statistiques nationales de séparer les décès par infection post-abortum des décès par infection à terme. Cette distinction fut opérée en divers endroits, mais le nombre des avortements mortels était si élevé que beaucoup continuèrent à figurer dans la rubrique « infection puerpérale », placés là par des médecins de famille désireux surtout d'éviter le scandale ou de ne pas froisser l'entourage. C'est ainsi que les observateurs, se fiant aux chiffres officiels, ont cru pendant des dizaines d'années que la mortalité « normale » en couches n'avait pas régressé dans les quarante premières années du xxᵉ siècle, et qu'une femme accouchant en 1935 risquait encore autant l'infection qu'en 1885.

Quant aux raisons pour lesquelles nombre de gens ont longtemps considéré l'accouchement à domicile comme plus sûr, il faut rappeler la très curieuse façon dont les hôpitaux consignaient jadis les infections maternelles. D'abord, ils y incluaient les femmes contaminées à l'extérieur et déjà très malades au moment de leur hospitalisation. Ensuite, certains englobaient également dans leurs chiffres annuels les décès par avortement, ceux-ci étant considérés comme « puerpéraux » au même titre que les décès à terme. Enfin, il faut bien prendre soin de distinguer les décès par infection consécutive à césarienne de ceux des autres types d'accouchement : les parturientes à domicile ne risquant guère une césarienne sur leur table de cuisine, il est injuste envers les hôpitaux d'inclure ce type de décès dans la comparaison.

Si l'on prend des statistiques débarrassées de tous défauts, c'est une image tout à fait différente qui ressort ; les effets de la révolution aseptique crèvent les yeux, tant à l'hôpital qu'à domicile. Vers l'époque de la Première Guerre mondiale, on peut dire en gros que les seules femmes à mourir d'infection obstétricale dans les hôpitaux des deux côtés de l'Atlantique étaient, outre quelques cas de césarienne, des victimes d'avortements. Par exemple, je n'ai rien trouvé à opposer à Hermann Fehling lorsqu'il déclare qu'en 1920 « seules 5 % environ des accouchées étaient atteintes ne serait-ce que de fièvre [...]. Les cas d'état fébrile dans nos maternités concernent de nos jours [en 1925] les femmes atteintes d'infection post-abortum grave et qui viennent de l'extérieur [88] ». Et le nombre de celles qui mouraient chez elles n'était guère supérieur.

Pourquoi le recul de la mortalité n'a-t-il pas débuté en 1847, l'année où Semmelweis annonce avoir découvert qu'en se lavant les mains dans une solution désinfectante on réduit considérablement les infections chez l'accouchée ? Parce que personne ou presque ne voulut l'entendre. Les médecins ne pouvaient admettre leurs propres responsabilités dans ce qu'Oliver Wendell Holmes a appelé le « fléau intime ». C'est pourquoi, tout au long des années 1850 et 1860, les infections puerpérales fleurissent de plus belle, à mesure que les hôpitaux s'agrandissent, se remplissant de victimes de toutes sortes de maladies bactériennes jusqu'à devenir de véritables cloaques [89].

Puis vient l'étape décisive : en 1867, Joseph Lister explique comment la mortalité par infection des suites de fractures compliquées a pu être fortement diminuée par le lavage au phénol du pourtour de la plaie. Son article, publiée dans *Lancet,* expose les principes de l'antisepsie : tuer les germes avant qu'ils n'aient eu le temps de nuire [90]. Allemands et Français vont commencer à appliquer les idées de Lister en obstétrique vers 1874 [91]. Le premier adepte dans le monde anglo-saxon sera Lombe Atthill, directeur du Rotunda Hospital de Dublin : vers 1875, il commence à « exiger des infirmières et des étudiants qu'ils se lavent les mains à l'huile phéniquée, puis se les rincent dans une bassine contenant une solution de phénol [92] ». (Je passe sur toutes les tentatives douteuses pour « désinfecter » l'utérus même une fois l'infection installée, ainsi que sur les essais de désinfection « prophylactique » au moyen de douches vaginales, plus nuisibles qu'autre chose.)

Dans les dix années qui suivirent, les maternités de l'ensemble du monde occidental emboîtaient le pas. L'adoption de l'antisepsie marqua même une date dans l'histoire de ces institutions. Le New England Hospital for Women de Boston introduit l'usage du phénol en 1877 [93]. Deux ans plus tard, c'est le tour du York Road Lying-In Hospital de Londres : très vite, la mortalité par infection se trouve presque totalement éliminée [94] ! A la Maternité d'Amsterdam, l'antisepsie est adopée en 1880, à l'occasion de la mort du directeur, un adversaire de Semmelweis, et de son remplacement par un partisan du progrès [95]. En 1883. Henry Garrigues introduit l'emploi du bichlorure de mercure (le « sublimé ») à la Maternité de New York [96]. Celle de Berne adoptera le produit l'année suivante [97]. Et ainsi de suite. Lorsque, au début du XXe siècle, le jeune médecin américain

Catharine Macfarlane visite la maternité d'Ernst Bumm, à Berlin, elle trouve au-dessus de chaque lavabo l'inscription suivante :

> Eau chaude, savon et brosse, cinq minutes.
> Ongles propres.
> Eau chaude, savon et brosse, trois minutes.
> Essuyer avec une serviette stérile.
> Alcool, cinq minutes.
> Bichlorure, trois minutes.

Après quoi le médecin était autorisé à examiner la mère, à condition toutefois de porter « de courts gants de caoutchouc ». Et la jeune Américaine d'ajouter : « Pour les manipulations intra-utérines ou les interventions abdominales, on porte en plus des gants des manchettes en caoutchouc allant du poignet jusqu'au coude [98]. »

Car depuis quelques années, à la doctrine de l'antisepsie était venue s'ajouter celle de l'asepsie (absence de germes). Si on ne pouvait stériliser les mains, du moins pouvait-on empêcher les germes qui les environnent de parvenir jusqu'à l'utérus. D'où l'apparition des gants dans les meilleures maternités aux alentours de 1898 [99]. Pour empêcher les streptocoques du nez et de la gorge de contaminer la mère, on se mit à porter des masques. On prit aussi l'habitude de stériliser instruments, gaze, draps, taies d'oreillers, etc. [100]. Rien d'étonnant donc si le taux d'infection à l'hôpital était tombé au tournant du siècle à un niveau négligeable. Le tableau 6.1 montre que, dans la décennie 1900-1909, la femme risquait *davantage* une infection mortelle en accouchant chez elle qu'en milieu hospitalier.

TABLEAU 6.1

**NOMBRE DE DECES A TERME PAR INFECTION
POUR 1 000 ACCOUCHEMENTS**
(1860-1939)

Décennie	A l'hôpital	A domicile
1860-1869	31,1	5,7
1870-1879	21,6	4,5
1880-1889	9	3,5
1890-1899	2,6	2,1
1900-1909	1,2	1,4
1910-1919	2,3	1,3
1920-1929	0,9	1,3
1930-1939	0,7	0,7

Sources : Voir annexe, en fin d'ouvrage.

Pourtant, la mortalité par infection à domicile avait elle aussi reculé, de près de 75 % entre 1860-1869 et 1900-1909. En 1930, les taux de mortalité par infection étaient les mêmes à domicile et en milieu hospitalier.

Je ne pense pas qu'il y ait eu entre généralistes et sages-femmes une grande différence d'attitude envers l'asepsie, malgré tout ce qui a pu être écrit en faveur de l'une ou l'autre catégorie. Certes, nombre de sages-femmes arrivées avaient du mal à renoncer à des habitudes séculaires pour se mettre à laver, frotter, stériliser. Ce n'est qu'en 1931, par exemple, que les sages-femmes agréées du service « accouchements à domicile » du Queen Charlotte's Maternity Hospital de Londres ont adopté le port du masque et des gants [101].

Pour juger les sages-femmes, il faut avoir à l'esprit toutes les difficultés qu'elles rencontraient dès lors qu'elles voulaient appliquer aux accouchements à domicile les règles de propreté en vigueur en milieu hospitalier. « Dans presque toutes les écoles de sages-femmes, écrit Alois Valenta en 1888, les élèves trouvent tout un équipement antiseptique », mais dans certaines province, « il n'y a même pas suffisamment d'eau propre. Et quant à l'état des lavabos, des essuie-mains, du linge de corps et des draps de lit, les citadins ne sauraient s'en faire une idée [102] ».

Non que le généraliste moyen ait été prompt à adopter les principes de l'asepsie. La génération formée après les années 1880 se conforma sans doute consciencieusement, dans sa majorité, aux nouvelles règles touchant la propreté des mains et la stérilisation des instruments. Reste que la littérature médicale des années 1880 à 1930 est pleine de récits d'horreurs. « Que d'incompétents parmi nous ! note Frank Jackson en 1906. Un médecin me demanda un jour dans une ville de la Nouvelle-Angleterre de m'occuper d'un accouchement en attendant qu'il arrive. [...] Lorsqu'[il vint], une heure plus tard environ, je lui fis part de mes constatations. Alors, faisant remarquer que les membranes auraient déjà dû se rompre, il se mouilla les mains au robinet et, cette soigneuse préparation accomplie, il rompit les membranes avec son ongle. J'ignore si la femme contracta ou non une infection, mais je sais que si tel fut le cas, c'est à cet homme qu'en revenait la criminelle responsabilité [103]. »

Trois points essentiels ressortent de cette étude. La banalité, tout d'abord, dans la vie des femmes traditionnelles de certaines infections graves. La virulence, ensuite, de ces infections, qui n'affectaient en aucun cas les hommes. Le fait, enfin, que c'est vers 1900 que le taux d'infection a considérablement baissé, et non à la fin des années 1930 comme on l'a cru jusqu'à présent. Et si je souligne cette date, c'est parce que c'est précisément au tournant du siècle qu'ont commencé également à disparaître d'autres handicaps terribles propres à la condition féminine, ouvrant ainsi la voie à une ère nouvelle dans les relations entre les sexes.

Post-scriptum : médecin ou sage-femme, lequel était le plus dangereux ?

Je ne saurais clore ce chapitre sans quelques mots au moins sur un sujet de débat encore controversé : qui, de l'homme de l'art ou de la sage-femme, risquait le plus de contaminer la femme en couches ? Les médecins ont cloué au pilori ces souillons qu'étaient, selon eux, les sages-femmes. Les défenseurs de ces dernières ont voué les hommes de l'art aux gémonies, les accusant de transmettre aux accouchées les germes contractés à la table d'autopsie. Où est la vérité ?

Pour y voir plus clair, il faut commencer par liquider le mythe selon lequel les médecins étaient seuls responsables des « épidémies » d'infection puerpérale. De La Motte a décrit la première épidémie connue imputable à une sage-femme. Au printemps de 1713, une sage-femme de Caen lui demande d'accoucher une femme, en expliquant qu'elle n'osait entreprendre elle-même cet accouchement en raison de « la quantité de femmes qui lui étaient mortes de celles qu'elle avait accouchées depuis deux mois [104] ». Durant la période 1875-1888, il y a eu à Hambourg 16 sages-femmes responsables chacune d'au moins 4 décès par infection, soit au total le tiers des décès imputables dans cette ville à des sages-femmes. Souvent, ces décès survenaient au cours de petites « épidémies », comme par exemple celle due à la sage-femme K., qui commence à exercer en 1880. Trois de ses parturientes meurent d'infection à l'automne 1883. Les années suivantes, elle aura encore 7 autres décès par infection, puis, en juin 1892, elle provoque une petite épidémie, qui verra succomber 6 de ses patientes. Après quoi elle se suicide [105]. Il y a donc bien eu, effectivement, des cas d'épidémies provoquées par des sages-femmes.

Lourde responsabilité aussi des accoucheuses dans les décès isolés. Dans l'échantillon des cas d'infection que nous avons établi sur deux siècles, l'accouchement à domicile avait été effectué dans 35 cas par un homme de l'art, et dans 29 par une sage-femme uniquement. Quant à Charlotte Douglas et Peter McKinlay, leur enquête sur la mortalité maternelle en Écosse entre 1929 et 1933 attribue 33 cas d'infection après accouchement naturel à des médecins, et 21 à des sages-femmes [106].

Si l'on veut pousser la comparaison, une difficulté surgit : du temps de l'obstétrique traditionnelle, le médecin était appelé principalement en cas de complication, et rarement « prévu » à l'avance. Dans ces accouchements laborieux, la sage-femme pouvait fort bien avoir déjà contaminé la mère par ses manœuvres. Ou bien la seule intervention du médecin suffisait à provoquer l'infection. Ainsi, dans la région de Düsseldorf, les accouchements confiés à une sage-femme seule présentaient un taux d'infection de 4 pour 1 000 ; ceux effectués par une sage-femme *et* un médecin, un taux de 37 pour 1 000. Toutefois, lorsque c'était le médecin qui contaminait la parturiente, comme le montre une autre étude faite en Prusse-Orientale vers la même époque, c'était généralement à la suite d'une intervention obstétricale. Lorsque c'était la sage-femme qui contaminait la mère, c'était dans les deux tiers des cas à l'occasion d'un toucher vaginal [107].

Une étude autrichienne révèle une mortalité par infection relativement élevée dans les hameaux et les grandes villes, et moyenne ou faible ailleurs. S'il y avait surmortalité dans les petites communautés, nous dit l'auteur, c'est parce que les matrones y effectuaient davantage de touchers. La mortalité diminuait légèrement ensuite à mesure qu'augmentait la population et que les sages-femmes étaient sans doute mieux formées. Elle était élevée dans les grandes villes, pensait-il, parce que les médecins y pratiquaient trop d'interventions [108].

Lorsque médecin et sage-femme pratiquaient chacun un grand nombre d'accouchements normaux, les résultats étaient mitigés. A New York, en 1922-1923, c'était la sage-femme qui se tirait le mieux d'affaire [109]. A Glasgow, vers la même époque, c'était, en revanche, les médecins qui avaient les meilleurs résultats [110].

Mon sentiment, pour conclure, est qu'un médecin risquait à peu près autant qu'une sage-femme de contaminer la mère lors d'un accouchement normal à domicile. Mais seul le médecin, généralement, était autorisé à effectuer un accouchement laborieux et, bien entendu, il faisait alors usage d'instruments pour délivrer la mère. Celle-ci, meurtrie dans sa chair, épuisée, perdant son sang, était à l'évidence en pareil cas plus exposée à l'infection.

La vérité est que médecins et sages-femmes étaient à peu près également porteurs d'infection. Le médecin traitait les autres maladies infectieuses et véhiculait vraisemblablement sur sa redingote de grandes éclaboussures de pus et de sang infecté. Mais les sages-femmes, elles aussi, soignaient l'infection. Dans certaines communautés isolées, elles constituaient depuis des siècles le seul personnel médical existant. « Dans les villages perdus du comté d'Alsfeld, écrit un médecin allemand en 1917, il est difficile, souvent même impossible, pour la sage-femme d'éviter le contact avec l'infection en dehors de ses attributions normales. Les gens lui demandent souvent avec tant d'insistance de soulager un malade qu'elle s'y trouve contrainte. Ainsi, dans tel village où les cas de fièvre puerpérale étaient nombreux, j'appris que, jour après jour, la sage-femme pansait régulièrement une plaie suppurante à la jambe d'une vieille femme. Lorsque je l'eus admonestée, la fièvre puerpérale cessa [111]. » Un autre médecin déclare : « Je veux bien admettre qu'il soit possible à la

131

sage-femme d'éviter dans sa vie privée le contact avec l'infection, mais seulement si sa situation financière lui permet de ne pas avoir à effectuer de tâches domestiques, de travaux des champs, ni à s'occuper de bêtes, et de s'offrir l'aide nécessaire pour les membres de sa famille qui tombent malades. » Sans compter, poursuit-il, les accouchées atteintes d'infection [112].

Il est vrai. Et le problème, c'était la main qui explorait, et non le sexe de l'opérateur.

7

L'émergence
de l'accouchement vécu

Plaçons-nous du point de vue de la femme qui va accoucher. A partir de 1930, grâce à la régulation des naissances, la grossesse a plus de chances qu'un siècle auparavant d'être une grossesse désirée. L'anesthésie, malgré ses inconvénients, permet d'éviter à la parturiente toute souffrance inutile. La femme peut également décider elle-même de la longueur du travail, aucune raison médicale ne justifiant plus qu'on abrège l'accouchement. Et si la fatigue est trop forte, elle peut toujours demander à être aidée et l'enfant naîtra chirurgicalement. En d'autres termes, les moyens techniques existent, en 1930, qui permettraient à la femme d'avoir désormais pleine et entière maîtrise de son accouchement.

Cette possibilité, pourtant, ne devait jamais prendre corps. Parce que, dans ces années-là, les médecins vont changer leur fusil d'épaule : leur objectif, après avoir été surtout de sauvegarder l'intégrité physique de la mère, est maintenant de « produire » un enfant en bonne santé. Auparavant, la médecine s'était peu intéressée à la « périnatalogie », c'est-à-dire aux soins à donner à l'enfant dans la période qui précède et suit immédiatement la naissance. Comme on l'a vu, le principal souci de la sage-femme ou de l'accoucheur, entre le XVIe et le début du XXe siècle, avait été d'épargner à la parturiente les affres d'une naissance prolongée, et aussi, à partir de 1880, de la protéger contre l'infection. Objectifs tous deux atteints au premier quart du XXe siècle. Aux dangereuses techniques d'intervention par voie basse — version, forceps haut, embryotomie — avait été partiellement substituée la césarienne. Et rares étaient maintenant les femmes qui succombaient aux fièvres. Alors, dans les années 1930 — pour des raisons que certains trouveront odieuses et d'autres louables —, les médecins, brusquement, adoptent de nouvelles priorités : réduire le nombre des enfants mort-nés et veiller à ce que le fœtus vivant vienne au monde en bonne santé, ni traumatisé par la traversée des voies génitales, ni le cerveau atteint par manque d'oxygène. Et, commençant à se rendre compte que l'accouchement « naturel » donne souvent un nouveau-né mal en point, les médecins vont se faire plus interventionnistes. Pour diminuer les risques, ils vont imposer —

133

à tort ou à raison — leur propre jugement médical au désir de la mère de prendre les choses en main. J'ai déjà montré comment la femme traditionnelle était privée de toute réelle autonomie dans sa maternité, à la fois parce que l'accoucheuse suivait aveuglément les usages et parce qu'il ne saurait y avoir la moindre autonomie lorsqu'une femme se trouve exposée aux hasards de l'infection et aux vicissitudes d'une naissance laborieuse, ainsi qu'à une succession perpétuelle de grossesses non désirées. Ironie de l'histoire, les années 1980 verront de nouveau les femmes pratiquement privées de la maîtrise de leur accouchement, dont chacune des phases sera minutieusement réglée par un véritable code médical. Mais à une énorme différence près : en contrepartie du renoncement à leur autonomie, les femmes mettent au monde aujourd'hui de beaux bébés bien roses. *Plus personne ne meurt.* Et cet accouchement vécu et non plus subi est revendiqué comme partie intégrante de la féminité.

C'est l'émergence de cette nouvelle maternité que retrace le présent chapitre. Accouchement vécu, disons-nous, pour traduire précisément ce phénomène : une joie de tout l'être face à cette dimension éminemment positive de leur féminité que bien des femmes découvrent en donnant la vie. Et cette joie est chose récente. Nous la verrons d'abord se cristalliser dans le courant du xixe siècle. Nous verrons ensuite comment certains inconvénients de l'accouchement à domicile ont amené femmes et médecins à considérer que le meilleur endroit pour accoucher était l'hôpital. Nous assisterons enfin à la transformation complète du scénario par la « découverte du fœtus ».

Une sensibilité nouvelle

Si les idées que j'ai soutenues ailleurs sont exactes, une évolution dans la sensibilité des femmes s'est fait jour vers la fin du xviiie ou le début du xixe siècle. C'est le moment où leur affectivité commence à se détacher de la communauté des femmes pour s'investir dans la famille nucléaire. Évolution qui, à son tour, va en entraîner une autre : alors que, dans la famille traditionnelle, distance et indifférence marquaient les relations, on va voir naître chez la femme « nouvelle » un réel sentiment maternel en même temps qu'une attitude de camaraderie envers son mari.

Mes conclusions sur tous ces points ont été vivement contestées par certains historiens, et d'ailleurs mon propos dans cet ouvrage n'est pas d'y revenir [1]. Je reste toutefois persuadé que cette nouvelle sensibilité féminine s'est également manifestée dans le domaine de l'enfantement. Les femmes des classes moyennes, en particulier, se mettent, après 1850, à limiter le nombre de leurs grossesses. La venue d'un enfant mort-né commence à être perçue comme une calamité et non plus comme un bienfait déguisé. Et les mères vont commencer à se préoccuper de la « qualité » de leur accouchement, exigeant maintenant une douceur, une tendresse qui jusque-là faisaient défaut. Des nouvelles relations affectives instaurées au sein de la famille va naître, par projection, un nouveau type d'affectivité dans la salle de travail — tout comme dans l'accouchement traditionnel se projetaient l'absence de sentimentalité de la vie de village et la froideur des relations entre hommes et femmes. C'est à cette exigence de changement venant des femmes elles-mêmes qu'est due pour une part l'émergence d'un nouveau vécu de l'accouchement.

DES FEMMES ET DES MÉDECINS SENSIBLES

Signe, entre autres, de cette nouvelle sensibilité : la volonté manifestée par les femmes d'être accouchées, non plus par une sage-femme, mais par un médecin. Dans l'Europe traditionnelle, les femmes craignaient l'homme de l'art, même s'il fallait faire appel à lui en cas d'urgence. Lorsque, au xviiie siècle, une femme se présentait à la Maternité de Marseille, elle demandait à voir la sage-femme et non le chirurgien. « Aujourd'hui même encore, écrit un des médecins de cet établissement en 1889, dans une certaine classe par économie, et dans certaines localités par préjugé, il en est ainsi[2]. » Voici ce que l'intendant de Bordeaux dit, en 1785, à propos du comté de Foix : « Il est dans les mœurs des femmes de la campagne de préférer toujours les sages-femmes aux chirurgiens de leurs villages, quelque instruits qu'on les suppose, et l'on ne doit pas espérer vaincre ce préjugé[3]. » La seule façon d'améliorer les accouchements dans les campagnes, déclare Adams Walther en 1884, c'est de former davantage de médecins femmes. Les sages-femmes sont incapables de faire face aux urgences et « les femmes veulent être assistées par d'autres femmes[4] ».

Attitude qui commence à changer, toutefois, au milieu du xviiie siècle, lorsque les femmes des classes moyennes et supérieures des villes se mettent à exprimer leur préférence pour l'accoucheur. Selon un historien, cette vogue serait née en France parce qu'en 1663 un chirurgien fut appelé à la cour de Louis XIV pour accoucher clandestinement Mlle de La Vallière, maîtresse du roi. « Le modèle social du chirurgien-accoucheur se répand alors rapidement dans l'aristocratie et la haute bourgeoisie », écrit Jacques Gélis[5]. En 1786, l'enquête effectuée par l'Académie royale de médecine de Paris fait apparaître qu'il existe des chirurgiens-accoucheurs dans toutes les villes importantes du nord de la France, ainsi que dans les villes, grandes et petites, de presque tout le reste du pays[6]. Dans une ville de l'Est comme Chambéry, par exemple, constate Joseph Daquin en 1787, « il n'y a même pas longtemps que nos femmes n'auraient pas souffert qu'un accoucheur les eût approchées [7] ». Ce n'était donc plus le cas.

Dans les villes d'Allemagne, le XIXᵉ siècle va voir les femmes des couches moyennes faire appel de plus en plus, pour une naissance normale, à des accoucheurs et à des médecins. « Il arrive fréquemment, soupire le Dʳ Werfer, de Gmünd, en 1813, que les femmes des milieux prospères ou prétendument tels prennent un accoucheur pour les délivrer. » Pressés de repartir, ces hommes intervenaient souvent mal à propos, pratiquant une version ou appliquant le forceps. Dans le cas contraire, leurs patientes, « désireuses d'être soulagées de leurs fatigues et douleurs déjà longues », exigeaient une intervention [8]. La femme elle-même réclamant qu'il soit mis fin à son calvaire à l'aide d'*instruments* : une attitude nouvelle, et que nous retrouverons plus loin.

Phénomène de mode également : « Il est frappant de constater, écrit un médecin de Landau en 1831, qu'on a de moins en moins recours chaque année aux sages-femmes. Maintenant que les femmes ont surmonté les préjugés d'une ancienne pudeur, il est de bon ton dans les accouchements naturels sans complication de faire appel à un accoucheur [9]. » Et un autre à propos de Berlin quelques années plus tard : « Les femmes des classes aisées font presque toujours appel pour leurs couches à un accoucheur, les moins aisées se contentant d'une accoucheuse ou d'une matrone *(Wickelfrau)*, à moins d'accoucher à la clinique [10]. »

Si ces Allemandes aisées préfèrent s'adresser à des hommes, c'est que ceux-ci, au contraire des accoucheuses traditionnelles, savent quoi faire en cas d'urgence. Voici ce qu'écrit, en 1812, un médecin de Halle, en Allemagne : « Il faut bien se rendre compte que, dans l'ensemble, les femmes font moins confiance à la sage-femme qu'au médecin, pour peu que celui-ci soit connu pour son humanité et son habileté [11]. » Intéressant ici, le mot « humanité » : il évoque une sensibilité dont je n'ai trouvé trace dans aucun texte sur l'accouchement avant la fin du XVIIIᵉ siècle. A Dantzig, vers 1840, les mères des classes supérieures préféraient, disait-on, être accouchées par un homme, « car de toute façon, en cas d'ennuis, c'est à un homme qu'il faudrait faire appel [12] ». A l'aube du XXᵉ siècle, cette volonté prévaut dans toute l'Europe centrale. Un médecin de Leyde écrit en 1912 : « Je crois pouvoir affirmer qu'ici, aux Pays-Bas, la plupart des patientes préfèrent, si leurs ressources le leur permettent, être accouchées par un médecin et non par une sage-femme [13]. » Et encore : « Précisément, une femme sensible évitera de s'adresser à une sage-femme si elle s'aperçoit qu'on attend d'elle des exploits physiques qu'une femme du peuple serait plus à même d'accomplir [14]. » La femme « sensible », naturellement, préférait avoir affaire à un homme de sensibilité égale à la sienne : un médecin de la bourgeoisie.

Mais c'est en Angleterre, selon toute vraisemblance, qu'a commencé cette « ruée vers l'accoucheur ». Dès 1736, John Douglas dénonce la prolifération, à Londres, de cette profession : « N'est-il pas évident [...] que le médecin ou l'apothicaire-accoucheur sont parfois aussi ignorants que la plus mauvaise des sages-femmes ? » Le problème, concède-t-il, vient de ce que ces dernières ne sont pas formées, tandis que les médecins, qui leur refusent toute formation, en ont une[15]. Nous savons aujourd'hui, grâce aux recherches, que la fin du xviii⁰ siècle marqua le triomphe de l'accoucheur parmi les classes supérieures de Londres et des grandes villes de l'Amérique coloniale[16].

Durant le xix⁰ siècle, une bonne partie de l'obstétrique, dans les couches populaires comme dans la bourgeoisie, va échapper au contrôle des sages-femmes au profit des médecins. Même dans une ville ouvrière comme Glasgow, près de la moitié des accouchements, à la veille de la Première Guerre mondiale, seront pratiqués par un médecin[17]. Une enquête réalisée en 1895 sur un large échantillonnage de « localités agricoles » d'Angleterre montre que les trois quarts des futures mères avaient retenu un médecin à l'avance, tandis que 3 % seulement avaient expressément engagé une sage-femme[18]. Vers 1860, dans les quartiers pauvres de l'East End de Londres, « 30 à 50 % » des accouchements sont effectués par une sage-femme ; dans le West End, plus riche, seulement « 2 % ou moins[19] ». Et dans l'ensemble de l'Angleterre, en 1892, les sages-femmes n'étaient présentes que dans la moitié environ des accouchements[20].

C'est aux États-Unis, toutefois, que les sages-femmes perdront le plus de terrain. Vers 1910, on les trouve encore dans la moitié environ des naissances[21], mais essentiellement parmi les groupes minoritaires : Noirs du Sud et immigrants. Dans le Mississippi à l'époque de la Première Guerre mondiale, par exemple, les sages-femmes accouchent 88 % des femmes noires et 16 % des femmes blanches[22]. Même pourcentage à peu près en Caroline du Nord. Parmi les femmes de petits Blancs qu'a interrogées Margaret Hagood lors de son périple à travers le Sud dans les années 1930, 85 % avaient été accouchées par un médecin[23] ; la plupart des sages-femmes étaient noires. Et voici ce que déclare, en 1916, le D⁰ O.C. Strickler, qui exerçait dans une communauté allemande du Minnesota : « [...] autrefois, disons il y a une trentaine d'années, presque tout notre travail obstétrical était l'œuvre des sages-femmes, et l'on ne faisait appel aux médecins que lorsqu'il était nécessaire de pratiquer une intervention. Or je constate qu'il y a eu à cet égard une formidable évolution [...] Les gens demandent à l'avance une assistance médicale[24]. » Même dans une ville peuplée d'immigrants comme Chicago, 50 % des accouchements, à la veille de la Première Guerre mondiale, étaient effectués par un médecin[25]. A New York, le pourcentage était encore plus élevé : 38 % des accouchements réalisés par des sages-femmes en 1914[26].

Ainsi, dans l'ensemble du monde anglo-saxon à la veille de la guerre de 14-18, les sages-femmes ont cédé une bonne partie, sinon l'essentiel, du terrain obstétrical aux généralistes, notamment parmi les classes moyennes et supérieures.

Une chose étonnante se produit alors : partout, sauf aux États-Unis et au Canada, les sages-femmes effectuent une remontée spectaculaire. Alors qu'aux États-Unis le pourcentage des accouchements pratiqués par les sages-femmes est tombé d'environ 50 % en 1901 à 0,5 % en 1970, il est passé, au Royaume-Uni, durant la même période, de 50 à 76 %[27] ! En Amérique du Nord, les sages-femmes ont été pratiquement mises hors la loi, tandis qu'en Grande-Bretagne et sur le continent européen elles ont au contraire opéré un retour en force, au point d'effectuer la grande majorité des accouchements normaux. Les chiffres ne sont pas partout aussi frappants qu'en Angleterre. Mais aux Pays-Bas, en 1976 par exemple, 4 naissances sur 10 (aussi bien à l'hôpital qu'à domicile) étaient effectuées par une sage-femme[28]. Non, la sage-femme n'a pas perdu la partie en Europe. Il y a même actuellement pénurie en Angleterre, les services d'obstétrique des hôpitaux de Manchester accusant une insuffisance en personnel « d'au moins 16 %[29] ».

Mais, si le recul initial des sages-femmes au XIXe siècle dénote l'émergence d'un nouveau rapport à l'accouchement, alors leur récent retour en force signifie-t-il que cette sensibilité nouvelle a vécu ? Non, sans doute, parce que les accoucheuses d'aujourd'hui sont des professionnelles de haut niveau, exerçant le plus souvent en milieu hospitalier et sous un contrôle strict. Leur seul point commun avec celles de l'Europe traditionnelle est d'être des femmes. En 1970, pratiquement les neuf dixièmes des naissances en Angleterre ont eu lieu en milieu hospitalier, pour la plupart sous la surveillance d'une sage-femme. En Scandinavie, dans les années 1970, presque tous les accouchements normaux étaient dirigés par des sages-femmes, et dans la grande majorité des cas en milieu hospitalier[30]. Sur les 9 000 sages-femmes que compte actuellement la France, 28 % seulement font des accouchements à domicile, les autres exercent en milieu médical[31]. Ainsi donc, si les femmes européennes sont encore aujourd'hui le plus souvent accouchées par d'autres femmes, c'est dans des circonstances radicalement différentes de ce qu'elles étaient du temps de la « bonne mère ».

L'ACCOUCHEMENT AU LIT

Autre signe de la volonté des femmes de voir l'accouchement s'humaniser : le remplacement de la chaise spéciale et de la paillasse par le lit. J'ai déjà évoqué ces femmes en travail sur une chaise d'accouchement, suspendues à une corde ou agenouillées devant un banc. La bourgeoisie du xixe siècle va préférer le lit. Les médecins alors s'inclinent, renonçant à leurs propres chaises obstétricales fort compliquées [32]. Une étude récente conclut que si, vers 1840, les médecins accouchaient partout leurs patientes au lit, c'est parce que l'ancienne chaise de sage-femme était « peu confortable, avait un aspect repoussant et provoquait la panique chez les femmes. Elle était devenue le symbole de l'accouchement dans la douleur [33] ». Ainsi, même dans une petite ville comme Memel, vers les années 1840, « un accouchement normal dans les classes supérieures a presque toujours lieu dans le lit familial [34] ». Mais c'est d'abord en Angleterre que l'accouchement au lit est devenu pratique courante dans les classes moyennes et supérieures, vraisemblablement vers le milieu du xviiie siècle, avec l'avènement des accoucheurs [35].

LE SOULAGEMENT DE LA DOULEUR

Dernier élément ayant contribué à rendre l'accouchement moins redoutable : le soulagement de la douleur. On discute aujourd'hui pour savoir si l'enfantement est réellement un acte douloureux ou si la douleur ne provient pas essentiellement de la peur et donc de l'incapacité de la parturiente à se décontracter et à pousser correctement [36]. En tant qu'homme, je ne saurais intervenir dans ce débat. Tout ce que je sais, c'est qu'autrefois la femme ressentait souvent si fort les douleurs de l'enfantement qu'elle y voyait « un châtiment imposé par Dieu aux femmes [37] ». Une accoucheuse française de village a raconté à Yvonne Verdier : « En ce temps-là, on criait ! oh, on criait ! » Les sages-femmes ne se démontaient pas : « Oh, mais je ne me dérange pas sitôt que je vous entends ! », disaient-elles à l'adresse de la parturiente. Ou encore : « Tant qu'une femme ne dit pas qu'elle va mourir, ça ne vient pas ! » Quant aux vieilles, elles se souviennent : « Fallait crier assez fort pour que tout le village entende [38]. » Pour ces mères, la douleur existait.

La perception de la douleur est, dans une certaine mesure, fonction des modèles culturels. Si cela ne se fait pas de pousser des cris, alors les femmes essaieront de se retenir. « Si on crie trop fort et trop longtemps, on tue son enfant », disaient les femmes des petits Blancs du sud des États-Unis [39]. Et dans la société victorienne, il était mal vu de « broncher ». Dans les campagnes, la femme qui venait de mettre au monde son premier enfant demandait tout naturellement à l'accoucheuse : « N'est-ce pas que je n'ai pas bronché ? Oh, pourvu que je n'aie pas bronché [40] ! » De même, une réprimande du médecin pouvait embarrasser la mère au point de la faire taire : « Il suffit souvent de quelques paroles très fermes pour mettre immédiatement fin aux cris inconvenants de la femme en travail », écrit le Dr Otto Spiegelberg [41].

Mais quel soulagement pouvait obtenir, avant le milieu du XIXe siècle, celle qui jugeait la douleur insupportable ? Aucun, ou presque [42]. Certaines avaient recours à la boisson. L'accoucheuse Marjosa, du Lötschental, se souvient de scènes pénibles. Elle n'avait rien personnellement, dit-elle, contre un ou deux verres de schnaps pour une femme épuisée. « Mais, demande-t-elle, comment la mère peut-elle aider en poussant si elle est ivre [43] ? » En fait, l'alcool, n'étant pas un analgésique, ne supprime pas la douleur.

En 1847, deux substances sont utilisées pour la première fois en obstétrique : l'éther et le chloroforme [44]. Toutes deux provoquent une perte de conscience, et une parturiente dans cet état, bien sûr, n'est plus en mesure de pousser avec ses muscles volontaires pour faciliter l'expulsion. Mais les muscles involontaires de son utérus, eux, continuant à agir, elle a la surprise à son réveil de voir son bébé devant elle. Durant les cent années qui ont suivi la découverte de l'éther et du chloroforme, ce sont des femmes réduites au désespoir qui, souvent, vont forcer médecin et sage-femme à leur administrer ces anesthésiques.

Demande irrésistible. La nouvelle rapidement s'ébruite. Un an seulement après la découverte du chloroforme, le scénario est le suivant : « Les douleurs [du travail] étaient intenses, et devenaient insupportables ; mais ne servaient apparemment à rien [...] J'étais au désespoir », écrit le médecin. Alors, « après de longues heures de souffrances », il administre du chloroforme à sa parturiente et elle accouche paisiblement. Le praticien d'Édimbourg qui a découvert le chloroforme, James Simpson, devait écrire plus tard : « Les femmes qui ont accouché avant la découverte des anesthésiques ne se lamentent plus d'être nées en des temps malheureux [45]. » À l'aube du XXe siècle, les médecins savaient que, s'ils refusaient le chloroforme ou l'éther, leur patiente ferait appel à un confrère. « L'abolition de la douleur et de la fatigue sera toujours une raison majeure de faire appel au médecin, déclare un praticien de Montréal en 1930. Le débutant doit tenter d'égaler son rival, faute de quoi il mourra de faim [46]. » Sept ans plus tard, à une réunion de l'American Gynecological Society, un médecin américain tonne contre l'emploi généralisé des calmants en obstétrique ; un confrère britannique, Eardley Holland lui répond : « Je suis d'accord avec le Dr Kosmak en ce qui concerne les analgésiques, mais nous sommes obligés de les administrer, sinon personne ne s'adressera à nous [47]. »

Effectivement, les médecins accédaient sans doute trop facilement aux vœux de leurs patientes. Éther et chloroforme posent toutes sortes de problèmes, et sont parfois mortels. L'un comme l'autre ont souvent été incriminés dans les études sur la mortalité maternelle. C'est ainsi qu'à New York entre 1930 et 1932, l'anesthésique a été considéré dans

140

20 cas comme étant « la cause directe du décès ». La commission chargée de mener l'enquête fait cette remarque : « L'anesthésie pendant le travail et l'accouchement pose un problème d'une extrême importance, surtout aux États-Unis. Cela est dû pour une large part aux pressions exercées par le public non averti » — c'est-à-dire les femmes des classes moyennes des grandes villes, selon les auteurs. « L'accoucheur qui méconnaîtrait ces exigences risquerait de perdre sa clientèle [48]. » Une enquête analogue réalisée en Angleterre en 1937 aboutit aux mêmes conclusions [49].

Le principal attrait du chloroforme, c'était sa simplicité d'emploi. Un médecin de Virginie-Occidentale décrit en ces termes l'accouchement type à domicile : « On enduit le visage de la parturiente de crème de beauté ou de vaseline, et on place sur ses yeux une serviette humide. On adapte le masque à son visage et on ajuste la bouteille de chloroforme de manière que le liquide tombe goutte à goutte assez librement [50]. » On pouvait aussi se contenter d'appliquer sur le visage de la mère un mouchoir sur lequel on versait de temps en temps quelques gouttes du produit.

Ainsi, vers 1920, une certaine forme d'anesthésie était-elle devenue quasi générale dans l'accouchement. « Le recours à un anesthésiste est considéré comme souhaitable dans la plupart des cas, sinon dans tous », note en 1924 le médecin anglais Janet Campbell [51]. De même le Dr F.E. Leavitt, après un questionnaire adressé en 1916 à 84 praticiens ruraux du Minnesota : « Il n'est guère de procédé en obstétrique qui soit d'usage aussi courant que l'administration de chloroforme ou d'éther. Tous ceux qui ont répondu emploient l'un ou l'autre dans leurs accouchements [52]. »

Ces substances dangereuses ne sont pas restées longtemps en usage. A partir de 1900 environ, d'autres analgésiques et anesthésiques ont été découverts, qui ont fini par supplanter l'éther et le chloroforme. En 1902, un chercheur expérimente un mélange de scopolamine et de morphine, auquel on donnera par la suite le nom de « demi-sommeil artificiel », et qui provoque seulement chez le sujet une insensibilité à la douleur et non plus une perte totale de conscience. En 1906, Carl Joseph Gauss, de Fribourg, publie les résultats de ses recherches sur le demi-sommeil dans quelque cinq cents accouchements. Commence alors pour ce mélange une véritable vogue, notamment dans le monde anglo-saxon, vogue qui durera une trentaine d'années [53]. L'utilisation de ce produit posait bien des problèmes, qu'il n'est pas nécessaire d'aborder ici. Mais il allait, à son tour, tomber en désuétude lorsqu'il fut remplacé par le protoxyde d'azote. Celui-ci avait déjà fait une réapparition en 1922 après des années d'oubli, mais son emploi nécessitait la présence d'un anesthésiste qualifié. Or, précisément, en 1933, apparaît une technique si simple pour l'administrer que la sage-femme va pouvoir l'utiliser seule dans les accouchements à domicile. Mieux, la parturiente elle-même pourra s'administrer le protoxyde d'azote selon ses besoins. Puis, à partir de 1939, c'est l'apparition d'anesthésiques de synthèse tels que l'hydrochlorure de mépéridine (le« Demerol »), produits qui ont l'avantage de bloquer la douleur au début du travail sans ralentir les contractions ni mettre l'enfant en danger[54].

La plupart des médecins, avant la Seconde Guerre mondiale, voient la diffusion de ces nouvelles substances d'un très mauvais œil; c'est des intéressées elles-mêmes, et non du corps médical, qu'est montée cette exigence : ne plus souffrir en accouchant. Lorsque James Simpson introduit l'usage du chloroforme à la fin des années 1840, il se heurte à de fortes résistances, les unes proprement médicales, les autres religieuses : pour racheter le péché d'Ève, la femme ne doit-elle pas enfanter dans la douleur[55]? Charles Waller, du St. Thomas's Hospital de Londres, par exemple, écrit en 1858 que, dans un accouchement aux instruments, une femme totalement insensible à la douleur risque d'être blessée. Et, poursuit-il, « dans les accouchements naturels, il n'y a aucune raison d'employer un remède dont l'efficacité est pour le moins douteuse, et l'action souvent néfaste[56] ». La vérité, estime l'accoucheur anglais James Young, c'est que « employer l'anesthésie par souci d'humanité, c'est inévitablement prendre le risque que le médecin, dans l'intérêt de sa patiente, se sente obligé de faire venir l'enfant plus vite[57] ». Autrement dit, selon cette logique, plus on anesthésie, plus on intervient.

Cette résistance du corps médical à l'emploi des analgésiques — dont je n'ai donné ici que quelques exemples — ne devait, en fait, jamais cesser. Depuis la dernière guerre, elle a pris la forme d'une opposition sourde à la doctrine officielle selon laquelle « le soulagement de la douleur doit être l'un des principaux objectifs de tout service de maternité moderne[58] ». Et si je cite ces médecins, c'est pour bien mettre les points sur les *i* : l'usage de l'anesthésie n'est pas le fruit de quelque sinistre complot des blouses blanches contre les femmes[59], mais une forme du rejet par celles-ci de l'accouchement traditionnel.

Choix du type d'opérateur, accouchement au lit, refus de la souffrance : c'est donc très tôt qu'apparaît la nouvelle sensibilité féminine. Mais pour assurer aux femmes l'accouchement en douceur et sans risques qu'elles souhaitaient, il ne suffisait pas de les faire allonger sur le côté dans le grand lit familial et de les endormir durant le travail. L'exigence d'un nouveau vécu de la naissance se heurtait encore à divers problèmes épineux, dont la plupart ne devaient trouver leur solution que dans le premier quart du xxe siècle.

Les problèmes de l'accouchement à domicile

Tournons-nous maintenant vers la Grande-Bretagne et les États-Unis. Car si, au cours des siècles précédents, l'Allemagne et la France avaient, en obstétrique, servi de modèles au reste du monde, après la guerre de 14-18 les Anglo-Saxons ont pris le relais. On peut donc, à partir de quelques lieux bien choisis, retracer l'évolution générale de ces soixante dernières années.

Même si, en 1920, la parturiente ne risque pratiquement plus d'être emportée par une infection puerpérale ni de connaître un accouchement très douloureux, il peut néanmoins lui arriver divers ennuis, surtout si elle accouche chez elle. A cela, deux causes majeures : la mauvaise formation des généralistes et l'abus du forceps. Ces problèmes, ainsi que leur principale conséquence — la « migration » des accouchements normaux vers le milieu hospitalier —, vont être les sujets des deux sections qui suivent.

DES MÉDECINS MAL FORMÉS

Vers 1920, on l'a vu, nombre d'accouchements à domicile ne sont plus effectués par une sage-femme, mais par un médecin. La médaille, toutefois, a son revers : la plupart de ces médecins n'ont pas vraiment reçu de formation obstétricale ; leur savoir a été acquis sur le tas, de manière empirique. N'oublions pas qu'il était de tradition dans le corps médical de ne pas se mêler d'obstétrique. Le médecin de campagne qui, très longtemps, s'était contenté de prescrire de l'opium et d'ouvrir les furoncles, n'avait pas une grande expérience de l'accouchement. Le problème va se poser avec le développement des écoles de médecine à la fin du XIXe siècle et l'installation dans les petites communautés de jeunes généralistes en quête de clientèle. Pour ces jeunes diplômés, l'obstétrique compte beaucoup, mais la formation qu'ils ont reçue ne les y a guère préparés. « Activité dégradante pour un *gentleman* », l'obstétrique n'est pas enseignée à Oxford ni à Cambridge avant les années 1840. Et même après cette date, les étudiants n'auront que très rarement l'occasion d'assister à un accouchement. Édimbourg dans les années 1870, par exemple, compte plus de 1 000 étudiants en médecine, mais n'a que 7 000 accouchements en tout et pour tout à leur offrir [60]. Dans tel grand hôpital londonien, au cours des années 1890, l'étudiant, durant son stage d'obstétrique d'une semaine, ne voyait qu'un seul accouchement. « Il n'était pas autorisé à toucher la patiente, précise l'historien F. B. Smith. Une fois l'enfant né et la parturiente éloignée, il ne revoyait plus ni l'un ni l'autre. Ses camarades et lui demandaient qu'on leur fît voir les instruments : le consultant refusait, alléguant que la requête était " tout à fait irrégulière " ; il les envoyait chercher une " autorisation spéciale ", laquelle était refusée. [L'étudiant] et ses camarades se voyaient délivrer à la fin de la semaine un certificat attestant qu'ils avaient assisté à tous les accouchements survenus dans la maternité cette semaine-là ; par quoi le jeune médecin était reconnu parfaitement apte, selon les termes mêmes de ladite attestation, " à pratiquer tous actes obstétricaux [61] ". »

Aux États-Unis, la situation n'était pas meilleure. Lorsque, en 1911, J. W. Williams enquêta auprès des responsables des départements d'obstétrique de quarante-trois écoles de médecine, plusieurs répondirent qu'ils avaient « accepté la chaire uniquement parce qu'elle leur avait été offerte, mais [qu'ils] n'avaient ni formation ni goût pour cette discipline ». L'un d'entre eux déclara même qu' « il n'avait jamais, avant d'occuper sa chaire, assisté à un accouchement ». Les écoles ne disposant que d'un petit service de maternité, « il apparaît que chaque étudiant n'a en moyenne l'occasion d'assister qu'à un seul accouchement ». « Considérez-vous le diplômé moyen sortant de votre école comme suffisamment compétent pour pratiquer l'obstétrique ? », avait demandé Williams. Un quart répondirent *non,* et les *oui* étaient souvent mitigés, tel celui-ci : « Ma foi, oui, si on veut, certains d'entre eux du moins [62]. » D'autre part, les professeurs d'obstétrique mettaient plutôt l'accent sur le sauvetage héroïque que sur l'accouchement normal. « Aucun d'entre nous n'a oublié le temps où il était étudiant, et où le professeur qui faisait de la clinique spectaculaire était [le] plus apprécié. » L'auteur de ces propos, le traditionaliste Rudolph Holmes, de Chicago, vitupère « l'étalage de pyrotechnie qui caractérisait la situation d'autrefois [...] Une clinique qui présente à un étudiant dix-huit interventions obstétricales majeures dans ses deux semaines de stage pratique a tout simplement abusé de son temps [63] ».

Comment, dans ces conditions, les jeunes généralistes auraient-ils pu ne pas commettre de graves bévues ? Nombre d'entre eux, constate un auteur, n'ont « jamais vu appliquer les forceps avant de les utiliser eux-mêmes dans leur pratique courante [64] ». J.S. Templeton, de Pinckneyville (Illinois), se rappelle en 1918 comment un jour, au début de sa carrière, il fractura la jambe de l'enfant en pratiquant une version : « J'étais seul et devais m'occuper à la fois d'administrer le chloroforme et de faire venir l'enfant au monde, et [...] alors que j'amenais les pieds, une jambe se brisa à la hauteur du tiers médian du fémur [...] Voilà une note d'honoraires pour fracture qui n'a jamais été réglée, et encore moins présentée [65]. » Une enquête réalisée en 1936 à Rochdale sur la mortalité maternelle constatait que « c'était le problème du médecin qui était le plus difficile. La formation qu'il avait reçue était dans la plupart des écoles d'un niveau lamentable, et le médecin moyen s'installait sans avoir la moindre expérience

pratique réelle [...] Malgré toutes les mises en garde des spécialistes quant aux risques d'infection par absence de protection, il était rare de trouver un médecin qui acceptât de mettre un masque [66] ».
Certains de ces médecins s'amélioraient avec l'expérience. D'autres ne parvenaient jamais à en acquérir suffisamment. Une ville comme Manchester, par exemple, dans les années 1930, comptait 650 praticiens qui, au total, n'effectuaient chaque année que 900 accouchements réservés de longue date, « plus 2 413 à la demande explicite des sages-femmes [...] De toute évidence, ils n'avaient pas suffisamment d'expérience obstétricale pour entretenir un savoir-faire [67] ». D'ailleurs, la progression du nombre des sages-femmes qualifiées va encore réduire le pourcentage des accouchements confiés aux généralistes. Tel était donc l'un des points noirs de l'accouchement à domicile dans les années 1920-1930 : l'incompétence des accoucheurs.
Autre source d'ennuis : l'administration de pituitrine pour stimuler l'utérus. Découverte en 1906 à Édimbourg par Henry Hallett Dale, cette drogue a commencé à être utilisée en obstétrique à partir de 1909 [68], et n'est devenue un produit couramment employé qu'une fois recommandée par J. Hofbauer en 1911 [69]. Elle accélérait effectivement les accouchements lents, mais « en propulsant presque littéralement le bébé dans les voies génitales [70] ». Bien qu'elle eût parfois pour effet secondaire de rompre l'utérus, la pituitrine fut bientôt aussi largement utilisée que le forceps [71]. Dans la clinique strasbourgeoise de Hermann Fehling, son emploi réduisait d'un tiers le nombre des accouchements au forceps [72]. Selon le Dr G.H. Luedtke, de Fairmont (Minnesota), « une seule dose de pituitrine permettait d'en finir en cinq à dix minutes [...] Les accouchements au forceps deviennent très rares si l'on emploie la pituitrine à bon escient ». Ce qui, dans son propre cas, signifiait environ une fois sur deux [73].
Ainsi l'interventionnisme était-il en passe de devenir l'un des problèmes majeurs de l'accouchement à domicile. Une commission d'enquête sur la mortalité maternelle s'est penchée sur les cas d'interventions relevés au pays de Galles en 1934. A l'évidence, certaines d'entre elles étaient nécessaires. Mais, même dans les accouchements *sans complication,* les médecins étaient intervenus à domicile dans 31 % des cas (contre 10 % seulement en milieu hospitalier). A ces 31 %, opposons maintenant les 3 % seulement d'interventions des sages-femmes dans les accouchements normaux et l'on comprendra pourquoi l'ensemble du corps médical, à cette époque, était préoccupé par cette « folie d'intervention [74] ». Interventions, ne l'oublions pas, que l'on pratiquait encore « pour le plus grand bien de la mère ». Car le fœtus, personne ou presque encore ne s'en souciait.

L'ABUS DU FORCEPS

Deuxième grand problème de l'accouchement à domicile : l'abus du forceps, notamment parmi les praticiens du monde anglo-saxon. Certains ne se vantaient-ils pas d'être des *forceps fiends*, des « enragés du forceps » ? Ainsi le Dr Alexander Miller, de Glasgow, qui commença par l'utiliser dans 8 à 10 % des cas, pour atteindre 25 % lorsqu'il écrit en 1899[75]. Dans la région de Redditch, en Angleterre, le taux d'utilisation du forceps est passé de 4 % dans les années 1890 à 20 % dans les années 1920 ; et parmi les accouchements « réservés » pratiqués par les médecins entre 1922 et 1926, près de la moitié l'avaient été aux instruments[76]. Notons que ces pourcentages élevés n'étaient pas caractéristiques de l'ensemble du corps médical[77]. L'excès de zèle de ces hommes suscitait une large réprobation ; c'est en partie pour y remédier qu'on allait diriger les parturientes vers les maternités, où de tels abus pouvaient être évités.

Trop d'accouchements à domicile effectués au forceps, donc, et qui plus est, fort mal. Beaucoup de médecins, à vrai dire, ne parvenaient pas à extraire l'enfant, et la mère se retrouvait hospitalisée avec le diagnostic : « forceps extérieur non réussi ». Ce fut le grand nombre de ces échecs qui sonna le glas de l'accouchement à domicile.

Examinons les choses de plus près. Selon les manuels de l'époque, trois conditions sont nécessaires pour qu'un médecin puisse appliquer le forceps : que le col soit totalement dilaté, que l'enfant se présente par le sommet, et que celui-ci soit bien engagé dans le bassin[78]. Une étude sur les causes d'échec dans 558 cas fait apparaître la distribution suivante : dans un tiers des cas environ, le bassin de la mère était trop étroit, en général par suite de rachitisme ; dans un second tiers, l'enfant était apparu face vers le haut ; dans le dernier tiers, pour reprendre les termes fort diplomatiques du rapport, « il apparaissait que la volonté de soulager la souffrance avait amené à tenter l'accouchement avant une dilatation suffisante des voies[79] ». Une autre enquête révèle que les règles d'emploi du forceps n'avaient été respectées que dans 4 cas d'échec sur 100[80].

Il se produisait des choses affreuses. « Tel médecin, habitué à manipuler le nouveau-né avec le plus grand soin, trouvera tout naturel, ainsi qu'on me l'a maintes fois rapporté, de prendre appui du pied contre le lit pour tirer de toutes ses forces[81]. » James Hendry fait cet aveu en 1928 : « J'ai moi-même connu l'humiliation d'avoir à pratiquer une césarienne dans un cas de forceps non réussi et de faire venir au monde un enfant au crâne fracturé et aux deux joues sérieusement déchirées par le forceps[82]. » Voici un cas sans anesthésie : « L'accouchement a été difficile. Le forceps a glissé cinq fois et provoqué une sérieuse hémorragie. Le périnée a été déchiré jusqu'au rectum. » La mère sera envoyée le même jour à l'hôpital, où elle mourra[83].

En fait, une femme sur dix, en cas de forceps à domicile non réussi, mourait ensuite à l'hôpital. Les deux tiers des enfants étaient sacrifiés[84]. L'étonnant est la fréquence du phénomène dans ces années-là. En 1931, telle grande maternité de Glasgow en a compté 76 cas ; une autre, à Newcastle, 44 ; une à Édimbourg, 24 ; et ainsi de suite[85]. Ces accouchements tragiques au foyer provoquaient inévitablement l'indignation du public et du corps médical. « Il ne se passe guère de semaine sans que la grande presse fasse état de conférences sur la mortalité maternelle, de questions au Parlement sur le même sujet [...]. On voudrait faire de l'obstétrique une brebis galeuse », soupire Hendry en 1928 ; l'idée, ajoute-t-il, commence à se répandre dans l'opinion que « le médecin, c'est dangereux[86] ». Ce genre de remarque abonde dans la littérature. Ainsi Jellett, en 1929, fulmine-t-il contre ceux qui « d'un simple processus physiologique chez une femme saine font un véritable piège mortel[87] ».

Cause première des forceps non réussis : l'impatience du généraliste. Mais celle-ci peut revêtir diverses formes, qui ne tiennent pas toutes à l'indifférence du médecin. Certes, ces hommes se sentent bousculés par « les multiples tâches de la médecine générale[88] ». « Pour l'amour du ciel, appliquons le forceps et qu'on en finisse ! », dit l'un d'eux[89]. Mais, pour beaucoup de praticiens, être appelé pour un accouchement à domicile provoque une autre espèce d'insatisfaction, non professionnelle peut-être, mais ô combien humaine. « L'obstétrique, à vrai dire, ne paie pas, déclare Victor Bonney en 1919, sauf dans la mesure où elle facilite l'accès à d'autres formes de pratique : phénomène pernicieux car un travail mal rémunéré ne peut jamais être un travail accompli[90]. » Le médecin reçoit « la piètre somme d'une guinée pour passer la nuit dans un lieu tel [que celui décrit], puis faire dix visites gratuites et payer de sa poche la voiture de place et le chloroforme[91] ». Insuffisance donc des honoraires pour commencer.

En Angleterre, ensuite, les sages-femmes se réservent les accouchements faciles, laissant au praticien local les femmes des classes moyennes ainsi que les cas difficiles. « Que se passe-t-il lorsqu'on fait venir une sage-femme de l'extérieur ? Elle s'occupe seule des trente cas normaux, et le médecin perd soixante livres » (deux livres, donc, chaque fois[92]). En fait, le médecin touchait à peu près autant pour une naissance que pour une ablation des amygdales. D'où la tentation de « hâter l'accouchement par tous les moyens possibles[93] ». D'où aussi une évolution. Quelle qu'ait été, cinquante ans plus tôt, l'ardeur des généralistes britanniques à rivaliser avec les sages-femmes, lorsque arrivent les années 1930 ils sont prêts à renoncer aux accouchements à domicile, « partie infime et la moins attrayante de leur profession[94] ».

Même aux États-Unis, où les sages-femmes ne troublaient guère l'exercice courant de la médecine, les médecins se montrent de plus en plus réticents, après la Première Guerre mondiale, à effectuer les accouchements à domicile. Témoin ce praticien de Litchfield, dans le Minnesota : « C'est l'obstétrique qui nous donne le plus de travail ; beaucoup de travail de nuit, de longs déplacements, de longues heures, et une rémunération des plus minimes[95]. » Ainsi donc, si le travail est bâclé, si les déchirures du périnée restent en l'état faute d'avoir été décelées, et si le forceps est appliqué alors que le col utérin n'est qu'à moitié dilaté, l'une des raisons est que, vers 1920-1930, les médecins sont de plus en plus réticents à accoucher les femmes chez elles.

Mais la trop grande hâte des hommes de l'art à utiliser le forceps a aussi une autre explication : les pressions exercées par la mère elle-même et par sa famille. La naissance à domicile, ne l'oublions pas, est un événement communautaire où les personnes présentes adressent librement la parole au praticien ; lorsqu'on estime que la parturiente a suffisamment souffert, on le pousse à intervenir. Le médecin appelé d'urgence découvre la scène suivante : « La femme crie qu'elle n'en peut plus. Le mari implore l'accoucheur de faire quelque chose. La sage-femme, qui est là depuis quarante-huit heures peut-être, est elle aussi à bout de forces. Le jour se lève. Les enfants plus âgés, qui couchent dans la même pièce, sont sur le point de se réveiller et il n'y a pas d'autre endroit où les mettre. Le médecin lui-même se sent accablé à l'idée de tout le travail qui l'attend chez lui. En de telles circonstances, on est poussé à agir contre son propre gré : et c'est ce qui arrive si souvent, au détriment de la mère. » Pour le praticien de campagne, ajoute cet auteur, « c'est tout un art d'attendre[96] ». Le Dr Janet Campbell met en garde, en 1924 : « Le médecin peut avoir quelque difficulté à ne pas céder aux instances d'une parturiente qui réclame un soulagement rapide[97]. » Lorsque le travail traînait en longueur, seule une certaine expérience clinique pouvait permettre au praticien de « résister aux sollicitations importunes de la parturiente et de son entourage » pour qu'on accélère les choses[98]. C'est en cela précisément que l'afflux de jeunes médecins à peu près inexpérimentés était préjudiciable aux femmes en couches. Paradoxalement, d'ailleurs, le nouvel essor donné à la profession de sage-femme en Angleterre par la loi de 1902 ne fit sans doute qu'aggraver la situation, car les sages-femmes étaient encore plus sujettes aux pressions de la famille. Ainsi les accouchements pratiqués par les *nurses*, c'est-à-dire les accoucheuses, du Queen's Institute au début des années 1930 comportent un taux d'interventions au forceps au moins deux fois supérieur à celui de plusieurs grands hôpitaux londoniens : « La parturiente ou sa famille obligent la sage-femme à appeler le médecin — bien souvent sans aucune nécessité — pour mettre un terme au travail[99]. »

Ces pressions de l'entourage, les médecins américains les subissaient eux aussi. Tel ce praticien de Pinckneyville (Illinois) appelé à accoucher une femme pour la seconde fois et qui la laisse en travail pendant cinq jours environ : « L'enfant était plus petit que le premier, mais je ne puis m'empêcher de penser que la première fois nous avons été trop pressés, et bien qu'insulté par les voisines, je me suis senti récompensé d'avoir pris la peine, cette fois-ci, de patienter jusqu'au bout [100]. » Ainsi les voisins ne se tiennent-ils pas toujours à distance. En outre, leur opinion conditionne l'avenir du médecin dans leur ville ; citons un praticien du Tennessee : « Il y a là d'ordinaire une ou plusieurs femmes d'expérience, qui connaissent ou croient connaître tout sur la bonne conduite des accouchements. Et l'impression produite sur elles [...] peut faire ou défaire la réputation d'un médecin [101]. » Il ne servirait à rien, cinquante ans plus tard, de désigner un coupable, de vouloir imputer l'interventionnisme obstétrical des années 1920-1930 soit à la famille de la parturiente, soit à l'impatience et à la mollesse des médecins. Car l'essentiel est ailleurs : de telles pressions ne trouvaient guère leur place à l'hôpital.

De la maison à la maternité

Avant 1900, seules les mères célibataires et les femmes pauvres accouchaient à l'hôpital. « L'hôpital, c'est vraiment le dernier recours », disait-on dans le Kansas à l'époque de la Première Guerre mondiale [102]. Vers 1920, moins de 10 % des naissances à Chicago avaient lieu en milieu médical [103]. Mais, en 1980, l'accouchement en maternité était devenu la règle dans tous les pays occidentaux, à l'exception des Pays-Bas ; et même dans ce dernier pays, en 1976, deux femmes sur trois accouchaient en maternité. En Allemagne, alors qu'avant 1920 pratiquement aucune femme mariée n'accouchait en milieu hospitalier, dans les années 1970 98 % d'entre elles y faisaient leurs couches (cf. tableau 7.1). Pour l'ensemble des États-Unis, 99 % des accouchements avaient lieu dans une maternité à la fin des années 1970. Au Royaume-Uni, neuf sur dix [104]. Au moment où j'écris ces lignes, l'accouchement à domicile n'est plus qu'un souvenir.

Qu'est-ce qui a bien pu pousser des millions de femmes à renoncer à la traditionnelle et douillette atmosphère du foyer pour la froideur austère d'un service hospitalier ? Pour répondre à cette question, examinons les points de vue de chacune des parties concernées : médecins, sages-femmes, parturientes.

Pour comprendre la réticence des médecins à pratiquer l'accouchement à domicile, il faut savoir ce qu'était un foyer ouvrier dans les années 1920 : « On y trouve un lit sur lequel ont dormi le mari, la femme et un ou deux enfants. Ce lit a été souvent trempé d'urine, les draps sont sales et les vêtements de la patiente souillés ; elle n'a pas

HISTOIRE DE L'ACCOUCHEMENT

TABLEAU 7.1

POURCENTAGE DES NAISSANCES A L'HOPITAL
EN ALLEMAGNE ET AUX ÉTATS-UNIS
AUX XIXe ET XXe SIECLES

Année	Pourcentage
Allemagne	
1877	moins de 1 %
1891	1
1924	9
1936	27
1952	46
1962	72
1970	95
1973	98
Etats-Unis	
1935	37
1945	79
1955	94
1977	99

Sources : Voir notes des tableaux, en fin d'ouvrage.

pris de bain. En guise de pansements stériles, on trouve quelques vieux chiffons. On laisse les pertes imprégner une chemise de nuit qui n'est pas changée avant longtemps [105]. » A l'inverse, la seule idée du confort hospitalier fait rêver le médecin. Adolf Weber, ce praticien d'Alsfeld qui a fait de nombreux accouchements aussi bien dans les fermes qu'en milieu médical, décrit ainsi les conditions d'accueil : « La femme qui accouche est étendue dans une pièce désinfectée, bien aérée ; lumière et soleil pénètrent à flots par une haute fenêtre, et l'on peut également recréer la lumière du jour électriquement. La femme a été bien baignée et changée, couchée dans des draps d'une blancheur éclatante [...]. Il y a là une armée de soignantes qui répondent au moindre appel [106]. » La lumière : un thème qui revient constamment ; à l'hôpital au moins, on voit ce qu'on fait, disent ces témoignages. « Seuls ceux qui ont à recoudre un périnée dans une maison de paysan, dans un lit de paysan, mal éclairés et mal secondés, seuls ceux-là peuvent comprendre la joie [qu'il y a à travailler à l'hôpital] [107]. » De tels récits sont légion.

L'engouement des médecins pour l'hôpital reposait en partie sur la croyance erronée que les risques d'infection étaient plus élevés dans l'accouchement à domicile et que la mortalité due à l'infection était en augmentation. Nous avons vu que cette opinion était le résultat de statistiques trompeuses. Il n'y avait donc aucun fondement réel à

150

l'influent plaidoyer de Victor Bonney, en 1919, proposant que l'accouchement soit considéré comme une « opération chirurgicale », la tête de l'enfant rendue vert violacé par les antiseptiques, et la grossesse en général traitée comme une « tumeur dangereuse » dont il convient de « se débarrasser au plus vite [108] ».

Mais le thème qui revient le plus souvent dans le discours médical du temps est celui-ci : l'hospitalisation des parturientes aura pour effet de réduire le nombre des procédés dangereux mis en œuvre à domicile et de modérer le zèle des praticiens locaux. A l'hôpital, pas de parents pour réclamer une intervention prématurée. Laisser la femme accoucher spontanément, dit un médecin suisse, « est beaucoup plus facile dans une maternité, où l'on peut réfléchir dans le calme, avec une vue correcte de l'état clinique, et peser toutes les conduites possibles, qu'au domicile de l'intéressée », avec la famille qui n'arrête pas de crier [109].

Faire accoucher le plus de femmes possible à l'hôpital, tel est donc, vers la fin des années 1930, l'objectif des responsables médicaux. Ainsi, le rapport anglais de 1937 sur la mortalité maternelle : « Le nombre des décès des suites d'accouchements difficiles ne pourra être réduit que lorsque les médecins de médecine générale auront compris qu'ils ne doivent pas, sauf urgence extrême, tenter au domicile de la parturiente des interventions qui mettraient à l'épreuve le talent d'un accoucheur chevronné dans un hôpital bien équipé [110]. » Et Edwin Daily, du Children's Bureau américain, devait se montrer très explicite en 1944 à la conférence annuelle de l'American Obstetrical Society : « *Toute* parturiente, je dis bien *toute*, devrait être suivie pendant l'accouchement et les dix jours qui suivent à la maternité [111]. »

Les sages-femmes ne sont pas toutes hostiles à l'accouchement en milieu médical. Après tout, l'hôpital sauvegarde leur profession. Alice Gregory, par exemple, aide à fonder vers 1900 une maternité à Woolwich (Angleterre), destinée à servir d'école de sages-femmes, (Alice Gregory n'est pas tendre pour les matrones, qui, dit-elle, « se sont toujours imaginé que ni elles-mêmes ni leurs clientes ne pouvaient réussir sans une bonne dose de brandy et de gin [112] ».) La sage-femme allemande Lisbeth Burger écrit en 1936 : « Je comprends que les femmes préfèrent l'hôpital. Tout y est réglé à l'avance. Elles s'évitent ainsi travail, énervement, dépenses. Sans compter d'autres avantages si leur logement est trop exigu. Mais tout cela est si impersonnel [113]. »

La migration vers l'hôpital des femmes des classes moyennes est peut-être, pour ce qui nous concerne, l'événement majeur des années 1920-1930. Dans ces années-là, a pu dire Morris Vogel, l'hôpital « est devenu la clé de voûte de la pratique médicale », non seulement en obstétrique, mais pour toutes les branches de la médecine. Alors que les mères accouchant dans les hôpitaux de Boston vers 1870 étaient principalement des femmes pauvres ou des célibataires, dans les années 1920 les célibataires ne représentent plus, dans ces établissements, que 3 % des parturientes. En 1915, les administrateurs du Boston Lying-In Hospital déclarent : « Il y a des centaines de femmes aux moyens financiers limités qui peuvent, et souhaitent, payer modérément pour avoir un lit dans un service semi-privé, et avec le développement rapide des habitations collectives, ce nombre s'accroît très vite [114]. » « La catégorie de femmes qui vient à l'hôpital a beaucoup changé en une vingtaine d'années, écrit Emma L. Call, du New England Hospital de Boston, en 1908. Ce sont surtout aujourd'hui des femmes mariées assez aisées, alors qu'auparavant c'étaient essentiellement des femmes non mariées [115]. »

Qu'une femme vivant dans un taudis ait préféré, pour accoucher, le calme de la clinique, cela se comprend. Mais toutes ces femmes des classes moyennes qui, collectivement, avaient donné l'impulsion du mouvement vers l'hôpital, à quels mobiles obéissaient-elles ? Cédaient-elles, comme d'aucuns l'ont prétendu, à un bourrage de crâne des médecins, désireux, pour des raisons sexistes, d'imposer leur contrôle ? « Les cliniques ont cherché à socialiser leurs patientes, à obtenir qu'elles se plient à la routine et s'en remettent au personnel, en faisant du contrôle du poids une méthode d'éducation à l'obéissance au cours de visites prénatales à répétition [...] Les médecins se sont aperçus que le pèse-personne était un moyen commode de contrôle social de la vie de leurs clientes », écrivent Richard et Dorothy Wertz, par exemple [116]. Ou bien la « ruée » vers l'hôpital s'inscrivait-elle dans une volonté plus générale des femmes de maîtriser leur accouchement ? Dans une telle évolution des mentalités, mille facteurs ont leur part : l'exiguïté des logements dans les grandes villes ; la misère qui régnait en Europe à l'issue de la Grande Guerre et qui incita les caisses d'assurance-maladie à commencer à prendre en charge l'accouchement en milieu hospitalier ; la diffusion de l'information médicale indiquant que les risques de complication sont légèrement plus élevés chez la femme primipare que chez la multipare [117]. Et pourtant, dans les années 1920, les Anglaises des campagnes affluaient dans les hôpitaux locaux — les *cottage hospitals* —, et les Américaines des classes moyennes, que l'inflation ne frappait pas, se pressaient aux portes des vastes suites que leur offraient les maternités.

La césarienne : avantage décisif pour l'hôpital

La raison profonde de ce choix en faveur de la maternité, c'est la volonté croissante des femmes au début du xxᵉ siècle d'accoucher en toute sécurité. La future mère traditionnelle acceptait les risques de l'accouchement avec le fatalisme des villageois face aux événements qui les dépassaient : grêle, peste, guerre. La mentalité moderne, elle, exige qu'à l'adversité réponde l'action. En 1920, la manière la plus efficace de faire front dans l'adversité est la césarienne. Et l'hôpital seul offrant cette marge de sécurité, les femmes, pour en bénéficier, choisirent, de plus en plus nombreuses, d'y accoucher.

Avant 1800, la césarienne était une mesure désespérée, tentée uniquement lorsque la mère était à l'agonie, afin de sauver l'enfant. Il y a même eu des prêtres spécialistes de ce type d'accouchement [118]. Les anciennes ordonnances régissant la profession de sage-femme contenaient des instructions sur la manière de s'assurer, avant d'opérer, que la mère était bien morte : « Si elle ne réagit point à des odeurs pénétrantes, si elle est glacée, sans pouls, a l'air inanimée et pâle comme mort, et si sa respiration ne laisse point de trace sur un miroir », alors on pouvait considérer qu'elle avait cessé de vivre et entreprendre l'opération [119]. Pour sauver l'enfant donc. Ou encore dans certaines circonstances exceptionnelles : ainsi en 1350, lorsque les édiles de Medingen, en Bavière, ordonnent l'extraction d'un enfant de l'utérus de sa mère avant que celle-ci ne monte sur le bûcher pour avoir « dérobé trois hosties non consacrées dans l'intention de les vendre aux juifs » (l'enfant survécut et reçut le baptême [120]). Et une certaine tradition d'incision semble s'être perpétuée dans le petit peuple : de loin en loin, des récits montrent un paysan, un châtreur de porcs, une matrone réussissant une césarienne. Dans le comté de Tyrone, en Irlande, par exemple, Mary Donally, « femme illettrée, mais renommée parmi le peuple pour ses extractions d'enfants morts », fut appelée un jour auprès d'une femme qu'aucun autre moyen ne parvenait à délivrer. Elle prit un rasoir bien tranchant, et pratiqua une incision presque par le milieu. L'opération terminée, « elle maintint accolés les bords de la plaie avec sa main, jusqu'à ce que quelqu'un se rendît à une demi-lieue de là et revînt avec de la soie et de ces aiguilles ordinaires dont se servaient les tailleurs ; à l'aide de quoi elle joignit les bords de la façon dont on fait habituellement pour recoudre un bec-de-lièvre, puis pansa la plaie avec des blancs d'œufs [121] ».

Le nouvel essor de la médecine au XVIIIe siècle va amener certains praticiens à tenter à leur tour la césarienne [122]. « Il est vraisemblable que l'opération soit au XVIIIe siècle de moins en moins exception-nelle », conclut Mireille Laget [123]. Cependant, bien qu'en hausse, le nombre total des césariennes au XVIIIe siècle devait être encore faible pour que Jacques-René Tenon, en 1788, n'en signale que 79 réussies dans toute l'Europe depuis l'an 1500 [124].

S'il y en avait si peu, c'était en raison de la terrible mortalité liée à l'opération. Césarienne était synonyme de condamnation à mort. Sur 80 femmes accouchées par césarienne en Grande-Bretagne avant

1858, 29 % seulement survécurent. Sur 120 aux États-Unis entre 1852 et 1880, 58 % devaient succomber[125]. L'année 1794 vit la première césarienne réussie aux États-Unis[126]. Mais, par la suite, les médecins américains, comme les autres, l'évitèrent, tellement elle faisait peur. En théorie, la technique de la césarienne est simple. Le chirurgien pratique une incision verticale dans le milieu de l'abdomen, découpant le tissu conjonctif situé entre les muscles de la paroi abdominale. Puis il entaille les tissus fibreux du « fascia », repousse la vessie vers le bas et découvre l'utérus gravide qui occupe une bonne partie de l'abdomen. De nos jours, le chirurgien incise l'utérus transversalement dans sa partie basse, glisse une main sous la tête du fœtus, sort celle-ci doucement, sectionne le cordon et retire le placenta à la main. Puis les différents tissus sont suturés. L'opération dure entre trente et quarante minutes.

Mais autrefois, l'infection pouvait s'attaquer à l'abdomen ouvert et la douleur pouvait plonger la mère dans un état de choc. Bien pire, le chirurgien, une fois l'enfant retiré, pouvait fort bien s'abstenir de recoudre l'utérus sous prétexte que, de toute façon, les sutures étaient appelées à disparaître lorsque l'utérus retrouverait sa taille normale. Ainsi, quand la parturiente ne mourait pas d'infection dans une ville et un hôpital insalubres, elle risquait de succomber à une hémorragie interne.

L'invention de l'anesthésie (1847) et la formulation des principes de l'antisepsie en chirurgie (1867) allaient permettre d'envisager l'accouchement par voie haute ou césarienne. Mais la percée décisive ne se produisit qu'au début des années 1880, lorsque des médecins allemands mirent au point la technique chirurgicale que beaucoup d'autres cherchaient en vain depuis un certain temps : il fallait rapprocher soigneusement les lèvres de l'incision utérine et les suturer solidement. Plus rien, dès lors, ne s'opposait à l'adoption de la césarienne[127].

Mais longtemps encore, plutôt que de la tenter, les hôpitaux continuèrent à avoir recours à d'autres types d'intervention d'urgence : forceps haut, destruction du fœtus (craniotomie), section de la symphyse pubienne. Le Rotunda Hospital de Dublin réussit sa première césarienne en 1889 ; le Boston Lying-In en 1894 ; l'hôpital Saint-Antoine à Paris en 1896 ; la Charité à Lille en 1897. Puis le rythme s'accélère. Dans les grands hôpitaux américains, on note déjà 1 % d'accouchements par césarienne dans la période 1900-1909, et 3 % à la veille de la Seconde Guerre mondiale (cf. tableau 7.2). Au Rotunda de Dublin également, le taux avait progressé de 2 % en 1940[128].

Il est important de noter qu'au développement de la césarienne a correspondu un déclin des autres types d'intervention obstétricale, si bien que, avant les années 1930, il n'y a pratiquement pas eu d'augmentation *globale* du pourcentage des interventions. En fait, on peut retracer l'histoire de la césarienne en notant à quel moment elle s'est substituée aux autres interventions. En cas de fort rétrécissement du bassin, conseille l'Américain J.H. Carstens en 1894, mieux vaut pratiquer une césarienne qu'un évidement (extraction de l'enfant par morceaux [129]). En 1925, Hermann Fehling note que la césarienne a considérablement réduit l'emploi en Allemagne du forceps haut (application de l'instrument sur la tête de l'enfant avant que celle-ci soit engagée dans le bassin [130]). Au Sloan Hospital de New York, la dernière section pubienne (pubiotomie) destinée à élargir le bassin est pratiquée en 1902 ; la dernière section de la symphyse pubienne (symphyséotomie) en 1908 [131]. Au Michael Reese Hospital de Chicago, dans la période 1925-1931, le pourcentage des forceps hauts et des versions tombe de 3,6 à 1,1 %, tandis que celui des césariennes est pratiquement multiplié par quatre. Le nombre total des interventions durant cette période n'a donc pratiquement pas augmenté [132]. Dans quatre grands hôpitaux new-yorkais, le pourcentage total des accouchements avec intervention avait légèrement régressé de 1933 à 1948, mais la part des césariennes dans ce total avait grimpé de 38 à 70 % [133]

TABLEAU 7.2

ACCOUCHEMENTS PAR CESARIENNE
AUX ETATS-UNIS (1890-1979)

Années	Fréquence en % du total des accouchements en milieu hospitalier	Mortalité (en %)
1890-1909	–	12,1
1900-1909	1	–
1910-1919	1,9	5,5
1920-1929	2,9	7,6
1930-1939	3,2	4,4
1940-1949	2,8	0,9
1950-1959	3,7	0,4
1960-1969	6,8	«0,1»
1970-1979	12,8	«0,02»

Après 1960, la mortalité par césarienne est devenue si faible que les auteurs ont cessé la publication de toute statistique sur le sujet. Les taux de 0,1 et 0,02 relatifs à Rhode Island d'après les séries de Frigoletto et Williams sont si faibles qu'ils n'ont guère de sens — d'où les guillemets. Les décès des suites de césarienne sont aujourd'hui extrêmement rares.
Sources : Voir notes des tableaux, en fin d'ouvrage.

L'avènement de la césarienne n'a donc nullement entraîné un regain d'interventionnisme dans l'accouchement. Il a, au contraire, substitué aux vieilles méthodes d'intervention une technique abdominale beaucoup moins destructrice pour la mère. Car il ne faudrait oublier ni les mutilations auxquelles pouvait donner lieu la cranioto-

155

mie, ni la fréquence des ruptures de l'utérus en cas de version, ni le temps qu'il fallait à bien des femmes pour retrouver l'usage de leurs jambes après une section pubienne. Une diminution des risques qui s'est traduite par un déclin régulier du pourcentage des césariennes mortelles (cf. tableau 7.2).

Mais cette nouveauté qui, à l'évidence, était dans l'intérêt de leurs patientes, il est intéressant de noter que bien des médecins s'y sont opposés. Cet ouvrage, certes, a pour sujet les femmes et non les polémiques entre personnes de l'art. Mais comment passer sous silence le fait que, en Angleterre, les interventions ayant pour but la destruction du fœtus et celles pratiquées au niveau du pubis ont continué à être préférées à la césarienne longtemps après qu'elles eurent été abandonnées ailleurs ? Craignait-on un travail trop lent, alors vite une « pubiotomie prophylactique », préconisait-on au Rotunda Hospital en 1912[134] ! Et les manuels britanniques ont continué à manifester un penchant pour la craniotomie quelque temps encore après son rejet par les manuels américains[135]. En Angleterre, le *Queen Charlotte's Text-Book of Obstetrics* (1936) met césarienne et craniotomie sur le même plan au chapitre des « indications relatives » : « Si le cœur fœtal est irrégulier et lent, il est à peu près certain que le fœtus ne survivra pas à l'accouchement, même par césarienne. On doit alors le considérer comme déjà mort, et il est tout à fait injustifiable d'exposer la mère au risque plus grand que représente une césarienne[136]. » Ou encore Gilbert I. Strachan : « Après plusieurs tentatives infructueuses d'extraction au forceps, il peut être indiqué de pratiquer une perforation du fœtus vivant, étant donné les risques que comporte la césarienne[137]. »

Au terme de cette petite histoire de la césarienne, une conclusion logique : si vraiment l'opération était inévitable, c'est à l'hôpital qu'elle devait avoir lieu. Certes, techniquement l'intervention était réalisable à domicile[138]. Mais il était alors plus difficile de trouver un spécialiste pour pratiquer une anesthésie, on ne disposait pas de sang pour traiter une hémorragie ou un état de choc, etc. « Si un risque est à craindre, écrit un éminent accoucheur allemand en 1927, on préférera l'accouchement à l'hôpital afin de pouvoir éventuellement pratiquer une césarienne[139]. » Et un risque étant toujours à craindre, le plus sage était, pensait-on, que la plupart des accouchements aient lieu en milieu hospitalier, là où pouvait le mieux se pratiquer l'opération de la dernière chance.

La découverte du fœtus

Mais la vague interventionniste qui marque l'obstétrique des années 1980 n'est imputable ni à l'hospitalisation ni à la césarienne. Comme on l'a vu, les parturientes ont été transférées vers l'hôpital pour y être protégées contre les dangers du forceps et de la pituitrine. Et la possibilité du recours à la césarienne avant 1930 n'a entraîné aucune augmentation du pourcentage global d'interventions. En fait, la progression en flèche du nombre des interventions obstétricales est due à un tout autre facteur : la « découverte » du fœtus.

Ayant cessé d'être des victimes vers les années 1920, les femmes auraient dû devenir de plus en plus maîtresses de leur accouchement. Or c'est tout le contraire qui s'est produit. De là toutes les diatribes actuelles contre ce que leurs auteurs appellent le « pouvoir médical masculin ». Et sans vouloir prendre parti dans le débat, il faut quand même dire quelques mots sur la façon dont on en est arrivé là.

Avant les années 1930, le corps médical s'intéressait assez peu à l'état du nouveau-né. Toutes les innovations obstétricales que nous avons vues apparaître à partir du xviiie siècle avaient pour but d'épargner la mère. Il est beaucoup plus facile pour une femme de mettre au monde un bébé de petite taille, affirmait le médecin new-yorkais James Voorhees en 1917, et c'est pourquoi il faisait tout pour que le fœtus ne grandisse pas trop : « Après le sixième mois, il convient de réduire la quantité de féculents dans le régime alimentaire de la future mère. C'est ce que je préconise généralement. » Il recommande également de déclencher l'accouchement avant terme : « Rien ne me plaît davantage dans mon travail de médecin-accoucheur que de faire naître le bébé avec une semaine ou deux d'avance [...] C'est pourquoi il n'est pas rare que j'essaie de " faire tomber le fruit de l'arbre " avant l'heure au moyen d'huile de ricin et de quinine », ou encore en déclenchant le travail à l'aide d'une poche en caoutchouc [140]. Techniques visant à obtenir des enfants de faible poids, quasi prématurés, plus faciles à mettre au monde, mais courant des risques une fois nés. Les médecins, à l'époque, se souciaient peu des problèmes médicaux de la petite enfance. Un historien de la pédiatrie aux États-Unis a pu écrire : « En 1900, il n'y avait probablement pas plus de cinquante médecins dans tout le pays qui s'intéressaient particulièrement à cette classe d'âge. » Aujourd'hui, les États-Unis comptent plus de 20 000 pédiatres [141].

Cette indifférence au sort du fœtus (un paradoxe lorsqu'on sait l'opposition farouche du corps médical à l'avortement) a contribué également à limiter le nombre des césariennes. En 1929, lorsque le taux global de mortalité par césarienne n'était que de 4 % environ, l'East End Maternity Hospital de Londres refusait ce type d'intervention en cas de placenta praevia. « La mortalité fœtale en pareil cas était inévitablement très élevée, dit un médecin en guise de défense. Il est probable que certains de ces enfants auraient pu être sauvés par une césarienne, mais l'important est que du point de vue de la mère l'opération n'était pas indispensable [142]. »

Puis, vers 1930, tout change. On ne peut dater exactement cette prise de conscience, mais il ne fait aucun doute qu'une tendance à épargner l'enfant dans l'accouchement se fait jour à la fin des années 1920 et au début des années 1930. En Amérique notamment, les « indications fœtales » commencent à avoir droit de cité pour les interventions obstétricales en plus des « indications maternelles ». Ce qui, en clair, veut dire qu'on peut maintenant intervenir pour aider l'enfant même si l'état de la mère ne pose aucun problème. En fait, la notion même d'indication fœtale pour une intervention majeure apparaît pour la première fois à ma connaissance en 1901 sous la plume de Frank Meriwether, un praticien d'Asheville (Caroline du Nord) : il préconise la césarienne de préférence à la craniotomie. Si son discours rappelle par certains côtés le vieux débat entre prêtres et accoucheurs sur la question de savoir laquelle des deux vies, celle de la mère ou celle de l'enfant, prime l'autre, Meriwether n'en souligne pas moins les avantages certains de la césarienne *pour l'une comme pour l'autre*[143]. Joseph DeLee, l'influent obstétricien de Chicago, sera plus net encore lorsqu'en 1921 il s'adresse, devant l'American Gynecological Society, à ses confrères traditionalistes. L'accouchement spontané, dit-il, peut être dommageable à l'enfant. « J'affirme que le processus de l'accouchement naturel est dans bien des cas dangereux et destructeur pour la mère comme pour l'enfant, et qu'une intervention [...] peut écarter une bonne part de ce danger. » Quarante des « cinquante bébés sains » morts dans telle clinique anglaise du fait d'une politique de non-intervention « auraient pu être sauvés par un forceps prophylactique », affirme-t-il[144]. (Le « forceps prophylactique » consiste à appliquer l'instrument lorsque la tête de l'enfant se trouve dans le vagin de la mère.) La technique ainsi prônée par DeLee en 1921 est aujourd'hui pratique courante aux États-Unis.

Comme on peut aisément l'imaginer, cette politique consistant à accélérer l'accouchement normal afin d'épargner la souffrance à l'enfant a été longtemps débattue. La mortinatalité était-elle due à un excès ou à une insuffisance d'intervention (blessures provoquées par le forceps dans un cas, manque d'oxygène par suite de la lenteur du travail dans l'autre) ? Tel était l'objet du débat. Notre propos, ici, n'est pas d'énumérer tous les arguments pour ou contre[145]. Disons simplement qu'au congrès 1941 de l'American Gynecological Society la majorité était devenue favorable aux interventions effectuées dans l'intérêt du fœtus. « On risque davantage de faire du mal au bébé ou à la mère en laissant s'éterniser un accouchement qu'en intervenant au bon moment[146]. »

Ce brusque intérêt pour la périnatalogie (les soins donnés à l'enfant durant les deux derniers mois de la grossesse et la première semaine après la naissance) va entraîner des modifications dans la façon de conduire les accouchements, modifications qui toutes sont encore âprement débattues. Il est intéressant de noter combien sont récents la plupart des gestes aujourd'hui routiniers de l'accouchement en milieu médical : l'admission de la parturiente ; le rasage du pubis ; si le terme est dépassé, le déclenchement artificiel du travail avec perfusion d'ocytocine ; l'installation en position gynécologique, les pieds dans des étriers ; l'épisiotomie (incision du périnée) au moment où la tête du bébé apparaît dans le vagin (voir p. 162) ; l'application routinière du forceps si l'expulsion paraît devoir être retardée ; et s'il y a risque de travail prolongé par suite d'une complication (présentation du siège, par exemple), le recours à la césarienne. Avec, au bout de ce que, dans les années 1920, on eût certainement baptisé « une débauche d'intervention », la naissance d'un beau bébé en bonne santé. A l'heure où j'écris ces lignes, la ville de Toronto, où j'habite, a un taux de mortalité périnatale de 13 pour 1 000 seulement, soit 34 % de moins qu'en 1970. Et un taux de mortalité maternelle égal à zéro [147]. La mortalité périnatale en France a régressé de 41 % entre 1970 et 1977 ; aux États-Unis, de 33 % [148]. La situation est la même dans bien d'autres pays. Elles ne sont donc pas si négatives que cela ces innovations, que nous allons maintenant passer en revue.

Le rasage du pubis. Au tournant du siècle, les médecins se souciaient suffisamment de la propreté du vagin pour proposer de nombreuses innovations : douche vaginale avec une solution de phénol, coupe ou rasage des poils du pubis, notamment. Pourtant, le rasage, en particulier, se heurta à une telle résistance de la part des femmes qu'il demeura bien souvent à l'époque un vœu pieux. Comme le dit un médecin en 1906, « un orifice vulvaire ne saurait être totalement stérile s'il n'a été rasé. La clientèle privée refuse le rasage. A l'hôpital, c'est une précaution qu'il faudrait prendre [149] ». Hermann Fehling, évoquant cette période en 1925, dit à propos de l'Allemagne : « Les parturientes en clientèle privée refusaient qu'on les privât de leur apanage poilu. Nous étions donc tenus à une certaine circonspection [150]. » Du reste, avant les années 1930, le rasage ne faisait pas non plus l'unanimité du corps médical [151].

Mais, au début des années 1930, le rasage l'avait emporté. Jusque-là, le manuel de référence, *Williams Obstetrics,* recommandait simplement de couper les poils du pubis « si nécessaire », ou bien laissait le choix entre couper et raser. Mais l'édition 1936 déclare sans ambiguïté : « Raser les organes génitaux externes et la région pubienne [152]. » En Angleterre et en France également, le rasage s'impose dans les années 1920-1930 [153].

Comment la résistance des femmes a-t-elle été vaincue ? Je n'ai trouvé aucun texte de l'époque liant le rasage du pubis au bien-être du nouveau-né. Mais pourquoi les femmes à cette époque n'auraient-elle pas compris que la désinfection des voies génitales était dans l'intérêt de l'enfant ? Quant à ceux et celles qui les accouchaient, sans doute voyaient-ils là un moyen de lutte contre les microbes. Il est intéressant, en tout cas, de constater que l'opposition des femmes à cette pratique a cessé précisément au moment où le bien-être du nouveau-né a commencé à être sérieusement pris en compte. Aujourd'hui, toutefois, une nouvelle réticence des femmes au rasage a amené les médecins à faire légèrement machine arrière. Ainsi l'édition 1980 du *Williams Obstetrics* déclare-t-elle fort prudemment : « Dans beaucoup d'hôpitaux, on pratique le rasage ou la coupe [154]. »

La position allongée sur le dos. Savoir exactement quelle position les femmes prenaient pendant la phase finale de l'accouchement peut paraître secondaire, sauf pour les parturientes elles-mêmes.

Pourquoi accoucher sur le côté? L'un des avantages, explique en 1879 un médecin de Glasgow, « c'est que la parturiente dans cette position n'est pas troublée par le spectacle des préparatifs que l'on fait pour lui venir en aide » : autrement dit, qu'elle ne voit pas sortir le forceps de son étui [155]. Voilà qui est plutôt sinistre. Mais à voir tant d'autres praticiens justifier la position sur le côté par le fait qu'elle évite « toute exposition inutile », on se dit qu'il devait aussi y avoir là-dessous un souci de bienséance. La position sur le côté gauche, écrit W.S. Playfair en 1880, « est la position d'accouchement reconnue en Angleterre, et il serait vain de vouloir en proposer une autre, aussi souhaitable fût-elle [156] ». Quant à la médecine américaine, étant donné son énorme retard au xixe siècle, il n'est guère étonnant qu'elle ait adopté cette pratique anglaise. Un médecin américain déclare en 1867 : « Il est d'usage presque partout, chez nous comme en Angleterre, de faire s'allonger la parturiente sur le côté gauche, les genoux fléchis, position des plus commodes pour le praticien, et qui expose la femme le moins possible. » De plus, ajoute-t-il, les personnes présentes acueillent « avec une sorte d'étonnement et d'aversion » la demande faite à la femme de se tourner sur le dos, paraissant « considérer cette posture pour le moins comme inconvenante [157] ». Initialement donc, l'accouchement au lit répondait au désir de la mère de soustraire le maximum de son intimité au regard scrutateur du médecin.

Puis survient une autre de ces curieuses divergences entre nations. Alors qu'en Angleterre on accouche aujourd'hui encore sur le côté gauche, aux États-Unis par contre, vers 1930, on prendra l'habitude d'accoucher sur le dos, les pieds passés dans des étriers. L'évolution est tout à fait récente [158].

DeLee renonce à l'accouchement sur le côté en 1929, « en raison de la difficulté qu'il y a à assurer l'asepsie et de l'impossibilité d'ausculter en permanence le cœur fœtal [159] ». Si certains manuels américains admettent encore l'accouchement sur le côté vers 1900, il n'y en a plus aucun, à ma connaissance, qui le fasse dans les années 1930. C'est alors la position gynécologique, allongée sur le dos, jambes fléchies sur le tronc et largement écartées, les pieds passés dans des étriers à l'extrémité de la table de travail, qui est adoptée. La première édition du *Williams Obstetrics* à mentionner les étriers est celle publiée en 1936. Les étriers y sont présentés comme étant utilisés aussi bien en milieu médical qu'à domicile, dans ce dernier cas au dos de deux chaises de cuisine [160].

Pourquoi ces innovations se produisent-elles dans les années 1930? Il serait erroné, je pense, de les attribuer à une soif croissante d'intervention des médecins car, on l'a vu, cela faisait déjà plus d'un siècle qu'ils intervenaient. Et la position de côté était parfaitement compatible avec une intervention obstétricale. Non, la nouvelle préférence s'explique plutôt par ce que dit DeLee sur l'auscultation du cœur fœtal. Toute modification des battements du cœur de l'enfant peut être le signe d'une souffrance fœtale, c'est-à-dire d'un risque pour sa vie. Or l'auscultation est plus difficile si la parturiente est couchée sur le côté, tournant le dos au médecin, que si elle est couchée sur le dos.

Deux points demeurent aujourd'hui encore mal élucidés : 1° la persistance en Angleterre de l'accouchement sur le côté, alors que cette pratique a été presque partout abandonnée, Français et Allemands ayant même toujours préféré la position sur le dos [161] ; il semble qu'on ait affaire ici à l'une de ces bizarreries dont les Britanniques ont le secret, tels la craniotomie ou les châtiments corporels ; 2° le penchant des Américains pour les étriers, alors que presque partout ailleurs dans le monde on se contente de la position semi-allongée, où la parturiente pousse en prenant appui des pieds contre la table de travail ; malgré les réticences des femmes, les accoucheurs américains continuent aujourd'hui à utiliser les étriers comme s'il s'agissait d'une chose toute naturelle et non d'une innovation des trente dernières années [162].

Le déclenchement du travail par rupture artificielle de la poche des eaux, puis administration d'ocytocine pour faciliter les contractions. Le déclenchement artificiel du travail avant terme, on l'a vu, a longtemps été un moyen de préserver la mère d'un enfant trop gros [163]. Mais il est devenu, dans les années 1950, un moyen de protéger le fœtus.

Les années 1930-1950, à l'évidence, n'ont pas vu augmenter le nombre des accouchements déclenchés artificiellement. Le pourcentage en était déjà élevé avant cette date et ne devait plus progresser aux États-Unis : 9 % en 1967, tout comme dans les années 1920-1940 [164]. Ce qui a changé toutefois, ce sont les raisons de l'intervention. Plusieurs chercheurs, au début des années 1950, ont dramatisé les risques pour l'enfant d'une naissance post-terme : plus la grossesse se prolonge au-delà de quarante semaines, disaient-ils, plus il y a de chances que le placenta ne puisse plus alimenter correctement le fœtus en oxygène [165]. Dorénavant donc, lorsque les obstétriciens américains auront recours à l'accouchement provoqué, ce sera moins souvent pour des indications ténébreuses (crainte de convulsions chez la mère) que pour des indications fœtales [166]. Ainsi la situation de la parturiente américaine n'a-t-elle guère évolué en ce qui concerne l'accouchement provoqué : dans les années 1920, le médecin lui administrait de l'huile de ricin et de la quinine et utilisait une poche pour dilater le col. Pratique désagréable et contrariante. Aujourd'hui, on procède à la rupture (indolore) des membranes, puis à une perfusion d'ocytocine : pratique non moins contrariante, mais réputée bénéfique pour le fœtus.

Je dois ajouter, par parenthèse, qu'en Grande-Bretagne les choses ont évolué différemment. Dans les années 1960, il y avait déjà dans ce pays 15 % d'accouchements provoqués, contre 9 % aux États-Unis. En 1970, le taux en Grande-Bretagne était de 27 % ; en 1972, de 33 %. Vers le milieu des années 1970, certains hôpitaux anglais avaient un taux d'accouchements provoqués de 40 à 50 % [167]. Alors que les Américains avaient réussi à réduire au minimum les indications à caractère non médical, les Britanniques, eux, avaient beaucoup plus tendance à intervenir par complaisance pour la famille ou pour le personnel hospitalier. Un manuel britannique à l'usage des sages-femmes paru en 1975 déclare tout net : « Il est logique et humain que la femme puisse profiter des avantages de l'accouchement provoqué, maintenant que le procédé a fait ses preuves. » Procédé, poursuit le texte, qui élimine « tout imprévu » et permet au mari de « s'arranger pour être en congé [168] ».

Intervention suivante : l'épisiotomie. Bien que, *stricto sensu,* l'épisiotomie soit l'incision de la vulve, le terme, depuis la première description par Fielding Ould en 1742, sert à désigner une section des tissus à la base du vagin destinée à en élargir l'orifice [169]. Cette bande de tissus, qui va du vagin au sphincter anal, porte le nom de corps périnéal central, périnée pour les obstétriciens. L'épisiotomie consiste donc à prendre une paire de ciseaux et à sectionner le périnée.

Pourquoi cette intervention? Chez un certain nombre de femmes, le périnée se déchire au passage de la tête de l'enfant. Lorsque la déchirure s'étend jusqu'à l'anus, il risque de se créer une fistule entre le rectum et le vagin, et de se former une cicatrice irrégulière qui, non suturée, peut être source d'ennuis. Aujourd'hui, ce type d'accident est rare. Et rares sont les déchirures graves. Sur 16 000 accouchements survenus entre 1911 et 1929 dans le district de Sursee, en Suisse, on n'a relevé de déchirure importante que dans 9 % des cas [170]. Sur 10 000 accouchements enregistrés à l'hôpital universitaire d'Iéna juste avant la Seconde Guerre mondiale, on a noté 6 % seulement de déchirures (sept fois plus chez les primipares que chez les multipares) [171]. Quant aux médecins fort conservateurs du Maternity Center de Chicago, ils constatent, au début des années 1930, que 6 % des parturientes risquent une déchirure [172]. (A noter que, parmi les accouchées de Joseph DeLee, une primipare sur dix présentait une déchirure périnéale suffisamment sérieuse pour mettre en danger le sphincter anal[173].) Ainsi, sans intervention, une femme sur quinze environ subissait une déchirure.

La vogue de l'épisiotomie date de bien avant 1930[174]. On la pratiquait alors pour faciliter au maximum la réparation d'une déchirure qui, de toute manière, se serait produite naturellement. Une incision artificielle franche est en effet plus facile à suturer qu'une déchirure naturelle en dents de scie. Les médecins orientaient l'incision latéralement afin d'éviter qu'une déchirure spontanée n'atteigne l'anus, ce qui, dans un accouchement à domicile, est une catastrophe. Comme le souligne un auteur, « il suffirait de trois ou quatre déchirures de la sorte pour que le médecin responsable perde à peu près toute clientèle[175] ». (Aujourd'hui, par contre, l'incision est généralement pratiquée dans l'axe médian, car une épisiotomie latérale saigne davantage, est plus lente à cicatriser et plus désagréable pour l'intéressée.)

Mais ce n'est qu'à partir des années 1930 que l'épisiotomie commence à être pratiquée également dans l'intérêt du fœtus. D'où une nette extension alors de cette intervention. L'objectif est maintenant d'épargner à l'enfant la souffrance d'une expulsion prolongée. Et l'élargissement de l'orifice vaginal facilite aussi l'application du forceps. Justifiant, en 1937, la fréquence des épisiotomies, tel chirurgien plaçait en tête les indications fœtales : « Le fœtus doit être protégé des effets d'une seconde phase prolongée, notamment des blessures qui peuvent se produire lorsque la tête joue le rôle de dilatateur » des voies génitales[176]. Dans le manuel de Joseph DeLee, la protection du fœtus apparaît comme indication pour la première fois en 1933. Quant au *Williams Obstetrics*, il ne commencera à en faire état qu'en 1950 : cette intervention, peut-on lire alors, « évite à la tête de l'enfant d'avoir à servir de bélier[177] ».

A la veille de la Seconde Guerre mondiale, l'épisiotomie était en passe de devenir pratique courante pour toutes les primipares, qui sont spécialement sujettes à des déchirures, ainsi que pour toutes les femmes sur qui l'intervention avait déjà été pratiquée et qui, par conséquent, risquaient d'en avoir de nouveau besoin. En clair, l'épisiotomie se généralisait. Dans les années 1933-1935, l'intervention fut pratiquée sur 53 % des 5 600 parturientes du Lying-In Hospital de Chicago, « afin de protéger le périnée de toute déchirure grave, et aussi de protéger le fœtus contre tout accroissement brusque de la pression intracrânienne[178] ». En 1941, l'épisiotomie était devenue un acte « de routine » au Lying-In Hospital de Boston comme dans bien d'autres maternités[179].

Lorsque arrivent les années 1970, une femme qui accouche dans la société occidentale a de bonnes chances qu'on lui fasse une épisiotomie : 65 % dans l'Ontario, 64 % dans tel hôpital de Wuppertal, en Allemagne, 70 à 90 % dans tel hôpital londonien, 60 % parmi les primipares dans la région de Brighton (Angleterre)[180]. « Il est fort regrettable, dit une sage-femme anglaise, que certains médecins et sages-femmes aient aujourd'hui les ciseaux si faciles. » Et d'ajouter, reflétant en cela l'opinion de nombre de ses collègues, que, sauf risque de souffrance fœtale, il n'y a « aucune nécessité de précipiter la naissance[181] ». A partir de quel moment l'intérêt de la mère à connaître un accouchement heureux l'emporte-t-il sur celui de l'enfant à venir rapidement au monde ? C'est une question à laquelle je n'ai pas la prétention de répondre. Mais il est clair qu'en général depuis les années 1930 l'épisiotomie se pratique essentiellement dans l'intérêt de l'enfant.

Le forceps. La tête de l'enfant est à présent dans le vagin. On vient de pratiquer une épisiotomie, laquelle tend à devenir une condition préalable à l'intervention suivante : l'extraction de la tête du fœtus au forceps. Un tiers des femmes accouchant aujourd'hui aux États-Unis se voient appliquer le forceps[182].

Revenons un instant en arrière. Lorsque le forceps fit son apparition à l'hôpital à la fin du XVIIIe siècle, il était employé avec modération : une fois sur deux cents accouchements environ à la Grande Maternité de Paris, par exemple[183]. Avec l'avènement de l'anesthésie, l'usage du forceps s'accroît sensiblement à l'hôpital : l'incapacité de la parturiente à pousser ralentit effectivement l'accouchement, et elle peut désormais subir le forceps sans douleur. Pourtant, vers 1900, on utilise beaucoup moins le forceps à l'hôpital qu'à domicile[184]. Dans les années 1920, une femme sur vingt seulement se voit appliquer le forceps à l'hôpital[185].

C'est vers 1920 que l'obstétricien Joseph DeLee, à Chicago, propose l'utilisation « prophylactique » du forceps. L'emploi de l'instrument, argumente-t-il, ne doit pas être limité aux quelques indications fœtales extrêmes (procidence du cordon, décollement prématuré du placenta), mais doit être étendu à tous les cas où la tête de l'enfant, parvenue dans le vagin, ne peut en sortir du fait de la rigidité du périnée. Si la tête ne semble pas devoir sortir dans le quart d'heure qui suit, poursuit DeLee, on pratiquera d'abord une épisiotomie, puis on appliquera le forceps pour extraire l'enfant. Technique, conclut le médecin, qui non seulement épargnera à la femme « les effets débilitants [...] d'une expulsion lente », mais « protégera le cerveau de l'enfant contre toute atteinte, ainsi que contre les effets immédiats ou lointains d'une compression prolongée[186] ». La technique ainsi proposée par DeLee est aujourd'hui de règle aux États-Unis.

Mais l'intervention mit du temps à s'imposer[187]. J.W. Williams, dans la dernière édition qu'il devait personnellement rédiger de son manuel (1930), condamne le forceps prophylactique en ces termes : « Je suis certain que si l'on adoptait partout la proposition [de DeLee], les résultats seraient désastreux[188]. » Adoptée partout, elle le sera pourtant dans les années 1930. A noter que, dans les îles Britanniques, la fréquence d'utilisation du forceps est restée beaucoup plus faible : 6 % à Dublin dans les années 1920, 11 % en 1974[189]. La montée en flèche aux États-Unis du nombre des « forceps bas sélectifs », comme on les appelle aujourd'hui, tient au souci nouveau de mettre l'enfant au monde le plus vite possible[190]. L'édition 1936 du *Williams Obstetrics* ne contient plus la phrase stigmatisant DeLee, et l'édition 1950 admet le forceps sélectif sans aucune réserve : « La grande majorité des interventions au forceps pratiquées aujourd'hui dans ce pays sont des forceps bas sélectifs [nécessités par le fait que] les programmes analgésiques freinent plus ou moins les efforts de la mère pour pousser[191]. » Mais, comme on l'a déjà vu, la pratique consistant à neutraliser la mère à l'éther ou au chloroforme date de bien avant les années 1930. Ce qui est nouveau dans ces années-là, ce n'est pas la fréquence d'emploi des analgésiques, mais l'attitude envers le nouveau-né.

L'usage du forceps est actuellement en recul dans les hôpitaux américains : il a régressé de 11 % entre 1968 et 1975 ; et de 7 % dans l'Ontario entre 1975 et 1977[192]. Pourquoi cette nouvelle évolution ? Serait-on devenu moins sensible au bien-être de l'enfant ? Non point. Simplement, la césarienne est de plus en plus considérée comme le meilleur moyen de mettre un terme à un accouchement qui menace de s'éterniser.

Aujourd'hui, une parturiente américaine sur sept se voit épargner les techniques étudiées ci-dessus au profit de la césarienne. Le tableau 7.2 (p. 155) fait apparaître la fantastique progression de la fréquence des césariennes depuis les années 1950. Fréquence qui a même doublé entre les années 1960 et 1970, passant de 6,8 à 12,8 %[193].

C'est seulement dans les années 1960-1970 que la fréquence des césariennes a augmenté. Dans les années 1960, un consensus apparaît : mère et enfant, estime-t-on, courent moins de risques dans une césarienne que dans une intervention moins importante. L'édition 1956 du *Williams Obstetrics* évoque encore, en maugréant, « les possibilités de rupture de la cicatrice utérine lors de grossesses futures ». Notion dont l'édition 1966, en revanche, affirmera qu'elle « est aujourd'hui considérée avec un scepticisme croissant par bien des médecins-accoucheurs traditionalistes ». Pour ajouter que « l'attention se porte de plus en plus sur la survie de l'enfant et la prévention des traumatismes que celui-ci encourt durant la naissance[194] ». De sorte que, en 1976, le président d'une importante association d'obstétriciens pouvait déclarer sans ambiguïté : « Il s'est produit un changement d'attitude : jadis, l'accent était mis sur la mère et sur l'accouchement ; aujourd'hui, il est mis sur le sort du fœtus. » A quoi un participant venu du Sloane Hospital de New York devait ajouter : « [La progression de la césarienne] est due au désir croissant d'éviter tout ennui au fœtus[195].» Ainsi triomphait l'idée d'une protection maximale de l'enfant.

Triomphe qui devait en entraîner un autre : celui du médecin-accoucheur sur le généraliste et la sage-femme. Si, dans ce dernier quart du xxe siècle, la femme américaine moyenne est accouchée par un obstétricien, c'est essentiellement parce que seul un spécialiste formé en chirurgie peut en toute sécurité lui ouvrir le ventre. Il fut un temps où la plupart des césariennes aux États-Unis étaient pratiquées par des généralistes, mais, depuis les années 1930, la technique de l'intervention leur est devenue plus difficile. Avant 1930, on pratiquait surtout la césarienne dite classique : pour atteindre le haut de l'utérus, le médecin incisait le péritoine, dont la fonction est de protéger l'abdomen contre l'infection. La technique classique posait aussi un autre problème : la cicatrice, située au milieu du muscle utérin, avait tendance à se rompre lors d'un accouchement ultérieur. Vers 1920, plusieurs chirurgiens suggèrent une opération basse ; l'incision est alors pratiquée près de la vessie, là où l'utérus est essentiellement composé de tissu conjonctif. Cette pratique réduit le risque d'infection de l'ensemble de la cavité abdominale. Mais l'opération à ce niveau dit « segment inférieur » est techniquement plus délicate : le chirurgien doit dégager et éloigner la vessie, puis écarter soigneusement le péritoine de l'utérus, l'inciser et ensuite le recoudre. Comme cette méthode prend, à l'époque, dix à quinze minutes de plus que l'autre, et qu'il est nécessaire pour l'entreprendre de bien connaître l'anatomie de cette région, nombre de généralistes reculeront lorsque la césarienne du segment inférieur deviendra la technique reconnue.

C'est bien là le hic. Un omnipraticien qui se lançait dans ces techniques complexes risquait effectivement bien des déboires. Alors, dans le corps médical comme dans l'opinion, des pressions vont s'exercer sur les futures mères pour qu'elles s'adressent de préférence à un accoucheur qui soit également chirurgien. En 1967, 51 % des accouchements aux États-Unis étaient effectués par des spécialistes[196]. En Grande-Bretagne, on l'a vu, les sages-femmes ont effectué une remontée spectaculaire (cf. p. 138), mais ont été, de plus en plus, placées sous l'autorité d'un spécialiste et non d'un généraliste. Le pourcentage des accouchements pratiqués en Angleterre par des généralistes est passé de 11 % en 1946 à 3 % en 1970[197].

La fréquence croissante des césariennes, et son corollaire le recours au médecin-accoucheur, ont eu de sérieuses répercussions sur la vie des femmes, en réduisant comme peau de chagrin la marge d'autonomie dans l'accouchement qui était encore la leur dans les années 1920-1930. Quant aux avantages de ces interventions obstétricales pour l'enfant, sont-ils réels ou imaginaires ? Je ne saurais dire. Mais je voudrais souligner à quel point la façon dont se déroule un accouchement — et donc ce que vit la mère — est fonction des idées du moment en matière de « progrès médical ». Jusque vers 1930, le progrès technique, c'était la fin des horreurs de l'enfantement traditionnel, la possibilité d'un vécu heureux de l'accouchement, libéré de la peur de la mort et des mutilations. Avec la découverte du fœtus dans les années 30, la médecine moderne a arraché aux femmes les quelques espoirs un instant entrevus d'une réelle autonomie dans l'accouchement.

L'avortement

Et si la grossesse n'était pas désirée ? Était-il facile pour une femme autrefois de se faire avorter ?

Mon propos dans ce chapitre est de montrer que les femmes ont de tout temps eu la possibilité de mettre un terme à une grossesse non souhaitée, principalement au moyen de drogues abortives. Certaines de ces drogues, toutefois, étant extrêmement dangereuses, il leur fallait, pour se résoudre à les employer, une volonté bien arrêtée. Ainsi l'avortement a-t-il presque toujours été un acte désespéré. Puis, dans les années 1880-1930, tout change. Les femmes vont désormais pouvoir se faire avorter plus ou moins librement, dans des conditions de relative sécurité. Cette possibilité nouvelle devait contribuer à libérer les femmes d'un de leurs principaux handicaps : le risque de grossesse non désirée.

Les plus désespérées, autrefois, en cas de grossesse étaient les femmes célibataires. Être enceintes, pour elles, est une véritable catastrophe. Une fois découvertes, elles sont mises à l'amende, jetées en prison, humiliées par les tribunaux ecclésiastiques. Sans oublier l'opprobre dont la communauté tout entière les couvre, elles et leur famille. Ainsi de Madeleine Mercanton, du canton de Vaud, qui, ayant voulu garder son enfant illégitime, accouche clandestinement dans la nuit du 27 au 28 mai 1756. Le nouveau-né, malheureusement, succombe peu après. La jeune femme est alors accusée d'avoir dissimulé sa grossesse (acte considéré comme criminel à peu près partout en Europe), d'avoir nié la naissance et d'avoir « laissé l'enfant dans son sang, tout en négligeant d'attacher le cordon ombilical ». De surcroît, on la soupçonne d'avoir étouffé son « fruit ». Pour toutes ces raisons, Madeleine Mercanton sera condamnée « à avoir première-ment la main droite coupée et ensuite la tête tranchée, et que la main et la tête soient attachées au gibet et son corps enterré sous le Patibule [1] ». Comment alors s'étonner que les « filles mères » aient tout fait pour se faire avorter ?

Que se passait-il lorsqu'une femme célibataire s'apercevait qu'elle était enceinte ? Le Dr Egon Weinzierl a demandé, aux parturientes non mariées admises à l'hôpital pour femmes de Prague juste après la Première Guerre mondiale, quelles avaient été les réactions de leur famille et de leur employeur. Un tiers font état d'horribles disputes familiales. Parmi celles qui avaient un emploi, 42 % ont été mises à la porte, « souvent avec insultes et humiliations, les employeurs les tournant en ridicule ». Sur 500 femmes interrogées, 30 avaient fait une tentative de suicide[2].

Pour la femme mariée aussi, la grossesse non désirée était un calvaire. Témoin cette lettre d'une femme de Duisbourg (Allemagne) à une avorteuse : mes règles, explique-t-elle, auraient dû venir le 24 août, « mais malheureusement il ne s'est rien produit ; et cela fait maintenant plus d'une semaine de retard. Je ne peux supporter l'idée de me retrouver encore une fois dans cette triste situation [elle a déjà trois enfants]. Pour les gens qui travaillent, je pense que c'est bien assez. Aussi, pour que cela ne se reproduise pas, je vous supplie de m'envoyer le plus rapidement possible tous les renseignements utiles[3] ». Et voici ce que rapporte Emma Goldman, la militante anarchiste qui, au tournant du siècle, exerçait la profession de sage-femme dans les bas quartiers de New York : la plupart des femmes pauvres, écrit-elle, « vivaient dans la hantise d'une grossesse. Lorsqu'elles se trouvaient enceintes, l'affolement les poussait à vouloir se débarrasser de l'enfant à naître [...] en sautant du haut d'une table, en se roulant par terre, en se massant le ventre, en ingurgitant d'écœurantes mixtures et en utilisant des instruments contondants ». Tous actes qu'Emma Goldman, qui pourtant refusait de pratiquer des avortements, trouvait fort compréhensibles, car, dit-elle, « chaque nouvel enfant était une malédiction, une " malédiction de Dieu ", comme me l'ont très souvent dit juives orthodoxes et catholiques irlandaises[4] ». Si l'on veut comprendre comment a évolué historiquement la relation des femmes à leur corps, il faut donc répondre à cette question : quel accès avaient-elles à l'avortement ?

Les procédés abortifs traditionnels

Pour mettre fin à une grossesse non désirée, la femme essayait successivement les différentes méthodes existantes, en commençant par la moins dangereuse. Celle-ci réussissait rarement. Partout, la tradition populaire préconise des « bains de siège bien chauds », additionnés parfois de farine de moutarde[5]. Mais les femmes qui prétendaient s'être fait avorter par ce moyen n'étaient probablement pas enceintes, ou bien mentaient quant à la méthode utilisée.

Étape suivante dans l'escalade : porter atteinte extérieurement à l'utérus. En se comprimant le ventre le plus possible pour dissimuler la grossesse — et — qui sait ? — y mettre un terme. Nombre de villageoises réussissaient ainsi à cacher leur état et à entrer en travail à peu près à terme, pour être ensuite accusées d'infanticide ou

succomber faute de soins durant l'accouchement[6]. Ce type d'emmaillotement était pratiquement aussi inefficace que le bain de siège.

Il y avait d'autres façons de s'en prendre à l'utérus. A preuve la
maîtresse enceinte d'un prêtre anglais du xvie siècle, qui, « dans le but
de détruire le fœtus, serra son corset et accomplit diverses manœuvres
avec un rouleau à pâtisserie[7] ». La littérature regorge d'histoires de
femmes qui se jettent du haut du grenier ou d'une échelle, se laissent
rouler dans l'escalier, ou sautent d'une chaise. En Finlande, les
femmes qui voulaient mettre un terme à leur grossesse « se jetaient
longuement, tête et pieds en bas, sur le dessus du coffre à grain,
descendaient les escaliers en se laissant glisser sur le ventre, sautaient
de quelque endroit élevé tel que le siège du poêle, soulevaient et
transportaient de lourds fardeaux, dans l'espoir, chaque fois, de
déloger le fœtus[8] ». Au début des années 1860, un paysan comparaît
devant les assises de la Loire-Inférieure pour avoir jeté d'un cheval au
galop une servante à qui il avait fait un enfant. En fait, il avait jeté la
fille à terre par deux fois, et comme cela n'y faisait rien, il avait essayé
un autre moyen : lui appliquer sur le ventre des miches de pain sortant
droit du four. Nouvel échec. Finalement, la femme mit au monde, à
terme, un fort beau bébé[9].

De toutes les violences externes exercées par les femmes sur leur
propre corps, une seule était susceptible de produire vraiment l'effet
escompté : le massage. Aujourd'hui encore, dans certains pays du
tiers monde, les accoucheuses expérimentées réussissent à provoquer
l'avortement par un massage abdominal[10]. Ce procédé s'employait
aussi parfois en Europe. Un jour, un masseur s'y prit de telle façon
qu'il perça de ses deux doigts le vagin, puis le péritoine, d'une femme
enceinte de trois ou quatre mois[11] : c'est « grâce » à ce lamentable
incident que l'événement nous est parvenu. On peut supposer que,
dans d'autres cas, le massage à des fins abortives était pratiqué avec
plus de compétence.

TISANES ET DÉCOCTIONS

Ces procédés ayant échoué, la femme enceinte avait recours ensuite
aux drogues. Rappelons, d'abord, l'importance des drogues en
général dans la société d'autrefois. Dans la médecine populaire
comme dans la médecine savante, leur usage remonte à l'Antiquité
grecque et égyptienne. Les pharmacopées de Dioscoride et de l'école
hippocratique n'ont cessé d'être copiées et recopiées durant tout le
Moyen Âge et au début de l'époque moderne. D'où la permanence, à
travers deux mille ans d'histoire de l'Occident, d'un vaste savoir en la
matière[12]. Ces usages survivront jusqu'à la fin du xixe siècle, lorsque
le « nihilisme médical » envers les drogues balaiera pratiquement
toute la pharmacopée traditionnelle.

Voilà pourquoi le ou la villageoise type se bourrait de toutes sortes de substances : toniques de printemps ou d'automne, tisanes contre les brûlures d'estomac, infusions pour maintenir l'utérus en place et l'empêcher de monter à la gorge, décoctions contre l'ulcère et le cancer, drogues pour aller à la selle, etc. Preuve de l'énorme diversité d'emploi de ces potions, l'histoire de ce « médecin des urines » accusé, en 1729, d'avoir préparé un abortif à base d'aloès, de racine de gentiane et de jalap (toutes substances supposées abortives), et qui s'en tira en affirmant que la potion était un remède contre les maux d'estomac et qu'il ignorait que la femme fût enceinte [13]. En fait, bien des drogues que les paysans prenaient contre des maladies telles que l'« hystérie » étaient également utilisées pour l'avortement (et pour tout le reste) [14].

Pas de famille, donc, sans son armoire à médicaments. « Chaque maison, à la campagne comme en ville, possède toutes sortes de plantes séchées et prêtes à l'emploi, et tout spécialement : camomille, menthe poivrée, fleur de tilleul, sureau, absinthe, achillée, tussilage, etc. Les gens récoltent ces plantes eux-mêmes et les font sécher, ou bien les achètent à la pharmacie ou chez l'herboriste, à un commis-voyageur ou dans une foire [15]. » Notons que c'étaient les femmes qui s'occupaient de ces coffres à médicaments, et que tout ce qui avait trait à l'emploi des drogues, tant à des fins médicales que plus précisément obstétricales, était de leur domaine [16].

S'il existait un domaine médical où les femmes des campagnes prétendaient tout spécialement s'y connaître, c'était celui des « anomalies de la menstruation », circonlocution médicale par laquelle on désignait le retard ou l'absence de règles. Commentant un procès pour manœuvres abortives, le Dr J. Thomsen écrit ceci : « Ces drogues appartenant naturellement au domaine secret de la vie des femmes, les commères de village s'en sont emparées comme d'une spécialité, ce qui ne saurait étonner lorsqu'on connaît leur penchant pour tout ce qui est charlatanisme. Il y a aujourd'hui partout, et principalement dans les campagnes, des " bonnes mères " qui ont acquis un certain renom par leur connaissance des remèdes aux problèmes de la menstruation [17]. » Un autre médecin rapporte, à propos du district de Frankenwald, en Allemagne : « Même aujourd'hui, on reste confondu devant les connaissances, réelles ou supposées, que les femmes, jeunes ou vieilles, peuvent avoir au sujet des drogues qui affectent la grossesse, connaissances qu'elles révèlent en privé [18]. »

Une « polypharmacie » à laquelle les médecins aussi avaient leur part. Depuis l'Antiquité, en effet, la médecine savante, sous l'influence de la théorie des « humeurs », considérait qu'il était dangereux pour une femme de ne pas avoir ses règles. Tout ce sang menstruel, pensait-on, créait, en s'accumulant dans le corps, un déséquilibre des autres « humeurs ». Naturellement, si l'absence des règles était le fait d'une grossesse, on n'intervenait pas. Mais, dans

tous les autres cas, l'usage voulait qu'on administre des « emménagogues ». Tout ce qui a été écrit, ou presque, sur les emménagogues
jusque dans les années 1930 est pure ineptie, car fondé sur une
méconnaissance totale du système endocrinien. Théoriquement, certaines substances médicamenteuses peuvent provoquer les règles sur
un utérus non gravide : ce sont les prostaglandines et autres substances antiprogestérone (la progestérone est l'hormone assurant le
renouvellement de la muqueuse utérine, qui s'élimine en partie avec
les règles) [19]. Mais, dans la plupart des cas, absence des règles égale
grossesse. « Tout le monde sait que, si une femme en bonne santé
cesse d'avoir ses règles, c'est dans 999 cas sur 1 000 parce qu'elle est
enceinte », déclare le Dr F.J. McCann en 1929 lors d'une réunion à
Londres de la Medico-Legal Society [20]. Et la plupart des emménagogues, s'ils servaient à quelque chose, étaient en fait des abortifs.
   L'intérêt qu'on portait à ces produits ne faisait que conforter les
croyances traditionnelles sur les choses de l'utérus. A chaque « bonne
mère » brandissant de longues listes de drogues utéro-toniques faisait
pendant un herboriste distingué citant Hippocrate et Soranos [21]. Le
Français J.-B. Chomel, par exemple, écrit en 1737 : « On appelle
remèdes hystériques ou *emménagogues* ceux qui sont propres à rétablir
les évacuations naturelles au sexe. On les emploie ordinairement pour
procurer les mois aux filles et guérir la plupart des maladies que cette
suppression leur cause, comme sont les pâles couleurs, la jaunisse, les
coliques, les migraines, etc. [22] » Comme les médecins n'avaient aucun
moyen de détecter une grossesse avant le quatrième mois, la
littérature médicale du temps décrit des scènes pleines de circonspection où le médecin, avant de rédiger son ordonnance, cherche à
s'assurer que sa cliente n'est pas enceinte. Voici une servante venue
consulter Johann Storch. Soupçonnant une grossesse, celui-ci se tire
de la situation en ne prescrivant à l'intéressée qu'un léger laxatif,
lequel dit-il, « l'occupa jusqu'à ce que son ventre fût devenu si gros
qu'il ne fut plus possible de rien cacher » (ce qui désormais excluait
l'avortement) [23]. Encore une ironie dont cette histoire abonde :
autrefois, l'irrégularité des règles ne préoccupait les femmes que si elle
était le signe d'une grossesse ; or c'étaient les médecins qui, souvent,
sous l'influence des vieilles théories sur les « mauvaises humeurs »,
leur fournissaient des abortifs.
   Cet intérêt du monde paysan pour les drogues tient aussi à un autre
phénomène : l'utilisation empirique, des siècles durant, de toutes
sortes de breuvages destinés à renforcer les contractions de l'utérus en
travail (les ocytociques). Certaines plantes exercent effectivement une
action spécifique sur le muscle utérin. (La rupture de l'utérus, par
exemple, était, dans les années 1950, la *principale* cause de mortalité
maternelle en Ouganda, par suite de l'insistance des sorciers à
administrer ce type de plante aux femmes en couches [24].) L'ergot, on
le verra, est employé depuis fort longtemps en obstétrique populaire.

En 2200 avant l'ère chrétienne, les Égyptiens, pour faciliter le travail, frottaient le ventre de la parturiente avec de l'huile de safran [25]. Les Européens traditionnels étaient persuadés que, l'enfant participant à sa propre naissance, la mère avait besoin d'un « coup de pouce » chimique pour accoucher d'un fœtus mort-né. Ainsi un ouvrage médical anglais du xve siècle préconise-t-il, « pour faire venir un enfant mort », des recettes à base de plantes aromatiques, de vin et d'hysope [26]. Et, au xviie siècle, l'accoucheur anglais Percivall Willughby, pour faciliter l'accouchement d'une dame Forman, de Spoondon, qui avait « beaucoup souffert », lui administrait « une décoction de germandrée, de pouliot et de calament, bouillie dans un posset et teintée de safran », auquel breuvage il ajouta « une cuillerée de poudre du comte de Chesterfield et deux cuillerées d'huile d'amandes douces ». Ce qui eut pour effet, précise-t-il, « d'accélérer les contractions et de faire venir l'enfant [27] ». De tout temps, les matrones de village ont fait ingurgiter aux femmes en couches des infusions destinées à accélérer les contractions, à « aider à l'expulsion de l'arrière-faix » ou à stopper les saignements durant les suites de couches [28]. Une liste détaillée de ces plantes ne dirait pas grand-chose à la plupart des lecteurs d'aujourd'hui. L'important, c'est que les gens, dans un tel environnement, pouvaient se dire : si ces plantes sont capables d'activer l'utérus au moment de l'accouchement, alors pourquoi n'agiraient-elles pas aussi en cours de grossesse, c'est-à-dire comme abortifs ?

Les documents font souvent état de femmes qui prennent des drogues dans l'espoir de se faire avorter. « L'usage des potions pour provoquer la stérilité et l'avortement était largement répandu », conclut un médiéviste [29]. Presque tous les auteurs traitant d'obstétrique mentionnent la faveur dont jouissaient ces drogues. Ainsi de La Motte, dans la Normandie du xviiie siècle : « Il y a des filles tout à fait dénaturées qui, loin de chercher dans l'usage des remèdes doux et bénins les moyens de conduire leur grossesse à une heureuse fin, ne souhaitent rien tant que de se défaire de leurs enfants, non seulement aux dépens de leur santé, mais même de leur propre vie, et qui trouvent des gens assez livrés à l'iniquité pour leur donner de ces pernicieux remèdes [30]. » Et le Dr Edward Moore, praticien à Bethnal Green (Angleterre), note, en 1862, qu'en l'espace de dix ans il a eu à s'occuper de 217 cas d'avortement parmi les indigentes, « provoqués principalement par des pilules à base de simples et divers purgatifs énergiques, pas toujours, je pense, involontairement [31] ». C'était là le fruit de plusieurs millénaires de pratique populaire de l'avortement. A la longue, certaines connaissances réelles s'étaient constituées quant aux plantes susceptibles d'activer le muscle utérin, d'entraver l'implantation de l'embryon ou d'empêcher la fécondation de l'ovule par le spermatozoïde. Mais personne n'avait la moindre idée de la façon dont ces drogues agissaient. On n'en sait guère plus aujourd'hui, d'ailleurs. Il est frappant, toutefois, de constater comment les mêmes plantes réputées « bonnes pour faire venir les règles » se retrouvent dans des sociétés que séparent des milliers de kilomètres et n'ayant aucun contact les unes avec les autres. Ce sont les mêmes noms qui reviennent au Pérou, en Bavière, en Inde ou en Chine [32]. (L'Organisation mondiale de la santé étudie actuellement les propriétés abortives de certaines de ces plantes [33].)

Les drogues abortives

Les quatre drogues que nous avons retenues figurent parmi un total d'environ cent vingt mentionnées au moins une fois dans la littérature clinique ou populaire d'autrefois comme étant « bonnes » pour l'avortement ou le retard des règles. Des dizaines d'autres pourraient leur être ajoutées en comptant toutes celles citées dans les « herbiers » du début des temps modernes comme étant capables de « procurer les mois » ou de « faire venir les enfants mort-nés ». Mais ces quatre-là sont mentionnées beaucoup plus souvent que les autres, et tout porte à croire qu'elles étaient aussi les plus fréquemment utilisées.

Afin de ne pas lasser le lecteur, je passerai rapidement sur la composition chimique de ces drogues. Disons simplement que, pour l'une d'entre elles, le principe actif est un alcaloïde, et pour les trois autres une « huile volatile ». Les huiles volatiles, ou « huiles essentielles » comme on les appelle parfois, sont donc de loin l'agent chimique le plus important pour l'obtention de l'avortement. D'autant qu'elles constituent également le principe actif de quantité d'autres plantes utilisées dans le même but et ne figurant pas à ce « palmarès » : pouliot, sauge, thym, romarin, etc. Chauffées, les huiles volatiles s'évaporent (ou « se volatilisent »). Elles contiennent des composants fortement aromatiques et constituent l' « essence », c'est-à-dire l'élément odoriférant, de très nombreuses plantes, d'où leur large emploi en parfumerie. Prises par voie orale, ces drogues se présentent sous deux formes principales : 1° une tisane que l'on confectionne soi-même à partir des feuilles, brindilles, graines ou racines des plantes ; 2° une « huile essentielle » achetée dans le commerce et obtenue à partir de la plante par distillation à la vapeur (ou extraite à l'aide d'un solvant tel que l'alcool) ; l'huile volatile constitue généralement le principal ingrédient de ce mélange huileux.

L'ergot. De toutes ces drogues abortives, la plus connue est aujourd'hui encore l'ergot, car plusieurs de ses composants (l'ergométrine alcaloïde notamment) sont encore utilisés en médecine pour juguler les saignements utérins durant l'accouchement, ou combattre la migraine. « Ergot » est le nom vulgaire du champignon *Claviceps purpurea*, excroissance noire et dure (en forme d'ergot de coq) qui se développe sur le grain de certaines céréales, notamment le seigle. Un médecin a raconté comment, à l'âge de treize ans, il se promenait l'été à travers champs dans les environs d'Ansbach, en Allemagne, ramassant des paniers entiers de cette « curiosité naturelle sans avoir la moindre idée de l'usage que l'on pouvait en faire ». « Toute jeune paysanne », conclut-il, pouvait donc s'en procurer [34]. On sait depuis Hippocrate que l'ergot agit sur l'utérus. Dans son herbier (1582), Adam Lonicer le présente comme un « remède éprouvé contre les trémulations et douleurs de la matrice [35] ». Et les sages-femmes professionnelles allemandes l'ont toujours employé, semble-t-il, pour augmenter les contractions de la parturiente ou faciliter l'expulsion du placenta [36]. Mais son usage fut interdit, par exemple à Hanovre en 1778 [37]. Dans le recueil anglais du xve siècle mentionné plus haut, il est la seule drogue par voie orale recommandée pour « faire venir les fleurs », c'est-à-dire les règles [38]. Ainsi donc, même s'il a fallu attendre le début du xixe siècle pour que la médecine officielle s'intéresse sérieusement à ses propriétés obstétricales, il y a beau temps que l'ergot a une réputation d'ocytocique.

Beau temps aussi qu'il est utilisé comme abortif [39]. Des accoucheuses lituaniennes l'ont décrit comme tel à l'auteur d'une enquête sur les traditions populaires [40]. Les matrones de village l'appelaient la « poudre de matrice » ; en Allemagne, parfois, la « mort aux enfants » (*Kindesmord*) [41]. Le gros problème, toutefois, avec l'ergot, c'est qu'il n'agit sur l'utérus qu'en fin de grossesse. Et les femmes qui désirent se faire avorter le font généralement au deuxième ou troisième mois. Le cas le plus précoce, à ma connaissance, d'interruption de grossesse par l'ergot se situe au quatrième mois ; encore s'agissait-il d'une grossesse déjà menacée par une hémorragie et qui, par conséquent, de toute façon, avait de fortes chances d'aboutir à une fausse couche [42]. Le Dr James Whitehead rapporte avoir réussi avec l'ergot, en trois occasions sur quatre, à provoquer l'avortement au cinquième mois de la grossesse chez une femme au bassin très rétréci [43]. Et un praticien américain écrit, en 1860, que, si « les Noirs ont trop de difficulté à se procurer de l'ergot pour causer beaucoup de mal », il connaît néanmoins trois femmes blanches qui en ont pris au troisième ou au quatrième mois, dont deux ont effectivement avorté [44].

La rue. Seconde, incontestablement, des drogues abortives : la rue (*Ruta graveolens*) [45]. « Un emménagogue aussi puissant que la sabine et certainement plus sûr », dit d'elle un médecin français du xixe siècle [46] (voir pages suivantes). On la rencontre partout, dans la médecine de l'Antiquité comme dans les herbiers du Moyen Age, dans la trousse de la sage-femme au xviie siècle comme dans toute la tradition populaire à travers l'Europe[47]. L'ancienne littérature phar-macologique présente l'huile de rue comme ayant une action immé-diate sur l'utérus. Jean Renaux, après une série d'expériences sur des cobayes et des chattes, conclut, en 1941, que les propriétés abortives de la rue sont moins le fait de sa toxicité même que « la conséquence directe d'une stimulation de la musculature utérine[48] ». C'est le Dr Hélie, de Nantes, qui, en 1838, fit les premières découvertes cliniques concernant l'action de la rue sur la grossesse. Une jeune fille de seize ans était venue lui demander « les moyens de déterminer l'avortement ». Hélie raconte : « Elle me parut être grosse de trois à quatre mois. J'essayai vainement de la détourner de son projet. " Puisque vous ne voulez pas me rendre ce service, me dit-elle, je m'adresserai à d'autres et, lorsque j'aurai réussi, je viendrai vous le dire. " Elle revint en effet quinze jours après ; elle n'était plus grosse. » Et la fille d'expliquer que, « d'après le conseil d'une femme, elle prit trois racines fraîches de rue, de la grosseur du doigt, les coupa par tranches et les fit bouillir dans une livre et demie d'eau, qui se réduisit à trois tasses qu'elle but le soir en une seule fois ». Il s'ensuivit « une douleur horrible à l'estomac, et bientôt un trouble général si profond qu'elle crut qu'elle allait mourir ». Quarante-huit heures plus tard, elle avortait. Hélie rapporte encore d'autres cas analogues[49] ; il était persuadé, contrairement aux idées du temps, que la drogue agissait directement sur l'utérus[50].

Partout donc, de l'Inde à la Hongrie en passant par la Nouvelle-Zélande, les femmes, pour se faire avorter, buvaient de la tisane ou de l'huile de rue. Même dans le sud des États-Unis avant la guerre de Sécession, les vieilles femmes noires disaient de cette plante : « Elle fait mieux avorter que la tanaisie[51]. » Les responsables du jardin botanique de Brest durent se résoudre à mettre leur rue sous verre[52]. Et lorsqu'en Allemagne, dans les années 1920, la plante disparut finalement des jardins de campagne, elle n'en conserva pas moins sa réputation d' « herbe aux amants[53] ».

L'huile de tanaisie. Si l'huile de tanaisie (*Tanacetum vulgare*) figure à ce « tableau d'honneur », c'est essentiellement pour avoir été l'abortif le plus répandu aux États-Unis. Son composant le plus puissant est la thujone. Et le qualificatif de poison mortel que lui a attribué la pharmacologie officielle n'a pas empêché qu'elle soit largement utilisée[54]. Les esclaves du sud des États-Unis la cultivaient « couramment » dans leur jardin à des fins abortives[55]. Elle était connue comme emménagogue parmi les Espagnols du Nouveau-Mexique et les Indiens de la côte[56]. « Les Américaines ont toujours considéré la tanaisie comme une drogue abortive sûre », déclare un autre médecin[57]. Un spécialiste, dans les années 1930, la qualifie de « remède favori » pour l'avortement dans les campagnes améri-caines[58]. La drogue était connue en Inde[59]. Et on pourrait continuer longtemps ainsi. Disons, pour résumer, que les femmes ont employé la tanaisie comme abortif au moins depuis l'époque de sainte Hildegarde (xɪɪ^e siècle)[60]. C'est donc que cette plante n'est pas sans efficacité.

La sabine. Mais qui dit huile essentielle à usage abortif veut surtout dire huile de sabine. De toutes les plantes contenant ces huiles, c'est l'arbuste à feuillage persistant *Juniperus sabina* qui était de loin le plus utilisé. Son principe actif est une huile appelée sabinène, dont il a été prouvé qu'elle provoque des contractions utérines chez les animaux[61].

Son emploi comme abortif remonte à l'Antiquité romaine avant de réapparaître dans l'herbier de Hieronymus Bock (1565) : « Les jeunes effrontées se procurent de la poudre de sabine ou boivent de celle-ci ; à cause de quoi bien des enfants ne vivent point. Pour cela, il nous faut un bon inquisiteur ou un magistrat résolu à sévir[62]. » A la fin du xvɪɪɪ^e siècle, un professeur de Göttingen pouvait écrire : « Lorsque, traversant la campagne souabe, j'aperçus une sabine dans le jardin d'un fermier, j'eus la confirmation de ce que j'avais bien souvent suspecté : à savoir que le jardin appartenait au barbier ou à la matrone du village. Et dans quel but avaient-ils si soigneusement planté cette sabine ? Si on regarde ces arbustes de plus près, on s'aperçoit qu'ils sont déformés et étêtés, pour avoir été trop souvent objets de maraudage, et parfois même de vol[63]. » « Partout où j'allai dans les fermes de Franconie, rapporte un autre observateur vers la fin du xɪx^e siècle, je vis [la sabine] et chaque fois qu'on voulut bien me renseigner, j'appris que l'arbuste avait été planté par l'une des femmes de la maison[64]. »

La femme qui ne pouvait planter une sabine dans son jardin allait en dérober dans les jardins botaniques. « C'est pourquoi la plantation en fut interdite ici et là dans les parcs publics, et l'arbuste retiré, explique un auteur allemand. Les jardiniers, sur ce sujet, sont intarissables, et je connais des jardins où la sabine a dû être protégée du public par une barrière[65]. » Le gouvernement de Franconie, en 1791, mettait en garde contre la plantation de sabines. Et le gouvernement autrichien, en 1807, l'interdit[66]. Suivront de nombreuses ordonnances restreignant la vente et la plantation du dangereux végétal.

Augustus Granville rapporte le cas d'une femme qui, en 1818, vient consulter à son dispensaire de Westminster pour une aménorrhée. Voilà plusieurs mois qu'elle n'a pas eu ses règles et elle souffre de vomissements. Granville prescrit de la sabine. « Environ quinze jours plus tard, rapporte-t-il, il se produisit un vague écoulement menstruel[67]. » Un autre auteur, après étude d'un certain nombre de cas, conclut que les manœuvres abortives fondées sur l'absorption de sabine sont « généralement couronnées de succès[68] ». Et pourtant, dans la littérature médicale, les cas d'empoisonnement l'emportent largement sur ceux où ne se produit chez la mère aucun effet secondaire grave. Certes, les femmes qui avaient réussi un avortement « criminel » n'allaient pas s'en vanter auprès de leur médecin. Mais il est frappant de constater que, dans un grand nombre de cas, l'intéressée succombait. En Suède, par exemple, entre 1851 et 1900, 15 femmes enceintes sont mortes d'avoir absorbé de l'*aetheroleum sabinae* dans des cas officiellement présentés comme des « suicides[69] ». La femme succombe également dans 13 des 32 cas relevés dans la littérature médicale par Lewin ; et dans 11 de ces 32 cas, mourante ou non, elle n'a pas avorté[70]. Quant à Rudolph Lex, voici sa conclusion après examen des cas répertoriés : « Lorsqu'il y a effectivement avortement, celui-ci est presque sans exception lié au décès de la mère[71]. »

D'où un problème pour qui cherche à écrire l'histoire de l'avortement : à qui faut-il accorder le plus de crédit, aux médecins qui rapportent les cas d'empoisonnement qu'ils ont pu observer, ou aux folkloristes, tel le Dr Kornfeld, qui soutient que l'usage de drogues comme la sabine était très répandu (« Dans les régions alpines, on l'utilise à des fins criminelles aussi couramment qu'on récite l'alphabet[72] »)? La grande difficulté de l'avortement par les plantes, c'était que le résultat n'était nullement garanti. Les nombreux témoignages concernant l'inefficacité des drogues abortives, et ceux, tout aussi nombreux, relatifs à leur épouvantable toxicité, ne peuvent avoir qu'une seule explication : la difficulté qu'il y avait à trouver la dose appropriée.

Difficulté de trois ordres :

— La quantité d'huile volatile présente à l'état naturel dans ces plantes pouvait varier considérablement d'une année à l'autre, selon que la saison avait été sèche ou pluvieuse. Elle était fonction du mois durant lequel la plante avait été récoltée, les composants actifs atteignant normalement leur plénitude au moment du bourgeonnement. Fonction aussi de l'état du sol, de la partie de la plante utilisée et de la technique employée pour en extraire l'huile[73]. On ne pouvait donc jamais savoir à l'avance quelle serait l'efficacité de telle ou telle huile. (Cela devait créer de gros problèmes aux pharmaciens et conduire finalement à l'abandon des huiles volatiles en médecine.)

— La quantité de composants actifs dans la plante pouvait dépendre de sa durée de conservation. L'ergot, par exemple, perd sa force à trop attendre. Par ailleurs, l'efficacité des huiles était inversement proportionnelle à la durée de leur cuisson, et les paysannes qui faisaient bouillir pendant des heures des feuilles de sabine provoquaient sans doute l'évaporation d'une bonne partie des principes actifs[74].

— Les recettes qui circulaient dans la culture populaire féminine accusaient elles-mêmes des variations considérables. Certaines « faiseuses d'anges » faisaient boire à la femme enceinte deux ou trois verres de la décoction en un après-midi, d'autres la leur faisaient ingurgiter en plusieurs jours. Ainsi, les jeunes servantes qui, pour se faire avorter, prenaient du cèdre blanc d'Orient (*Thuja occidentalis*), en buvaient trop à la fois, le vomissant, disait-on, tant il avait mauvais goût, et en annulant de ce fait les effets. Mais elles ne pouvaient guère faire autrement car elles devaient préparer la potion en cachette et l'avaler le plus vite possible [75].

On peut supposer, dans ces conditions, que l'avortement par les simples paraissait aléatoire à bien des femmes. Le résultat était totalement imprévisible ; après trois heures de préparation, tout pouvait arriver : d'horribles convulsions, un avortement accompagné de vagues nausées, ou rien du tout. Ce qui veut dire qu'il n'était pas question, sans doute, pour la plupart des femmes mariées de s'en remettre à pareilles drogues pour le contrôle de leur fécondité. Et pourtant, le fait qu'il y soit si souvent fait référence dans la tradition populaire comme dans la littérature médicale semble indiquer une chose : les tentatives d'avortement par les plantes représentaient une bonne part des « fausses couches ». Une femme pouvait fort bien interrompre telle grossesse par une infusion de safran, puis telle autre cinq ans plus tard avec de l'huile de pouliot achetée chez l'herboriste, pour finalement donner naissance à six enfants « seulement », alors qu'elle en avait conçu nettement plus. Il faudra attendre le début du XXe siècle, avec la diffusion de drogues plus efficaces — quinine et apiol notamment —, pour que l'avortement par ingestion de plantes devienne un facteur important de réduction de la fécondité.

L'avortement instrumental dans la société traditionnelle

Les drogues échouaient-elles, la grossesse, alors, avait de fortes chances de parvenir à terme. Avant la seconde moitié du XIXe siècle, en effet, l'avortement par intervention instrumentale n'était guère praticable. Les instruments interviennent directement sur l'utérus, soit en début de grossesse pour procéder à un curetage, soit plus tard pour stimuler mécaniquement les contractions ou rompre les membranes. Ces pratiques étaient rares. Ainsi, la plupart des avorteurs et avorteuses professionnels incarcérés à la Bastille à la fin du XVIIe siècle utilisaient des drogues et non des instruments [76]. Une ordonnance strasbourgeoise de 1605 interdisant aux sages-femmes toute manœuvre abortive mentionne uniquement « la saignée, les purgatifs et autres drogues ». Si rien n'est dit des instruments, c'est très vraisemblablement parce que les sages-femmes ne s'en servaient pas pour les avortements [77]. Lorsque la femme elle-même ou un ou une avorteuse intervenaient au niveau du vagin, c'était, semble-t-il, vers la fin de la grossesse, lorsque le fœtus, déjà grand, est facile à saisir. L'un des rares témoignages faisant état, à ma connaissance, de telles tentatives est celui rédigé en 1808 par le Dr Coutèle, d'Albi : « A peine est-on arrivé auprès de la femme que, sous prétexte de dilater les parties, on y porte une irritation qui n'est propre qu'à exciter un travail prématuré. L'on se hâte de percer la poche des eaux avant qu'elle soit parfaitement formée. Dès que le doigt peut toucher à la tête de l'enfant, celle-ci ne tarde pas à en recevoir les funestes atteintes, comme le témoignent à la naissance ces coups d'ongles appelés vulgairement *Détados,* que l'on y rencontre si fréquemment[78]. »

Reste que ce type d'intervention était rare. Pourquoi ce manque d'audace ? D'abord parce que la société villageoise traditionnelle n'a qu'une idée très vague de l'anatomie de l'utérus et de ce qui s'y passe. La profonde méconnaissance par les accoucheuses des mécanismes du travail s'inscrit dans une méconnaissance générale par la culture populaire de tout ce qui touche à l'intérieur du corps et à son fonctionnement. A preuve cet apprenti tailleur allemand qui, pour faire avorter sa petite amie, lui piétine le ventre. En vain. Alors, il prend ses grands ciseaux, les plonge dans le vagin de la fille et tente de couper au fœtus son « fil de vie » (*Lebensfaden*)[79]. « L'avortement par intervention sur le vagin doit être rare chez les paysans, écrit Otto Stoll dans son enquête sur les pratiques populaires en Suisse, car il faut pour cela une seconde personne qui connaisse bien l'anatomie génitale[80]. »

Dire des médecins qu'ils n'avaient qu'une connaissance rudimentaire de l'anatomie du bassin serait injuste. Mais eux aussi n'avaient qu'une expérience limitée des opérations à ce niveau, et lorsqu'ils devaient en pratiquer une, ils faisaient preuve de maladresse. La manière la plus simple d'interrompre une grossesse consiste à appuyer d'une main sur le ventre tout en plongeant un doigt de l'autre main dans le col pour rechercher le fœtus et l'extraire. Acte simple pour des gens formés en obstétrique comme un Guillaume de La Motte[81]. Acte fort délicat, toutefois, tant que l'embryon ne dépasse pas quelques centimètres. Et comme il ne mesure que 0,5 centimètre à la fin du premier mois et 3,5 centimètres seulement à neuf semaines, ce n'est qu'au bout de plusieurs mois que le fœtus est accessible à la plus rudimentaire des interventions par le vagin.

Dilater le col pour permettre l'introduction d'un instrument, voilà qui « paraît bien difficile à mettre en pratique », déclarait en 1821 une sommité médicale française[82]. Condamnation, certes, sous sa plume de « la diabolique et incroyable infamie » de l'avorteur, mais aveu, en même temps, que ce type d'intervention était délicat pour *quiconque*.

Délicat, ô combien ! Ainsi pour le Dr Henry Oldham qui, en 1849, tente un avortement thérapeutique sur une femme dont le vagin est obstrué par une cicatrice. Il lui administre d'abord de l'ergot. Aucun résultat. Il essaie alors de faire pivoter une sonde dans l'utérus. Toujours en vain. Puis il tente l'interruption de grossesse par électrochoc : « aucune réaction utérine ». Finalement, une semaine plus tard, au quatrième mois de la grossesse, il réussit à « introduire dans l'utérus une sonde mâle ordinaire et, grâce à quelques manipulations, à lui percer la cavité amniotique ». La femme finira par avorter une semaine plus tard[83]. Admirons maintenant l'habileté de ce médecin français qui, en 1857, avait engrossé sa domestique. Les potions à base de sabine et de rue qu'il lui fait prendre n'ont d'autre résultat que de provoquer « des coliques, des vomissements, des maux de tête, des étourdissements, des convulsions ». Il attend donc trois mois, puis, à l'aide d'un spéculum, il introduit dans l'utérus « une sonde en caoutchouc munie d'un mandrin. A trois reprises, explique-t-il, l'instrument fut poussé avec une certaine force, et à chaque fois elle ressentit des coliques très douloureuses. Il ne vint pas de sang, mais seulement un peu d'eau ». Et l'enfant remuait toujours. Épilogue de l'histoire : « La fille N. refusa de se soumettre à une nouvelle tentative [...] et elle accoucha à terme le 7 octobre[84]. » Même pour l'homme de l'art, décidément, l'avortement n'était pas une mince affaire.

Autre obstacle, plus important encore, à l'avortement instrumental : le risque d'infection. Une aiguille à tricoter sale peut aussi facilement infecter une femme au troisième mois qu'une main nue au neuvième. Et les quelques témoignages concernant l'avortement septique donnent à penser qu'abcès et fièvres post-abortum constituaient pour les femmes des campagnes un réel sujet d'appréhension. « Madame veuve M., âgée de trente-six ans, vint me consulter dans l'année 1810, pour des douleurs sourdes et profondes qu'elle ressentait dans le bassin », écrit le Dr Martin, qui prescrit à cette femme plusieurs traitements successifs sans aucun succès. Finalement, elle vide son sac : « J'eus le malheur de devenir enceinte il y a environ un an ; et voulant me soustraire à la honte et aux reproches de ma famille, je pris inutilement beaucoup de remèdes pour me faire avorter. » Elle finit par se rendre chez un avorteur, lequel, poursuit-elle, « me porta dans la matrice un stylet pointu qui me procura une vive douleur ». Manœuvre réussie, donc, mais « depuis cette époque, dit-elle, je n'ai pas cessé de souffrir, et je suis tombée dans l'état de langueur où vous me voyez[85] ». Cette femme, à l'évidence, souffrait d'une infection du bassin consécutive à son avortement. Les infections des suites de manœuvres abortives, toutefois, étaient tellement rares à l'époque qu'elles constituaient pratiquement des curiosités médicales. Joubert, dans l'article « Fausse couche » de l'*Encyclopédie* (1766), illustre son propos par un cas d'infection relevé à Nuremberg en 1714[86] ! Quel contraste avec le début du xxe siècle, où un pathologiste des hôpitaux pourra dire qu'il voit un décès par suite d'avortement *une fois tous les dix jours environ*[87] !

La première révolution de l'avortement

La progression du nombre des avortements après 1970 a certes été considérable, mais pas autant, pour le vécu de la femme moyenne, que ne l'avait été la *première* grande « explosion », vers la fin du XIXe siècle. D'acte désespéré commis surtout par des domestiques non mariées et des femmes de plus de quarante ans. lasses d'enfanter, l'avortement va devenir alors un moyen courant de limitation des naissances. L'interruption volontaire de grossesse n'étant à l'époque autorisée par la loi que lorsque la vie de la mère était en danger, la plupart s'effectuaient clandestinement. D'où la rareté des sources. Certains indices, néanmoins, révèlent un accroissement important du nombre des avortements provoqués à partir de 1880.

Parmi ces indices, les rapports des médecins et sages-femmes appelés à traiter des complications du post-abortum. Le meilleur des indices certes, mais qui reste bien en deçà de la réalité : car la plupart des femmes qui se faisaient avorter se gardaient bien d'appeler qui que ce fût[88].

Beaucoup plus nombreuses étaient les femmes hospitalisées après avortement « incomplet », c'est-à-dire dans lequel une partie du produit de la conception est restée dans l'utérus. A l'hôpital pour femmes de Zurich, on ne signale aucun cas de ce genre entre 1888 et 1891 ; on en relève 27 entre 1908 et 1911[89]. Le nombre annuel des avortements traités dans les hôpitaux de Vienne (Autriche) passe de 400 en 1892 à 4 500 en 1912, sans compter les milliers de simples consultantes venues pour les mêmes raisons[90]. Tel hôpital d'Oslo traitait 31 cas d'avortement en 1913, et 357 en 1929. Certes, cette période est celle où les femmes de la capitale norvégienne commencent à se rendre volontiers à l'hôpital pour toutes les maladies : le nombre des admissions pour appendicite double. Mais celui des hospitalisations pour avortement *décuple*[91]. Et dans une communauté comme la banlieue londonienne de Camberwell, le nombre total des femmes hospitalisées reste inchangé, tandis que celui des admissions après avortement progresse de plus de 40 % dans les années 1920[92]. Partout à cette époque, les hôpitaux drainent les cas d'avortement septique ou incomplet. « Il y a chaque année presque autant de grossesses interrompues que de celles qu'on laisse arriver à terme », déclare en 1937 le Dr P. Balard, de Paris[93].

Dans certaines villes après 1900, il y aura même dans les maternités davantage de femmes traitées pour avortement que de parturientes ! Dans la région de Kiel, cas extrême, le nombre des hospitalisations après avortement passe de 19 % des admissions en obstétrique en 1921 à 61 % en 1927[94].

Nombre de ces avortements étaient des avortements spontanés[95].

Avons-nous un moyen quelconque d'évaluer le nombre des avortements *provoqués,* par opposition aux fausses couches ? Beaucoup de femmes, autrefois, hésitaient à reconnaître que leur fausse couche était le résultat de manœuvres interdites par la loi. Plusieurs études, toutefois, font apparaître qu'avant la Seconde Guerre mondiale la grande majorité des avortements survenant après le deuxième mois étaient en fait provoqués et non spontanés. Dans tel hôpital de Leningrad, par exemple, on a demandé à 1 368 patientes hospitalisées pour avortement et ayant déjà précédemment fait au moins une fausse couche, si leur premier avortement avait été ou non provoqué (ces femmes ne risquaient aucune poursuite, l'avortement étant alors autorisé par la loi soviétique) : 92 % reconnurent s'être déjà fait avorter[96]. Une enquête minutieuse auprès des femmes soignées après avortement dans un hôpital de Stockholm en 1920-1921 a révélé que tous les cas de fièvre post-abortum correspondaient à des avortements provoqués[97]. Selon une communication faite par le Dr Blondel en 1902 à la Société d'obstétrique de Paris, sur 100 avortements traités en milieu hospitalier, 78 étaient des avortements provoqués[98]. Parmi les avortements enregistrés à Magdebourg en 1925-1927, 16 % étaient le résultat d'accidents, ou des avortements thérapeutiques, les 84 % restant entrant dans la catégorie *Ursachen die jedermann kennt* (« causes connues de tous »)[99].

Le problème, pour les interruptions de grossesse pratiquées à domicile, c'était l'infection[100]. L'introduction d'un corps étranger dans l'utérus est un facteur de contamination. Cependant, le taux des avortements donnant lieu à infection était relativement faible. En fait, l'avortement infectieux nous intéresse surtout en tant que révélateur du nombre des avortements tout court. Il est, par exemple, significatif qu'à Malmö, en Suède, 3 à 4 % seulement des avortements de primipares s'accompagnaient de fièvre (la plupart étant des avortements spontanés), alors que chez les multipares ce pourcentage était de 20 à 25 % : les mères de famille se faisaient avorter plus souvent que les nouvelles mariées[101]. C'est vers 1903 que le nombre des avortements avec état fébrile commence à augmenter à Kiel[102]. Mais, comme le montre le tableau 8.1, le nombre des avortements septiques devait également s'accroître dans bien d'autres endroits durant le premier quart du XXe siècle.

Conséquence de cette rapide progression des avortements septiques : le phénomène général de la « fièvre puerpérale » — comme on l'a vu au chapitre 6 — va se trouver transféré, après 1900, de l'accouchement à terme vers l'avortement (voir annexe, p. 298). Jusque-là, l'infection était provoquée à terme par la main de celui ou celle qui assistait la parturiente. Après 1900, l' « infection maternelle » va essentiellement désigner l'infection consécutive à un avortement. C'est une petite tragédie de l'histoire des femmes que cette mutation n'ait pas été notée à l'époque. Car l'un des principaux arguments employés contre l'accouchement à domicile était que l'hôpital réduirait le nombre des infections.

TABLEAU 8.1

NOMBRE D'AVORTEMENTS SEPTIQUES*
POUR 100 AVORTEMENTS TRAITÉS
A L'HOPITAL (1901-1939)

1901-1909	25
1910-1919	32
1920-1929	33
1930-1939	38

* Non compris les avortements thérapeutiques ; «septique» signifie température supérieure à 37,5-38,5 °C.
Nota : Il s'agit de chiffres provenant de multiples sources.
Sources : Voir notes des tableaux, en fin d'ouvrage.

Un tel taux d'avortements infectieux devait inévitablement entraîner une progression énorme de la mortalité par avortement. A la fin des années 1920, 8 000 femmes environ, estime-t-on, mouraient *chaque année* en Allemagne des suites d'avortements [103]. Sans compter tous les décès par avortement maquillés en « intoxication par ingestion de saucisses », « infection de l'oreille moyenne », « appendicite » ou autres [104]. Une enquête effectuée en Nouvelle-Galles du Sud sur « le décès d'une jeune femme des suites d'une " myocardite " fit apparaître à l'autopsie la présence dans le péritoine d'une aiguille à tricoter ».

Les autopsies pratiquées à Halle et Breslau à la fin des années 1920 font apparaître *huit fois plus* de décès consécutifs à avortement que pour la période précédente. Les causes de ces décès avaient été camouflées en « péritonite », « crise cardiaque », etc. [105]. C'est ainsi que la grande majorité des avortements « échappaient à la justice [106] ».

La cause du décès, dans la plupart des avortements, était l'infection : 67 % en Suisse dans les années 1890, 85 % en Angleterre au début des années 1930, 86 % à Philadelphie entre 1931 et 1933 [107]. Il n'y a aucune raison pour qu'un avortement spontané donne lieu à infection. Mais toutes ces seringues, cathéters et autres curettes que l'on enfonçait dans le corps de la femme (voir p. 187-194) étaient un facteur de complications majeures : empoisonnement du sang, embolie gazeuse, état de choc, collapsus.

Il ne faudrait pas cependant que les arbres nous cachent la forêt : l'avortement était généralement un acte sans grand danger. Simplement, les avortements étaient si *nombreux* que la mortalité qui s'ensuivait, aussi faible fût-elle, se traduisait par un nombre important de décès. Supposons, par exemple, qu'un million de femmes se fassent avorter chaque année, et que le taux de mortalité soit de 0,1 % : cela signifie mille décès chaque année des suites d'avortement. Un nombre effrayant sans doute, mais qui, pour la femme moyenne, ne représente qu'un risque infime. Il est impossible d'avoir dans ce domaine des estimations sûres [108]. Mais à Magdebourg, par exemple, le taux de mortalité pour les avortements à domicile dont médecins et sages-femmes ont pu être les témoins (ainsi que pour ceux traités à l'hôpital) n'était que de 1,3 %. Même chiffre en Autriche (à l'exclusion de Vienne) [109].

De surcroît, la mortalité va baisser avec la diffusion de l'asepsie, puis accuser une chute brutale à la fin des années 1930 avec l'introduction des sulfamides [110]. Un médecin de Dantzig déclarait, en 1931, que le taux de mortalité des suites d'avortements clandestins traités dans sa clinique était en régression « du fait d'une plus grande participation du corps médical aux avortements criminels et des progrès accomplis en chirurgie et en anatomie [...] par les avorteurs clandestins [111] ». Ainsi donc, l'augmentation du nombre des médecins pratiquant des avortements a contribué à réduire les cas d'infection. La chose est difficile à prouver statistiquement, mais on a le sentiment assez net qu'après 1900 les médecins ont accepté de plus en plus de pratiquer des avortements « criminels » ou des avortements pour « indications sociales » (c'est-à-dire sans raison médicale urgente, mais pour convenance personnelle), que le corps médical à l'époque tenait également pour criminels. Bien des médecins ont affirmé l'existence d'un tel phénomène [112]. Parmi les femmes mariées, à l'époque de la Première Guerre mondiale, une grossesse sur trois environ se terminait par une fausse couche. Les avortements sponta-nés ne représentant vraisemblablement qu'une faible partie de ces fausses couches, on peut admettre comme raisonnable l'estimation de Max Hirsch selon laquelle, en milieu urbain, une grossesse sur quatre se terminait par un avortement clandestin [113].

Ces données cliniques sont sans doute insuffisantes. Reste qu'il y a eu net accroissement du nombre des femmes admettant avoir fait une « fausse couche » (terme qui englobe avortements spontanés et avortements provoqués) : ce nombre est passé, à Berlin, de 12 % en 1882-1885 à 36 % en 1915-1916 [114] ; à Vienne, de 8 % en 1907 à 20 % en 1920-1924 [115] ; à Amsterdam, de 7 % en 1883-1884 à 24 % en 1943 [116]. Et ainsi de suite. Naturellement, ces chiffres ne sont pas à prendre trop à la lettre : beaucoup de femmes, sans aucun doute, dissimulaient des avortements provoqués et oubliaient certains avorte-ments spontanés de début de grossesse. Par ailleurs, environ une femme sur dix parmi celles déclarant avoir avorté s'avérait n'avoir jamais été enceinte [117]. Enfin, ces données mettent dans le même sac des femmes interrogées dans des lieux fort différents : maternités, cliniques ophtalmologiques, clientèles de médecine générale, centres de régulation des naissances. C'est pourquoi les écarts enregistrés

185

traduisent peut-être davantage la nature de l'échantillon de population considéré qu'une évolution effective de la fréquence des avortements. Il semble bien, néanmoins, que le pourcentage des grossesses se terminant par un avortement soit passé de 10 à 25 %. Cela peut ne pas paraître énorme. Et cependant, si l'on considère que 8 % des grossesses se terminaient spontanément (sans compter les nombreux avortements très précoces), on arrive à cette conclusion : le nombre des avortements provoqués est vraisemblablement passé de 2 % du chiffre total des grossesses vers 1850 à 15-20 % en 1940. Est-ce là une progression mineure ?

Cette estimation, d'ailleurs, n'eût pas été contredite par les gens de l'époque. Il faudrait des volumes entiers pour reproduire tous les textes des années 1920-1940 dénonçant la vague d'avortements « criminels ». Mais afin d'épargner le lecteur, notons seulement que les sages-femmes se plaignaient tout particulièrement. Lisbeth Burger, par exemple, écrit que, dans sa petite ville de Silésie, « dans les mois qui suivirent la Grande Guerre et tout au long de la période d'inflation, la maladie de l'avortement se répandit comme la peste dans toutes les catégories de la société, en ville comme à la campagne, chez les pauvres comme chez les riches, les vieilles comme les jeunes, les femmes mariées comme les célibataires. Lorsqu'on m'appelle, dit-elle, c'est le plus souvent pour une fausse couche. Les accouchements normaux sont devenus l'exception ». (Le climat dans lequel parut ce livre était évidemment tout à fait hostile à l'avortement [118].) « Très souvent, lorsqu'une femme vient se faire inscrire, déclare une sage-femme anglaise en réponse à un questionnaire, elle nous explique que, si elle est venue, c'est parce qu'elle n'a pas pu se débarrasser de l'enfant. » « Il n'y a pas une famille sur vingt qui accueille avec plaisir un troisième enfant », déclare une autre accoucheuse [119]. Un type de discours qu'on chercherait en vain pour les années antérieures à 1870.

Les nouvelles techniques de l'avortement instrumental

Dans quelle mesure les progrès de la médecine ont-ils permis la révolution de l'avortement ? Celle-ci a-t-elle été accomplie au moyen des techniques traditionnelles, par des femmes soudain désireuses de limiter le nombre de leurs enfants [120] ? Ou bien est-elle née parce que des techniques nouvelles ont enfin donné aux femmes les moyens, depuis longtemps espérés, de contrôler leur fécondité ? C'est cette seconde interprétation qui me paraît être la bonne, car les femmes, me semble-t-il, ont toujours très mal accepté d'avoir à vivre dans la crainte permanente d'une grossesse.

L'AVORTEMENT

Examinons donc les techniques nouvelles de l'avortement dans l'ordre chronologique de leur apparition.

LA PERFORATION DES MEMBRANES

La moins novatrice de ces techniques fut celle consistant à percer la poche amniotique à l'aide d'un objet tranchant. La plume d'oie est un procédé abortif populaire vieux comme le monde. Mais, au début du XIXᵉ siècle, ce simple geste fut rendu moins hasardeux par l'apparition de nouvelles techniques médicales : l'emploi d'un cathéter dans lequel avait été inséré un fil de fer pointu [121]. Destiné à provoquer l'accouchement prématuré, ce procédé était devenu, vers 1850, la technique médicale courante servant à déclencher le travail, bien qu'en l'absence d'asepsie il comportât des risques. Cette technique, comme toutes celles que je vais décrire ensuite, fut bientôt adoptée par les avorteurs. « Qui aurait pensé, demande en 1855 W. Schütte, responsable sanitaire de Wolfenbüttel, que le progrès médical pût être perverti à des fins aussi antisociales [122] ? »

La révolution de l'avortement commence avec la découverte, en 1839, par Charles Goodyear, de la vulcanisation du caoutchouc. L'apparition, après 1850, des cathéters faits dans cette matière va supprimer la nécessité pour les avorteurs d'utiliser un objet pointu, avec tous les risques de perforation de l'utérus que cela comporte. Il leur suffira désormais pour atteindre le fœtus de faire tourner un cathéter souple dans l'utérus. Déjà en 1865, le Dʳ E. Ferdut, de Paris, mentionne le curetage à l'aide d'un cathéter en caoutchouc comme un moyen criminel d'interrompre précocement la grossesse [123]. Frederic Griffith, lors d'un voyage à Paris, obtient d'une femme qui vend des cathéters et autres objets sur les marchés qu'elle lui montre une partie de sa marchandise. Des dispositifs en métal et non en caoutchouc, et que pourtant on présentait comme simples : « Il est recommandé à la femme de procéder seule à l'opération ; vraiment, je suis persuadé que la Française moyenne est aussi habile à localiser son col utérin qu'à se toucher le bout du nez. » L'intéressée devait presser d'une main sur son ventre, tandis qu'avec l'instrument qu'elle tenait dans l'autre elle procédait à la dilatation progressive du col « par un mouvement rotatif vers l'avant [...] jusqu'à ce qu'elle sente la rupture se produire et qu'un écoulement de liquide sanguinolent atteste la réussite de l'opération [124] ». Le sang n'apparaissait-il pas immédiatement, la femme passait alors au procédé qui suit.

LA SERINGUE

C'est dans la seconde moitié du XIXᵉ siècle que s'est répandu le procédé consistant à injecter un liquide dans l'utérus, en vertu du principe que, même en début de grossesse, il est possible de provoquer des contractions par irritation des parois. Il suffit pour cela d'une injection d'eau effectuée à l'aide d'une seringue, de sorte qu'une simple irritation mécanique provoque finalement l'avortement. De tous les procédés abortifs nouveaux, c'était celui-ci sans doute le plus répandu, et il allait le rester jusqu'à la Seconde Guerre mondiale. Le plus beau fleuron, incontestablement, de la technologie du XIXᵉ siècle en ce domaine.

La seringue était utilisée en médecine depuis l'Antiquité grecque ; Hippocrate en mentionne une faite d'une vessie de porc [125]. Le début du XIXᵉ siècle va voir l'apparition d'une grande diversité de seringues à lavement, le plus souvent en métal ou en verre [126]. Mais leur diffusion exigeait le caoutchouc, car celles en cuivre et en étain étaient beaucoup trop coûteuses. Sans compter qu'il leur manquait la longue canule pointue sans laquelle elles ne pouvaient atteindre l'utérus.

Ces conditions vont commencer à être remplies dans le courant du XIXᵉ siècle. Il existe alors deux types de seringues à usage domestique : 1° une outre à eau reliée à une fine canule par un tube en métal, en os ou en vulcanite, avec, au milieu du tube, une poire que l'on presse pour injecter l'eau ; et 2° une poire en caoutchouc à orifice fileté et sur laquelle pouvait être vissée une longue canule courbe destinée aux douches utérines. L'une comme l'autre pouvait injecter l'eau avec force dans l'utérus et provoquer l'avortement par irritation, voire en décollant le placenta de la paroi. Cet emploi de la seringue pour déclencher prématurément le travail, les médecins vont s'y intéresser de plus en plus au cours du siècle. Jakob Friedrich Schwieghäuser en recommande l'usage en obstétrique pour la première fois en 1825. En 1846, un Dʳ Cohen de Hambourg préconise l'emploi d'une « clyso-pompe » (seringue type 1) à canule en fer-blanc, remplie d'eau chaude, pour déclencher le travail [127]. Peu à peu, ces techniques vont se répandre. En 1867, J. Lazarewitch signalera 12 cas réussis d'accouchement déclenché par injections utérines [128].

L'injection ne tardera pas à être adoptée en dehors du corps médical. « Le procédé du professeur Kiwisch », rapporte, en 1865, le Dʳ Ferdut, est maintenant très apprécié des avorteurs [129]. Et Ambroise Tardieu cite le témoignage d'une femme jugée en 1867 pour avoir avorté : « L'avorteuse, dit-elle, avait à la main une seringue qui était armée d'une très longue canule. J'ai demandé si on allait m'enfoncer cela dans le ventre. " N'ayez pas peur, pas plus que cela ", et elle montrait la phalange du petit doigt. Outre la seringue, elle avait apporté dans une petite bouteille en verre gris un liquide blanchâtre qui ressemblait à de l'eau chaude. Cette femme me fit tenir debout contre la muraille, les jambes très écartées, elle s'accroupit devant moi, chercha d'une main l'ouverture de la matrice, et de l'autre introduisit la canule en suivant son doigt resté dans le vagin. Elle donna deux injections, une d'abord et la seconde quelques minutes après. Pour savoir si elle devait donner la seconde, elle attendit et examina une cuvette placée entre mes cuisses après l'injection pour recevoir l'eau qui s'écoulait. Si cette eau avait été accompagnée d'un peu de sang, elle n'eût pas répété l'opération. Le soir, vers neuf heures, j'ai fait une fausse couche en perdant beaucoup de sang [130]. »

Tandis que les professionnels continuaient à utiliser couramment la seringue jusqu'à l'aube du xxᵉ siècle, les intéressées elles-mêmes reprenaient le procédé à leur compte. « La seringue utérine est moins souvent utilisée par les avorteurs et avorteuses [que les autres procédés], écrit un médecin de Königsberg en 1915. Les mères elles-mêmes l'emploient fréquemment, et souvent sans l'aide de personne [131]. » Parmi les 36 femmes soignées au début des années 1920 dans tel hôpital de Hambourg pour des complications résultant d'avortements par injections, les deux tiers avaient procédé elles-mêmes à l'opération [132]. A Vienne, c'est vers 1908 que les femmes ont commencé à se servir elles-mêmes de la seringue [133]. Et à Berlin, vers 1900 seulement que la poire en caoutchouc a été offerte à la vente [134]. Pourquoi les femmes ont-elles mis si longtemps à s'approprier la seringue ? On a du mal à comprendre lorsqu'on sait la supériorité de ce procédé sur la plupart des drogues [135].

L'avortement à la seringue n'était pas toutefois sans risques. Nombre d'avorteurs et avorteuses professionnels pratiquaient une « asepsie rigoureuse [136] », mais les récits abondent où des professionnels enfoncent à la hâte dans le vagin une canule non stérilisée [137]. Et la femme qui se plongeait un objet dans l'utérus risquait au minimum une infection. Combien d'infections graves en résultait-il ? Impossible de le savoir, car nous ignorons, pour commencer, le nombre exact des avortements.

Outre l'infection, les femmes qui avaient recours à l'avortement par procédé instrumental risquaient la perforation. La littérature médicale est pleine de récits décrivant des femmes dont l'intestin sort, par suite d'une perforation de la paroi vaginale [138]. Sans insister, il faut tout de même souligner que le maniement de la seringue exigeait une grande dextérité, comme l'atteste le fait que les sages-femmes — entre toutes, celles qui auraient dû faire preuve du maximum d'adresse en la matière — se perforaient souvent elles-mêmes en se faisant avorter [139].

Même si elle guidait convenablement la canule, la femme courait encore des risques en pressant trop fort sur la poire : elle pouvait projeter l'eau dans les trompes, et jusque dans le péritoine, d'où péritonite si l'eau n'était pas stérilisée. Ou bien, si, par malheur, des bulles d'air s'étaient glissées dans la poire, elles pouvaient pénétrer l'appareil circulatoire, puis atteindre le cœur et les poumons, provoquant le décès par embolie gazeuse [140]. Ou encore, une trop forte pression pouvait fortement incommoder l'intéressée.

Malgré ces risques, l'injection était devenue, vers 1910, le procédé d'auto-avortement le plus couramment utilisé. La poire à injections faisait maintenant partie de l'équipement des ménages. Voici un ouvrier d'usine de Lüdenscheid (Allemagne) qui veut faire avorter sa jeune femme. Il achète à un camarade de travail une seringue modèle « Picadilly », avec canule utérine. Écoutons le médecin qui eut à soigner cette femme pour une perforation : « Qu'un ouvrier d'usine puisse acheter ces instruments abortifs complexes à d'autres ouvriers, qui font plus ou moins office de représentants des fabricants, cela montre clairement que ces méthodes sont maintenant répandues parmi les couches les plus larges de la population. Comment s'étonner dans ces conditions de la progression générale du nombre des fausses couches, et plus particulièrement de celles donnant lieu à infection [141] ? »

En France, les canules se vendaient dans les pharmacies, les herboristeries et sur les marchés. En Allemagne, jusque chez les barbiers [142]. « La mécanique des avortements est aujourd'hui tellement connue, constate un conseiller à la cour d'appel de Rouen, qu'il n'est plus nécessaire de recourir à des professionnelles. Il suffit de l'aide d'une amie complaisante et de se procurer l'instrument nécessaire, je veux dire la fameuse canule [...] Or j'ai toujours été frappé de la facilité avec laquelle on la trouvait. Dans une affaire récente, l'avortée l'avait obtenue sur le vu d'une note à elle remise par son amant et portant ces simples mots : canule spéciale [143]. »

En Allemagne, les commis voyageurs vendaient les seringues 5 marks pièce ; elles étaient exposées dans les vitrines des pharmacies. Et si les femmes d'ouvriers n'avaient pas les moyens d'avoir la leur, elles s'arrangeaient pour en partager une à plusieurs. « Un de mes confrères, rapporte un praticien, soignait souvent deux voisines l'une après l'autre pour avortement incomplet. Interrogées sur cette curieuse coïncidence, elles reconnurent qu'elles possédaient ensemble une seringue utérine, qu'elles utilisaient à tour de rôle lorsqu'elles étaient enceintes [144]. »

Diverses enquêtes confirment la prédominance de la seringue sur tous les autres procédés instrumentaux. Sur 36 cas d'avortement instrumental traités à l'hôpital pour femmes de Zurich dans la période 1888-1895, 29 avaient été pratiqués à la seringue. De même dans les deux tiers des cas à l'hôpital de Nancy juste après la guerre de 14-18. A Königsberg, 85 % des avortements par instruments soignés à l'hôpital avaient été effectués au moyen d'une seringue utérine ou vaginale [145]. Dans les autres pays, la prépondérance de la seringue était moins nette. Sa place était insignifiante, par exemple, à Oslo dans les années 1920. Sur 51 femmes soignées en 1935 dans tel hôpital londonien, 30 déclarèrent avoir eu recours à la douche vaginale et aucune ne fit mention d'une seringue utérine [146]. Quant aux nombreuses seringues dont on voit les publicités aux États-Unis à la fin du XIXe siècle, il est difficile de savoir si elles servaient aussi bien aux avortements qu'à la contraception [147]. Mais on trouve peu de références directes à l'avortement par injection aux États-Unis ; aussi, semble-t-il, il s'agissait plutôt d'une pratique propre à l'Europe de l'Ouest.

LA DILATATION AVEC OU SANS CATHÉTER

Avant de poursuivre, rappelons un point important : avant 1900, les médecins ne savaient pas pratiquer l'avortement instrumental dans les deux premiers mois de la grossesse, l'embryon étant alors trop petit pour qu'ils puissent le saisir. De la huitième à la seizième semaine de grossesse, le médecin pouvait plonger un doigt dans le col et retirer l'embryon. Après la seizième semaine, il était trop gros pour pouvoir être purement et simplement extrait. Naturellement, l'injection était possible à tout moment de la gestation. Mais la plupart des médecins hésitaient à employer ce procédé, même pour un avortement thérapeutique et légal, car ils voyaient beaucoup d'infections consécutives à des avortements clandestins. Restait, par conséquent, des progrès à accomplir à deux époques plus particulièrement de la gestation : le tout début et la période médiane.

Les circonstances devaient faire que le progrès suivant bénéficiât à la période médiane. Procédé mis au point : la dilatation artificielle du col, suivie de l'introduction d'un mince cathéter rigide destiné à irriter les parois utérines et, par voie de conséquence, à précipiter le travail. Ce moyen fut rapidement adopté par les avorteurs et avorteuses professionnels, qui apparemment étaient de plus en plus gênés par les risques de complications de l'avortement par injections. Ils l'utilisèrent donc, mais en l'adaptant : ils se contentèrent souvent de provoquer un saignement utérin. Sur quoi la femme — qui maintenant avait des raisons légitimes de prétendre à un curetage — allait consulter un authentique médecin. Elle perdait du sang et avait fait une « fausse couche ». Mais avant de se rendre chez l'homme de l'art, il lui fallait retirer le cathéter : à cette fin, l'avorteur ou l'avorteuse avait prévu une ficelle qu'elle n'avait plus qu'à tirer [148]. Ces cathéters devinrent bientôt un outil obligé de la profession. L'infirmière américaine Elizabeth Crowell déclarait, en 1906, après avoir examiné les trousses de cinq sages-femmes de Buffalo : « Dans l'une des trousses, je trouvai l'instrument usuel destiné aux opérations criminelles : le cathéter en caoutchouc à fil métallique. » Les femmes de Portland (Oregon) achetaient ces cathéters dans les drugstores et, apparemment, se les posaient elles-mêmes [149]. Et nous pourrions multiplier les exemples.

Souvent, la dilatation artificielle du col suffit, il n'est pas nécessaire pour provoquer l'avortement d'introduire un cathéter. Cette technique, soulignons-le, découlait tout naturellement des progrès de la médecine en général. Au début du XIXe siècle, nous le savons, les

191

médecins ont commencé à s'intéresser aux moyens propres à déclencher le travail chez les femmes pour qui un accouchement à terme n'était pas indiqué. D'où cette question : comment dilater le col sans provoquer de déchirure ? En 1820, apparaît l'usage à cet effet du tampon en éponge. Mais il était difficile à introduire dans un col très serré, c'est pourquoi apparurent ensuite les tampons en algue (de la laminaire), ainsi qu'en écorce d'orme lisse. Glissé dans le col utérin en un rouleau bien serré, ce tampon absorbait les glaires et se dilatait doucement [150]. Dans les années 1860, un médecin utilisa avec succès des tampons en laminaire sur une femme au bassin rétréci, enceinte de trois mois. « Je me hâte de rapporter ce cas unique d'utilisation, écrit-il, car je pense qu'il convient de faire connaître sans tarder, pour le plus grand bien de la profession et de la femme malformée, ce procédé simple et propre pour obtenir l'avortement lorsque celui-ci s'impose [151]. » Le principe de la poche en caoutchouc mise au point par Stéphane Tarnier en 1862 était bien le même : elle ouvrait le col à mesure qu'on y injectait de l'eau. En 1878, cette poche conçue à des fins purement médicales avait été récupérée par les avorteurs et avorteuses professionnels [152].

L'avortement par introduction de tampons en laminaire était courant dans les années 1920-1940. Nombre de patientes hospitalisées à Berlin pour des complications déclarèrent avoir été avortées par des médecins au moyen de tels tampons, rarement par injection ou introduction d'un cathéter [153]. « Un abortif très répandu », conclut à propos de l'écorce d'orme lisse une enquête effectuée au début des années 1930 par le ministère britannique de la Santé sur la mortalité maternelle au pays de Galles [154]. Et la commission interministérielle britannique chargée d'étudier les problèmes de l'avortement déclarait en 1939 : « Il ressort des nombreux témoignages que nous avons recueillis que l'écorce d'orme lisse est particulièrement appréciée en tant que moyen mécanique [...]. Son emploi à cette fin est si connu que certains magasins, nous a-t-on dit, refusent d'en vendre, sauf sous forme de poudre, ou bien ne la vendent qu'en bâtonnets trop petits pour l'usage souhaité. » Sur 84 décès post-abortum de causes infectieuses étudiés par la commission, « 7 avaient été précédés par l'emploi d'écorce d'orme lisse [155] ».

LE CURETAGE

Dans les toutes premières semaines de la grossesse, la dilatation — avec ou sans cathéter — risquait fort de ne rien donner. Quant à l'introduction de ce corps étranger en début de grossesse, elle est peu efficace : il arrive parfois aujourd'hui aux pathologistes des hôpitaux de voir des placentas à terme contenant un stérilet.

Après 1900, l'avortement précoce sera rendu possible par l'apparition d'un nouveau procédé : la dilatation avec curetage. Le col, cette fois, est ouvert à l'aide d'un dilatateur en métal ou d'un tampon d'algue, puis l'utérus est nettoyé au moyen d'une curette.

L'histoire commence en 1843, avec l'invention par le gynécologue français Joseph Récamier de la curette utérine. Petit instrument en forme de cuillère, la curette était utilisée en médecine depuis longtemps, mais Récamier lui ajouta un manche de manière à pouvoir racler les « excroissances fongueuses » adhérant à la paroi utérine [156]. Au début, ce dispositif ne suscita guère l'intérêt. Il fallut attendre l'apparition, dans les années 1860-1880, de modèles plus légers et plus souples. Et après 1867, avec la diffusion des principes de l'asepsie, il devint possible d'enfoncer une curette dans l'utérus sans risquer l'infection [157]. Les médecins partiquaient le curetage, notamment, pour retirer les débris en cas d'avortement incomplet. Mais ce n'est que vers 1896 que le curetage fut utilisé comme procédé légal d'avortement provoqué [158]. Et il faudra attendre les années précédant la Première Guerre mondiale pour que l'ensemble du corps médical perçoive l'intérêt du curetage comme moyen d'interruption de la grossesse vers la cinquième ou la sixième semaine [159]. Quant au *Williams,* principal manuel d'obstétrique américain, il ne fait état de cette possibilité que vers 1950 [160].

Dans la coulisse, une lutte acharnée opposait médecins et femmes désireuses de se faire avorter. Le Dr R. Herman, de Haine-Saint-Pierre en Belgique, mettait ainsi en garde ses confrères en 1896 : « A propos de curetage, défiez-vous des femmes enceintes ; je connais des confrères qui s'y sont laissé prendre » (entendez : qui ont consenti à un curetage parce que la femme s'était plainte de saignements périodiques ou autres symptômes justifiant ce type d'intervention sur un utérus non gravide) [161]. Vers l'époque de la Première Guerre mondiale, c'est à un étrange pas de deux que, souvent, se livrent consultante et médecin : sans que la première ait ouvertement sollicité un avortement ni le second clairement annoncé son intention d'y procéder, la visite néanmoins se termine par un curetage. « Un catarrhe pulmonaire, quelques palpitations cardiaques, une nervosité parfaitement subjective, tout cela doit cesser de justifier n'importe quelle interruption de grossesse pratiquée par complaisance », déclare un autre médecin [162]. A en croire un praticien viennois, le bruit s'était « répandu parmi les profanes » que les interventions utérines, grâce à l'asepsie, ne présentaient plus aucun danger. « Les femmes aujourd'hui ne se satisfont plus de l'action chimique des drogues abortives ; elles exigent d'emblée une intervention de type instrumental. Très souvent, l'avorteur [c'est-à-dire le médecin] et la patiente font chacun la moitié du chemin. La femme se contente de faire allusion à sa détresse, et le médecin ou la sage-femme, flairant une grossesse, saisit ce qu'on lui dit à demi-mot [163]. » Ainsi donc, sans qu'il y ait entre le médecin et la patiente aucune complicité criminelle ouverte, on procédait par curetage à un avortement médical précoce — à supposer, bien sûr, que la femme trouvât quelqu'un pour se prêter à ce jeu. Combien de médecins se livraient-ils à cette pratique ? C'est difficile à dire, mais une chose au moins est sûre : il y avait bien *quelqu'un* pour le faire.

Inévitablement, le curetage, utilisé d'abord par les médecins, sera ensuite récupéré par les avorteurs et avorteuses professionnels. Mais là encore, il est difficile d'avoir des chiffres. Pratiqué correctement, le procédé n'avait aucune raison d'entraîner un réel surcroît de morbidité ou de mortalité, et par conséquent d'apparaître dans les registres hospitaliers et judiciaires qui sont nos sources courantes. Il est donc tout à fait possible que, dans la première moitié de ce siècle, le curetage soit devenu le principal procédé d'avortement instrumental, sans pour autant avoir laissé de grandes traces. Déjà, en 1878, un médecin parisien se plaignait de ce que le curetage soit tombé aux mains des avorteurs professionnels : « L'hystéromètre [...], qui nous rend de si grands services dans la pratique journalière, [est l'un des instruments] dont font usage les individus qui se livrent à la pratique des avortements criminels [164]. » Mais j'ai trouvé peu de documents postérieurs à cette date faisant état d'avortements par curetage effectués par des non-médecins. Il est même affirmé dans une enquête des années 1930 sur la ville d'Essen que seuls les médecins utilisaient cette technique [165].

Dans toute cette partie de mon étude, j'ai défendu l'idée que la révolution de l'avortement a été une conséquence de l'innovation médicale et technologique. Peut-être y a-t-il effectivement eu de la part des femmes une volonté plus grande de se faire avorter. Mais cette volonté fût sans doute restée lettre morte sans la découverte de l'asepsie, sans la mise au point de procédés pour le déclenchement prématuré du travail, sans l'apparition des seringues et de la poire, des cathéters en caoutchouc stérilisables, sans l'invention de la curette utérine et des dilatateurs permettant l'ouverture du col. Je répéterai donc que c'est la technologie qui, en donnant aux femmes la possibilité d'avorter médicalement à peu près sans risques (pour l'époque !), les a rendues plus responsables face à la grossesse.

AVORTEURS ET MÉDECINS

Je ne puis résister au désir de développer un dernier point, étant donné les vieux clichés relatifs aux « bouchers » et aux « faiseuses d'anges » qui ponctuent encore bien des débats sur ce sujet. J'ai le net sentiment, quant à moi, que les avorteurs et avorteuses professionnels étaient passablement compétents et que les véritables « bouchers » étaient plutôt les médecins, toujours pressés, culpabilisés, inexperts en procédés abortifs. Impression étayée par plusieurs éléments d'information. Ne pas reconnaître, par exemple, une grossesse extra-utérine avant de pratiquer un avortement serait pour un homme de l'art un signe d'incompétence. Vouloir interrompre une telle grossesse par des manœuvres intra-utérines, c'est chercher la catastrophe, en risquant par exemple de rompre les membranes. Tel hôpital de Kiev, par exemple, a eu à traiter, entre 1924 et 1932, quelque 726 grossesses extra-utérines ; pour 51 d'entre elles, la femme avait tenté de se faire avorter, dans les deux tiers des cas par un médecin [166]. Peut-être les avorteurs et avorteuses professionnels ne faisaient-ils pas mieux, mais les cas rapportés dans la littérature sont ceux imputés à des médecins. Autre genre de bévue grossière rencontrée aussi parfois : le fait que le médecin, avant de tenter l'avortement, néglige tout simplement de s'assurer que la femme était effectivement enceinte [167].

Second élément : comme le dit ce médecin allemand, « l'avorteur infecte, le médecin perfore [168] ». Grâce à un bon enseignement de l'asepsie dans les écoles de médecine, le nombre des avortements infectieux imputables aux médecins était, semble-t-il, relativement faible ; ce genre d'infection était surtout lié à l'avortement provoqué par l'intéressée elle-même ou par son mari. Mais c'est principalement aux médecins qu'est due la terrible progression du nombre des perforations utérines enregistrées en Europe entre la fin de la Première Guerre mondiale et 1930 environ [169]. Sur 120 utérus perforés lors de tentatives d'avortement à Hambourg entre 1910 et 1923, par exemple, le responsable était, dans 78 % des cas, un médecin, dans 18 % la femme elle-même et dans 4 % un ou une avorteuse. Dans une étude portant sur 266 autres perforations signalées dans la littérature, un auteur a relevé que celles-ci étaient l'œuvre de médecins dans 57 % des cas [170]. Sombres statistiques, donnant à penser que les faiseurs et faiseuses d'anges étaient dans l'ensemble assez compétents et perfo-raient rarement l'utérus de leurs clientes.

Les nouvelles drogues abortives

Nous en aurions terminé si les nouveaux procédés mécaniques avaient été seuls responsables de la progression énorme du nombre des avortements. Mais, dans cet accroissement, les drogues aussi avaient leur part, non négligeable. Aux États-Unis, au début de la Seconde Guerre mondiale, un tiers environ des avortements se faisaient encore à l'aide de substances telles que l'ergot [171]. En Europe, le pourcentage était plus faible, sans pour autant être négligeable [172]. Exemple, New York en 1911 : si l'avortement instru-mental y est parfois pratiqué, il reste, selon un témoin, que « la plupart des femmes continuent à avaler leur drogue par-ci par-là...

[...] Ou bien elles en essayent une vingtaine à la file [...] : graines de carvi, sels, diachylons[173] ». Après avoir, pour sa part, analysé 1 200 réponses de sages-femmes à un questionnaire de 1937, un chercheur conclut ceci : « Les procédés les plus courants observés par les sages-femmes étaient, dans l'ordre : les drogues, la douche vaginale, et l'usage d'instruments et de " corps étrangers "[174]. » Et une commission du ministère britannique de la Santé concluait à son tour en 1939 : « Le procédé le plus couramment utilisé pour tenter de provoquer l'avortement criminel — procédé fort peu efficace du reste — est l'administration de drogues par voie orale[175]. » Ainsi, quelle qu'ait pu être leur efficacité — nous y reviendrons un peu plus loin —, une chose au moins est claire en ce qui concerne les drogues : elles ont continué, dans la première moitié du xxᵉ siècle, à occuper dans l'arsenal abortif une place de choix. Les drogues traditionnelles — sabine, ergot — avaient cédé la place à d'autres — composés de plomb, quinine et apiol —, lesquelles sont largement responsables de la vertigineuse progression du nombre des avortements après 1880.

DROGUES FRELATÉES ET « PILULES POUR DAMES »

Pourquoi fallait-il que de nouvelles drogues se substituent aux anciennes ? D'abord parce que nombre de femmes dont la vie personnelle était de plus en plus éloignée de la société traditionnelle ne voyaient plus dans ce folklore qu'un ramassis de « superstitions ». « Les simples sont en train de tomber dans l'oubli », note un auteur, en 1898, après une enquête dans la région de Berne[176]. Lorsque, vers le milieu des années 1950, Margarete Möckli demande aux ouvrières de Zurich ce qu'elles connaissent des propriétés médicinales des plantes, les seules à manifester quelque intérêt sont celles « d'origine paysanne[177] ». Urbanisées, « modernisées », les femmes perdaient contact avec la tradition rurale qui consistait à cueillir des plantes pour en faire des tisanes. La modernisation de l'agriculture, d'autre part, entraînait même la disparition de certaines drogues, comme l'ergot. (En 1900, l'ergot consommé en Europe occidentale provenait presque exclusivement de Russie et d'Espagne[178].)

La dénaturation des drogues traditionnelles vendues maintenant en pharmacie ne faisait qu'ajouter à la méfiance des femmes. Il était évidemment tentant de se livrer au frelatage de certaines drogues rares, très demandées et de préparation délicate, tels le safran ou la sabine. La femme qui ingurgitait de tels produits n'obtenait aucun résultat ; heureuse encore si la ou les substances ne la rendaient pas horriblement malade[179]. Lorsque, en 1923, un spécialiste analysa trente-deux échantillons de sabine du commerce provenant de cinq pays différents, il constata que les produits anglais, français et espagnols étaient tous frelatés. Seuls les échantillons suisses et allemands étaient purs, ce qui explique sans doute pourquoi tant de témoignages relatifs à l'emploi de la sabine comme abortif nous viennent d'Europe centrale [180].

Pourtant, même si très souvent la tisane traditionnelle n'était alors plus qu'un souvenir, les femmes désireuses d'avorter continuaient d'avoir d'abord recours aux drogues. S'il en était ainsi à Lille, par exemple, c'était — selon plusieurs médecins de cette ville — parce que « l'avortement chirurgical participe à la crainte qui réside en toute personne, surtout saine de corps, de se voir soumise à une atteinte, même bénigne, à son intégrité corporelle. Elle [la chirurgie] suppose par ailleurs une complicité effective, une confession complète [...]. Ce n'est donc que l'*ultima ratio* dont on peut dire que, fréquemment employée par les récidivistes averties, elle répugne aux débutantes [...]. Combien plus simple, au contraire, est le fait de se rendre dans une officine de pharmacien ou d'herboriste et d'y acquérir un produit soi-disant emménagogue pour une parente ou une bonne camarade [181] ». Anonymat et simplicité d'emploi : deux raisons qui, en plein xxᵉ siècle, feront encore le succès des abortifs végétaux.

Pour satisfaire cette demande, les fabricants lancèrent sur le marché des « pilules pour dames » : il s'agissait de médicaments promettant vaguement « la fin de vos obstacles » ou « le retour à un cycle régulier ». Ces spécialités-là n'étaient pas vraiment nouvelles. Elles se composaient essentiellement d'alcool, de sels de fer et de laxatifs, et ne contenaient qu'une quantité minime de drogues telles que sabine ou apiol qui, elles, auraient pu faire de l'effet [182]. Il n'empêche, malgré toutes les mises en garde, les femmes, souvent, se précipitaient d'abord sur ces pilules, pour se tourner, après échec, vers les procédés instrumentaux [183]. L'inefficacité de ces produits contribuera, aux yeux des médecins comme des intéressées elles-mêmes, à discréditer l'usage des drogues abortives au bénéfice des procédés instrumentaux et chirurgicaux.

LES DROGUES INORGANIQUES

Dans l'ombre des « pilules pour dames » allaient fleurir toutefois plusieurs autres sortes de drogues qui, elles, faisaient de l'effet. Ces « composés inorganiques » — des substances à base d'arsenic, de phosphore, de plomb et autres métaux — étaient efficaces en raison de leur effroyable toxicité. Véritables poisons, ils agissaient en tuant le fœtus avant la mère. Ce qui ne les a pas empêchés, une quarantaine d'années durant, de jouer dans la vie de millions de femmes un rôle de premier plan.

Premier utilisé de ces produits : l'arsenic. Il eut son heure de gloire en Allemagne et en Suède. Dans ce dernier pays, la vente en fut réglementée en 1876. Parmi les tentatives d'avortement répertoriées par les autorités suédoises entre 1851 et 1880, l'arsenic avait été le procédé employé dans un tiers des cas, presque tous mortels. Une fois sur trois environ, la femme, avant de succomber, avait effectivement avorté [184]. Ajoutons que les propriétés abortives de l'arsenic à faibles doses restent obscures.

Après l'arsenic vint le phosphore, dont la triste histoire médicale s'ouvre en 1833 avec l'invention de l'allumette [185]. Le procédé consistait à racler l'extrémité d'une centaine d'allumettes, à dissoudre le produit dans du café, et à boire le mélange ainsi obtenu. On a relevé en Suède, entre 1851 et 1903, plus de 1 400 cas d'intoxication au phosphore lors de tentatives d'avortement, la victime n'ayant survécu que dans dix cas (avec une montée en flèche après l'interdiction de l'arsenic). En Allemagne également, ce procédé connut une certaine vogue jusqu'à l'interdiction, en 1907, des allumettes au phosphore [186]. Il se peut que ce produit, à faible dose, provoque effectivement l'avortement. Un pathologiste suédois écrit ceci : « Parmi les femmes mourant des suites d'une tentative d'avortement par le phosphore, certaines avaient déjà précédemment et avec succès eu recours une ou plusieurs fois à ce procédé [187]. » Mais il ne fait aucun doute que le phosphore, à quelque dose que ce soit, est toxique. Son histoire n'a d'intérêt pour nous ici qu'en tant qu'elle révèle à quelles extrémités pouvaient être portées les femmes dans l'espoir de se faire avorter.

LE PLOMB

L'histoire du plomb est quelque peu différente. Il était beaucoup plus utilisé que l'arsenic, le phosphore ou le mercure, et il est permis de penser qu'à faibles doses il agissait bel et bien comme abortif sans léser durablement l'avortée. L'emplâtre au plomb, ou diachylon, était connu depuis l'Antiquité grecque. Le plomb en paillettes ou en poudre était mélangé à de l'huile d'olive et à du saindoux pour donner de l' « oléate de plomb », substance visqueuse que l'on pouvait utiliser pour maintenir un pansement ou immobiliser une côte fracturée. Baptisé en Angleterre *black stick,* le produit était vendu en pharmacie sous forme de bâtonnets, dont les femmes désireuses d'avorter faisaient de petites boules qu'elles avalaient.

L'oléate de plomb en tant que substance abortive a une longue histoire. Galien, déjà, considérait qu'il agissait sur l'utérus [188]. Un livre de médecine anglais du xve siècle expose la manière de fabriquer le « diaculum » tout de suite après avoir présenté divers ocytociques [189]. En France, vers 1860, on constate la fréquence des avortements spontanés chez les femmes qui travaillent le plomb [190]. Mais c'est seulement dans les années 1890 que nombre de femmes, surtout en Angleterre, commencent à ingérer cette substance à des fins abortives. Les premiers cas d'intoxication par le plomb chez des femmes fécondes sont signalés à Leicester en 1893. En 1899, l'épidémie de « saturnisme » (empoisonnement au plomb) avait atteint Birmingham et Nottingham ; en 1906, une bonne partie des Midlands. Le Dr Arthur Hall, après avoir délimité les frontières de cette « épidémie », déclarait : « Cette zone englobe un grand nombre de villes industrielles contenant chacune des milliers d'ouvriers, ainsi qu'une région intermédiaire, occupée principalement par des populations minières[191]. » C'étaient donc les femmes de milieu ouvrier, et non les paysannes, qui prenaient pour avorter de l'oléate de plomb.

Comment savoir si une femme a ou non ingurgité du plomb ? « Observez ses gencives », répond le Dr G. Schwarzwaeller, gynécologue à Stettin. Vous y apercevrez une ligne bleutée. « La malade est pâle lorsqu'elle entre dans votre cabinet ; pouls régulier, pas de fièvre ; ventre sensible au toucher, fortes douleurs abdominales. Pas d'autres symptômes », si ce n'est que la femme vient d'avorter ou ne va pas tarder à le faire. « Le phénomène est si fréquent à Stettin que c'en est incroyable, conclut ce médecin. Sur 300 avortements que j'ai observés depuis 1895, 18 présentaient de tels symptômes[192]. » Il faut savoir que l'ingestion de plomb à fortes doses lèse les centres nerveux et peut entraîner la mort. Elle est également toxique à faibles doses. Quant à son action abortive, elle consisterait plutôt à bloquer la circulation dans le placenta qu'à tuer directement l'enfant. Les expériences faites sur des lapines et qui ont permis la découverte de ce mécanisme ont également montré que, si la dose ingérée est faible, l'animal, après avoir avorté, présente un état tout à fait normal[193]. Peut-être alors n'étaient-elles pas aussi autodestructrices qu'on l'a cru, ces femmes d'Europe qui, pour avorter, prenaient des pilules de diachylon ?

Il faudra attendre la fin des années 1920 pour que l'emploi du plomb, semble-t-il, régresse. La législation en avait limité la vente sous forme de bâtonnets (de sorte que les femmes s'étaient mises à le récupérer au dos des bandages[194]). Le plomb comme substance abortive a « complètement disparu », estimait, en 1929, un expert du ministère britannique de l'Intérieur[195]. Et une enquête de 1930 sur l'avortement à Camberwell (Angleterre) concluait : « Le plomb semble avoir perdu sa réputation, ou alors il est devenu difficile à obtenir[196]. » Ainsi donc, l'histoire du plomb en tant que drogue abortive n'avait duré qu'une quarantaine d'années. De toutes les drogues « nouvelles », il était le seul à ne rien devoir à la technologie. Deux autres drogues, apparues vers 1880, la quinine et l'apiol, vont prendre le relais, faisant bénéficier les femmes des progrès de la médecine.

LA QUININE

L'histoire de la quinine commence au milieu du xviie siècle en Amérique latine, par la constatation que l'écorce de cinchona ou quinquina faisait baisser la fièvre des malades atteints de paludisme. L' « écorce du Pérou » ou « écorce des jésuites », comme on l'appelait, acquit bientôt une réputation de fébrifuge parmi les classes aisées — car elles seules pouvaient se l'offrir [197]. En 1814, un auteur en recommande l'emploi en cas d' « anomalies menstruelles [198] ». En 1820 est identifié son principal alcaloïde, la quinine, ce qui va permettre la préparation d'extraits beaucoup plus puissants. Mais le véritable lancement du produit auprès du grand public se produira dans les années 1870, avec l'arrivée en Europe des premiers gros chargements de quinine en provenance de Java — où le produit était cultivé commercialement pour mettre à profit l'énorme demande [199]. Au moment où elle devenait ainsi accessible à tous, plusieurs expériences scientifiques montraient que la quinine pouvait déclencher le travail chez les animaux, et renforcer le tonus du muscle utérin [200]. Vers 1870, les propriétés obstétricales de la quinine commençaient à être connues.

De même ses propriétés abortives supposées. Dans un rapport anglais de 1863 mentionnant « l'usage de drogues telles que sabine et térébenthine pour provoquer une fausse couche », on peut lire ceci : « Une certaine pilule paludéenne *(ague pill)* en usage à North Witchford provoque parfois l'accouchement prématuré [201]. » On peut, je crois, lire ce texte sibyllin comme signifiant que les femmes du village en question prenaient de la quinine pour se faire avorter. Le procédé est également mentionné dans plusieurs documents de la fin du XIXe siècle. « La quinine est largement utilisée comme abortif ». fait observer, en 1897, le D[r] von Oefele [202]. Et en 1913, une certaine Miss Martin, sage-femme, témoignant devant la commission nationale britannique sur la natalité, déclare que les femmes de la région de Birmingham, en plus du diachylon, prennent « très souvent des cristaux de quinine ; c'est la mode [203] ».

Mais le grand essor de la quinine comme abortif ne devait se produire, semble-t-il, qu'après la guerre de 14-18 (au moment où, apparemment, disparaissait le plomb). « Son usage s'est particulièrement répandu depuis la Grande Guerre », écrit un pathologiste en 1935 [204]. Sur 69 cas d'avortements chimiques traités dans tel hôpital de Minneapolis entre 1930 et 1933, 32 avaient été provoqués à la quinine [205]. Dans l'Angleterre des années 1930, les femmes d'ouvriers pouvaient se procurer cinquante pilules de « quinine argentée » pour 7 shillings 6 pence [206]. Et, en 1939, une commission d'enquête sur l'avortement en Angleterre pouvait conclure que la quinine était, avec l'apiol et le pouliot, l'un des produits abortifs « les plus recherchés [207] ».

A voir la facilité avec laquelle on pouvait s'intoxiquer, on peut se demander si la quinine était véritablement une drogue abortive, ou si elle ne faisait pas qu'empoisonner la mère, tuant le fœtus par surcroît. En 1901, une affaire fit grand bruit. Un médecin italien soigna à la quinine, près de Civitavecchia, des cheminots atteints de paludisme. Parmi eux, 49 femmes enceintes : deux d'entre elles seulement avortèrent[208]. Depuis, les médecins ont observé que souvent les femmes qui s'intoxiquaient en ingérant de fortes doses de quinine n'avortaient pas[209]. Il semble que l'on ait affaire ici à l'un de ces malentendus médicaux qui ont contribué à faire tomber les drogues abortives dans l'oubli : la quinine à faible dose agit effectivement sur l'utérus ; à forte dose, elle le paralyse[210].

L'APIOL

Troisième de ces nouvelles drogues abortives : l'apiol, substance que l'on trouve dans l'huile essentielle de persil. Le persil est connu comme abortif depuis l'Antiquité grecque. Le corpus hippocratique en recommande l'usage sous forme de tisane ou de tampon pour provoquer l'avortement ou rétablir le flux menstruel. Dioscoride aussi le mentionne[211]. Les paysans du Languedoc l'employaient à des fins abortives[212]. Et un proverbe allemand disait : « Le persil aide l'homme à monter à cheval, et la femme à faire ses besognes secrètes » — allusion aux propriétés prétendument aphrodisiaques de cette plante pour l'homme et à son utilisation par les femmes comme abortif[213]. Les écoliers de Brême chantaient autrefois :

Le persil, c'est bon pour la soupe,
On en a dans not' jardin.
Notre Annette, elle va bientôt s' marier.
Faut pas trop qu'elle attende
Si elle veut pas aller à l'église
Avec un ventre un peu trop plein.[214]

Quant à l'herbier d'Adam Lonitzer (xvie siècle), il fait figurer le persil parmi les emménagogues, de même que celui de Bock[215]. Les femmes, à l'évidence, connaissaient depuis longtemps certains usages spéciaux du persil.

Si pourtant le persil n'avait pas la même réputation d'abortif que l'ergot ou la sabine, c'était parce que personne n'avait encore trouvé le moyen d'en extraire les composants essentiels. Un apothicaire de Leipzig du nom de Heinrich Christoph Link avait découvert le « camphre de persil » en 1715[216]. Mais profit ne fut tiré de cette découverte que lorsque, en 1847, deux médecins parisiens, Joret et Homolle, réussirent à couper un accès de fièvre paludéenne chez un noble breton au moyen d'une décoction de graines de persil de leur fabrication. Deux ans plus tard, la Société de pharmacie de Paris offre une récompense à qui remplacera, pour le traitement du paludisme, la quinine, devenue très chère. Les deux hommes proposent une formule : traiter les graines de persil à l'alcool ou à l'éther afin d'en extraire une substance huileuse qu'ils baptisèrent « apiol ». Ils se mirent à administrer la nouvelle drogue aux malades atteints de fièvre. Elle s'avéra totalement inefficace contre le paludisme, mais ils remarquèrent que certaines patientes qui souffraient d' « aménorrhée » retrouvaient leurs règles. Joret et Homolle annoncèrent donc, en 1855, qu'ils avaient découvert un nouvel et puissant « emménagogue[217] ».

Entre 1860 et 1900, l'apiol devint prescription courante dans les cas d'irrégularité menstruelle. Comment cette drogue pouvait rétablir les règles chez une femme non enceinte, voilà qui reste parfaitement mystérieux. Si, par contre, elle était effectivement enceinte, alors l'apiol, apparemment, lui faisait retrouver sa « régularité » en provoquant l'avortement. Le Dr Thomas Sanctuary, de Salisbury (Angleterre), rapporte, en 1885, que 12 femmes qui n'avaient pas eu leurs règles retrouvèrent leur « flux cataménial » en moins d'une semaine grâce à l'apiol[218]. Et l'Américain Roberts Bartholow d'exulter : « Il est prouvé que l'apiol possède de nettes propriétés emménagogues. Il constitue un stimulant du système utérin et par conséquent [...] ne doit pas être administré [pour le paludisme] à une femme enceinte[219]. »

C'est seulement vers 1900, toutefois, que l'apiol commence à être utilisé couramment comme abortif. Un certain Mr. Martin, « pharmacien à Southampton », propose alors des « pilules d'apiol et de fer pour dames » (le fer étant censé, lui aussi, avoir des vertus abortives). Et la « préparation de Mrs. Lawrence » destinée aux femmes souffrant d' « obstructions » devait s'avérer, à l'analyse, être une « substance d'un vert jaunâtre ressemblant fort à l'apiol[220] ».

L'apiol se vendait maintenant ouvertement dans toutes les pharmacies. Il figurait, depuis 1868 au moins, au Dispensatory, le codex américain[221]. Et, depuis 1885, au codex belge[222]. Cette même année, un guide anglais courant des médicaments, l'Extra Pharmacopoeia de William Martindale, le répertorie comme drogue contre le paludisme et l' « aménorrhée[223] ». L'apiol se vendait aussi sans doute très couramment en France au début des années 1880, si l'on en juge par les premières plaintes concernant sa dénaturation[224]. Il fit son apparition au codex français en 1908[225]. En 1913, il figurait aux codex danois et norvégien. Quant aux codex portugais et mexicain, ils allaient même jusqu'à en indiquer la préparation[226]. Certes, le fait qu'il figure dans ces recueils ne signifie pas nécessairement qu'on en vendît des tonnes, car le but de ces ouvrages était seulement de familiariser les pharmaciens avec la composition des différents produits et d'établir pour leur préparation des normes de pureté. Mais il avait bien dû finir par s'établir un lien, dans l'esprit des femmes, entre absence de règles et apiol, même si les médecins étaient censés veiller à ne pas le prescrire comme abortif.

Certaines sociétés pharmaceutiques ayant pignon sur rue commençaient également à s'y intéresser. La firme allemande Schimmel fabriqua des capsules d'apiol cristallisé (le camphre de persil) à partir de 1884 environ[227]. Dans la première édition américaine de son catalogue (1889), la Merck Company propose les trois présentations de l'apiol : liquide, huile essentielle, cristaux[228]. La Parke Davis Company de Detroit fabrique de l'apiol dès 1903 au moins[229]. Et, dans les anciens catalogues, on trouve des « préparations médicales » tel cet Apiléol fabriqué par les laboratoires E. Fraquet, 9, avenue de Villiers à Paris[230]. C'est donc que le produit avait des clients.

Mais le véritable boom de l'apiol s'est produit après la guerre de 14-18, et surtout en Italie, en France et en Europe centrale. Un pasteur allemand affirme que c'est l'occupation de la Ruhr par les troupes françaises au début des années 1920 qui l'a amené outre-Rhin[231]. En 1927, l'Office d'analyse chimique de Dresde constate que nombre de pharmacies de la ville vendent de l'apiol, « accompagné de recommandations voilées sur la manière de provoquer l'avortement[232] ». Et le professeur Kochmann, de Halle, assurait les lecteurs d'*Archiv für Toxikologie,* en 1931, qu'il était utilisé comme abortif « particulièrement en France, mais dernièrement aussi en Allemagne[233] ». De sorte que, en 1937, l'apiol était devenu, selon un pharmacien de Francfort, « l'abortif de loin le plus demandé [...] que connaisse le grand public[234] », et ce bien qu'il ne fût plus délivré que sur ordonnance depuis 1932.

Mais ce n'est pas parce que l'apiol, en Allemagne, était inscrit au tableau des substances délivrées uniquement sur ordonnance qu'on ne le trouvait plus. Tel pharmacien qui gardait le produit dans sa cave en vendit sous le comptoir, en 1933, à quatre clientes : deux avortèrent, la troisième non ; quant à la quatrième, elle n'était pas enceinte[235]. Une Frau W., enceinte de huit mois, reçut en 1926 des capsules d'apiol de son fiancé, lequel les avait obtenues d'un ami, lequel les avait achetées dans une librairie louche de Leipzig, laquelle les tenait d'une firme de Dresde, laquelle se les était procurées auprès d'une autre firme, à Berlin, qui fabriquait des capsules de gélatine, laquelle firme avait acheté l'apiol à une usine de produits pharmaceutiques de la ville de N.[236].

Un laboratoire pharmaceutique français vendait, en 1933, « plusieurs millions de perles par an » dans le monde entier[237]. Et dans une ville commme Lille, un pharmacien pouvait fabriquer sa propre « spécialité emménagogue à base d'apiol », dont il conseillait de prendre trois capsules par jour. Mais « lorsque la cliente se rend personnellement chez lui, il lui indique d'en absorber douze capsules[238] ». « On sait avec quelle fréquence l'apiol est utilisé comme abortif, déclarent encore trois médecins parisiens en 1931. Considéré comme non toxique par l'ancien codex, ce médicament est délivré sans ordonnance, et il est peu de femmes redoutant une grossesse qui n'absorbent de l'apiol en plus ou moins grande quantité[239]. »

En Italie aussi, l'apiol était couramment utilisé après la Première Guerre mondiale. Un gynécologue romain le décrit, en 1928, comme « un produit très utilisé à des fins abortives. Je crois, dit-il, qu'il n'est pas exagéré d'affirmer que plus de la moitié des avortements criminels sont perpétrés par ce moyen [240] ».

L'absence de référence à l'apiol dans la littérature médicale nord-américaine des années 1920-1940 est peut-être trompeuse : ne dénoterait-elle pas l'absence de toxicité du produit plutôt que son absence d'emploi ? Car, à la fin des années 1970, j'ai fait passer une annonce dans le bulletin professionnel des pharmaciens de l'Ontario, où je demandais à entrer en contact avec ceux d'entre eux qui se rappelaient avoir préparé ou vendu de l'apiol dans les années 1930. Beaucoup m'ont répondu. En vogue à l'époque : l'Ergoapiol, qui était un mélange d'apiol, d'ergot, d'essence de sabine et d'huile de ricin, fabriqué par la Martin H. Smith Company de New York. Une autre drogue à base d'apiol était l'Apergol, distribué par la société H.K. Wampole, de Perth (Ontario). L'un des pharmaciens interrogés avait été préparateur à Saint Thomas (Ontario) dans les années 1940 : « L'Ergoapiol était conservé dans une boîte en fer-blanc et destiné aux femmes. Jamais exposé, toujours dans un tiroir. Le pharmacien voulait s'assurer que le produit servait à des usages licites. » Licites ? Qu'entendait-il par là ? « Principalement pour l'aménorrhée. L'Ergoapiol était considéré par la profession comme extrêmement efficace. Le volume des ventes était assez faible. Mais l'Apergol, on l'achetait au grossiste par douze boîtes à la fois. Il se vendait très bien. »

Un autre pharmacien qui avait débuté à London (Ontario) à la fin des années 1920 : « Je travaillais à la société X. Ils étaient très axés sur la vente. Ils avaient toujours de l'apiol en stock. On travaillait surtout pour la campagne. » Les clients ? « Toutes les catégories sociales. Souvent, c'était l'homme qui venait, pour sa petite amie. Si on les connaissait, on leur en vendait. »

Réponse d'un autre pharmacien encore, qui, lui, avait été préparateur à Mount Dennis (Ontario) : « Lorsqu'elles n'avaient pas eu leurs règles, elles venaient demander si on n'avait pas quelque chose. Nous ne vendions jamais d'ergot, parole d'honneur. Mais l'Ergoapiol, on en vendait à qui en demandait. Nous savions bien pourquoi les femmes en achetaient. Mais notre chiffre d'affaires était si faible que cette vente nous était nécessaire. »

L'apiol, produit abortif, c'est donc plus qu'évident. Mais était-il sans danger ?

C'est bien ce problème des risques qui devait finalement couler ce produit : il a été retiré des codex dans les années 1950 et inscrit alors, en Grande-Bretagne et en Amérique du Nord, sur la liste des médicaments délivrés uniquement sur ordonnance. Raison invoquée : drogue inutile et toxique. Était-ce vraiment le cas ?

Tout un courant aujourd'hui oublié de la littérature médicale soutenait dans les années 1930 et 1940 que l'apiol provoquait effectivement l'avortement sans avoir d'effets secondaires graves. Les arguments avancés ? Un certain nombre de cas, d'abord, où des femmes ont pris de l'apiol et avorté peu après sans conséquence sérieuse pour leur santé. Un médecin de Fribourg avait observé dans sa pratique 13 cas de femmes ayant avorté après ingestion d'apiol sans présenter d'effets secondaires sérieux. « Cas n° 2 : une femme de trente-huit ans avait avalé tout un paquet (*eine Originalpackung*) d'un coup. Résultats rapides. Uniquement quelques douleurs au dos. Expulsion, deux jours plus tard, d'un fœtus de deux mois. Aucune séquelle. » Chez trois autres femmes, les effets secondaires furent considérables. Quatre autres restèrent enceintes, dont deux toutefois présentèrent des saignements[241]. Selon un spécialiste, la littérature médicale contenait, jusqu'à l'année 1933, 18 cas documentés d'avortement par l'apiol sans effets secondaires[242].

Second argument en faveur de cette substance : le faible nombre des empoisonnements mortels enregistrés pour un produit vendu des dizaines d'années durant et apparemment utilisé par des millions de femmes[243]. Je n'en ai dénombré que 13 cas avérés, non compris les nombreux décès après ingestion de « décoctions de persil » relevés en Italie[244]. (Selon le Dr V. Mele, la composition chimique du persil cultivé autour du bassin méditerranéen diffère de celle du nord de l'Europe. D'où des effets toxiques différents. La question reste donc ouverte.) A quoi il convient d'ajouter certains décès par « surdose » inclus à tort dans les décès par infection (les lésions des reins et du foie accompagnant l'intoxication par l'apiol rappelant nettement certaines formes de bactériémie). Toutefois, comparés aux nombreux décès imputables à d'autres abortifs fort prisés (sabine, phosphore), 13 décès avérés par l'apiol, c'est peu. Beaucoup plus nombreuses, parmi ses utilisatrices, eussent été les femmes mortes en couches si elles n'avaient préféré interrompre leur grossesse.

Tertio : comment ne pas être impressionné par le nombre des médecins, souvent des sommités, qui considéraient ce produit comme non toxique ? Parlant des cas de présence de sang dans les urines, dus à l'évidence à un autre constituant du persil, l'apiine, J. Chevalier écrit, en 1909 : « L'apiol à l'état pur ne détermine jamais de semblables phénomènes, et il peut être utilisé sans inconvénients à la dose de 1 à 1,50 gramme pendant plusieurs jours consécutifs[245]. » Georg Strassmann, pour sa part, après avoir déclaré inoffensives un certain nombre d'autres « pilules pour dames », se penche sur les capsules d'apiol vendues sous la marque Salutol : « Le fabricant reconnaît que de fortes doses peuvent provoquer des nausées. En prendre vingt à la fois peut [...] aussi provoquer des contractions utérines, si bien que, prises en grande quantité, ces capsules d'apiol constituent une drogue abortive non dénuée d'efficacité[246]. » Voici ce que disaient de lui les auteurs d'un manuel de médecine légale paru en 1940 : « Dans bien des cas, l'avortement survient sans que la mère présente aucun symptôme grave d'intoxication. Il se produit d'abord un saignement utérin suivi de l'expulsion du fœtus [...] De nombreux cas ont été rapportés récemment, dans lesquels l'apiol produit rapidement l'effet souhaité, surtout s'il est pris lorsque devraient normalement venir les règles [...] Même à doses élevées, il ne résulte aucun inconvénient majeur pour la santé de la mère [247]. » Et un ouvrage de toxicologie bien connu et actuellement en usage déclare ceci : « L'huile essentielle de persil agit sur les reins et l'utérus, effet que l'on peut attribuer à l'apiol [...] L'apiol pur provoque générale-ment l'avortement chez la femme un ou deux jours après ingestion et sans effets secondaires sérieux [248]. » Drogue abortive non toxique : c'est ce qu'affirment tous ces médecins, lorsqu'ils en condamnent l'usage.

Mais par quel processus l'huile essentielle de persil provoque-t-elle l'avortement ? La question demeure sans réponse, la recherche en ce domaine ayant depuis longtemps cessé. On peut cependant faire une remarque. Tout comme la quinine, l'apiol, semble-t-il, était plus efficace à faible dose. Francesco d'Aprile, par exemple, a constaté que, sur neuf cas avérés d'intoxication par l'apiol survenus en Italie dans les années 1920, les six femmes qui avaient absorbé des doses massives avaient ou succombé ou continué à être enceintes, tandis que les trois qui avaient ingéré de faibles doses avaient avorté et survécu sans présenter aucun trouble grave [249]. Et après une série d'expéri-mentations sur des utérus « isolés » de cobayes et de lapines, Rodolfo Marri, pharmacologue à l'université de Florence, parvenait, en 1939, à la conclusion suivante : à faible dose, il augmente les contractions, tandis qu'à dose élevée, il exerce sur l'utérus une action débilitante [250]. De là le tragique paradoxe de ces femmes qui mouraient intoxiquées sans avoir réussi à se faire avorter [251].

Mais alors, si l'apiol est efficace, pourquoi a-t-il disparu ? Pourquoi les femmes n'y ont-elles plus recours et préfèrent-elles avoir à « comparaître » devant une commission hospitalière pour expliquer qu'elles se tueront plutôt que de mener leur grossesse à terme ? Nul doute, en effet, que l'apiol ait disparu de la circulation après la dernière guerre. Le codex britannique annonce sa suppression dans son édition de 1949 [252]. La dernière édition du *Dispensatory* américain à en faire mention est celle de 1955 [253]. La drogue a disparu des recueils pharmacologiques allemands au cours des années 1970. Quant aux pharmaciens de l'Ontario déjà cités, ils se rappellent avoir vendu de l'Apergol ou de l'Ergoapiol pour la dernière fois à la fin des années 1930 ou au début des années 1940. Non que le produit ait été alors interdit à la vente (sauf en Allemagne). Tout simplement, il n'était plus demandé.

Il y a à cette disparition trois explications possibles, toutes trois intéressantes, et toutes trois révélatrices d'un rapport tout à fait nouveau des femmes au pouvoir médical.

1. Un « complot des blouses blanches » contre ce produit. Le corps médical, par hostilité à l'avortement, aurait-il cherché à torpiller l'apiol pour des raisons morales ? Quelques témoignages permettent effectivement de le penser. Le Dr H. Jagdhold, de Dresde, par exemple, était parmi les partisans de l'apiol. Lorsqu'en 1932 le journal médical de Munich publia un article déclarant que « l'apiol ne provoque l'avortement qu'en s'accompagnant d'effets secondaires très dangereux », Jagdhold écrivit à l'hebdomadaire pour attirer l'attention sur l'importante littérature médicale démontrant le contraire. Le comité de rédaction refusa de faire paraître la lettre [254].

Intéressant aussi, le fait que Louis Lewin, adversaire farouche de l'avortement, dans son manuel sur les drogues abortives, consacre douze pages au phosphore et ne fait qu'une vague allusion à l'apiol — « en France, on utilise l'apiol » — dans une phrase où sont mentionnées quatorze autres drogues [255]. Or il ne pouvait ignorer, lorsqu'il écrivait ces lignes en 1922, à quel point l'apiol était devenu populaire. Cherchait-il à gommer une certaine réalité ?

En Grande-Bretagne, si les médecins conspiraient pour refuser aux femmes l'accès aux drogues abortives, les pharmaciens, eux, ne l'entendaient pas de cette oreille. A ceux qui réclamaient l'inscription de certaines de ces drogues sur la *Poisons List* — et par conséquent leur délivrance sur ordonnance uniquement —, le *Pharmaceutical Journal* répondait en 1939 : « Le tableau des toxiques ne doit pas devenir une poubelle [...] Il appartient une fois de plus à la pharmacie de veiller à ce qu'aucune restriction inutile et peu pratique, fût-elle la mieux intentionnée du monde, ne vienne alourdir encore le fardeau que doit supporter le pharmacien dans l'intérêt des autres [256]. » Conspiration donc peut-être, mais pas de la part des pharmaciens.

Si l'apiol a été retiré des codex, ce n'est pas, semble-t-il, parce que c'était un abortif, mais parce qu'on l'a estimé inutile médicalement. G.R. Brown, secrétaire de la commission de révision du codex britannique, déclarait, en 1979, qu'il avait été nécessaire de « faire de la place pour décrire les nouvelles drogues de synthèse qui étaient en cours d'élaboration à l'époque [1949]. La suppression de l'article sur l'apiol ne revêtait donc aucune signification particulière [257] ». Et voici ce que disait la même année Arthur Osol, président du comité de rédaction du *Dispensatory* américain : « L'apparition d'autres drogues plus utiles et moins dangereuses a fait baisser la demande d'apiol à un point tel que le marché s'en est trouvé pratiquement tari. C'est le manque d'intérêt pour ces préparations qui a abouti à leur suppression [258]. » Mais supprimer l'apiol du codex n'était pas l'interdire. C'était seulement rendre la drogue moins familière aux pharmaciens et plus rare dans les officines. Pas grand-chose dans tout cela, en tout cas, qui démontre l'existence, d'un côté et de l'autre de l'Atlantique, d'une action médicale concertée pour enlever l'apiol aux femmes désireuses de se faire avorter.

2. Une « comédie des erreurs ». La réputation de drogue toxique faite à l'apiol dans les milieux médicaux lui est venue de ce que des fabricants peu scrupuleux se sont mis, en 1931, à l'additionner de « phosphate de créosote », qui est une substance extrêmement toxique. Il s'est produit alors, parmi les utilisatrices de l'apiol, une épidémie de « polynévrite périphérique [259] ». Certains auteurs, alors, crurent que ce dénaturant était un composant naturel du persil. Ainsi, en 1934, l'*American Journal of Obstetrics* publiait une note affirmant que l'apiol contenait du phosphate de créosote [260]. Et Frederick Taussig, dans son important ouvrage de 1936 sur l'avortement, met en garde contre l'apiol, « car il contient, dit-il, un poison qui, à forte dose, provoque la paralysie nerveuse [261] ». Ainsi le mythe s'est-il perpétué.

En fait, il est surprenant de voir à quel point le débat était faussé dans les publications médicales et pharmaceutiques les plus sérieuses. Avant 1934, par exemple, le codex britannique confondait deux types d'apiol différents et proposait une épreuve de pureté qui s'avéra impraticable [262]. L'édition 1947 du *Dispensatory* américain passe sous silence toutes les recherches postérieures à 1912 et évacue les nombreux rapports français et italiens des années 1920 et 1930 traitant des effets physiologiques du produit sur l'utérus [263]. En 1913, l'American Medical Association condamnait toutes les huiles essentielles, apiol compris, comme étant des poisons sans aucun effet spécifique sur l'utérus [264]. Dix ans plus tard, même erreur de la commission pharmaceutique de la même association recommandant la suppression de l'apiol du recueil des produits pharmaceutiques agréés, le *New and Nonofficial Remedies* [265]. Cette erreur ne devait jamais être rectifiée et l'apiol fut désormais considéré comme « sans utilité ». Ainsi l'éminent pharmacologue Torald Sollmann écrivait-il en 1942 : « Les apiols sont administrés sous forme de capsules comme emménagogues et fébrifuges. Leur utilité est douteuse [266]. » Ce sont ces malentendus en chaîne qui ont amené les médecins américains, souvent bien disposés pourtant envers les femmes désireuses de se faire avorter, à écarter l'apiol de leur panoplie.

3. La raison fondamentale, enfin. Si l'apiol, et au-delà toutes les autres drogues du même genre, sont finalement tombés en désuétude, c'est parce que les femmes, tout simplement, s'en sont d'elles-mêmes détournées. L'un des thèmes de notre ouvrage est qu'il s'est produit dans la culture féminine au cours de la première moitié du xxe siècle une rupture fondamentale : la transmission orale par les femmes de tout un savoir traditionnel a pratiquement cessé. « Pourquoi la demande d'Ergoapiol a-t-elle brusquement fléchi au début des années 1940 ? », ai-je demandé à un pharmacien d'un certain âge d'une petite ville de l'Ontario. Réponse : « Les gens de ma génération connais-

saient bien ce produit, mais pas les femmes de la génération suivante. Leur mère ne leur en avait jamais parlé. »

C'est donc de cela qu'il s'agit : une information que les mères de la génération d'après-guerre n'ont pas transmise à leurs filles. Et qui, de ce fait, s'est éteinte. Le déclin des drogues abortives s'inscrit dans le processus général de médicalisation de la santé des femmes dont traite ce livre. À tort ou à raison, les femmes, dans les années 1930, ont progressivement renoncé à l'automédication, pour s'en remettre de plus en plus au corps médical. Dès lors qu'elles ont pu, sans trop de difficultés (en comparaison avec un siècle plus tôt), obtenir des médecins et personnels paramédicaux un avortement de type instrumental ou chirurgical, les femmes ont cessé de recourir aux drogues. L'apiol et autres substances avaient toujours paru dangereux et peu sûrs. Quoi de plus raisonnable, dans ces conditions, que de s'adresser à des professionnels ? Et qui pourrait faire grief aux femmes d'une telle démarche ?

Je terminerai ce chapitre sur une note personnelle. Au cours de mon enquête sur l'apiol, j'ai récemment interrogé l'un des derniers fabricants au monde de ce produit sur les débouchés qui s'offraient à sa marchandise :

— Vous vendez dans ce pays ? lui ai-je demandé.

— Oh que non ! m'a-t-il répondu en riant. Les femmes d'ici n'en voudraient pour rien au monde. Elles se font avorter à l'hôpital. Nous exportons vers le Moyen-Orient.

Ironie de l'histoire, l'avortement par les drogues, autrefois élément moteur de la libération des femmes dans la société occidentale, s'est aujourd'hui déplacé vers le tiers monde.

Fin d'une inégalité ?

9

Longévité comparée
de la femme et de l'homme

La femme, pense-t-on généralement, vivait autrefois plus long-temps que l'homme. Et l'espérance de vie des femmes, depuis le début du XXe siècle, étant en moyenne supérieure de cinq ans environ à celle des hommes, nombre d'auteurs en ont conclu à une supériorité biologique « naturelle » de la femme sur l'homme[1]. Ainsi Ashley Montagu : « L'espérance de vie à la naissance est partout dans le monde plus élevée pour la femme que pour l'homme [...] et ceci est également vrai des femelles par rapport aux mâles chez la plupart des animaux. [...] Ces faits constituent une preuve supplémentaire que le sexe féminin est plus robuste de constitution que le sexe mâle[2]. » Je ne me prononcerai pas sur le monde animal. Et Montagu a raison en ce qui concerne les sociétés avancées au XXe siècle (car dans les régions déshéritées du globe, les femmes ne vivent pas plus longtemps que les hommes[3]). En revanche, dans le monde qui fut le nôtre — l'Europe, la Grande-Bretagne et les États-Unis d'avant 1900 —, ce que dit Montagu est inexact : la femme adulte ne vivait pas nécessairement plus que l'homme.

A quels âges la femme était-elle plus vulnérable que l'homme ?

Deux points fondamentaux quant aux différences de mortalité entre les sexes autrefois :
— La mortalité infantile a toujours été plus forte chez les garçons que chez les filles : 20 % de plus environ dans l'Europe du XIXe siècle. En Sardaigne, par exemple, entre 1827 et 1838, 118 bébés mâles mouraient dans leur première année pour 100 bébés de sexe féminin. Dans le Schleswig-Holstein, 128 contre 100[4]. Dans l'ensemble de l'Europe, le taux de mortinatalité était d'environ 40 % plus élevé pour les garçons que pour les filles[5]. D'autres études ont montré que l'enfant de sexe masculin meurt plus souvent *in utero* que l'enfant de sexe féminin[6].
— L'homme âgé a toujours été plus vulnérable que la femme âgée.

La surmortalité masculine apparaît vers quarante, quarante-cinq ans. Dans l'Angleterre du milieu du XIXe siècle, le taux de survie des femmes était supérieur de 4 % à celui des hommes à quarante ans, de 13 % à cinquante ans et de 10 % à soixante ans.

C'est ce double avantage (à la naissance et après la quarantaine) qui assurait autrefois aux femmes une plus grande longévité *globale*. Avant 1900, l'espérance moyenne de vie à la naissance était en gros, pour les deux sexes, de 35 à 40 ans, avec un avantage de cinq ans environ pour les femmes[7].

Mais le sujet du présent ouvrage, c'est l'expérience vécue des femmes adultes. Des femmes qui se mariaient, qui avaient des enfants, qui s'occupaient d'une famille. Notre « population cible » n'est donc ni la petite fille de neuf mois ni la grand-mère de soixante-deux ans. C'est la ménagère de vingt-sept ans ayant trois enfants. Quelles étaient donc ses chances, à *elle,* de survivre à son mari ? C'est par cette question qu'on peut le plus valablement interroger les statistiques. Et la réponse est que ses chances n'étaient pas bien grandes.

Deux remarques générales encore sur le monde d'avant 1900 :

— Entre cinq et vingt ans, la mortalité était nettement plus forte chez les filles que chez les garçons.

— La femme mariée entre trente et quarante ans avait jusqu'à 25 % de chances de plus de mourir que son mari[8].

Ces deux handicaps des femmes ne suffisaient généralement pas à annuler leurs deux grands avantages (à la naissance et à l'âge mûr), d'où finalement une longévité légèrement supérieure à celle des hommes. Mais si nous posons la question : combien de chances une fille de neuf ans avait-elle de mourir avant ses camarades de jeu de l'autre sexe, ou une femme de trente-huit ans avant son mari, alors l' « avantage biologique naturel » que l'on attribue aux femmes disparaît.

Une série d'études sur des villages, effectuées par des historiens démographes, fait apparaître une surmortalité des femmes, parfois durant leurs années fécondes seulement, parfois toute leur vie durant. Ainsi, Keith Wrightson et David Levine, dans leur travail sur le village anglais de Terling entre 1550 et 1724, ont montré qu'à vingt-cinq ans l'homme avait en moyenne une espérance de vie de 6,6 ans plus longue que la femme. Et même à cinquante-cinq ans, il avait encore 1,7 an de plus qu'elle à vivre[9]. A Mittelberg, au XVIIIe siècle, le paysan vivait en moyenne 6 ans de plus que sa femme, et entre 1840 et 1849, 12 ans de plus qu'elle ! Et c'est seulement pour les femmes mariées à Mittelberg après 1890 que cette tendance va finalement s'inverser[10]. Ailleurs, les statistiques, sans être aussi tranchées, font également apparaître dans la plupart des cas un net avantage des hommes[11].

A partir du milieu du XIXe siècle, nous disposons des statistiques solides établies par les archives des différents pays. Elles montrent que la mortalité était plus forte chez les femmes aux jeunes âges et ensuite plus élevée chez les hommes. En 1850, par exemple, aux États-Unis, les hommes entre dix et trente-cinq ans avaient un taux de survie supérieur à celui des femmes [12]. Dans le duché d'Oldenbourg, entre 1831 et 1850, les femmes avaient 8 % de chances de plus que les hommes de mourir entre cinq et vingt-cinq ans, et 25 % de plus entre trente et quarante ans ; passé quarante ans, elles survivaient aux hommes [13]. En Prusse et au Schleswig-Holstein, vers 1850, la mortalité était plus élevée, à âge égal, chez les jeunes filles et les jeunes femmes mariées que chez les hommes [14]. En Norvège et en Belgique, vers la même époque, c'était surtout chez les adolescentes que la mortalité était nettement plus élevée que chez les hommes [15].

C'est seulement dans le dernier quart du XIXᵉ siècle que le taux de survie des femmes commence à dépasser à tout âge celui des hommes (tableau 9.1). Si l'on figure par l'indice 100 une mortalité identique pour les deux sexes, tout nombre supérieur à ce chiffre dans le tableau 9.1 signifiera surmortalité masculine, et tout nombre inférieur à 100 surmortalité féminine.

Toutes ces femmes du XIXᵉ siècle avaient à la naissance une meilleure espérance de vie que les hommes. Mais leur mortalité étant plus forte que celle des hommes à de nombreuses périodes de la vie, il est difficile de prétendre qu'elles aient bénéficié d'un quelconque avantage biologique. Certes, on pourrait dire qu'à trente ans les femmes se trouvaient exposées à des risques particuliers (grossesse ou autres) et que de tels risques avaient momentanément pour effet d'annuler leur protection génétique naturelle. Mais on pourrait de la même façon argumenter que l'homme, à la naissance, était lui aussi exposé à des risques particuliers (crâne plus gros), ou encore qu'à soixante ans il connaissait une période critique pour avoir sué sang et eau toute sa vie au travail des champs. En fait, tout donne à penser que ni l'un ni l'autre sexe ne bénéficiait de quelque protection génétique que ce fût contre les coups du sort. Les différences de mortalité à tel ou tel âge s'expliquent sans doute par les risques particuliers que pouvaient courir hommes ou femmes à l'âge en question.

Les maladies affectant particulièrement les femmes

Les maladies passées en revue dans ce chapitre, qui affectaient les femmes à certains âges vulnérables, ne sont pas à proprement parler des « maladies de femmes », mais des affections qui fauchaient davantage de femmes que d'hommes. Les meilleures statistiques, et de loin, que nous ayons sur les causes de décès au XIXᵉ siècle sont

TABLEAU 9.1

RAPPORT MORTALITÉ MASCULINE / MORTALITÉ FÉMININE
SELON L'AGE, AU XIXᵉ SIECLE

Age	Rapport	
France *(1850-1852)*		
1-4	103	
5-14	92	inversé en 1925-1927*
15-24	100	
25-34	96	inversé en 1880-1882
35-44	96	inversé en 1865-1867
45-54	113	
55-64	109	
Angleterre *et pays de Galles* *(1851-1855)*		
0	122	
1	102	
5	102	
10	96	inversé en 1866-1870
15	97	inversé en 1896-1900
20	98	inversé en 1861-1865
25	98	inversé en 1861-1865
30	98	inversé en 1856-1860
35	100	
40	105	
45	113	
50	115	
55	112	
60	111	
Italie *(1901-1911)*		
0	110	
10	79	inversé en 1950-1953
20	95	inversé en 1921-1922
30	88	inversé en 1950-1953
40	100	
50	125	
60	114	
70	101	

* Date après laquelle apparaît une surmortalité masculine (chiffre supérieur à 100).
Nota : Plus de 100 = plus grande longévité des femmes. Moins de 100 = plus grande longévité des hommes.
Sources : Voir notes des tableaux, en fin d'ouvrage.

216

celles concernant l'Angleterre. Nous commencerons donc par examiner la situation dans ce pays [16].

La mortalité, au cours de l'enfance, était plus élevée pour les filles, cela ressort à l'évidence. Au milieu du XIXe siècle (1848-1872), elles mouraient de maladies infectieuses. Parmi les filles de cinq à quatorze ans, un quart des décès étaient dus à la scarlatine, maladie infectieuse du sang provoquée par des streptocoques ; 14 % succombaient au typhus ou à la typhoïde (on ne faisait pas encore la distinction entre les deux) ; et un peu plus d'une sur dix était emportée par la tuberculose pulmonaire. Pour chacune de ces maladies, il y avait surmortalité des filles par rapport aux garçons, au point qu'on peut parler de véritable prédisposition.

Situation nette également pour les adolescentes et les toutes jeunes adultes : la moitié des décès enregistrés parmi les 15-24 ans étaient dus à la tuberculose pulmonaire, et 11 % au typhus et à la typhoïde. Dans cette classe d'âge aussi, les filles avaient plus de chances que les garçons de mourir de ces maladies : 22 % de plus pour la tuberculose, par exemple.

Pour les femmes dans la force de l'âge, la principale cause de mortalité est de nouveau la tuberculose pulmonaire : 40 % des décès pour les 25-44 ans. Et on retrouve dans cette classe d'âge — en Angleterre tout au moins — la disposition particulière des femmes à contracter la tuberculose. Les maladies de cœur, toutefois, faisaient légèrement plus de dégâts chez les hommes de 30-50 ans que chez les femmes.

Tableau à première vue fort simple. Lorsque les femmes vivaient moins longtemps que les hommes, c'était principalement parce qu'elles étaient davantage qu'eux victimes de la tuberculose, et légèrement plus frappées qu'eux également par les maladies dues au manque d'hygiène.

Mais les femmes de ces classes d'âge vulnérables étaient également sujettes à d'autres maladies, qui, sans avoir la même incidence que la tuberculose, n'étaient pas pour autant négligeables (tableau 9.2).

Les jeunes filles anglaises, par exemple, étaient très sujettes aux affections cardiaques, du fait sans doute de rhumatismes articulaires aigus (autre infection à streptocoques, comme la scarlatine) ; 13 % de plus que les garçons pour les 5-14 ans, ainsi que pour les 15-24 ans.

C'est à l'adolescence que commence à apparaître l'énorme surmortalité féminine due au cancer. Et les femmes entre quinze et quarante-quatre ans mouraient beaucoup plus que les hommes de maladies de l'appareil digestif.

L'appareil digestif ? On va de surprise en surprise, car, de nos jours, les hommes meurent davantage que les femmes de toutes les maladies précitées — encore que certaines d'entre elles, comme la scarlatine, ne soient plus mortelles. Impossible de comprendre cette plus grande

TABLEAU 9.2

RAPPORT MORTALITÉ MASCULINE / MORTALITÉ FÉMININE
POUR CERTAINES MALADIES (EN ANGLETERRE
ET AU PAYS DE GALLES, 1848-1872)

Classe d'âge 5-14 ans

Typhus-typhoïde	54
Scarlatine	96
Tuberculose pulmonaire	69
Maladies du système nerveux	83
Maladies de cœur	88
Bronchite	91

Classe d'âge 15-24 ans

Typhus-typhoïde	96
Scarlatine	91
Tuberculose pulmonaire	83
Cancer	88
Maladies de cœur	90
Maladies de l'appareil digestif	86

Classe d'âge 25-44 ans

Scarlatine	82
Tuberculose pulmonaire	96
Cancer	33
Maladies de l'appareil digestif	89

Nota: Plus de 100 = surmortalité masculine. Moins de 100 = surmortalité féminine. Toutes causes de décès confondues, la mortalité féminine en Angleterre à cette époque n'était supérieure à la mortalité masculine que pour les 15-24 ans (97 décès d'hommes pour 100 décès de femmes). Ne figurent toutefois dans ce tableau que les maladies ayant joué un rôle là où, à tel ou tel âge, il mourait effectivement davantage de femmes que d'hommes.
Sources : Voir notes des tableaux, en fin d'ouvrage.

vulnérabilité des femmes jeunes — jusqu'à la quarantaine — sans examiner de plus près certaines de ces maladies.

LA TUBERCULOSE

Un bacille de Koch installé ailleurs que dans les poumons provoque une maladie qui n'est spécifique d'aucun des deux sexes. La tuberculose pulmonaire, en revanche, était autrefois, pour des raisons obscures, une maladie des femmes. Témoin cette chanson des paysans lettons à l'époque préchrétienne :

> *Mieux vaut épouser une péteuse*
> *Qu'une clabaudeuse :*
> *La péteuse galope à travers champs,*
> *La clabaudeuse se traîne partout[17].*

« Clabaudeuse » : ce terme brutal désigne vraisemblablement la jeune femme secouée par la toux sèche de la tuberculose. Voici ce qu'écrit, en 1841, le Dr Rame, de Lodève : « La phtisie pulmonaire est la principale des maladies endémiques qui sévissent sur les adolescents et sur les adultes [...] Elle frappe plus de femmes que d'hommes, et, parmi celles-là, les jeunes filles sont ses victimes de prédilection ; elle atteint surtout celles qui vivent le plus retirées, et dont la vie est partagée entre des exercices de piété et les devoirs que leur profession leur impose » (allusion quelque peu déconcertante aux jeunes religieuses) [18]. Et la pâleur, les crachements de sang de la phtisique symbolisaient, dans l'Angleterre victorienne, le martyre de la jeune femme de constitution délicate [19]. (L'Angleterre paraît toutefois avoir constitué un cas extrême. Ailleurs, la prédisposition des femmes à la tuberculose prenait fin avec l'adolescence [20].)

LES MALADIES DE CŒUR

Historiquement, les femmes ont toujours été plus frappées que les hommes, semble-t-il, par les maladies de cœur (à l'exception de l'Angleterre, où la surmortalité féminine due aux affections cardiaques cessait à l'âge de vingt-quatre ans). Dans les villes du Danemark, entre 1876 et 1885, pour 100 femmes qui succombaient à des maladies de cœur, on ne comptait que 71 décès masculins parmi les 5-15 ans, et 79 parmi les 25-45 ans [21]. A Leipzig, 7 jeunes femmes pour 1 000 étaient en arrêt de travail pour cause de troubles cardiaques, contre 5,9 jeunes hommes seulement ; dans les tranches d'âge supérieures, le rapport était pratiquement de deux femmes pour un homme [22]. Au xxe siècle, la situation va s'inverser avec le recul du rhumatisme articulaire aigu, qui constitue la principale cause d'affections cardiaques chez la femme.

LES AFFECTIONS « GASTRO-INTESTINALES »

Il est frappant de constater que les femmes succombaient nettement plus souvent que les hommes aux maladies du tube digestif et des organes intra-abdominaux (deux groupes d'affections bien distincts, mais que les premiers nosologistes classaient ensemble en raison de symptômes communs). Examinons le tableau 9.3. Il fait apparaître une nette surmortalité des jeunes filles et des jeunes femmes en Angleterre et au Danemark, ainsi que de l'ensemble des femmes en âge de procréer en Angleterre, au Danemark et en Norvège. Le taux de mortalité par maladies « intestinales » était presque deux fois plus élevé chez les femmes que chez les hommes à Genève dans les années 1730 [23]. A Berlin, le nombre des décès de femmes imputés à la

« péritonite » durant la période 1877-1896 était, certaines années, plus de deux fois supérieur à celui des hommes. Dans la classe d'âge des 30-35 ans, la disproportion est stupéfiante : 1 décès d'homme par péritonite en 1883 pour 28 décès de femmes[24]. Et si les femmes ne représentaient que 40 % des admissions à l'hôpital de Mantes vers 1900, elles n'en totalisaient pas moins, à elles seules, 56 % des appendicectomies[25].

TABLEAU 9.3

RAPPORT MORTALITÉ MASCULINE / MORTALITÉ FÉMININE
POUR LES MALADIES GASTRO-INTESTINALES
AU XIXᵉ SIECLE

Age	Rapport
Angleterre et pays de Galles (1848-1872)	
1-4	101
5-14	104
15-24	86
25-44	89
45-64	102
+ 65	107
Danemark (villes) (1876-1885)	
5-15	80
15-25	81
25-45	70
45-65	91
+ 65	122
Norvège (1899-1902)	
15-19	78
20-29	108
30-39	86
40-49	107
50-59	120

Nota : Plus de 100 = surmortalité masculine. Moins de 100 = surmortalité féminine.
Sources : Voir notes des tableaux, en fin d'ouvrage.

Il y a à cela plusieurs raisons :

— Une bonne partie de ces « péritonites », « entérites » et autres « appendicites » étaient en fait des infections post-abortum ou des séquelles de fièvres puerpérales. Cela a déjà été montré aux chapitres précédents. Rappelons que les décès en couches et ceux du post-partum étaient souvent camouflés sous d'autres diagnostics. Cela explique sans doute en partie la forte mortalité des femmes durant leurs années de fécondité. Comment expliquer autrement, par exemple, l'étonnante inégalité des sexes face à la péritonite à Berlin ? Reste que les décès dus à des gastro-entérites chez les filles de dix-sept ans n'étaient probablement pas d'origine obstétricale ; il devait donc y avoir autre chose.

— Certaines affections de l'appareil digestif sont effectivement plus fréquentes chez les femmes. Aux États-Unis, dans les années 1930, les maladies de la vésicule frappaient les femmes six fois plus que les hommes, pour des raisons encore mal élucidées. (De nos jours, les calculs biliaires sont trois fois plus fréquents chez la femme que chez l'homme [26].) Mais les éléments dont nous disposons ne permettent pas de déterminer la nature exacte de ce handicap, aussi me bornerai-je à constater que les femmes, autrefois, présentaient effectivement une fragilité particulière au niveau du tube digestif.

— Les femmes jeunes souffraient tout spécialement autrefois d'ulcères à l'estomac et succombaient beaucoup plus souvent que les hommes aux perforations de ces ulcères. Tel chirurgien britannique du XIXe siècle avait observé six fois plus de ces perforations chez les femmes de 20-30 ans que chez les hommes [27]. Ce schéma devait s'inverser après la Première Guerre mondiale, l'ulcère avec perforation tendant dès lors à devenir une affection de l'homme d'âge mûr [28]. Cette maladie a ceci d'intéressant pour notre propos que le diagnostic en est généralement simple : « douleur soudaine très vive, rigidité extrême de la paroi abdominale, et dans la plupart des cas collapsus et décès dans les vingt-quatre à quarante-huit heures [29] ». La fréquence des cas d'ulcères relevés autrefois chez les femmes jeunes doit donc bien correspondre à une réalité.

— Les femmes en âge de procréer étaient beaucoup plus sujettes que les hommes aux infections mortelles du bassin. Nous y reviendrons plus en détail dans un chapitre ultérieur. Notons cependant ici qu'un abcès ouvert du tube digestif — associé par exemple à une blennorragie — pouvait facilement être pris pour une colite. Selon Hermann Fehling, avant le XIXe siècle, la pelvipéritonite aiguë passait inaperçue [30]. Aussi une certaine surmortalité féminine attribuée par exemple à la péritonite — dont on nous dit que six femmes sont mortes dans les années 1820 au New Town Dispensary d'Édimbourg contre deux hommes seulement — pourrait bien être due, en fait, à divers types d'abcès ouverts d'origine obstétricale [31].

Ou à tout autre chose encore. Il ne s'agit pas ici d'établir rétrospectivement des diagnostics corrects, mais seulement de faire observer ceci : les jeunes filles, et plus largement les femmes en âge de procréer, étaient beaucoup plus prédisposées que les hommes aux maladies mortelles des organes intra-abdominaux.

A noter qu'il existait, à l'inverse, des « maladies d'hommes ». Ainsi, avant la Première Guerre mondiale, le sexe masculin était-il tout particulièrement frappé par le diabète ; avec, au Danemark par exemple, un taux de mortalité de 75 % supérieur à celui des femmes [32]. (Le schéma est pratiquement inversé aujourd'hui, où davantage de femmes que d'hommes succombent à cette maladie [33].) Et l'alcoolisme tuait alors, comme aujourd'hui, beaucoup plus d'hommes que de femmes : au Danemark, dans les années 1880, 53 hommes chaque année pour 100 000 habitants, contre 6 femmes seulement. Mais surtout, les hommes étaient plus fréquemment victimes de mort violente (homicide, accident, suicide, etc.). A Breslau, à la fin des années 1680, ont été consignés 37 décès d'hommes par accident, contre 8 décès de femmes. En Norvège, à la fin du siècle dernier, on relève le décès par « accident ou suicide » de 133 jeunes hommes, mais de seulement 8 femmes, pour 100 000 habitants [34]. Mais même si l'on fait abstraction des cas de mort violente, on s'aperçoit que la mortalité en Angleterre était, dans l'ensemble, plus élevée chez les individus de sexe féminin entre cinq et quarante-quatre ans que chez les hommes [35]. Principale cause de ces décès : les maladies infectieuses. Il faut souligner ce point : l'idée est en effet très répandue en médecine aujourd'hui que les femmes posséderaient un meilleur système immunitaire contre l'infection que les hommes (lesquels seraient, en revanche, davantage sujets aux phénomènes d'auto-immunisation) [36]. Vision tout simplement inexacte, nous montre l'histoire. Les femmes n'ont jamais bénéficié, semble-t-il, d'aucune immunité naturelle particulière.

Les causes de la surmortalité féminine

LA VIE RURALE

Rien dans leur structure génétique ne prédisposait les femmes à mourir plus souvent que les hommes à trente-trois ans de tuberculose ou de typhoïde. La cause en serait plutôt l'âpreté du monde dans lequel elles vivaient. Si la mort frappait plus facilement les femmes que les hommes à certains âges, c'est tout simplement parce que leur vie, à ces âges-là, était beaucoup plus dure que celle des hommes, et leur résistance à l'infection par conséquent plus faible. Deux facteurs plus particulièrement se font jour : la pénibilité du travail aux champs, les rigueurs du mariage. Deux éléments qu'il est difficile de distinguer, la plupart des femmes avant 1900 étant à la fois paysannes et mères de famille. Quelques indications pourtant peuvent nous aider.

Le tableau 9.4 montre bien l'ampleur de la surmortalité féminine dans les régions rurales. Dans le grand-duché d'Oldenbourg, par exemple, cette surmortalité féminine à 30-40 ans était de 30 % dans les campagnes, contre 10 % seulement en ville. Et au Danemark, si entre trente et quarante ans les hommes avaient dans les campagnes une mortalité inférieure de 19 % à celle des femmes, dans les villes, en revanche, ils avaient une mortalité supérieure de 13 % à celle des femmes. A pratiquement tous les âges où les femmes se révélaient vulnérables, cette vulnérabilité était encore plus marquée pour les femmes de la campagne.

TABLEAU 9.4

**RAPPORT MORTALITÉ MASCULINE / MORTALITÉ FÉMININE
EN MILIEU RURAL ET URBAIN AU XIXᵉ SIECLE**

Age	Milieu rural	Milieu urbain
Oldenbourg (1855-1864)		
0-5	108	104
5-10	96	109
10-20	95	86
20-30	110	117
30-40	77	91
40-50	99	115
50-60	103	121
Danemark (1840-1844)		
20	111	143
30	81	113
40	90	163
50	124	169
Norvège (1899-1902)	*Décès par tuberculose*	
15-19	78	89
20-29	122	140
30-39	83	98
	Décès des suites d'autres maladies	
15-19	108	114
20-29	95	113
30-39	75	114

Nota : Plus de 100 = surmortalité masculine. Moins de 100 = surmortalité féminine.
Sources : Voir notes des tableaux, en fin d'ouvrage.

La rareté des sources rend difficile le jeu des comparaisons. Laquelle, de la paysanne ou de la prolétaire urbaine, était la plus mal lotie quant à la santé? L'une comme l'autre menaient une vie effroyable, comparée à celle des femmes d'aujourd'hui. Et aux

223

horreurs de la révolution industrielle font écho d'autres horreurs dont étaient victimes les femmes des campagnes. Les blessures, par exemple ; témoin cet extrait des carnets du Dr Frizzun, qui exerçait en 1698 dans un village suisse : « Le 24 mai, entrepris de soigner Frau Neisa. Main écrasée par un bœuf. La main était très enflée et présentait une forte entaille au côté, extrêmement douloureuse. L'ai traitée une fois par jour jusqu'au 27, et lui ai laissé de quoi se soigner pendant quatre jours[37]. » Ce genre d'observation foisonne dans les carnets des médecins de campagne d'autrefois.

Autre handicap pour les paysannes : le vieillissement précoce. Franz Mezler décrit en ces termes la situation aux alentours de Sigmaringen : « Les jeunes filles se flétrissent déjà à l'âge où ailleurs on voit beaucoup de jeunes beautés. La plupart se consacrent aux travaux de la ferme et aux très lourdes tâches que cela implique. Les autres sont occupées à filer, à coudre, à tricoter. Elles conservent rarement la santé et souvent elles n'ont pas leurs règles. » A partir de l'âge de dix ans, poursuit Mezler, « les femmes meurent de manière croissante plus souvent que les hommes, et ce surtout dans les campagnes, à cause de la misère et du manque de soins en cas de maladie. Il n'est pas rare de voir des femmes vaquer à leurs travaux avec une infection de la peau (*Rothlauf*), une plaie ouverte au pied, une hernie ou une descente d'organe, qui les tourmente jusqu'à la tombe[38] ». Et voici ce que dit d'une autre région d'Allemagne le Dr Goldschmidt : « La beauté et l'éclat des jeunes filles pauvres sont malheureusement d'assez courte durée : ils ne survivent guère à l'enfance [...] Combien de fois, lorsqu'une mère me montrait son enfant, ne l'ai-je pas prise pour la grand-mère[39] ! »

Avez-vous des varices ? demanda Gertrud Dyhrenfurth vers 1900 aux paysannes d'un village de Silésie. Oui, répondirent 10 femmes sur 17[40]. Sur 31 femmes interrogées dans un village du Bade, 5 nous sont décrites comme « usées » (*verbraucht*) ; une avait mis au monde 17 enfants ; une autre 13 ; et les trois autres 12[41]. Faut-il s'étonner des constatations faites par le Dr Mezler lorsqu'il comptabilise les décès survenus à Sigmaringen entre 1776 et 1804 : 50 femmes mortes d' « hydropisie » (épanchement de liquide dans l'abdomen) contre 20 hommes seulement ; 47 femmes, pour 34 hommes, mortes de maladies pulmonaires chroniques, notamment la tuberculose. Et Mezler d'ajouter : « Nous devrions également prendre en considération les nombreuses affections rhumatismales et convulsives, les maladies de cœur, les crampes d'estomac et les maladies de foie, que les gens de par ici traînent des années durant[42]. » Difficile d'en savoir plus sur la nature exacte de ces maladies. A Sigmaringen, en tout cas, elles frappaient des femmes usées par des années de labeur.

Des femmes en état d'épuisement permanent : telle est l'image qui ressort de nombreuses descriptions du temps. Les paysannes du Wurtemberg interrogées par une anthropologue à l'époque de la

Première Guerre mondiale se déclarent « constamment sur la brèche ». « La femme de paysan est si débordée qu'elle a à peine le temps de se mettre à table ; elle est la dernière à s'asseoir et souvent la première à se lever. Pendant le souper, elle est sans cesse en activité[43]. » Une vie passée à préparer les repas, tailler les vignes, retourner le fumier. « C'est dur, soupire Frau Walkmeister-Dambach en 1928, de transporter l'engrais jusqu'aux champs et de le répandre. Presque partout, il y a la pente à grimper. Pénible aussi de retourner la terre, ce qui se fait encore à la bêche. Et après, il faut préparer et planter les pommes de terre. C'est à la femme seule que revient la culture des pommes de terre, ainsi que le sarclage des céréales, qu'elle effectue souvent accroupie, des journées entières[44]. » Quelle est pour vous la tâche la plus pénible ? demande Gertrud Dyhrenfurth aux femmes de Silésie (des ouvrières agricoles). « Battre le grain au fléau et étaler le fumier », dit l'une, « creuser des fossés quand je suis enceinte », dit une autre, et une troisième : « transporter des sacs de grain et bêcher[45] ».

Ce travail aux champs, lorsqu'il venait s'ajouter à des grossesses répétées et à une alimentation insuffisante, avait sans doute pour effet de réduire chez les femmes de la campagne la capacité de résistance à l'infection. Écoutons ce que dit Elisabeth Baldauf en 1932 : « Le surmenage pose encore plus de problèmes aux femmes des campagnes car elles ne prennent aucun repos au moment de leurs règles, durant leur grossesse ni lorsqu'elles allaitent. Il en résulte souvent des maladies de l'abdomen[46]. » Quant à Friedrich Prinzing, il écrit ceci, après avoir évoqué la surmortalité féminine dans les régions d'Europe les moins développées, telle la Galicie : « Jamais de répit, même pour les femmes âgées. La femme du petit propriétaire paysan doit travailler aussi dur que l'ouvrière agricole vieillissante, que son mari l'aide ou se contente de donner des ordres et de regarder, ou tout simplement encore qu'il passe son temps à la taverne, comme cela arrive souvent[47]. »

Dans les années 1920, cette lamentable situation connaîtra un début d'amélioration. Du moins la surmortalité féminine dans les campagnes commencera-t-elle alors à se résorber. Mais c'est seulement dans les années 1930 que les paysannes norvégiennes âgées de trente à trente-neuf ans commenceront à vivre plus longtemps que leurs maris. (Le taux de survie des Norvégiennes des villes aux mêmes âges était déjà supérieur à celui des hommes depuis la première comptabilisation sérieuse en 1889[48].) En Irlande, dans les années 1930, les femmes des campagnes avaient encore des taux de mortalité supérieurs à ceux des hommes aux mêmes âges ; en ville, la surmortalité féminine était moins marquée. Mais il faudra, dans ce pays, attendre les années 1950 pour voir apparaître une surmortalité masculine à tous les âges de la vie[49]. Ainsi donc, la vie rurale était autrefois aux jeunes âges un facteur important de surmortalité féminine.

LE MARIAGE TRADITIONNEL

La plupart des séries statistiques font apparaître chez la femme mariée dans sa période féconde une surmortalité certaine, aussi bien par rapport à la femme célibataire que par rapport à son mari. Dans les années 1850, les Néerlandaises non mariées avaient une espérance de vie supérieure de 3,7 ans à celle de leurs compatriotes masculins ; mais les Néerlandaises mariées vivaient 1,5 an de *moins* que leur époux[50]. Et les Pays-Bas ne constituent nullement une exception. En Norvège, alors que les hommes célibataires de 20-24 ans avaient, dans les années 1890, un taux de mortalité supérieur de 67 % à celui des femmes célibataires, la mortalité des hommes mariés, en revanche, était de 32 % *inférieure* à celle de leurs épouses[51]. En France, dans les années 1850, le taux de mortalité pour les hommes mariés âgés de 30-40 ans était de 7,1 pour 1 000 ; celui des femmes mariées, de 9,1. C'est seulement après les années de la maternité, entre quarante et cinquante ans, qu'apparaissait en France une surmortalité des hommes mariés[52]. En Prusse, les femmes célibataires de vingt à quarante ans vivaient nettement plus longtemps que les hommes célibataires. Mais pas les femmes mariées, dont le taux de mortalité était de 6,4 pour 1 000, celui des hommes mariés n'étant que de 5,8. C'était seulement après la quarantaine que les Prussiennes mariées survivaient à leurs maris[53]. Autant de chiffres parlants, condamnation sans appel de la situation faite aux femmes par le mariage traditionnel.

Cette situation n'échappait pas aux contemporains. « La femme de la campagne connaît des souffrances inimaginables lorsqu'elle met un enfant au monde, écrit en 1784 un médecin de Rotenbourg, en Allemagne [allusion aux piètres pratiques des sages-femmes de l'époque]. Après le premier ou le second accouchement, elle a définitivement perdu la santé[54]. » Et voici Joseph Wolfsteiner, de la même région, qui nous décrit le vieillissement physique des femmes au bout de quelques années de mariage : « Lorsqu'elles ont passé vingt ans, et davantage encore lorsqu'elles ont franchi la trentaine, leur démarche perd de sa vivacité et de sa souplesse pour se faire lourde. Leurs formes perdent leur rondeur et se tassent ; le dos s'arrondit quelque peu, les épaules se voûtent ; les traits de leur visage s'amollissent, les yeux et l'expression se marquent d'un léger cerne. Les femmes qui ont eu plusieurs enfants ont l'air de matrones et paraissent beaucoup plus que leur âge[55]. » Certes, on pourrait sans doute en dire autant des hommes. Mais le fait est que ces femmes avaient une mortalité plus élevée ; c'est cela qui nous intéresse ici.

La maternité, alors, « maladie de la femme mariée » ? A la lecture des chapitres précédents, on pourrait être tenté d'expliquer la surmortalité des femmes mariées par des causes obstétricales. Ce serait aller un peu vite en besogne.

Certes, les grossesses répétées détérioraient la santé de la femme mariée en la rendant fortement anémique et, par conséquent, moins résistante à l'infection. Mais même sans tenir compte des décès de causes purement obstétricales, on constate encore que la mortalité des femmes mariées était supérieure à celle des hommes. Dans une étude sur les premiers mariages contractés en 1869 dans quatre communautés différentes, Arthur Imhof devait s'apercevoir que, même une fois déduits les 94 décès en couches, la mortalité des femmes mariées l'emportait encore sur celle des maris : 374 décès de causes non obstétricales parmi les femmes, 334 décès seulement parmi les hommes[56]. Même si la maternité constituait la deuxième ou troisième grande cause de mortalité chez les femmes en âge de procréer, sa part dans la mortalité féminine globale n'était pas énorme : 6 % des décès entre vingt-cinq et quarante-quatre ans en Angleterre au milieu du XIXe siècle, 10 % au Danemark, 5 % dans le comté de Ravensberg (Allemagne), etc.[57]. Dans son étude sur 2 614 femmes américaines nées entre 1700 environ et 1824, Bettie Freeman n'a découvert aucune corrélation nette entre le nombre d'enfants qu'une femme avait (7 en moyenne pour le groupe né avant 1750) et sa longévité après quarante-cinq ans (environ 29 ans encore en moyenne)[58].

Les choses ne sont donc pas aussi simples. Ce qui rendait la femme mariée particulièrement vulnérable, c'était sans doute moins les risques ponctuels de décès en couches que les conditions de vie qui lui étaient faites : surmenage et sous-alimentation. C'est seulement dans le premier quart du XXe siècle que les femmes mariées deviendront moins vulnérables que leur mari aux vicissitudes de la vie de famille.

Le cancer en tant que maladie de la femme

Le cancer, en fait, n'est pas une maladie de la femme à proprement parler. Aux États-Unis, vers le milieu des années 1970, elle frappait plus d'hommes que de femmes[59].

L'incidence réelle du cancer a vraisemblablement peu évolué au cours des siècles. Si peu même que certains auteurs qualifient cette maladie de « spécifique à l'espèce », voulant dire par là que l'espèce humaine a sans doute toujours eu les mêmes chances d'en être atteinte[60].

Mais quel qu'ait été le taux réel de la mortalité par cancer, l'essentiel pour nous est ailleurs : c'est qu'avant 1870 environ, tout le monde était persuadé que c'était là une maladie affectant principalement les femmes. Pourquoi ? Tout simplement parce que les seuls cas que l'on savait facilement diagnostiquer étaient les cancers externes, ceux-là mêmes qui frappaient tout spécialement la femme : cancers du sein, du col de l'utérus et, dans une certaine mesure, des deux tiers supérieurs, ou corps, de l'utérus. Aujourd'hui encore, ils tiennent dans la vie des femmes une place non négligeable. Ainsi les femmes américaines, dans les années 1969-1971, avaient-elles 8 % de risques d'être un jour atteintes d'un cancer du sein, 4 % de risques d'un cancer de l'utérus, et 1 % d'un cancer des ovaires. Les cancers non spécifiquement féminins les plus courants chez la femme, en revanche, sont le cancer du côlon et celui du rectum (5 % de risques)[61]. Les autres parties du corps sont nettement moins touchées.

Autrefois, on diagnostiquait la maladie beaucoup plus fréquemment chez la femme que chez l'homme. Dans la ville allemande d'Einbeck, entre 1700 et 1750, 17 % des décès de femmes étaient imputés à des cancers, contre 7 % seulement des décès d'hommes[62]. A Landau (Palatinat), pour la période 1826-1829, ont été comptabilisés 1 décès d'homme par cancer et 10 décès de femmes[63]. A Dresde, entre 1828 et 1837, le « squirre » (forme du cancer dur) était considéré comme responsable de la mort de 40 femmes pour 10 hommes[64]. Et même ces statistiques, pour insuffisantes qu'elles soient — car la très grande majorité des décès par cancer chez les deux sexes étaient sans aucun doute imputés à la « vieillesse » ou à la « consomption » —, sont dominées par les cancers proprement féminins : à Prague, sur 121 cas diagnostiqués sur des individus *des deux sexes* entre 1814 et 1823, 77 étaient des cancers du sein ou de l'utérus[65].

Le diagnostic s'est considérablement affiné, au cours du XIXᵉ siècle, avec le développement de l'autopsie et l'introduction du microscope (en 1902 au Middlesex Hospital, qui possédait un important service de cancérologie)[66]. Les statistiques officielles n'en font pas moins apparaître une disproportion des cancers chez la femme qui ne doit pas correspondre à la réalité. Le tableau ci-dessous indique le rapport entre mortalité masculine et mortalité féminine par cancer entre vingt-cinq et quarante-quatre ans :

Angleterre et pays de Galles	1848-1872	33
Danemark (villes)	1876-1885	53
Norvège	1899-1902	71
États-Unis[67]	1976	83

Ainsi, les statistiques anglaises pour le milieu du XIXᵉ siècle, qui font apparaître une mortalité féminine trois fois supérieure à la mortalité masculine, s'expliquent sans doute par le fait que les cancers féminins courants (sein, utérus) étaient plus faciles à diagnostiquer. Mais les gens de l'époque, au vu de ces statistiques, se figuraient sans doute que le mal, lorsqu'il frappait les jeunes, était surtout le lot des femmes.

Le cancer, donc, est perçu à l'époque comme une maladie des femmes. Quelles incidences ce phénomène avait-il sur le rapport des femmes à leur corps ? Question fascinante, mais à laquelle il est bien difficile de répondre directement : on ne trouve guère de documents sur ce que pouvaient penser les villageoises du cancer en général, ou de telle voisine qui en était atteinte. Certains traits de ces cancers, en tout cas, occupaient une grande place dans la vie des femmes.

LE CANCER DU SEIN

Ainsi l'ulcération du cancer du sein. Pour preuve cette gente dame anglaise qui, vers 1780, se découvre une « boule au sein » de la taille d'un petit pois. La tumeur grossit et le Dr Hamilton procède à l'ablation. « Quelque trois ans plus tard, rapporte le médecin, cette dame fut alarmée par l'apparition d'un autre nodule glandulaire, semblable au premier, et situé au bord supérieur de la cicatrice. » Nouvelle ablation. « Mais un peu plus d'un an après la cicatrisation, la mamelle même devint très malade, adhérant aux parties situées au-dessous [...] Le sein, devenu chancre, s'ulcéra et libéra une sanie corrosive [du pus mêlé de sang]. L'ulcération s'étendit. » La malheureuse devait finalement succomber à un cancer généralisé, non sans avoir longtemps vécu avec ces ulcérations au sein[68].

Le cancer ne dégage en soi aucune odeur particulière. Mais à mesure qu'il s'étend, le tissu nécrosé alentour s'infecte, produisant une suppuration fétide. C'est là, avec la douleur, l'un des problèmes caractéristiques du cancer du sein. Sur 356 femmes admises au Middlesex Hospital entre 1805 et 1933 pour un cancer du sein, 68 % présentaient une ulcération[69].

Peut-on dire que les femmes craignaient davantage le cancer du sein que toute autre maladie ? Que la peur du cancer était plus présente à leur esprit que celle du choléra, par exemple ? Certains indices permettent effectivement de le penser. Le médecin de Saint-Pölten (Autriche) déclarait, en 1813 : « Le squirre du sein [voulant dire des nodules] s'observe fréquemment par ici. Quelle crainte de voir la maladie dégénérer en cancer ! Le squirre devient alors douloureux, crève et se transforme en plaie maligne ouverte[70]. » Évocation tout autant, sans doute, de l'appréhension de la malade que de celle du praticien. L'un des mystères de l'histoire démographique de l'Europe réside dans le refus systématique des femmes de certaines régions d'allaiter elles-mêmes leurs enfants. Explication du Dr Johann Ebel, du canton d'Appenzell, en 1798 : la croyance populaire selon laquelle l'allaitement provoquerait le cancer du sein. Mais le remède qu'il propose est tout aussi absurde : « Des saignées pendant la grossesse et une alimentation modérée après l'accouchement devraient permettre d'éviter les tumeurs du sein et, par conséquent, de libérer les femmes de l'Appenzell de cette terrible crainte qui les conduit à refuser à leurs jeunes enfants le plus sain et le plus précieux des aliments[71]. » Or le non-allaitement était alors lié à une forte mortalité infantile ; il faut donc supposer que ce refus d'allaiter était bien dû à la peur du cancer.

Avant le XIXe siècle, la médecine était à peu près impuissante à soulager les victimes d'un cancer du sein. L'opium ? Peu efficace. Il « n'apporta guère qu'un léger répit à ses souffrances », dit le Dr Hamilton en parlant de la femme dont il a été question un peu plus haut [72]. La morphine, principal alcaloïde de l'opium, ne fut isolée qu'en 1806 et n'apparut dans les pharmacies que dans les années 1820 [73]. Quant aux anesthésiques, ils permettaient bien d'alléger les souffrances du malade à l'agonie, mais pour de brèves périodes seulement [74].

Dérisoire également, la chirurgie traditionnelle. Depuis l'Antiquité grecque, les chirurgiens s'étaient efforcés d'amputer le sein devenu cancéreux, le saisissant à l'aide d'une grande pince pour procéder à l'ablation [75]. Mais la solution à moyen terme ne viendra qu'en 1882, lorsque le chirurgien de Baltimore William S. Halsted commencera à enlever non seulement le sein lui-même, mais également les muscles et ganglions lymphatiques sous-jacents (mastectomie radicale). Jusque-là, les chirurgiens s'étaient heurtés au problème des métastases au niveau de la poitrine et des membres supérieurs parce qu'ils laissaient en place des fragments de tumeur qui ensuite proliféraient. Halsted retira l'essentiel du grand et du petit pectoral. Une intervention physiquement mutilante, mais qui évitait au maximum la récurrence du cancer dans cette région [76]. Alors que les autres chirurgiens du XIXe siècle, qui se contentaient de pratiquer une mastectomie seule ou une simple ablation de la tumeur, enregistraient un taux de récurrence locale de 51 à 82 %, ce taux n'était que de 6 % chez les patientes traitées par Halsted [77].

Ce type d'intervention eût été impensable sans asepsie et anesthésie. Il était donc — comme tant d'autres techniques nouvelles — le fruit des années 1880 (Halsted en rendit compte en 1891). Il était devenu courant à l'époque de la Première Guerre mondiale et, pour la première fois dans l'histoire, les femmes atteintes d'un cancer du sein bénéficiaient d'un véritable traitement. Non pas, hélas, d'une guérison définitive, car elles étaient à long terme presque aussi inéluctablement condamnées que les femmes non soignées. La plupart des patientes « traitées » pour un cancer du sein déjà avancé ne survivaient pas plus de quinze ans. Mais les mêmes malades non traitées succombaient dans les trois ans [78]. Il existait donc pour les femmes vers 1900 quelque espoir de rémission.

LE CANCER DE L'UTÉRUS

Le cancer de l'utérus présente bien des traits horribles, mais il faut surtout souligner son caractère insidieux chez la femme d'âge mûr.

Certaines tumeurs peuvent être détectées précocement. Si c'est le tiers inférieur de l'utérus, c'est-à-dire le col, qui est atteint, les altérations pathologiques apparaîtront à l'examen gynécologique. Si, par contre, ce sont les deux tiers supérieurs (le corps) de la matrice qui sont touchés, le premier symptôme ne sera peut-être qu'un saignement utérin anormal. D'où l'angoisse de la femme ménopausée qui s'aperçoit qu'elle a « de nouveau des règles ». Si le cancer du col est plutôt une maladie de la femme entre quarante et cinquante-cinq ans, celui de l'utérus proprement dit apparaît surtout à la fin de la cinquantaine ou au début de la soixantaine. En fait, le taux de fréquence maximal de ce dernier se situe vers l'âge de soixante-dix ans [79]. Les saignements utérins peuvent avoir d'autre causes, mais un « retour des règles » avait de quoi alarmer la femme d'un certain âge.

Pour lever les doutes en pareil cas, il ne fallait pas compter sur la médecine traditionnelle : mettez un peu de votre perte sur un tampon imprégné de noix de galle, d'herbe aux verrues et de safran, conseillait la médecine antique ; si le tampon change de couleur, c'est signe de cancer [80]. Une Parisienne, de quarante-sept ans, ménopausée depuis deux ans, nous rapporte-t-on, « fut surprise tout d'un coup d'une perte de sang qui lui avait duré continuellement depuis deux années entières, avec une excrétion de matière purulente très fétide ». François Mauriceau la vit le 21 septembre 1669, quinze jours avant qu'elle meure « d'un ulcère carcinomateux de la matrice [...], comme je l'avais bien prédit, conclut-il, par le mauvais état où je la trouvai ». (Mauriceau observe : « Toutes les pertes de sang qui viennent ainsi aux femmes avancées en âge, après une entière privation de leurs menstrues durant plusieurs années, sont toujours mortelles dans la suite si elles continuent plus d'un mois ou deux sans cesser entièrement [81]. »)

Mauriceau était un bon médecin et ses observations sont tout à fait sensées. Mais quelle confusion dans l'esprit des moins éclairés ! Ainsi le chirurgien londonien Robert Semple qui, à propos de la « menstruation aux âges avancés », commence par déclarer : « J'ai toujours tenu la menstruation pour une fonction très importante de l'économie féminine. » Après quoi il présente ses observations : « En 1833, Mary Owen, âgée de soixante-dix-sept ans, me fut confiée pour une abondante ménorragie [saignement utérin excessif]. Elle souffrait de vives douleurs. Elle n'avait pas connu pareil état, me dit-elle, depuis trente ans. Mais quelques jours plus tard, elle était morte. » Avec la même candeur, notre homme expose ensuite d'autres cas analogues, sans que jamais l'idée l'effleure qu'il puisse s'agir d'un cancer [82]. On imagine le trouble et l'appréhension de ses patientes.

Des diverses maladies étudiées dans cet ouvrage, c'était le cancer de l'utérus qui suscitait chez les médecins le plus d'effroi : « De toutes les calamités auxquelles est soumis le sexe qui paraît destiné à porter sur ses épaules la plus grande part de la misère humaine, la plus lourde est

le chancre de la matrice », écrit, en 1795, un chirurgien londonien [83].
Le diagnostic en était fort difficile, car, comme le dit John Leake, « les
signes d'une matrice chancreuse sont des plus incertains et obscurs,
étant souvent confondus avec ceux de la conception, de l'hydropisie
ou d'autres affections ». Et pour Leake, lorsque la maladie était
dépistée, elle était déjà incurable [84]. Le mal connaissait généralement
une évolution horrible. Leake en fait cette description : « [...] une
fièvre lente accompagnée de sueurs nocturnes, une diarrhée chronique, la douleur et le manque de repos consument tour à tour les forces
de la malade. Des caillots de sang corrompu sont évacués dans une
douleur extrême, au prix d'énormes efforts, et parfois du sang fluide
s'échappe en grande quantité des vaisseaux rongés par l'acuité de la
tumeur chancreuse [85]. » « La mort provoquée par le cancer de l'utérus
se prolonge généralement d'une manière horrible », écrira Lawson
Tait un siècle plus tard [86].

Ce sentiment d'impuissance et d'horreur des médecins était-il
également présent dans la culture féminine ? Il est difficile de le
savoir. Les femmes allemandes usaient de certains termes pour
désigner les pertes chargées de caillots propres à cette affection : *eine
Versammlung* (un « caillon ») ou *der Brand* (la « maladie ») [87]. Les
paysannes suisses du Simmenthal utilisaient, semble-t-il, un emplâtre
spécial contre le cancer de l'utérus : « Prenez de la crotte de chèvre,
mélangez avec du miel et appliquez ; cancer et fistule disparaî-
tront [88]. » Willughby relate des cas — trop pénibles pour être
rapportés ici — de femmes venues le consulter pour des cancers des
voies génitales. Sans doute, avant de voir le médecin, demandaient-
elles conseil à d'autres femmes. Mais lorsque le praticien s'était
montré impuissant à les soulager, elles allaient de guérisseur en
médecin et de médecin en guérisseur jusqu'à leur mort. Ainsi,
lorsqu'elles s'adressaient à l'un d'eux, les malades avaient déjà épuisé
les ressources du savoir populaire féminin [89]. Peut-être celui-ci admet-
tait-il son impuissance face au terrible mal. Peut-être la lutte contre le
cancer de l'utérus au stade terminal touchait-elle trop au plus intime
de l'être pour avoir vraiment constitué un folklore.

Premier progrès réel, en tout cas, vers l'allègement de ce fardeau
millénaire : les débuts, dans les années 1890, de la chirurgie abdominale. La maladie pourra désormais être, sinon guérie, du moins
soignée, par l'ablation de l'utérus atteint (opération de Wertheim
pratiquée pour la première fois en 1898) [90]. Un autre grand moyen de
lutte viendra s'ajouter en 1903, avec l'avènement de la radiothérapie.
Une véritable révolution. Alors qu'entre 1900 et 1910 20 % seulement
des femmes atteintes d'un cancer de l'utérus et soignées à l'hôpital de
l'université de Pennsylvanie survivaient cinq ans, en 1926-1930 par
contre — grâce à l'utilisation combinée du radium et de l'hystérectomie —, le taux de survie atteignait 51 % [91]. Dans les années 1960, près
de 80 % des femmes atteintes d'un tel cancer survivaient au moins

cinq ans, et plus de 60 % d'entre elles survivaient quinze ans et davantage. La mortalité due au cancer de l'utérus connaît aujourd'hui un déclin rapide[92]. Autant de faits venant confirmer — je m'en félicite — ma thèse générale selon laquelle le premier quart du xxᵉ siècle a considérablement réduit les handicaps physiques des femmes.

L'anémie

L'anémie (insuffisance de fer dans le sang) nous intéresse en ceci que sa principale conséquence chez la femme est d'engendrer un état de fatigue générale et une moindre résistance à l'infection[93]. Naturellement, c'est aussi le cas pour l'homme, mais il se trouve que, historiquement, l'anémie était beaucoup plus courante chez la femme. A Leipzig, par exemple, à la fin du xixᵉ siècle, 77 femmes sur 1 000 bénéficiant de secours mutuels sollicitaient des prestations pour anémie, contre 4 hommes seulement sur 1 000[94]. L' « expérience de Peckham », enquête menée sur 2 000 familles londoniennes entre 1935 et 1939, devait conclure qu'un tiers des hommes et 57 % des femmes souffraient d'anémie. Entre seize et vingt ans, la maladie frappait un quart des hommes et 70 % des femmes[95]. Bien que les symptômes n'apparaissent qu'à un stade avancé, 45 % des 1 250 femmes de milieu ouvrier interrogées dans différentes communautés anglaises au milieu des années 1930 pensaient présenter de tels symptômes[96]. On peut donc raisonnablement supposer que l'anémie — définie ou par une analyse de sang ou par ses symptômes — était autrefois courante parmi les femmes des milieux pauvres.

L'anémie survient lorsqu'il y a carence en fer dans le régime alimentaire, lorsque les besoins du corps en fer augmentent, ou encore lorsqu'il y a perte de sang.

1. Pratiquement plus personne aujourd'hui ne devient anémique par soudaine insuffisance de fer dans son alimentation. Mais rien n'empêche de penser qu'autrefois une brusque pénurie d'œufs ou de viande de porc (du porc tué chaque année dans les familles) suffisait à priver les gens d'une bonne partie de leur ration en fer, d'où carence dans l'organisme. Restaient d'autres sources d'apport en fer : celui de la terre mêlée à la nourriture (source de fer aujourd'hui dans les pays du tiers monde[97]), celui des ustensiles de cuisine, celui enfin des légumes que la plupart des familles cultivaient elles-mêmes. Difficile donc d'imputer historiquement l'anémie à la seule pénurie de fer dans l'alimentation.

A cette considération générale, toutefois, une exception d'importance : on peut fort bien ingérer suffisamment de fer sans que pour autant l'organisme l'assimile. La personne qui ingurgite laxatif sur laxatif, par exemple, précipite la nourriture dans son tube digestif sans lui laisser le temps d'être absorbée. Celle aussi qui manque de vitamine C, dont la présence joue un rôle dans l'absorption du fer, peut souffrir d'anémie. Ces problèmes étaient beaucoup plus fréquents dans la société traditionnelle qu'aujourd'hui. Tout le monde, alors, prenait purgatif sur purgatif. Le scorbut — provoqué par une avitaminose C — était assez répandu. Et le fer fourni par l'alimentation était plus souvent celui des légumes — plus difficile à capter par l'appareil digestif — que celui de la viande.

2. Les besoins de la femme en fer s'accroissent particulièrement pendant la grossesse, lorsqu'elle a également un fœtus à nourrir. Si ce que nous avons dit au chapitre 4 est exact, à savoir que la femme, autrefois, ne se nourrissait pas mieux lorsqu'elle était enceinte, elle accusait sans doute alors un important déficit en fer, déficit qui s'aggravait à chaque nouvelle grossesse. Les femmes que nous venons de voir, usées à trente-cinq ans, souffraient vraisemblablement, entre autres, de graves anémies.

3. Le facteur le plus important de l'anémie était sans doute la perte de sang. Celle-ci commençait avec la menstruation. Comme on le verra, un certain type de carence en fer affectait les filles vers l'époque des premières règles et persistait dans les premières années de l'âge adulte, phénomène lié sans doute à la perte de sang par menstruation. Les saignements dus aux hémorroïdes — affection traditionnelle courante —, aux ulcères gastriques, à l'ankylostome (type de ver intestinal) et aux troubles gynécologiques que nous verrons plus loin, tous ces épanchements de sang étaient, dans la société traditionnelle, plus importants qu'aujourd'hui.

Autre cause majeure de perte de sang : la saignée, tant prisée aussi bien de la médecine officielle que populaires, nous l'avons vu. Hommes et femmes se faisaient faire, chaque année, une saignée de printemps afin de « se purger l'organisme ». « Il est rare, rapporte un médecin suédois vers 1850, qu'une femme de la campagne souffrant d'anémie consulte un praticien sans s'être auparavant fait saigner à deux ou trois reprises au pied et s'être fait appliquer des ventouses en plusieurs autres points du corps, ce qui rend de tels cas difficiles à guérir [98]. » En effet !

Toutes raisons permettant de supposer que la maladie était autrefois plus fréquente qu'aujourd'hui. Était-elle grave pour autant ? Dans une certaine mesure, l'anémie décelable en laboratoire est par ailleurs cliniquement invisible. Les symptômes n'apparaissent que lorsque l'organisme, une fois épuisées les réserves en fer de la moelle et des tissus, se met à ravir leur fer aux globules rouges. Ces derniers, au microscope, apparaissent alors petits et présentent en leur milieu une large zone pâle (hypochromie), ce qui signifie que leur teneur en hémoglobine est inférieure à la normale (c'est l'hémoglobine qui transporte le fer, d'où le terme d' « anémie hypochrome »). C'est seulement lorsque la moelle se met à produire ces globules rouges très particuliers que commencent à se manifester la plupart des symptômes de l'anémie : chez la femme, l'absence de règles, la fatigue générale ; dans les cas graves, des concavités en forme de demi-lune sur les ongles, des crevasses aux commissures des lèvres, des maux de tête, etc. Une telle carence en fer est rare de nos jours. Une étude récente effectuée dans le sud du pays de Galles a montré que 6 femmes seulement sur 1 000 souffraient d'une anémie grave[99]. Mais les analyses de laboratoire montrent que bien d'autres femmes sont également atteintes[100].

En l'absence d'examen du sang — rare dans les hôpitaux avant les années 1890 —, le diagnostic d'anémie reposait dans la médecine traditionnelle sur des critères très généraux : pâleur, fatigue, constipation, brûlures d'estomac, troubles digestifs, palpitations, essoufflement, etc. Mais ces symptômes auraient pu être ceux d'une centaine de maladies différentes. Un certain Foote rapporte le cas de Charlotte X, trente-six ans, célibataire, règles irrégulières, teint blême (« aspect chlorotique ») : « Ses symptômes actuels sont les suivants : palpitations, dyspnée [difficulté à respirer], toux, douleurs dans la poitrine et dans les reins, ainsi qu'entre les épaules ; jambes œdémateuses [enflées], perte de l'appétit, pouls à 80 et faible ; langue propre, constipation[101]. » En fait, cette femme pouvait être atteinte de tout ce que l'on veut, et donc aussi d'anémie par manque de fer. On pense immédiatement à une maladie de cœur ou encore à une tuberculose à ses débuts. Toujours est-il que les symptômes disparurent au bout de dix semaines, après (malgré ?) un traitement au fer et aux purgatifs.

La plupart des anémies, tant chez l'homme que chez la femme, étaient autrefois noyées dans un brouillard de diagnostics imprécis, rendu plus épais encore par l'absence d'analyse de laboratoire. Ce que nous savons de cette maladie à l'époque concerne essentiellement une catégorie restreinte d'individus : celle des jeunes filles déclarées atteintes de chlorose (du grec *khloros*, vert). La maladie était censée les frapper entre la puberté et le mariage, leur donnant une pâleur verdâtre. D'où certaines appellations telles que « mal vert ». Cela dit, il existe effectivement des maladies où la peau prend une teinte verdâtre : dans une certaine forme de leucémie dite « cancer vert », par exemple, ou encore dans certaines jaunisses. Mais il est fort peu probable que les anémiques aient présenté autrefois un tel masque : plus vraisemblablement, la jeune chlorotique avait le teint jaune paille de l'ictère courant ou la pâleur de la tuberculose.

Chlorotique, du temps où n'existaient pas les analyses de sang, voulait dire, pour un médecin : jeune fille pâle, affaiblie et dont les règles étaient irrégulières, voire totalement absentes. Il est étonnant de voir avec quelle constance cette association de symptômes revient dans les documents. Dans l'Antiquité grecque déjà : « Les femmes qui ne peuvent concevoir [...] ont le teint vert ; elles n'ont pas de fièvre et leurs viscères sont sans défaut : ils indiquent que la tête est affligée et que l'écoulement menstruel est vicié et peu abondant [...] Celles qui présentent un teint verdâtre, sans jaunisse caractérisée », poursuit cet auteur, absorbent de l'argile et de la terre (allusion à une forme de « pica » ou géophagie, tendance à manger de la terre qui parfois se manifeste chez les individus souffrant, tels les anémiques, d'une carence en minéraux [102]).

La première description d'ensemble de l'anémie des jeunes filles est celle donnée par Johannes Lange en 1554. Il l'appelle la « maladie des vierges ». « Vous demandez fort à propos quelle maladie la frappe ; car son visage, qui l'année dernière se distinguait par le rose de ses joues et le rouge de ses lèvres, est devenu depuis comme exsangue, tristement pâli, et son cœur frémit à chaque mouvement de son corps ; les artères lui battent aux tempes et elle est saisie de dyspnée lorsqu'elle danse [103]. » Les trois siècles suivants verront s'accumuler les observations de ce genre, avec des symtômes toujours aussi vagues imputés en bloc à la « chlorose ». Johann Storch, de Gotha, écrit : « J'eus à soigner, au printemps de l'année 1721, un certain nombre de jeunes filles atteintes de chlorose ou anémie, dont une âgée de seize ans, et de constitution délicate [...], ainsi que deux sœurs plus âgées qui, pour la raison qu'elles étaient en cette période de la vie, étaient malades depuis plus d'une année et avaient le teint fort pâle. » Suit l'habituelle liste des symptômes de la chlorose : « transformation de la peau sur tout le corps, mais plus particulièrement la face, de rose en vert pâle », langueur étonnante chez « des jeunes filles d'ordinaire fort actives », maux de tête et de dents, évanouissements, essoufflement, etc. [104].

La médecine officielle n'était pas la seule à s'intéresser à la maladie. A preuve ce remède traditionnel suisse contre l' « anémie des femmes » : « Se lever avant le soleil et bêcher une motte de gazon dans le jardin ou le pré. Uriner dans le trou. Retourner la motte et la remettre en place. » Le mal, par ce moyen, était censé quitter le corps avec l'urine pour se dessécher dans la terre tout comme l'herbe [105]. Les paysans du Wurtemberg, quant à eux, distinguaient deux types de chlorose : l' « anémie fleurie », attribuée aux filles ayant leurs premières règles, et l' « anémie de croissance », associée au « sang faible » de l'adolescence. La première était réputée plus dangereuse que la seconde car, disait-on, « le sang vous y monte à la tête [106] ».

Distinction qui se retrouve dans la médecine savante. La découverte, par Johann Duncan, en 1867, des globules rouges hypochromes allait permettre un diagnostic réel de l'anémie [107]. Les hommes de l'art n'en continuèrent pas moins à proclamer l'existence de deux types de mal, dont l'un, la chlorose, ne pouvait par définition qu'affecter les jeunes filles. A Compiègne, en 1881, par exemple, le Dr Douvillé relève 12 décès par « anémie » et 15 par « chlorose [108] ». Leslie Witts, pour sa part, se souvient : « Lorsque j'ai fait mes études de médecine tout de suite après la guerre de 14-18, mes professeurs racontaient comment, autrefois, à la consultation externe, ils voyaient sur les bancs des alignements de jeunes filles et de jeunes femmes au visage terreux, et se disaient alors avec tristesse : toutes des chlorotiques [109]. » Et en 1955, le Dr Vertue, du Guy's Hospital de Londres, faisait encore la même distinction entre les deux formes d'anémie que le Viennois Bartholomäus von Battisti en 1784 :

Vertue : Dans la chlorose, les règles sont « peu fournies » et non surabondantes comme dans l'anémie [110].

Battisti : « Il existe toutefois une autre forme d'anémie [...] que l'on rencontre principalement dans les campagnes. Elle affecte les femmes vigoureuses lorsque celles-ci ne voient point venir leurs mois [111]. »

Ainsi donc, pour certains médecins il n'y a pas si longtemps, la chlorose existait encore. Pure invention ? Maladie bien réelle à l'époque mais aujourd'hui disparue ? Trouble psychosomatique provoqué par le « capitalisme sauvage du XIXe siècle » ? La question reste posée.

Certains auteurs affirment qu'il y a eu recrudescence de la chlorose au XIXe siècle, et ce malgré l'abondance des témoignages antérieurs [112]. Mais le fait pour nous le plus intéressant s'agissant de la chlorose, c'est son étonnante *disparition* dans les vingt premières années du XXe siècle. Dans tel hôpital de Hambourg, on en relevait encore 201 cas en 1901, et 3 seulement en 1923 [113]. Les statistiques de plusieurs grands hôpitaux britanniques confondues font apparaître 18 % de chlorotiques pour la période 1898-1900, et 8 % seulement en 1913-1915. Et ce déclin n'était pas le fruit d'un quelconque artifice de diagnostic. Parmi les femmes hospitalisées pour chlorose au Guy's Hospital entre 1907 et 1909, 34 avaient un taux d'hémoglobine inférieur à 60 (anémie grave) ; entre 1913 et 1915, 11 seulement [114]. Constatant, pour sa part, que la fréquence de la chlorose était tombée au Massachusetts General Hospital de 23 cas en 1898 à 2 cas en 1906, Richard Cabot déclarait : « Le plus remarquable aujourd'hui concernant la chlorose, nous semble-t-il, c'est qu'elle est en voie de disparition [115]. » Telle clinique française n'en a pas vu un seul cas depuis 1911, observe un auteur en 1924 [116]. Et H. Sellheim écrit, en 1926, que si, en Allemagne, « les formes incurables des l'anémie [anémie pernicieuse] paraissent en augmentation, en revanche, l'anémie par carence en fer (*Bleichsucht*) a presque totalement disparu [117] ».

Plusieurs explications de ce remarquable déclin ont été avancées.

— Les progrès du diagnostic, qui ont permis de ne plus confondre l'anémie avec la tuberculose et les autres maladies qui provoquent elles aussi pâleur et fatigue. Ainsi, lorsqu'on nous parle de « chlorose » qui « se transforme » en tuberculose [118], ou que l'on écrit, tel le Dr Ashwell en 1836 : « Si la maladie connaît une issue fatale, c'est fréquemment, sinon toujours, sous la forme de phtisie [119]. » A vrai dire, comme le remarque J. M. H. Campbell, c'est précisément parce que la plupart des cas connaissaient une issue « heureuse » que nous pouvons conclure que la chlorose ne masquait en fait aucune autre maladie[120].

— La disparition du corset et de la « pudeur victorienne » en général. Plusieurs auteurs ont voulu voir un lien entre chlorose et port du corset, affirmant que la compression du nerf vague avait pour effet de ralentir la sécrétion du suc gastrique, provoquant par là une dyspepsie. D'autres thèses tout aussi tirées par les cheveux ont cherché à associer la chlorose au mode de vie « bourgeois[121] ». Preuve que cette interprétation est inexacte : l'omniprésence de la chlorose chez les femmes de milieu ouvrier et paysan, qui, de toute évidence, ne portaient pas normalement de corset et ne passaient pas leur temps à se prélasser. Le Dr Boëns-Boissau, par exemple, l'a couramment observée chez les adolescentes belges travaillant au fond de la mine (type de chlorose que Zola, à son tour, devait dépeindre dans *Germinal*)[122]. Nombre de médecins suédois de petites villes, répondant dans les années 1850 à un questionnaire sur la santé des populations, insistent sur la fréquence de la chlorose dans les campagnes, phénomène récent selon eux. Mais aucun ne mentionne le corset[123].

Et lorsqu'on apprend que la chlorose était très répandue tant dans la région rurale de l'Unterfranken, en Bavière, que dans la cité industrielle de Lodève, on se demande vraiment ce que le corset vient faire ici[124]. La chlorose était « particulièrement répandue parmi les domestiques » à Londres, rapporte Campbell. Même remarque pour la région de Boston, « les plus frappées étant de loin, ici encore, les domestiques[125] ». Mon sentiment est que les auteurs qui voient une corrélation entre la chlorose et un certain « enfermement » des « bourgeoises du XIXe siècle » accordent trop de crédit aux témoignages d'une poignée de médecins qui se trouvaient avoir une clientèle bourgeoise et dont les patientes se comprimaient dans un corset[126].

— Les progrès de la thérapeutique. L'explication est peu convaincante, puisque le traitement au fer contre l'anémie était recommandé depuis 1565 par le médecin sévillan Nicolas Monardès[127]. En 1685, le praticien anglais Thomas Sydenham contribue à répandre ce traitement en conseillant l'absorption de « limaille de fer [...] arrosée de vin d'armoise. Ainsi, explique-t-il, seront guéries les maladies hystériques ; ainsi également ce qu'on nomme les obstructions de la femme, et tout spécialement la chlorose ou maladie verte[128] ». C'est seulement en 1831, toutefois, lorsque Pierre Blaud préconisera l'usage de sulfate de fer additionné de carbonate de potassium, qu'il deviendra possible d'ingérer du fer en quantité aisément assimilable. Le sulfate de fer était un « sel de fer » qui aujourd'hui encore constitue la base même de ce type de traitement[129]. Le neveu de Blaud, qui était pharmacien, vendait les « véritables pilules du Dr Blaud » dans le monde entier.

La diffusion de la nouvelle thérapeutique aurait normalement dû sonner le glas de la chlorose. Malheureusement, le traitement au fer sera abandonné lorsque, en 1885, le pharmacien allemand G. von Bunge jettera le doute sur l'absorbabilité du métal sous cette forme inorganique. Le fer ne sera réhabilité que dans les années 1920, au moment précis où la chlorose disparaîtra définitivement [130]. Existe-t-il une relation entre les vicissitudes des théories sur le fer et l'usage effectif de ce dernier ? Cela reste à démontrer. Quoi qu'il en soit, des diverses explications données au déclin soudain de l'anémie chez les femmes, la plus satisfaisante me paraît être celle-ci.

Mon propos ici n'est pas d'écrire l'histoire de l'anémie. Il est seulement de montrer comment cette maladie a contribué à créer chez la femme un sérieux handicap de santé. Tuberculose, ulcère gastrique, anémie : une trinité qui affectait tout spécialement jeunes filles et jeunes femmes. Avec, naturellement, des effets cumulatifs : l'ulcère, par ses saignements, aggravant l'anémie, celle-ci à son tour accroissant la réceptivité de la femme jeune aux maladies infectieuses. De là cette question fondamentale : pourquoi une telle coïncidence, une telle combinatoire morbide autrefois chez la femme jeune, et pourquoi sa soudaine extinction dans les vingt premières années de ce siècle ? Je n'ai, à mon grand regret, aucune nouvelle thèse à proposer en remplacement des vieilles théories sur l' « oppression capitaliste » ou la « femme divinisée ». Du moins percevons-nous maintenant en quoi ces dernières sont insuffisantes. Les faits, en tout cas, sont là : le premier quart du xxe siècle, pour des raisons qui restent mystérieuses, a vu disparaître la prédisposition à la maladie qui, jusque-là, était celle des femmes à certains âges.

10

Les maladies
touchant à la sexualité

Les maladies du bassin sont beaucoup plus nombreuses chez la femme que chez l'homme. Nous n'en infligerons pas au lecteur l'énumération. Mais nous montrerons, dans ce chapitre, que deux types de maladies à caractère sexuel affectaient plus particulièrement la femme autrefois : celles transmises par l'homme lors des rapports ; et celles affectant la femme dans sa vie sexuelle. Cette vulnérabilité constituait pour les femmes un double handicap : infériorité par rapport à l'homme dans les maladies vénériennes, humiliation à ses yeux du fait des maladies du bassin.

Histoire des pertes blanches

Lorsqu'une femme consulte aujourd'hui un gynécologue, c'est, dans un cas sur quatre environ, parce qu'elle a des pertes [1]. Ces pertes, qui peuvent être utérines ou vaginales, vont du blanc au vert-jaune, sont parfois nauséabondes et peuvent rendre les rapports douloureux. La plupart aujourd'hui se soignent facilement et — lorsque du moins elles ne sont pas dues à un cancer — disparaissent rapidement. Il n'en allait pas de même autrefois : vivre pendant des années avec de tels écoulements était alors pour la femme une véritable malédiction. Certes, à part quelques cas de blennorragie aboutissant à des péritonites, ces pertes représentaient rarement un risque mortel. Mais elles rappelaient à tout un chacun les servitudes de la sexualité féminine.

L'histoire de ces pertes remonte très loin dans le temps. Un livre de médecine anglais du xve siècle recommandait pour « les superfluités de la matrice » de « faire bouillir du calament dans de l'eau, avec lequel on lavera [la femme] par le dessous [2] ». L'eau froide, explique en 1811 un médecin de l'Urnerland (Suisse), constitue « un moyen éprouvé de combattre l'odeur fétide qui souvent se dissimule sous la plus jolie des robes [...] Cela est particulièrement utile en été, lorsque les exhalaisons se concentrent à la vulve, se faisant âcres, irritant les

240

chairs et provoquant les fleurs blanches[3] ». « Fleurs blanches » ou *fluor albus :* c'est ainsi que la médecine d'autrefois désignait toute perte vaginale ou utérine visqueuse. « Leucorrhée » est le terme moderne. Ces pertes étaient considérées comme une maladie en soi, et non comme le simple révélateur de quelque affection plus profonde. Et elles étaient la source de tels désagréments qu'elles constituaient l'un des rares troubles gynécologiques pour lesquels les femmes consultaient un médecin. Grâce à quoi nous en savons plus sur leur histoire que sur tout autre aspect ou presque de la santé des femmes.

Lorsqu'une femme souffre de telles pertes, c'est sans doute pour l'une des raisons suivantes :

— Une infection vaginale due à un micro-organisme de la famille des protozoaires, le *Trichomonas vaginalis.* Si une adulte sur cinq environ héberge dans son vagin quelques-uns de ces trichomonas, beaucoup plus rares sont celles qui en présentent le symptôme. Nombre d'hommes également sont porteurs de ces micro-organismes dans leur pénis. Mais chez eux les symptômes se manifestent rarement, alors que chez la femme atteinte d'infection ils prennent des formes très marquées : odeur fétide, écoulement jaune-vert d'aspect bulbeux, prurit[4]. Le *T. vaginalis* a été observé pour la première fois en 1836[5]. Mais c'est depuis les années 1930 seulement que son identification est devenue un acte médical banal.

— Une infection vaginale occasionnée par un micro-organisme de la famille des levures, le *Candida albicans* (autrefois *monilia*). Lui aussi se développe naturellement dans le vagin d'une femme sur cinq environ, et se manifeste rarement par des symptômes[6]. Mais l'infection, lorsqu'elle apparaît, est source de très vifs désagréments : pertes grumeleuses, violentes démangeaisons, rapports sexuels douloureux.

— Une blennorragie. Nous y reviendrons plus loin. Notons seulement ici que, théoriquement, on a toujours distingué les pertes verdâtres causées par le gonocoque des « fleurs blanches ». William Smellie écrit, en 1752, qu'à l'inverse du *fluor albus* normal, la blennorragie (autrefois « gonorrhée ») produit « une inflammation ou des ulcères à la vulve ». Et il ajoute : « La gonorrhée se différencie également du *fluor albus* par ceci qu'elle persiste tout au long de l'écoulement des menstrues[7]. » Dans la pratique, toutefois, nombre d'observateurs ne se donnaient pas la peine de faire la distinction, et il ne fait aucun doute que parmi les jeunes femmes « rendues infécondes par les fleurs blanches » se trouvaient autrefois des cas de blennorragie[8].

— Toute une série d'infections bactériennes du vagin, dues soit à une bactérie bacilliforme appelée *Hemophilus vaginalis,* soit à des streptocoques ou des staphylocoques. Leurs symptômes ne sont pas « caractéristiques » et nous en savons peu de chose historiquement.

— Diverses infections du col de l'utérus. L'infection aiguë du col est généralement la conséquence d'une blennorragie, mais les infections chroniques liées aux dégâts de la maternité étaient probablement autrefois plus courantes. Elles donnent lieu à d'épaisses pertes jaunes mêlées de pus. Telles étaient donc les infections que recouvrait autrefois le terme de « fleurs ». A quoi il convient d'ajouter une autre cause de leucorrhée, aussi fréquente jadis qu'elle est rare aujourd'hui : la sombre gamme des infections du post-partum. Une fois infecté le tissu conjonctif du bassin, de l'utérus ou des trompes, il pouvait y avoir suppuration des années durant. « La femme d'un tisserand de Wossall, dans le Staffordshire, vint me voir vers l'an 1654, se plaignant de fortes douleurs dans le dos et d'un échauffement dans les parties externes du corps, relate Percivall Willughby. Elle me déclara que cela lui était venu après un dur labeur, et que de nombreuses peaux et morceaux de chair sortirent de son corps après qu'elle eut accouché. » Parmi tous les symptômes que présentait cette femme, un surtout nous intéresse : « Une matière fétide blanchâtre s'écoulait d'elle continuellement. Et elle avait pour effet de fortement enflammer et humecter ces parties [la vulve]. L'humeur ainsi produite exhalait une vague odeur âcre [...]. Ce qu'il advint de cette femme, après que je fus parti pour Londres en 1656, je l'ignore[9]. »

Quelle qu'en fût la cause, ces leucorrhées étaient autrefois extrêmement fréquentes. Le Viennois Friederich Colland se plaignait ainsi, en 1800, de la difficulté qu'il y avait à trouver une nourrice qui ne dissimulât point : « Lorsqu'elles se présentent, elles se lavent et se nettoyent généralement les parties sexuelles, puis s'enfoncent une petite éponge (qu'elles retirent avant de pénétrer chez vous), et pour finir mettent une robe blanche afin que le caractère pernicieux de leur leucorrhée passe inaperçu[10]. » Texte qui nous apprend deux choses : d'abord, que le futur employeur procédait à un examen des parties génitales ; et ensuite, que les « fleurs blanches » étaient extrêmement fréquentes dans la catégorie de femmes parmi lesquelles se recrutaient les nourrices. En l'espace de six ans à la fin du XVIIIᵉ siècle, 446 femmes consultèrent à l'Aldersgate Dispensary de Londres pour *fluor albus* (contre 270 pour règles trop abondantes)[11]. Était-ce beaucoup ? N'oublions pas l'extrême pudeur du temps : pour qu'une femme parle de ses pertes à un homme de l'art, il fallait vraiment qu'elle aille très mal. De plus, comme l'explique un praticien de Dantzig : « Les femmes tiennent la leucorrhée pour une maladie si courante qu'elles ne s'en ouvrent à un médecin que dans les cas les plus graves[12]. » Dans les années 1920 à Londres, lorsque Marie Stopes consulte à son centre d'orthogénie, elle s'aperçoit que, chez de nombreuses femmes, les pertes empêchent la pose de tout diaphragme cervical. Écoutons le Dʳ Maude Kerslake, qui travaillait au centre : « Seules quelques-unes de ces femmes avaient déjà consulté un médecin [...] Souvent, elles déclaraient s'être entendu dire qu'il

était normal d'avoir des pertes et qu'elles devaient s'y faire[13]. »
. Sur la généralité du phénomène autrefois, les témoignages abondent. Afin de ne pas noyer le lecteur sous les citations d'obscurs médecins de village, nous ne ferons que quelques remarques.
La leucorrhée, d'une part, n'était pas simplement une maladie de « bourgeoise inactive ». Bien des voix s'élèvent de la province :
— Le Dr J.-B. Denis Bucquet, en 1808, à Laval : « La leucorrhée est presque générale : les femmes de tout âge et de toute condition y sont généralement sujettes, et assez souvent cette maladie est portée à l'extrême[14] » — voulant sans doute dire par là qu'elle constituait l'un des symptômes terminaux du cancer de l'utérus ou de la péritonite.
— Le Dr Rame, en 1841, à Lodève : « Le catarrhe utérin [est] si généralement répandu que peu de personnes du sexe en sont exemptes[15]. »
— Le Dr F.J. Werfer, en 1813, à Gmünd (Autriche) : « Les fleurs blanches sont très fréquentes chez les femmes, mariées ou non, et même dans les campagnes le phénomène s'observe aujourd'hui plus souvent. Nul doute que ce soit là le résultat d'une éducation plus douillette[16]. »
— Le Dr Johann Rambach, en 1801, à Hambourg : « Les fleurs blanches sont extrêmement répandues, et davantage encore parmi les femmes du peuple que parmi celles des classes aisées. Rares sont celles qui parviennent à éviter cette maladie[17]. »
Et ainsi de suite. La première moitié du xixe siècle vit paraître des dizaines de ces topographies médicales, et très souvent la leucorrhée y est décrite — avec l'anémie parfois — comme la principale des maladies féminines.
Seconde remarque : la fréquence de ces pertes chez les ouvrières. Un pédiatre viennois remarquait à quel point la maladie était répandue parmi les jeunes travailleuses des filatures, « pour la raison qu'elles sont continuellement assises[18] ». Dans les environs de Wangen (Wurtemberg), un certain Dr Zengerle notait : « Il est peu d'autres régions dans notre patrie où l'on rencontre autant de femmes affectées par cette maladie. » Et de conclure : « L'une des causes de la fréquence de ce mal doit être recherchée dans la position assise qui est celle des paysannes durant une moitié de l'année. D'octobre à avril, les femmes sont occupées, depuis l'aube jusqu'à une heure avancée de la nuit et presque sans discontinuer, à filer, à coudre et à tricoter [industriellement][19]. » Dans le canton suisse de Glaris, relève F. Schuler, la leucorrhée est le plus souvent « occasionnée par le travail à la manufacture ». Les ouvrières travaillant à l'impression du coton, note-t-il en 1872, souffrent davantage de leucorrhée que celles des ateliers de tissage, ce qu'il explique par « l'air chaud et humide » des ateliers d'impression[20]. Et un médecin d'Elbeuf, cité textile, se déclare frappé par la fréquence des leucorrhées chez les « femmes et [les] jeunes filles réunies dans les ateliers pour les divers apprêts de

perfectionnement des draps, [et qui] emploient ou la braise ou la cendre chaude pour se tenir les pieds à l'abri de l'humidité[21] ».

Théories médicales parfaitement ineptes. Mais qu'y avait-il alors dans le travail d'usine qui rendît les femmes spécialement sujettes aux infections vaginales et utérines ? Comme la maladie affectait aussi bien les femmes mariées que les célibataires, la cause n'est sans doute pas à rechercher dans quelque circonstance particulière de leur vie domestique. Ces épidémies rappellent singulièrement les épidémies actuelles de vulvovaginite chez les filles prébubères dans les colonies de vacances, provoquées par le contact de serviettes contaminées ou par l'absence d'hygiène[22]. Peut-être les femmes de Wangen, regroupées dans une ferme pour y effectuer dans la promiscuité des travaux d'atelier, étaient-elles exposées, elles aussi, à des épidémies de vaginite.

Et si toutes ces histoires de pertes malodorantes n'étaient que le produit des fantasmes masculins ? On voit parfois passer, dans l'imaginaire médical d'autrefois, de singulières images sexuelles[23]. Pourquoi n'en serait-il pas de même ici ? La réponse est que la leucorrhée était pour les femmes une cause bien réelle d'appréhension. C'est ce qu'attestent plusieurs types de sources.

D'abord, l'existence, contre ce mal, de certains remèdes populaires. On disait couramment depuis le XVIe siècle : « Pour la maladie blanche, prendre des racines de roses blanches, faire cuire dans du vin blanc et boire la décoction pendant plusieurs jours[24]. » « Si la matrice ne produit que des humeurs visqueuses », disaient les paysannes de Bavière, la femme prendra du romarin, de l'eau de choucroute, du plantain et vingt autres décoctions[25]. En cas de « fleurs blanches », les paysannes suisses ingurgitaient « du boudin blanc et des lis blancs bouillis dans de l'eau[26] ». Et il y a une dizaine d'années à peine, les paysannes du département de la Moselle soignaient leur leucorrhée par des injections vaginales de décoction de feuilles de noyer[27]. L'existence d'une telle tradition populaire exclut que les « fleurs blanches » aient été seulement le fruit d'imaginations médicales surchauffées.

D'autres sources, moins directes, donnent à penser que les femmes elles aussi, et non seulement leurs médecins, étaient profondément affectées par cette maladie. « Faiblesse intime », *inward weakness*, « déperdition », *waste**[28], disaient les ouvrières britanniques pour la désigner. Dans les communautés finnoises, « une femme atteinte de fleurs blanches est considérée comme impudique ; la leucorrhée passe généralement pour une maladie grave, qui affaiblit considérablement et finit par rendre stérile » (allusion, apparemment, aux pertes

---

* *Waste* : vocable tout à fait exceptionnel dans la langue anglaise, laquelle, pour désigner les pertes, emploie normalement le mot *discharge*, écoulement, qui est le terme utilisé partout ailleurs dans ce livre. *(N.d.T.)*

blennorragiques) [29]. Et voici une Londonienne de trente-trois ans, Mrs. S., qui, depuis trois ans environ, avait « des pertes jaunâtres continuelles en grande abondance et particulièrement nauséabondes [...] En certaines occasions, [cette leucorrhée avait provoqué] « des plaies aux doigts de sa blanchisseuse [30] ». Il paraît peu vraisemblable que cette dernière ait pu contracter une dermatite au seul contact du linge souillé de Mrs. S. Reste que les deux femmes étaient persuadées que c'était le cas (de même que le Dr Francis Ramsbotham), ce qui montre que toutes deux imputaient à ces pertes une virulence extrême.

Autre aspect de la question : la façon dont le phénomène affectait les relations entre les sexes, renforçant chez la femme le sentiment séculaire d'être « lâchée » par la nature. Peut-on dire que les hommes étaient sensibles à la présence d'une leucorrhée, ou que les femmes en étaient gênées ? Sur ce point, les sources sont quasiment muettes : une immense chape de silence enveloppe traditionnellement tout ce qui touche à l'intimité du corps. Seuls les Lettons préchrétiens ne craignaient pas, semble-t-il, d'aborder le sujet dans une de leurs chansons :

> *Le guisot laboure*
> *Coiffé de son chaperon rouge,*
> *La chatte apporte à déjeuner,*
> *Essuyant ses larmes.*

S'il faut en croire le présentateur du recueil, le « chaperon rouge » ne serait autre que le gland du pénis, tandis que les « larmes » de la « chatte » désigneraient des pertes blanches [31]. Nous aurions donc ici l'une des très rares figurations du drame intime de la leucorrhée, figuration d'autant plus intéressante que ces chansons populaires étaient généralement élaborées et transmises par des hommes.

Derrière la maladie se profile le singulier manque d'hygiène qui caractérisait autrefois le menu peuple. Les gens vivaient dans la crasse, ne se lavaient pas, étaient perpétuellement la proie d'infections et d'infestations de la peau, des oreilles, des yeux et des cheveux. Mais ce sont les organes génitaux qui nous intéressent ici. Après avoir constaté l'extraordinaire fréquence des infections utérines dans la Rhön (Allemagne), le Dr K.H. Lübben évoque la saleté dans laquelle vivent les habitants de cette région : « C'est la sage-femme, écrit-il, qui leur donne à presque tous leur premier et dernier bain [32]. » Le tiers des sages-femmes ayant répondu vers 1900 à un questionnaire sur l'hygiène en Hongrie signalent que, dans leur district, les femmes ne se baignent jamais, « à moins de tomber dans l'eau par accident », comme le dit l'une d'entre elles. Le bain n'est « pas dans les usages », « pas de mode par ici », « inconnu ». Elles prennent leur dernier bain juste avant les épousailles, déclare l'une des sages-femmes. Et une autre : « Elles ont leur premier bain lorsqu'elles viennent au monde, leur second une fois qu'elles sont mortes[33]. » Maria Bidlingmaier, l'étudiante en médecine qui vécut parmi les paysans de deux villages du Wurtemberg, rapporte que les femmes ne s'y lavaient que le visage, les mains et les pieds. Et d'ironiser : « Quelle chance que leurs vêtements grossiers et leur perpétuelle activité nettoient par simple frottement le reste de leur corps[34] ! » L'officier de santé de Roding (Allemagne) écrit en 1860 : « Les femmes ne se lavent que le dimanche et les jours de fête, se limitant au visage, au cou, aux bras et aux pieds. Elles considèrent que se laver ou se nettoyer les parties est un acte inconvenant et un péché[35]. »

Ce sens très particulier de la propreté est encore plus frappant en ce qui concerne l'hygiène menstruelle. Quelle « protection périodique » les paysannes utilisaient-elles ? La plupart du temps, dans le peuple, leurs seuls vêtements. Témoin cette plainte déposée à Francfort, en 1457, contre le service d'inspection des lépreux. Motif : avoir entièrement dénudé une femme morte supposée atteinte de la maladie, et ce bien qu'elle ait eu ses règles juste avant de mourir. Ce dont les inspecteurs auraient dû s'apercevoir, disent les plaignants, au vu précisément de l'état des vêtements[36]. Et encore au début du xxe siècle, les paysans finlandais estimaient nocif l'usage des protections périodiques, car, disaient-ils, « les règles purgeant les femmes du mal et de la malpropreté, il importe, pour que cet assainissement s'accomplisse, que les parties sexuelles ne soient obstruées par aucun tissu ni tampon ». De surcroît, les vêtements ainsi tachés « doivent être lavés en secret, et uniquement dans un peu d'eau[37] ». Même dans certaines région d'Europe plus évoluées, comme la Suisse, la pratique consistant à ne pas contrarier l'écoulement menstruel est restée longtemps vivace. En témoigne ce souvenir d'une femme suisse sur son adolescence dans les années 1890 : « Au mieux nous ne portions une culotte que lorsque l'hiver était très rigoureux. Les gens disaient que c'était un vêtement malsain et que le corps a besoin de respirer. Il ne serait venu à l'idée de personne de se laver à cet endroit-là [...] Il a fallu que j'aie mes règles pour qu'on m'autorise à mettre une culotte[38]. »

Tout ce sang séché constituait un terrain idéal pour la prolifération des germes pathogènes, agglutinés aux vêtements ou aux plis de la peau. De même pour la « crasse » : il ne s'agit pas de dire que les femmes sentaient mauvais parce qu'elles ne se lavaient pas. Non, c'est d'autre chose qu'il est question : la sueur séchée, les cellules mortes de l'épiderme, la saleté qui s'accumulait dans les replis des cuisses et dans les lèvres de la vulve, tout cela constituait un véritable nid à microbes. Chez nos ancêtres d'avant 1850, c'étaient sans doute ces germes-là (streptocoques, colibacilles intestinaux, staphylocoques) qui étaient responsables de la plupart des leucorrhées. La trichomonase, les femmes pouvaient facilement l'attraper de leur mari. Les levures pathogènes étaient présentes partout du fait des mauvaises conditions d'hygiène entourant la défécation, et nous savons qu'elles jouaient un rôle important dans les infections vaginales en raison des épidémies périodiques de muguet infantile. (Le muguet est une infection de la muqueuse buccale contractée par le bébé à la naissance au contact de la levure *Candida albicans* présente dans le vagin de la mère [39].) Quant à la blennorragie, elle n'était sans doute pas, avant 1850, l'une des principales causes de leucorrhée. Mais peut-on imaginer milieu plus favorable aux autres infections vaginales qu'une famille vivant sans hygiène ?

Je n'ai trouvé aucun document permettant d'établir une relation entre la diffusion des sous-vêtements de coton bon marché après 1850 et une probable régression après cette date des « leucorrhées chroniques ». Et pourtant un tel lien a bien dû exister. Si ce que j'ai dit concernant la malpropreté corporelle correspond à une réalité, alors les très nets progrès de l'hygiène individuelle accomplis dans la seconde moitié du XIXe siècle ont dû faire reculer la vaginite tout comme ils semblent avoir fait pour la pédiculose, la gale, la dermatite infectieuse et autres affections dues à une mauvaise hygiène.

Sans doute a-t-il fallu attendre les années 1930 pour que se fassent sentir les premiers résultats décisifs des soins médicaux. Ce qui ne signifie pas que les médecines traditionnelles — savante ou populaire — aient été entièrement inopérantes. Le principal responsable de la vaginite — le trichomonas — peut être combattu de deux façons : par un accroissement de l'acidité du vagin ou par l'élimination du parasite lui-même. Johann Osiander, par exemple, recommandait, en 1838, des douches vaginales à l'écorce de chêne (acide) et des injections de décoction de feuilles de sauge (plante dont une huile volatile paraît détruire le trichomonas [40]). La douche vaginale à l'acide borique ou tannique figure depuis longtemps comme traitement dans les pharmacopées savante et populaire [41]. Il est possible que la douche au bicarbonate de soude ait eu pour effet de compenser les pertes acides causées par la levure *Candida albicans,* bien que ce procédé ne soit pas recommandé aujourd'hui [42]. Mais aucun des remèdes traditionnels ne pouvait quoi que ce soit contre le gonocoque ou le streptocoque.

Même contre la leucorrhée, du reste, l'action n'était pas garantie : à côté de drogues qui sans doute agissaient, une vingtaine d'autres étaient également mentionnées, qui, vraisemblablement, n'avaient aucun effet. Ainsi cet ouvrage de référence qu'est le *Merck Manual,* dans sa première édition en 1899, recommande-t-il contre la leucorrhée jusqu'à soixante-quatre drogues différentes, y compris les « sels de plomb » et le « sulfate de fer » — sans compter la « lotion froide » et l'application sur la colonne vertébrale de la « vessie à glace [43] ». La patience de la malade devait être épuisée bien avant qu'elle en arrive aux quelques médications susceptibles de réellement la soulager. L'édition 1923 du *Merck Manual* propose encore une longue liste de remèdes inopérants [44]. En fait, on saisissait si mal alors les causes de la vaginite que le gynécologue Arthur Curtis pouvait encore dire, en 1930, à propos des levures : « Quant à savoir si ces micro-organismes se trouvent là par hasard ou s'ils constituent la cause essentielle [de la maladie], cela reste problématique [45]. » Puis l'horizon commencera à s'éclaircir. A la fin des années 1920, on va utiliser contre la candidose un composé organique appelé « violette de gentiane [46] ». A partir de 1936, les sulfamides vont liquider les causes bactériennes des infections cervicales et vaginales. Et, en 1955, ce sera la découverte du métronidazole (le « Flagyl »), qui remplacera le très dangereux stovarsol à base d'arsenic dans le traitement de la trichomonase [47].

Quand les femmes ont-elles cessé d'avoir peur d'incommoder les hommes par leurs odeurs ? Impossible de fournir une réponse très précise. Qui sait, du reste, si l'évolution vers une plus grande autonomie n'a pas été, en l'occurrence, aussi décisive que tous les progrès pharmaceutiques et médicaux ? Ce qui est sûr en tout cas, c'est qu'à l'aube de la Seconde Guerre mondiale les pertes vaginales chroniques, de quelque couleur qu'elles fussent, avaient considérablement régressé.

Les maladies vénériennes

Les maladies vénériennes — syphilis et blennorragie essentiellement — nous intéressent moins, car la plupart des femmes, avant 1850, ne contractaient jamais ni l'une ni l'autre. Une lente et longue progression de la fréquence de ces maladies devait toutefois apparaître à la fin du XVIIIe siècle, pour se poursuivre jusqu'au milieu du XXe. En 1911, près de la moitié des ouvriers dans une ville comme Graz avaient, à un moment ou un autre de leur existence, contracté la blennorragie, et nombre d'entre eux l'avaient transmise à leurs épouses. On peut fort bien avoir été en contact avec le gonocoque sans pour autant présenter aucun symptôme. Et cependant 16 % des hommes mariés de Graz ayant reconnu être ou avoir été atteint de l'une de ces infections déclarèrent que leur femme souffrait, en plus de leur leucorrhée, de « maladies de l'abdomen » : ces femmes, comme tant d'autres, étaient sans doute atteintes de blennorragie avancée [48].

Combien de femmes étaient-elles atteintes ? Difficile à dire. Car, dans un tiers des cas, la syphilis guérit spontanément [49]. Et les quatre cinquièmes environ des blennorragiques ne manifestent jamais aucun signe d'infection et deviennent ce qu'on appelle des porteuses asymptomatiques [50].

Les premiers documents relatifs aux maladies vénériennes datent du

XVIe siècle. Depuis cette date jusque vers 1850, blennorragie et syphilis sont restées des maladies de « marginaux » : soldats, étudiants, prostituées. Même lorsqu'une femme « normale » était atteinte, ce n'était pas nécessairement du fait d'un rapport sexuel : une goutte de pus sur une muqueuse ou une plaie suffit à provoquer une blennorragie. De même pour la syphilis : il suffit de donner un baiser, de vivre sous le même toit, d'allaiter un bébé contaminé. A preuve cette épidémie de syphilis survenue à Lausanne en 1683 et qui n'avait plus grand-chose de vénérien : un certain Daniel Montandon, venu de Neuchâtel, transmit la maladie à sa jeune épouse. Puis « celle-ci infecta sa sœur ; les deux sœurs infectèrent des enfants qu'elles allaitaient ; ces enfants infectèrent leurs mères ou d'autres nourrices ; le fléau, conclut l'auteur, se répandait au large [51] ». Une autre épidémie de syphilis, survenue à Cologne vers 1837, fut provoquée par une « suceuse de lait » (une femme payée pour sucer le lait des jeunes mères qui ne souhaitaient pas allaiter), dont la bouche portait les pustules de la maladie [52]. En fait, à la fin du XIXe siècle en Suède, sur 4 176 cas de syphilis dont l'origine était connue, un bon tiers n'avaient pas été contractés par coït : 211 étaient dus à la prémastication des aliments du bébé par sa mère ou sa nourrice, et plus de 1 200 au seul fait de vivre « dans l'entourage immédiat » d'une personne atteinte [53].

Reste que la syphilitique ou la blennorragique moyenne avait de fortes chances d'avoir été infectée par son mari rentrant de voyage. Ce genre de cas abonde dans la littérature médicale. Ainsi fut infectée la femme d'un écuyer près de Gotha. L'époux fut soigné par « salivation », c'est-à-dire par des préparations à base de mercure. Quant à la femme, elle eut seulement des règles irrégulières et constata qu'elle n'avait plus de grossesses. Quelques années plus tard toutefois, elle fut atteinte, semble-t-il, de plusieurs accès d'inflammation aiguë du bassin. A la suite d'une de ces poussées, elle sentit quelque chose « lui éclater au côté » ; elle devait succomber peu de temps après, vraisemblablement de la rupture d'une trompe remplie de pus (conséquence à long terme sans doute de son premier accès de blennorragie) [54].

Une dame de Normandie qui, depuis une dizaine de jours, « se trouvait fort incommodée de fleurs blanches », fit venir Guillaume de La Motte. Elle souffrait de « pesanteur dans le bas-ventre et vers les reins, avec un peu de douleur et beaucoup de cuisson ». Le médecin, « sachant que la conduite du mari n'était pas régulière », diagnostiqua « une vraie chaude pisse ». Ce que confirmera l'époux lui-même quelques jours plus tard en avouant à de La Motte que c'était lui qui « avait fait présent [de la maladie] à Madame sa femme [55] ».

Il semble, au vu des textes, que jusqu'au XIXe siècle ce genre d'accident était plutôt rare. Ensuite est venue une forte progression des maladies vénériennes, limitée d'abord sans doute aux classes populaires, puis se propageant au cours du siècle, les hommes des classes moyennes communiquant la maladie à leur femme au retour d'une visite chez une prostituée. Le nombre des admissions pour maladie vénérienne dans les hôpitaux civils de Paris passe ainsi de 2 200 en 1804 à 5 300 en 1837, soit une progression très supérieure à celle de la population parisienne dans le même temps[56]. Mais ces statistiques n'ont qu'une valeur limitée, car c'est en 1838 seulement que Philippe Ricord annonce la mise au point d'une réaction permettant de distinguer la blennorragie de la syphilis. Et il faudra attendre 1852 pour que le chancre mou — la troisième des grandes maladies vénériennes — soit clairement diagnostiqué pour la première fois[57]. Quant au gonocoque (le microbe de la blennorragie ou gonococcie), sa découverte n'interviendra qu'en 1879, grâce à Alfred Neisser. Tout cela fait que, jusqu'au xxᵉ siècle, nous n'avons en fait que des indices de l'augmentation des maladies vénériennes ; indices suffisamment nombreux toutefois pour que cet accroissement, au xixᵉ siècle, ne fasse aucun doute[58]. Une singulière progression en vérité, due en grande partie à cette révolution des comportements extramaritaux que j'ai décrite ailleurs[59].

Cette progression deviendra même spectaculaire vers l'époque de la Première Guerre mondiale. Pour la blennorragie, par exemple, 5 400 cas signalés chez les femmes suédoises en 1919, contre 537 seulement en 1911 ; et le niveau ensuite restera élevé[60]. Telle sage-femme allemande expérimentée n'avait jamais rencontré un seul cas de blennorragie avant 1914[61].

Quels étaient les risques respectifs des femmes et des hommes de contracter alors l'une de ces maladies ? Ils étaient inégaux, mais la femme n'était pas épargnée. Parmi les adhérents aux caisses de secours mutuels de Leipzig entre 1887 et 1905, le nombre des individus atteints de maladie vénérienne dans la tranche d'âge 15-34 ans était de 5,7 pour 1 000 chez les hommes et de 4,2 chez les femmes[62]. En 1900 à Berlin, 14 hommes adultes sur 1 000 étaient soignés pour maladie vénérienne, et 4 femmes sur 1 000 « seulement[63] ». Une enquête nationale réalisée aux États-Unis en 1928 faisait apparaître les résultats suivants en nombre de cas pour 1 000 personnes de race blanche : pour la blennorragie, 5,7 hommes et 2,1 femmes, et, pour la syphilis, 5,1 hommes et 2,8 femmes[64]. (Les maladies vénériennes étant fréquemment « sous-diagnostiquées » chez les femmes, le taux réel était sans doute plus élevé.)

Les maladies vénériennes avaient depuis longtemps cessé d'être des maladies de « paumés ». Étaient soignés à Berlin pour ces maladies, dans les années 1890 : 25 % des étudiants, 16 % des vendeurs, 13 % des serveuses, mais seulement 9 % des ouvriers d'usines[65]. Bon nombre de malades vues par Emil Noeggerath dans sa pratique new-yorkaise étaient des femmes stériles des classes moyennes que leurs maris avaient infectées juste après le mariage : « Mrs. S., de Williamsburgh, épouse en secondes noces d'un négociant dont la première femme avait succombé à une infection abdominale, était, lorsqu'elle se maria il y a deux ans, une jeune femme en parfaite santé. Elle commença à souffrir immédiatement après le mariage : leucorrhée et règles surabondantes, ainsi que douleurs abdominales. Six mois après le mariage, la douleur était si vive qu'elle dut s'aliter ; elle présentait de manière aiguë tous les symptômes de la péritonite pelvienne[66].» En clair, le mari de Mrs. S. avait communiqué à celle-ci une infection gonococcique dont son urètre était porteur sans qu'apparaisse aucun symptôme. Sa première épouse avait probablement succombé à un abcès ouvert des trompes : le gonocoque, en effet, remonte généralement jusqu'à cet organe, où il fraye la voie à d'autres germes pathogènes plus agressifs et plus meurtriers, lesquels produisent une telle quantité de pus que l'abcès finit par s'ouvrir. C'est ce dont, à son tour, souffrait Mrs. S., et qui lui valait une sérieuse infection abdominale.

On peut maintenant faire deux observations :

1. Avant l'avènement des antibiotiques, la blennorragie aboutissait chez une femme sur sept à une infection des trompes. En fait, l'écrasante majorité des cas d'infection tubaire était vraisemblablement imputable à la blennorragie. C'est en 1886 que l'on découvrit la présence du gonocoque dans du pus issu des trompes[67]. On comprit alors que nombre de femmes qui se plaignaient de vives douleurs au bassin sans cause apparente souffraient en fait de cette maladie vénérienne[68].

2. La blennorragie rendait quantité de femmes stériles plus tôt qu'elles l'eussent souhaité. Sans doute le lecteur sera-t-il surpris de voir la stérilité soudain classée parmi les causes d'ennuis de la femme traditionnelle, car il a surtout été question ici de femmes *trop* fécondes. Mais c'est qu'à partir du dernier quart du XIXe siècle et jusqu'aux environs de la Seconde Guerre mondiale, on note une forte progression du pourcentage des femmes totalement stériles, ou qui le sont devenues après leur premier enfant[69]. Cette nouvelle infécondité était probablement due, pour l'essentiel, à une blennorragie installée dans les trompes et bloquant tout accès, d'où impossibilité pour l'ovule d'être fécondé. Une sage-femme allemande évoque « la descendance unique des couples de blennorragiques[70] » : le mari contamine sa jeune épouse, mais celle-ci a le temps de concevoir une fois avant que la maladie ne lui bloque les trompes. D'après les statistiques new-yorkaises de Noeggerath, sur 81 femmes ayant épousé un homme déjà atteint de la maladie, 31 devinrent enceintes, dont 8 ne purent mener leur grossesse à terme. Et sur les 23 dont la grossesse parvint à terme, 12 n'eurent qu'un seul enfant[71]. (La syphilis, en revanche, réduit la fécondité principalement en tuant le fœtus peu avant terme, ou en le lésant si gravement qu'il meurt peu après la naissance[72].) Ces infections vénériennes ont vraisemblablement été pour quelque chose dans la dénatalité observée à la fin du

xixᵉ siècle. Il est intéressant de noter que la Ligurie, où, dans les années 1930, plus d'une femme sur dix n'avait jamais eu d'enfant, était aussi l'une des régions ayant eu, cinquante ans auparavant, un très fort taux de maladies vénériennes. Le même phénomène se retrouve dans d'autres régions d'Italie : Latium, Ombrie, Campanie[73].

Évolution différente donc, pour les maladies vénériennes, du schéma général : dans ce domaine précis, la situation des femmes, à partir du dernier quart du xixᵉ siècle, loin de s'améliorer, a au contraire empiré. Certes, la découverte du « Salvarsan », annoncée par Paul Ehrlich en 1910, devait apporter quelque soulagement aux syphilitiques[74]. Mais il a fallu attendre l'introduction des sulfamides, en 1936, pour qu'apparaisse un traitement spécifique de la blennorragie. Et la pénicilline, qui devait assurer la victoire sur la syphilis, ne commença à être utilisée contre cette maladie qu'en 1943[75]. Si les autres maladies touchant à la sexualité avaient considérablement régressé dans les années 1930, les maladies vénériennes, en revanche, sont toujours là aujourd'hui, rappelant aux femmes une certaine inégalité « naturelle » face à l'homme dans les choses du sexe.

Les séquelles de l'accouchement

Les blessures subies lors de l'accouchement marquaient sans doute l'intéressée pour la vie. Et qui dit mutilation à l'accouchement dit vie sexuelle perturbée. Un accouchement brutal ou prolongé pouvait détériorer une bonne partie du bassin. Dans les années 1890, le Dʳ W.J. Sinclair fut appelé un jour auprès d'une jeune accouchée : « Lorsque je l'examinai pour la première fois, je constatai une descente complète de l'utérus. Celui-ci était si protubérant que les moitiés antérieure et postérieure du col, qui apparaissaient entre les fesses, ressemblaient à deux organes distincts ; et le périnée était entièrement déchiré jusqu'à l'anus[76]. » De quoi effectivement bouleverser une vie : les fonctions intestinales lésées, la marche rendue pénible, la crainte d'une nouvelle grossesse : quel plaisir une femme ainsi mutilée pouvait-elle trouver à faire l'amour ?

De telles blessures n'étaient pas rares. Nous en examinerons trois : les fistules, qui sont des orifices anormaux reliant le vagin aux organes voisins ; les déchirures du périnée, qui pouvaient atteindre l'anus ; et la tendance de l'utérus même, après plusieurs accouchements difficiles, à descendre dans les voies génitales, au point parfois de pendre entre les jambes. Autant de situations intolérables, partie intégrante pourtant, jadis, de la condition féminine, et qu'il nous faut prendre en compte si nous voulons restituer entièrement la vie de ces femmes.

LES FISTULES

De toutes les séquelles gynécologiques de l'accouchement, c'étaient les plus atroces sans doute, mais aussi les moins courantes. Il y avait fistule recto-vaginale — du vagin au rectum — ou vésico-vaginale — du vagin à la vessie — lorsque la tête de l'enfant, s'étant trouvée longtemps coincée dans le vagin, interrompait la circulation vers la mince paroi séparant les deux organes, d'où formation d'une ouverture à cet endroit. Parfois, cette ouverture était provoquée pendant l'accouchement lorsqu'on introduisait forceps ou crochet pour mettre un terme au travail ; ou bien elle apparaissait d'elle-même huit jours plus tard[77].

La moins fréquente était la fistule recto-vaginale. Par l'orifice accidentellement créé, matières fécales et gaz intestinaux se déversaient dans le vagin. Willughby rapporte le cas d'une sage-femme de Londres qui, par ses manœuvres, provoqua une longue déchirure dans la paroi postérieure du vagin d'une parturiente : « La femme fut fort dérangée par cet outrage. Depuis ce temps, ses excréments s'écoulaient par les voies de la génération[78]. » De La Motte, quant à lui, cite le cas de la femme d'un boulanger de Nègreville, en Normandie, qui, « après avoir eu deux accouchements laborieux et d'enfants morts », se retrouva grosse pour la troisième fois. Le mari comprenait mal la situation « après les accidents que cette femme souffrait de son dernier accouchement, qui étaient jusqu'à laisser aller les matières fécales, sans qu'elle les sentît ; ce qui l'obligeait d'avoir toujours des linges pour les recevoir ». De La Motte découvrit une fistule recto-vaginale « à y passer le pouce tout à l'aise, par où coulaient les matières fécales qui tombaient involontairement dans le vagin, sans que la femme les sentît[79] ». Et voici une Mrs. D., de Hull (Angleterre), qui, cinq jours après un difficile accouchement instrumental en mars 1833, s'aperçut qu' « elle avait perdu tout pouvoir de rétention, et [que] les matières s'écoulaient involontairement, lors même qu'elle était alitée ». George Fielding tenta de réparer les dégâts, « afin de permettre à cette femme, dit-il, de maîtriser quelque peu sa défécation » — « question d'une grande importance, précise-t-il, pour quelqu'un dont les habitudes personnelles paraissaient d'une méticuleuse propreté[80] ».

Beaucoup plus fréquentes étaient les fistules vésico-vaginales. La plus ancienne dont l'histoire ait conservé la trace est celle qui affecta la jeune princesse égyptienne Hehenit, de la XIe dynastie (vers − 2000). Sa momie « révèle une fistule vésico-vaginale, provoquée sans doute par un accouchement prolongé, dû à un fort rétrécissement du bassin ; accouchement qui est également la cause de sa mort[81] ». Étant pratiquement incurables, ces fistules ont de tout temps fasciné les auteurs. Avicenne, le célèbre médecin arabe du xie siècle, fait observer que « le corps du fœtus peut occasionner une déchirure de la vessie, laquelle a pour résultat une incontinence d'urine ». Et un médecin de Valladolid, Luiz de Mercado, déclara en 1597 : « Combien vide et tragique l'existence de celles qui en sont affectées et combien grandes les incommodités dont elles souffrent [...] ; l'urine s'écoule tout à l'aise par la fistule[82]. »

Existence misérable que celle des victimes. Voici ce qu'en dit, en 1836, le chirurgien allemand J.F. Dieffenbach : « Il ne saurait y avoir situation plus désolante que celle d'une femme affligée d'une fistule vésico-vaginale. Objet de dégoût à ses propres yeux, la femme, naguère chérie de son mari, devient pour lui, dans cet état, objet de répulsion physique ; et tous les autres, de même, se détournent d'elle, repoussés qu'ils sont par l'épouvantable odeur d'urine [...]. La vulve, le périnée, le bas des fesses, l'intérieur des cuisses et des mollets sont perpétuellement mouillés, jusqu'aux pieds mêmes. La peau prend une teinte rouge feu et se couvre par endroits d'une éruption pustuleuse. Des brûlures et des démangeaisons insupportables tourmentent les malades, les poussant à fréquemment se gratter jusqu'au sang. En désespoir de cause, beaucoup s'arrachent les poils du pubis, qui sont parfois collés par un précipité urinaire calcaire. Se changer ne leur apporte aucun soulagement, car le sous-vêtement propre, rapidement trempé, bat contre les flancs de la malade, contre ses cuisses mouillées, tandis qu'elle marche, pataugeant dans ses chaussures comme si elle traversait un marécage[83]. » La femme Dröhnen, qui, en 1786, se rendit à l'Institut clinique de Göttingen pour se faire soigner « une fistule de la vessie et du rectum », connaissait cette pénible existence depuis quatorze ans déjà[84]. Une dame d'un certain âge habitant une grande ville canadienne racontait récemment comment, lorsqu'elle était jeune mariée en Nouvelle-Écosse, une sage-femme l'avait laissée avec une fistule. « Toutes mes voies n'en faisaient plus qu'une », se souvenait-elle. Et elle s'était trouvée extrêmement gênée, nous est-il relaté, « d'avoir à vivre dans cet état avec son mari, obligée qu'elle était de porter en permanence une couche, souillant souvent ses vêtements, la peau régulièrement irritée [...] Ne pouvant se résoudre à aborder ses problèmes avec d'autres femmes, elle avait porté sa croix en silence durant de nombreuses années. Elle avait la hantise, disait-elle, d'une nouvelle grossesse[85] ». Comme on la comprend !

Mais étaient-elles fréquentes, ces fistules ? Comme elles étaient plutôt le fait d'une obstétrique primitive — des tiraillements brutaux sur la mère associés à un travail interminable —, les statistiques sur ce sujet sont rares. Sur près de 2 000 accouchements supervisés par le Westminster General Dispensary dans les années 1770, on n'enregistra qu'un seul cas de fistule[86]. La proportion était plus élevée sans doute lorsque les conditions étaient moins favorables. Paul Portal, par exemple, au XVIIᵉ siècle en rencontrait souvent, semble-t-il[87]. En l'espace de cinq ans au début de ce siècle, le dispensaire gynécologique de Tübingen a eu à traiter 30 cas de fistules vaginales, soit 1 % environ des patientes examinées[88]. Est-ce beaucoup ou peu ? Tout dépend du nombre des accouchements dans la région, mais le phénomène, à l'évidence, n'avait rien d'exceptionnel. « C'est une chose qui arrive », dit Fleetwood Churchill dans son manuel[89]. En suivant, dans les années 1920, 98 femmes qui avaient subi un « forceps non réussi », le Royal Maternity Hospital d'Édimbourg devait rencontrer trois cas de fistule[90]. Il semble, à la lecture de ces données fragmentaires, que la fistule ne devait pas être un phénomène inconnu de la villageoise moyenne. Et il devait suffire d'un ou deux cas pour créer, dans la mentalité féminine, le sentiment d'une véritable malédiction sexuelle.

La fistule était l'accident type de l'accouchement traditionnel par la matrone. Le remplacement progressif de cette dernière par une sage-femme qualifiée ou un médecin rendit donc le phénomène plus rare. Finis aussi, grâce au forceps, ces accouchements interminables où la tête de l'enfant restait bloquée dans le vagin trois jours durant. A la fin du xixe siècle, plusieurs auteurs respectés pouvaient déclarer que la fistule vésico-vaginale en particulier — « la plus courante des lésions provoquées par l'accouchement dans les générations antérieures » — était maintenant en nette régression[91].

C'est au xixe siècle également que fut conçue l'intervention ayant pour but de réparer ces fistules. Face à celles-ci, les chirurgiens traditionnels étaient totalement démunis : ils n'avaient les moyens ni d'observer la paroi vaginale antérieure ni d'empêcher les sutures de sauter. Certes, on comptait quelques interventions réussies, la première aux États-Unis ayant été pratiquée par John P. Mettauer en 1838[92]. Mais personne encore n'avait trouvé, pour la réparation des fistules, un procédé sûr. C'est alors que se produit l'un des épisodes célèbres de l'histoire de la médecine. James Marion Sims, chirurgien à Montgomery (Alabama), est appelé en 1845, en l'espace d'un mois, à examiner trois cas de fistule chez de jeunes Noires. Les esclaves atteintes de cette maladie donnaient alors bien du souci à leur propriétaire : inaptes au travail, elles préféraient parfois se suicider plutôt que de vivre « année après année dans la détresse et l'ostracisme ». Sims prend donc ces trois femmes dans sa clinique, tous frais à sa charge, et pendant quatre ans il va s'employer à découvrir un remède. Sa réussite lui vaudra la renommée internationale[93]. Ironie de l'histoire, Sims a récemment été traîné dans la boue par certains auteurs, qui l'accusent d' « avoir utilisé des esclaves noires pour ses expériences[94] ». Peut-être l'éthique du gynécologue dans le Sud d'avant la guerre de Sécession n'était-elle pas dénuée d'ambiguïtés. Reste que l'opération imaginée et mise au point par Sims devait faire le tour du monde et permettre d'en finir avec les fistules et leur interminable cortège de souffrances.

LES DÉCHIRURES

S'il y a eu déclin des fistules, un autre type de dégât gynécologique, en revanche, a connu, semble-t-il, une certaine progression au cours du XIXe et au début du XXe siècle : ce sont les déchirures du périnée. Lors d'un accouchement difficile au forceps — ou encore si la tête de l'enfant est trop grosse ou les voies génitales trop peu souples —, cette partie se déchire. Si la déchirure se propage jusqu'au sphincter anal externe, le sujet perd la maîtrise de sa défécation (il peut aussi se produire une fistule recto-vaginale). L'usage croissant du forceps au XIXe siècle a sans doute accru la fréquence de cette blessure[95]. Selon un chirurgien français du XVIIIe siècle, un accouchement sur mille environ donnait lieu à une déchirure de l'anus[96]. Et avant 1900, les déchirures du périnée — pourtant faciles à suturer — étaient généralement laissées en l'état. Si la déchirure atteignait l'anus, l'intéressée était condamnée à l'incontinence fécale pour le restant de ses jours. Mais la déchirure du seul périnée suffisait à provoquer la béance du vagin.

Beaucoup plus fréquentes étaient les déchirures périnéales simples. Simples, mais non moins éprouvantes. Écoutons une Anglaise de milieu ouvrier raconter, juste avant la Première Guerre mondiale, son premier accouchement : « Le travail a duré trente-six heures. Et après toutes ces souffrances, il a fallu appliquer le forceps. J'étais trop déchirée pour qu'on puisse quoi que ce soit pour moi. J'en subis encore les conséquences aujourd'hui. C'était il y a trente et un ans[97]. » Tel était le lot des femmes avant que se généralisent les techniques réparatrices.

Si les sages-femmes qualifiées des villes réparaient les déchirures[98], il n'en allait pas de même des autres catégories d'opérateurs. Le chirurgien rouennais Jacques Mesnard expliquait, en 1753, qu'il ne réparait que les déchirures des muscles de l'anus ; se contentant, pour les « déchirements » moins graves, de recommander « un cataplasme anodyn[99] ». Les accoucheuses de Francfort ne prêtent aucune attention aux déchirures du périnée, constate un médecin de cette ville en 1884 : « Il ne faut pas s'attendre à ce que la sage-femme fasse appel à son pire ennemi [le médecin] pour poser des points de suture, car ce serait pour elle admettre devant ses clientes les limites de ses compétences[100]. » Quant à Marie Stopes, qui, au travers de ses consultations d'orthogénie, connaissait la vie des femmes d'ouvriers londoniens, voici ce qu'elle écrit à ce sujet en 1925 : « Après un accouchement, aussi laborieux soit-il, le médecin s'en va, laissant la mère avec un col et souvent un périnée déchiré, non seulement sans avoir tenté la moindre opération pour corriger de telles anomalies, mais sans avoir même examiné l'intéressée pour savoir s'il s'en est produit ou non. » L'une des femmes venues consulter présentait « une énorme déchirure du périnée ainsi qu'une descente d'organe [101] ».

Si les femmes elles-mêmes étaient sensibles aux déchirures du périnée, c'était aussi, en partie, parce qu'elles craignaient que leur sexe, alors, ne devienne trop grand pour satisfaire leur conjoint. Nous savons que ce problème préoccupait les femmes uniquement à cause du succès rencontré, dans la société traditionnelle, par diverses crèmes promettant le retour du vagin à sa taille normale. Les sages-femmes elles-mêmes en vendaient. Ainsi de La Motte dénonce-t-il certaine « eau de myrte » que sages-femmes et soignantes proposent pour « resserrer les parties et augmenter [...] les aiguillons d'un plaisir voluptueux, propre à satisfaire leur passion brutale ». « Prévention trompeuse », précise-t-il [102].

Lorsque le périnée était déchiré, il y avait de fortes chances pour que soient également déchirés certains muscles voisins. Sans vouloir faire ici un cours d'anatomie, disons simplement que les déchirures des diaphragmes urogénital et pelvien réduisent la capacité du vagin à résister à la poussée des autres organes abdominaux. Ainsi, après un accouchement difficile, vessie, urètre, intestin et rectum peuvent peser sur le vagin. En cas de descente du rectum dans ce dernier, par exemple, la malheureuse, lorsqu'elle va à la selle, devra mettre un doigt dans son vagin pour repousser la paroi rectale [103].

LA CHUTE DE MATRICE

Mais l'organe qui, plus que tout autre après un accouchement difficile, risquait de pénétrer dans le vagin, c'était l'utérus. Lorsque celui-ci descend dans les voies génitales, on dit qu'il y a prolapsus ou descente d'organe (autrefois : chute de matrice). Et lorsque l'utérus pend à l'extérieur de la vulve, entraînant avec lui un vagin « renversé », c'est alors de procidence qu'il s'agit. La femme qui en est victime paraît avoir entre les jambes une trompe d'éléphant. La procidence est aujourd'hui extrêmement rare. Mais jadis, étant donné la violence et la durée de bien des accouchements, le phénomène était fréquent.

Sur 20 employées agricoles interrogées par Gertrud Dyhrenfurth au début de ce siècle dans un village de Silésie, 5 présentaient une descente partielle ou totale de l'utérus [104]. Une sage-femme française, Mme Rondet, déclarait, en 1836, qu'elle avait rencontré dans sa pratique « un grand nombre de femmes affectées depuis longtemps de chutes ou de déviations de matrice » et d'autres organes du bassin. « Je gémissais, dit-elle, de voir ces malheureuses [...] passer toute leur vie dans les douleurs [parce que] la pudeur les portait à dissimuler leur infirmité. » (Mme Rondet, précisons-le, proposait à ses clientes un pessaire de son invention [105].)

Il s'agissait souvent d'un prolapsus complet. Tel hôpital de Boston, par exemple, devait en traiter 683 entre 1875 et 1928 [106]. Un médecin de Port Hudson (Louisiane) s'étonne, en 1859, de la fréquence du phénomène chez les esclaves ; il déclare avoir vu des femmes travaillant aux champs chez qui « l'utérus pendait, presque aussi gros qu'une noix de coco », phénomène qu'il attribue à « l'ignorance et au zèle intempestif de nos accoucheurs des plantations et de nos " matrones nègres " [107] ». D'ailleurs, estime Ilza Veith, « c'est l'observation des descentes de l'utérus » qui accrédita l'idée chez les auteurs médicaux classiques — pour qui les migrations de la matrice dans le corps étaient la cause de l' « hystérie » — que « l'utérus était un organe mobile [108] ». Procidence fréquente donc autrefois.

La chute de matrice, et spécialement la procidence, c'était pour la femme le glas de la féminité. Dans un prolapsus moyen, « la femme, explique Mme Rondet, éprouve la sensation d'un corps étranger dans le vagin, et d'un poids incommode sur le rectum. Ces symptômes s'aggravent par la marche et la station prolongée. Le moindre exercice fatigue la malade, qui ne se trouve bien qu'au lit ou assise ». Lorsque la matrice sort du vagin, poursuit-elle, « elle descend d'abord entre les grandes lèvres, puis entre les cuisses, et présente une tumeur allongée, d'une couleur rosée, et à l'extrémité de laquelle on aperçoit une ouverture. Cette tumeur rentre lorsque la femme est couchée et se précipite de nouveau lorsqu'elle est debout. Dans quelques cas, la matrice s'enflamme, se tuméfie et acquiert un volume qui ne lui permet plus de rentrer la nuit, quelle que soit la position que puisse prendre la malade. On l'a même vue être détruite en totalité ou en partie par la gangrène ». (A quoi elle aurait pu ajouter qu'un prolapsus au dernier degré s'accompagne également d'infections chroniques des voies urinaires.) En 1834, elle avait vu une malade chez qui « la chute complète remontait alors à dix ans, et depuis dix-huit mois elle [la matrice] ne rentrait plus ni jour ni nuit [...] La matrice, entre les cuisses, avait acquis le volume de la tête d'un enfant de deux ans [109] ».

Contre un tel mal, faut-il s'étonner si la tradition féminine de village avait élaboré des remèdes ? Dans le carnet d'un guérisseur du Bourbonnais figurent deux prières conjuratoires contre la descente de matrice, complétées par un traitement empirique : « Pour la matrice lorsqu'elle descend : " Au nom du Père et du Fils et du Saint-Esprit. " On fait le signe de la croix avec le sabot gauche du premier âge d'un enfant ; puis vous repoussez avec le sabot gauche ce qui paraît, en disant : " Saint Blaise, rentrez cela que je n'y voie plus. " Vous répétez cela trois fois, et puis vous dites en faisant la forme de la croix avec le sabot : " Je te conjure, je te barre et je te charme. J'attends que tu guériras [sic]. Dieu et la Sainte Vierge Marie seront les maîtres de tout cela. " Vous répétez ces mêmes choses trois fois, et puis vous prenez du meillot et des fleurs de rose de province [rose de Provins] que vous faites bouillir ensemble, et vous en prenez des injections et vous prenez la feuille et vous en faites un cataplasme, que vous appliquez sur le bas-ventre [110]. » Et voici ce que dit un très populaire guide de santé féminine du xve siècle anglais (dans une traduction en français moderne) : « Les femmes ont parfois tant de difficulté à mettre un enfant au monde que la peau située entre les deux parties intimes [vagin et anus] se rompt pour ne plus faire qu'un trou ; et ainsi la matrice tombe et sort, puis durcit. Pour secourir les femmes dans cette situation, il faut d'abord faire bouillir ensemble du beurre et du vin pendant une demi-heure ; puis, lorsque le liquide est bien chaud, le mettre dans la matrice [111]. » Et l'on trouve dans les sources quantité d'autres médications de ce genre [112].

La chute de matrice était, soulignons-le, une maladie touchant davantage les femmes des milieux populaires que celles des classes moyennes ; ce qui explique, entre autres, que le phénomène ait pratiquement échappé aux historiens. Les femmes du peuple risquaient, en effet, beaucoup plus que les autres de connaître un accouchement traumatique, de se lever presque aussitôt après, et de passer leur vie debout : tous facteurs prédisposant à la descente d'utérus (ou du moins supposés tels par la médecine du temps) [113]. Ainsi Thomas Madden à Dublin en 1872 : « Avoir fréquenté les malheureux habitants des quartiers ouvriers surpeuplés de la capitale du pays le plus pauvre d'Europe, a confirmé pour moi cette observation : les femmes de nos artisans et ouvriers endurent bien plus de fatigues et de privations, tout en accomplissant le même labeur, que leur mari. L'ensemble des tâches domestiques qu'effectuent les femmes de cette classe [...] favorisent grandement la chute de matrice. » Et si le périnée est déchiré, ajoute-t-il, elles n'ont même pas la ressource de porter un pessaire pour y remédier [114] !

L'engrenage du malheur : faute de suture, la femme était condamnée à subir sa descente d'organe jusqu'à la fin de ses jours. Et quand bien même elle eût toléré un pessaire, ceux qu'on pouvait lui proposer avant la vulcanisation du caoutchouc n'avaient vraiment rien d'engageant. A preuve cette description par Mme Rondet des modèles traditionnels utilisés dans les classes pauvres : « Ils ont [...] l'inconvénient de n'être pas élastiques [car faits de tissu] et de se couvrir souvent d'une incrustation calcaire plus ou moins épaisse, et d'exhaler une odeur fétide. Ainsi altérés, ils deviennent une cause permanente d'irritation, et déterminent une vive inflammation de la matrice et du vagin, qui deviennent le siège d'ulcérations et d'écoulements purulents plus ou moins abondants [115]. »

On imagine quelles conséquences de telles infirmités pouvaient avoir sur la vie sexuelle de ces femmes. Un médecin allemand déclare avoir vu « un nombre considérable de femmes dont l'utérus présentait un tel degré de prolapsus que leur mari éprouvait des difficultés à introduire son pénis [116] ». Et selon le Dr Munaret, la femme atteinte de prolapsus était consciente que son infirmité la rendait « dégoûtante aux yeux de [son] mari [117] ». Les proches de ces malheureuses n'ont pas pris la plume pour faire part de leurs états d'âme ; aussi ne connaîtrons-nous peut-être jamais leurs véritables sentiments. Reste, au moins, le témoignage de cette femme de Los Angeles qui, demandant le divorce en 1886, était, apprenons-nous, « fréquemment obligée de porter plusieurs semaines de suite des appareils destinés à lui maintenir en place les parties génitales, mais même lorsqu'elle les portait, son mari exigeait qu'elle se rendît [118] ».

Nous n'exposerons pas ici la façon dont la chirurgie devait finalement résoudre le problème : cela nous obligerait à des explications par trop techniques. L'essentiel, toutefois, tient en quelques mots : entre 1908 et 1921, deux chirurgiens de Manchester, Archibald Donald et William E. Fothergill, mirent au point ce que l'on allait appeler un certain temps l' « opération de Manchester » (terme somme toute approprié étant donné le nombre élevé, dans la grande ville industrielle anglaise, des femmes souffrant de prolapsus) [119]. Cette intervention mettait un terme à des décennies de tentatives chirurgicales infructueuses et supprimait une autre source d'inégalité entre les sexes.

La femme et les « maladies féminines »

Aujourd'hui, chaque femme américaine voit un médecin 3,5 fois par an en moyenne. Une seule sur dix de ces consultations est à proprement parler gynécologique. Ainsi, les « maladies féminines » n'occupent plus la première place dans la santé des femmes [120]. De surcroît, qu'elle se rende ou non chez un médecin, la femme ne souffre d'affection génito-urinaire aiguë qu'une fois tous les dix ans en moyenne. Et, actuellement, elle garde le lit moins d'un jour par an pour cause d'affection du bassin, et cinq fois par suite de grippe [121].

Quelle place les maladies du bassin tenaient-elles autrefois dans la vie des femmes ? La réponse varie en partie suivant la source interrogée. La sage-femme parisienne Louise Bourgeois, par exemple, écrit en 1626 : « Je me suis émerveillée autrefois de voir des femmes de village, jusqu'au jour qu'elles accouchent, quelquefois de deux enfants, lever seules des faisceaux d'herbe sur leur tête sans se blesser. Mais venant à penser la raison pour laquelle elles ne se blessent : c'est que de jeunesse elles ont accoutumé cet exercice, qui fait que les ligaments sont relaxés dès leur enfance [122]. »

C'est un tout autre son de cloche que nous fait entendre l'enquête menée par Catharine Beecher sur la santé des Américaines vers le milieu du xixe siècle. « Dans toutes les villes où je fis halte pour donner une causerie, raconte-t-elle, je demandai à chacune des dames de m'écrire d'abord les initiales de dix femmes mariées de sa connaissance. Puis il lui était demandé de caractériser en quelques mots l'état de santé de chacune d'elles. C'est ainsi qu'au cours de l'année écoulée j'ai pu obtenir des statistiques sur quelque deux cents lieux différents représentant presque tous les États libres. »

Un extrait parmi d'autres de cette enquête :

« Batavia (Illinois) : Mrs. H. valétudinaire. Mrs. G. scrofule. Mrs. W. maladie de foie. Mrs. K. troubles du bassin. Mrs. S. maladies du bassin. Mrs. B. très graves affections du bassin. Mrs. B. mauvaise santé. Mrs. T. état de grande faiblesse. Mrs. G. cancer. Mrs. N. maladie de foie. Je ne connais ici aucune femme en bonne santé. »

Puis, notre enquêtrice décrit sa propre famille : « J'ai neuf sœurs et belles-sœurs mariées, toutes de santé délicate ou valétudinaires, sauf deux. J'ai quatorze cousines mariées, et pas une qui ne soit de santé fragile, souvent malade ou valétudinaire. [...] A Boston, ajoute-t-elle, je ne me connais pas une seule amie mariée qui soit en parfaite santé. » Et de conclure à « un effrayant déclin de la santé des femmes partout dans le pays [123]. »

De ces deux témoignages, si diamétralement opposés, lequel croire ? La thèse de ce livre nous inclinerait plutôt du côté du second. Nous avons vu que les femmes, aux âges où elles étaient le plus exposées à ce type de maladies, mouraient effectivement plus que les hommes. On verra, au chapitre suivant, cette « sous-culture de la souffrance » que les femmes érigèrent en rempart contre ces affections.

Voyons les statistiques établies par le Dr Paul Mundé sur les admissions en gynécologie au Mount Sinai Hospital de New York entre 1883 et 1894. « Les patientes du service jouissent de tous les privilèges auxquels peuvent raisonnablement aspirer les malades des classes inférieures, qui ne paient ni frais d'hospitalisation ni soins médicaux [124]. » Il ne s'agit donc pas ici de bourgeoises allant d'un fauteuil à l'autre et jouant du piano toute la journée, mais essentiellement d'immigrantes très pauvres et dont la santé était encore profondément marquée par la société « traditionnelle ».

Une chose frappe à la lecture du tableau 10.1 : on n'y trouve guère de ces maladies féminines de type psychosomatique qui, selon d'aucuns, caractériseraient la « femme victorienne ». Point ici de ces « vapeurs », « hystéro-épilepsies », « folies des ovaires » et autres affections nerveuses que toute une génération d'historiens identifie aujourd'hui à la condition féminine au XIXe siècle : 22 cas d' « hystérie » et un seul de « nymphomanie », c'est une infime minorité.

TABLEAU 10.1

**DIAGNOSTICS SUR 3 687 MALADES ADMISES EN GYNÉCOLOGIE
AU MOUNT SINAI HOSPITAL DE NEW YORK (1883-1894)**

Séquelles gynécologiques de couches

Déchirures du col	518
Déchirures du périnée	184
Prolapsus du rectum (rectocèles)	65
Prolapsus de la vessie (cystocèles)	37
Descentes de l'utérus	40
Fistules vésico-vaginales	13
Fistules recto-vaginales	5
	(23 %) 862

Infections du bassin

Infections des trompes et ovaires	691
Péritonites	626
Infections de la muqueuse utérine (endométrites)	297
Abcès du bassin	103
Infections du tissu conjonctif pelvien (cellulites)	79
Infections de la vessie (cystites)	28
Vaginites	20
	(50 %) 1 844

Tumeurs et kystes

Kystes des ligaments larges	10
Tumeurs «fibroïdes» de l'utérus (fibromes utérins)	130
Kystes des ovaires	128
Cancers (dont 5 cancers du sein)	60
	(9 %) 328

Autres maladies

Malpositions de l'utérus	213
Rétrécissements du col (sténoses)	90
Aménorrhées	31
Hystéries	22
Nymphomanie	1
Divers	296
	(18 %) 653

Nota : Les nombres sont ceux des diagnostics, et non des malades, certaines d'entre elles souffrant de plusieurs affections. Sont exclus de ce total les cas purement obstétricaux.
Sources : Voir notes des tableaux, en fin d'ouvrage.

La moitié des hospitalisées en gynécologie au Mount Sinai Hospital souffraient d'infections graves, de ces maladies du bassin que nous venons de voir : « ovaires purulents », infections utérines, etc. Elles étaient réellement, terriblement malades.

Un quart d'entre elles subissaient les séquelles d'un accouchement traumatique : déchirure du col, rupture du périnée, descente d'organes, fistules.

Dans 9 % des cas, ces femmes présentaient une tumeur ou un kyste, plus rarement un cancer. D'une manière générale, plus d'une femme sur dix, à cette époque, était atteinte d'une tumeur « fibroïde » de l'utérus (on dirait aujourd'hui un « fibrome »), et certaines, naturellement, figuraient parmi les malades du Mount Sinai [125]. Mais les kystes ovariens en particulier étaient pour les femmes, avant qu'existe la chirurgie abdominale, une véritable malédiction. Ils pouvaient atteindre des dimensions monstrueuses et nécessitaient des ponctions périodiques à travers la paroi abdominale. Ainsi pour cette Anglaise dont le kyste, nous dit-on, livra au total près de 500 litres de liquide [126]. Les tumeurs utérines bénignes pouvaient elles aussi prendre des proportions énormes. C'est pourquoi l'hôpital new-yorkais pratiquait l'ablation des ovaires et utérus malades. (Signalons qu'à côté de cette chirurgie de routine avait été élaboré un inquiétant procédé baptisé « intervention de Battey » et consistant à enlever des ovaires *sains* pour de vagues « indications mentales [127] ». La grande majorité des ovariectomies, toutefois, étaient pratiquées pour des raisons purement physiologiques [128].)

Le tableau est muet sur l'endométriose, affection courante de nos jours et qui fut diagnostiquée pour la première fois en 1921 seulement. Dans cette maladie, la muqueuse tapissant l'utérus gagne les autres organes du bassin, provoquant de petits kystes fort douloureux [129].

Une malade sur dix environ est classée dans une catégorie fourre-tout. La rubrique « divers » regroupe principalement des affections peu fréquentes, telles que polype des lèvres ou abcès à l'anus. Plus intéressant est le reste de la catégorie « autres maladies » : les femmes hospitalisées pour malposition de l'utérus, rétrécissement du col, etc., car il n'est pas certain que ces femmes étaient effectivement malades. L'imaginaire médical du xixe siècle avait lui aussi ses fantaisies, l'une d'elles voulant qu'un utérus trop incliné vers l'avant ou vers l'arrière (antéversé ou rétroversé) soit une source d'ennuis nécessitant intervention. Des milliers d'opérations utérines inutiles étaient pratiquées afin de remédier à ces anomalies pourtant bénignes (exception faite pour l'utérus rétroversé, qui exerce une traction douloureuse sur les ovaires ou bien se trouve coincé contre le sacrum durant une grossesse) [130]. Autrefois, les chirurgiens intervenaient dangereusement et sans nécessité aucune, eux-mêmes victimes d'un savoir médical insuffisant. On donne aussi de cette attitude des explications moins charitables. Et cependant, ce zèle intempestif faisait remarquablement peu de victimes, compte tenu du nombre de femmes que la nature, les maternités et leur mari s'étaient unis pour accabler en leur infligeant d'énormes kystes, des grossesses non désirées ou de pleines poches de pus au bassin. Si le XIXe siècle fut bel et bien le « siècle de la matrice » — pour reprendre la formule sarcastique d'une historienne [131] —, c'est effectivement parce que la médecine, alors, trouva enfin les moyens chirurgicaux de mettre un terme à certaines souffrances millénaires des femmes, et non parce qu'un prétendu « savoir médical masculin » aurait, à cette époque, « mis le grappin », sur des femmes jusque-là en parfaite santé.

Singulièrement désolante, du reste, cette incompréhension manifestée par tant d'observateurs, autrefois comme aujourd'hui. Sans doute les femmes n'attiraient-elles pas l'attention sur leur sort. Attitude peut-être surprenante pour nous, la plupart d'entre elles acceptaient la souffrance comme allant de soi. Le Dr Jane L. Hawthorne, qui consultait au centre de planning familial de Marie Stopes à Londres, écrit ceci : « Il me fallut à peine quelques semaines de travail au centre pour m'apercevoir que, parmi toutes ces femmes qui venaient nous voir, beaucoup souffraient autant d'affections des organes pelviens que de malformations du bassin et des viscères. Dans la majorité des cas, l'intéressée elle-même ignorait qu'elle fût malade. » A quoi le Dr Maude Kerslake, qui travaillait également au centre, ajoute : « Ce qui frappe, c'est le nombre des personnes plus ou moins blessées par leur accouchement qui paraissent considérer que le sort d'une femme est de toujours souffrir de divers maux sans jamais être vraiment en bonne santé [132]. »

Résignation des femmes à leurs propres souffrances, mais surtout indifférence des autres :

— Celle de bien des médecins pour commencer. Une enquête sur la santé en Angleterre dans l'entre-deux-guerres fait état d'une « femme de quarante-trois ans ayant eu dix enfants et trois fausses couches (quatre enfants décédés) et souffrant de fortes hémorragies depuis neuf ans ; ce qui a affaibli son cœur. Son médecin attribue cela au fait qu'elle a " un certain âge " et lui ordonne de simplement rester au lit [133] ! » En 1892, Hunter Robb, chirurgien à Baltimore, met ses confrères en garde contre les femmes qui viendraient leur demander de la morphine pour, dit-il, « d'obscures douleurs au bassin ». Il se refuse, quant à lui, à prescrire ce produit pour des « lésions pelviennes mineures », car alors « elles [les malades] exigeront en toutes circonstances un soulagement immédiat [...] Généralement, dans ces cas-là, les symptômes nerveux prédominent [134] ». Ces femmes souffraient-elles ? Comment les soulager ? Deux questions que le Dr Robb, à l'évidence, ne s'était jamais posées.

— L'indifférence, ensuite, des maris *traditionnels*. L'époux, autrefois, avait fortement tendance à minimiser, voire à ignorer les souffrances physiques de son épouse. « A larmes de femme et boiterie de chien, il ne faut pas se fier », disaient les paysans français. Ou encore : « Maux de femmes, comme l'aurore, vers midi déjà s'évaporent [135]. » En 1889, près d'Odessa, une femme de soldat se présente à l'hôpital. Quelque six semaines plus tôt étaient apparus des saignements vaginaux, des douleurs abdominales et une miction douloureuse. « Depuis, les saignements génitaux s'étaient poursuivis régulièrement. Néanmoins, et malgré la douleur intolérable que cela provoquait chez cette femme, le mari n'avait pu renoncer à avoir avec elle des rapports sexuels. » (Il lui avait en fait déchiré le vagin [136].) Une telle indifférence de la part du mari doit être aujourd'hui l'exception, mais elle était normale autrefois, et acceptée comme telle par les femmes elles-mêmes.

— Et plus étonnant, enfin : l'incapacité de certains historiens actuels à comprendre les souffrances des femmes d'autrefois. Selon les auteurs d'un ouvrage récent, si une femme autrefois s'alitait parce que le moindre pas lui coûtait, ou si encore elle se plaignait d'une vive douleur au bassin dont le médecin ne voyait pas la cause, c'était tout simplement parce que « la phallocratie ambiante encourageait les femmes à devenir des infirmes [137] ». Les médecins, selon cette analyse, auraient voulu des femmes « faibles, dépendantes et malades ». Et les femmes seraient entrées dans leur jeu en assumant ce « rôle de malade ». A en croire un autre historien, l'opération des ovaires n'était pratiquée que sur « les femmes trop rebelles pour être tolérées [138] ». Et selon un autre encore, « les maladies féminines, en grande partie psychosomatiques, étaient le symptôme de conflits intérieurs ». L'invalidité avait ses avantages, affirme cette historienne, car « être malade, cela voulait dire aller fréquemment consulter médecins et spécialistes ». Et si les femmes donnaient des signes de détresse, c'était, dit-elle, parce qu'elles « se révulsaient sous les décrets d'une époque qui faisait tout pour les brider [139] ». Jamais dans ce type de discours on ne voit affleurer l'idée que les femmes, autrefois, auraient pu effectivement souffrir. Prétendre que leurs maladies étaient toutes « dans la tête », c'est nier aujourd'hui le vécu réel et profond de ces femmes exactement comme le faisaient les hommes autrefois.

11

Le renversement des alliances et la fin de la femme victime

Quelles sont les origines du féminisme moderne ? demandions-nous au début de cet ouvrage. A cette question, nous avons déjà apporté un élément de réponse. Nous comprenons mieux maintenant pourquoi, au XVIIᵉ siècle, les femmes ne revendiquaient ni le droit de vote ni l'accès aux universités : elles accusaient alors, par rapport aux hommes, des handicaps physiques rédhibitoires. Accablées d'enfants non désirés, moins bien nourries que les hommes, frappées d'anémie, épuisées par toutes sortes de maladies dont il n'existe pas d'équivalent chez l'homme : tel était leur sort avant 1900. Tout, en fait, se liguait pour les priver de cette égalité physique sans quoi l'autonomie individuelle n'est qu'un vain mot.

Mais il y a plus. J'ai souligné dans la préface le fait remarquable qu'à ce lourd handicap objectif venait s'en ajouter un autre, subjectif celui-là : cette situation d'infériorité, les femmes l'acceptaient comme allant de soi. Elles adhéraient au jugement d'une société qui ne voulait voir en elles que des créatures maladives, délétères, inférieures. Et tant qu'elles crurent cela d'elles-mêmes, tout féminisme — lequel présuppose une égalité fondamentale entre hommes et femmes — était exclu.

Dans ce dernier chapitre, je voudrais montrer deux choses encore : comment les femmes ont acquiescé au discours masculin selon lequel la féminité était chose corrompue et dangereuse ; et comment, à la base du féminisme moderne, une fois entamé le rejet par les femmes de cette image traditionnelle d'elles-mêmes, figure un véritable renversement d'alliances. Lorsque, vers 1900, ont commencé à se résorber les divers handicaps décrits tout au long de ce livre, les femmes étaient en train de se détourner des autres femmes pour rechercher auprès des hommes leur principal soutien moral. La culture féminine de village voulait qu'une femme ne trouvât d'amitié véritable que parmi d'autres femmes, que seules des femmes puissent lui apporter consolation des souffrances que réserve la vie. Lorsque la femme commencera à voir dans la féminité une notion non plus négative mais positive, elle renoncera à la culture féminine, et cherchera à nouer d'abord alliance affective avec l'homme. Autrement dit, l'homme, d'ennemi de la femme, va devenir son meilleur ami.

Les peurs traditionnelles de l'homme face au corps féminin

La crainte, chez l'homme, des propriétés diaboliques de la femme se perd sans doute dans la nuit des temps. La culture occidentale savante, depuis la tragédie grecque, est profondément marquée par ce thème. De même la culture populaire, qui révèle une peur viscérale de l'homme face aux pouvoirs « magiques » de la femme. Selon Martine Segalen, « les proverbes [français] qui comparent la femme au diable font plus qu'une allusion métaphorique. A travers ces rituels, nous voyons qu'elle a le pouvoir d'évoquer le diable, qu'elle est diable elle-même ». Ainsi, selon une série de proverbes, « tel mari battant sa femme subira sa vengeance magique, notamment sous la forme d'une domination sexuelle [1] ».

La culture de l'Europe traditionnelle, dominée qu'elle était par des conceptions masculines, allait tout entière s'imprégner de cette crainte du corps féminin. Nul, homme ou femme, ne la mettait en question.

De toutes ces craintes masculines, la plus taraudante et la plus profondément ancrée était celle suscitée par l'utérus. Depuis Hippocrate, la médecine savante attribuait à cet organe des propriétés fort singulières, comme, par exemple, la capacité de se déplacer dans l'abdomen ou de provoquer des crises d'hystérie [2]. Mais ces propriétés, maintes fois citées, reprises et grossies, se retrouvent également dans la culture populaire, chez ceux qui pourtant n'avaient jamais ouvert un manuel de médecine ni approché l'enseignement médical. Ces croyances ont survécu dans le folklore longtemps après leur abandon par la Faculté.

Dans une bonne partie de la culture populaire européenne, l'utérus était considéré comme doué de vie : non pas simplement comme une portion d'organisme vivant, mais comme un être animé en soi, logé dans le corps de la femme. Et il existait tout un savoir populaire sur la meilleure manière de nourrir ou d'apaiser la bête lorsque, par malheur, celle-ci se réveillait, provoquant coliques et autres maux. Certains voyaient dans l'utérus une grenouille « aux multiples pattes qui est censée habiter le corps, puisque l'on doit mourir lorsque la colique [la grenouille] vous monte à la gorge [3] ». Selon un récit tyrolien, une femme tomba un jour malade durant un pèlerinage et s'allongea sur l'herbe : « A peine était-elle endormie que la matrice et les ligaments qui la retiennent sortirent par la bouche de la dormeuse pour se jeter dans un ruisseau. Là, ils s'ébrouèrent, avant de regagner leur séjour. Lorsque la femme se réveilla, elle était guérie [4]. »

Imaginer l'utérus comme une bête vivante suppose de la part des paysans une ignorance grossière de l'anatomie.

Même les paysans qui n' « animalisaient » pas l'utérus étaient persuadés que celui-ci avait la faculté de se déplacer à l'intérieur du corps humain. La matrice qui remontait dans la gorge était censée provoquer un *globus hystericus,* c'est-à-dire une impossibilité d'avaler. Et pour lui faire réintégrer son lieu d'origine, il suffisait à la femme de répéter : « Matrice haute, matrice basse, retourne à la place que Dieu t'a donnée. Au nom du Père et du Fils [...] », etc. Et la victime devait alors faire trois fois le signe de la croix[5].

Pour pousser ce diable d'utérus à se bien conduire, les femmes de Saxe le conjuraient par ces mots : « Friponne de matrice, rentre donc au logis[6] ! » Ce qui était censé calmer les douleurs du cancer utérin et autres « maladies de la femme ». Il n'est guère étonnant qu'un organe auquel étaient attribuées pareilles propriétés vitales ait revêtu, aux yeux des hommes, un aspect aussi effrayant. S'il leur fallait maîtriser le corps démoniaque des femmes, c'était surtout parce que celui-ci renfermait l'utérus.

Parmi les choses terrifiantes ayant leur siège dans l'utérus : le sang menstruel. L'horreur masculine des menstrues est une donnée vieille comme le monde et se retrouve dans presque toutes les sociétés[7]. L'érudit du XIIIe siècle Albertus Magnus explique que, s'il a consacré un livre aux « secrets de la femme », c'est sur les instances d'un prêtre, car, dit-il, « la femme menstruée porte en elle un poison capable de tuer un enfant au berceau[8] ». Et Guillaume de La Motte, persuadé qu' « il y a des femmes dont l'approche est dangereuse pendant qu'elles ont leurs ordinaires », cite le cas de sa servante qui, pour avoir tiré du vin pendant ses règles, obtint du vinaigre[9]. Ainsi pensait le médecin traditionnel.

Beaucoup plus durables encore dans la mentalité paysanne devaient être les tabous menstruels. Au début du XXe siècle encore, en Provence, les femmes ayant leurs règles devaient se tenir « soigneusement éloignées » des caves à vin pendant la fermentation des cuves[10]. Et ces tabous englobaient pratiquement tous les aliments. En Sologne, la femme qui avait ses menstrues ne pouvait ni toucher un porc mis au saloir ni s'approcher d'un cochon fraîchement égorgé ; elle eût fait tourner l'assaisonnement de la salade, cailler la mayonnaise et même perdre leur parfum aux fleurs des champs[11]. En Hongrie, la femme ayant ses règles se voyait interdire de préparer conserves, choucroute, cornichons ou « pommes de paradis », et de cuire du pain. Et si son mari lui faisait l'amour, il devenait « impur pendant sept jours[12] ».

Mais, diront certains, les femmes, elles, qui savaient à quoi s'en tenir, devaient certainement rejeter toutes ces élucubrations masculines. Eh bien, pas du tout. Les femmes de l'Europe traditionnelle, semble-t-il, acceptaient l'idée que leurs règles étaient un poison. A la fin des années 1960, Yvonne Verdier a demandé aux femmes d'un village français ce qu'elles pensaient de l' « interdit du saloir » pendant les règles. Toutes étaient au courant, et les avis divergeaient. Mais l'une de ces femmes n'en répondit pas moins : « Moi, j'ai fait tourner tout un saloir, c'est véridique. J'y ai plus pensé, j'étais comme ça et je suis allée au saloir. Quand j'ai repris du lard à nouveau, il était tout vert. Je le savais pourtant, mais j'y portais pas attention. Il faut être pris pour savoir que c'est vrai [13]. » Si l'on ajoute à cela la purification rituelle de la femme juive orthodoxe après chaque menstruation, ou encore les propos de sainte Hildegarde sur les menstrues comme punition infligée à la femme pour prix de son péché, on verra à quel point la femme traditionnelle souscrivait au discours des hommes sur la souillure des règles [14].

Il y avait plus horrible encore : c'étaient les miasmes qu'était censé dégager l'utérus gravide. La politique nataliste adoptée par la suite devait masquer le profond malaise de l'homme traditionnel devant la grossesse, perçue comme souillure. Les seigneurs et responsables politiques européens qui, par intérêt personnel ou national, encourageaient à la « peuplade » veillèrent à ce que les femmes enceintes bénéficient d'un traitement de faveur [15]. Il n'empêche : sous le vernis officiel, la société européenne traditionnelle devait conserver longtemps sa profonde méfiance envers la femme enceinte et le pouvoir à elle attribué de tout contaminer autour d'elle. En Finlande, rapporte Pelkonen, elle « n'était pas autorisée à se rendre à l'église ni à se montrer dans les lieux publics ; et il lui était demandé de ne pas assister à des cérémonies de baptême ». Dans les régions côtières où l'on parlait suédois, il était dit sans détour que la femme enceinte ne valait « pas plus qu'une truie ». C'est pourquoi, disait-on encore, « elle devra rester le plus possible chez elle et ne fréquenter personne, et ce non seulement parce que les gens l'estiment tout spécialement réceptive aux esprits maléfiques, mais parce que sa souillure risquerait de contaminer les autres [16] ». Dans telle région de Hongrie, la croyance voulait que non seulement la future mère fût souillée, mais également « *toute femme ayant été en contact avec elle durant l'accouchement* » (c'est moi qui souligne). Pas question pour ces femmes, durant cette période, de faire la cuisine, la pâte à pain ou la lessive [17].

Symbole, s'il en fut, de cette disposition des hommes à voir dans le corps féminin un danger social : la cérémonie religieuse des relevailles. Par ce rite, la jeune mère, quatre à six semaines après l'accouchement, est déclarée purifiée et réintégrée dans la communauté. La coutume existait avant la Réforme dans toutes les Églises chrétiennes, d'Occident comme d'Orient, et, bien que rejetée par les puritains, elle devait persister jusqu'au XXe siècle dans les Églises anglicane et catholique. Selon le Lévitique 12, 2-8, une femme est impure pendant sept jours lorsqu'elle a enfanté un mâle, et pendant deux semaines s'il s'agit d'une fille. Pendant trente-trois jours encore si l'enfant est un garçon, et soixante-six jours si c'est une fille, « elle n'ira point au sanctuaire ». Pour finir, elle devra apporter une offrande au prêtre à l'entrée du tabernacle ; alors, et alors seulement, « elle sera purifiée du flux de son sang », conclut le texte biblique.

Texte qui, deux mille ans plus tard, imprégnait encore profondément les mentalités en Europe. Voici ce qui était censé advenir si une femme quittait son domicile avant d'avoir fait ses relevailles : «A Liebau, les gens croient que si une accouchée se rend dans une autre maison avant la cérémonie religieuse, cette maison brûlera. Les habitants de Hirschberg, s'ils la voient s'approcher, la chassent à coups de balai. A Jauer, elle n'est pas autorisée à aller puiser de l'eau avant ses relevailles, pour ne pas contaminer ou assécher le puits [18]. » Dans le comté de Heveser, en Hongrie, relevailles et baptême avaient lieu au bout de quinze jours ; alors, nous est-il rapporté, « on procède à un grand nettoyage. La maison est blanchie à neuf, astiquée à fond et aspergée d'eau bénite [19] ».

Que le seul fait d'enfanter fût considéré pour la femme comme une souillure, le déroulement même de la cérémonie était là pour le rappeler. Dans le Munsterland, en Allemagne, la mère attend debout à la porte du temple que le pasteur vienne la chercher, « son surplis à la main. La mère saisit le surplis de sa main gauche, en tenant dans sa main droite un cierge bénit. Le pasteur récite une prière et tous deux s'avancent ainsi vers l'autel. Là, le pasteur donne lecture du début de l'Évangile selon saint Jean, après quoi il autorise la mère à baiser le texte sacré [20] ». De même, chez les catholiques d'Alsace, « le dimanche avant la messe, le prêtre accueillait la mère sur le parvis de l'église. Elle était aspergée d'eau bénite et on lui tendait un cierge allumé. Après des actions de grâces adressées à la Vierge, la femme baisait l'étole du prêtre. Et en tenant une frange de cette étole, elle se relevait pour se faire conduire à l'autel, où elle déposait une offrande [21] ». Toutes manières de signifier à la mère : tu es contaminée.

D'ailleurs, les femmes elles-mêmes, loin de n'accepter qu'avec réticence les décrets d'une société mâle, exigeaient au contraire la tenue de la cérémonie. En Flandre à la fin du Moyen Âge, explique un auteur, elles tenaient tout autant aux relevailles qu'au baptême : « Toute femme, mariée ou non, se hâte fébrilement vers ce rite de " purification ". » Une accouchée qui mourait avant ses relevailles, disait-on, n'avait pas le droit d'être enterrée au cimetière [22]. Et dans certaines régions d'Angleterre, rapporte un auteur du début de ce siècle, « les voisins ferment leur porte à la nouvelle accouchée tant qu'elle n'a pas fait ses relevailles [23] ».

Lorsqu'une femme mourait en couches, ou encore d'infection avant les relevailles, les paysans traditionnels mobilisaient contre elle leurs dernières défenses. La mort, pour eux, était présence obscure, menace qui rôde, et tout un folklore entourait les « émanations » de certaines maladies : les pertes d'un utérus cancéreux, par exemple, étaient censées provoquer « une cuisson aux doigts ». Particulièrement menaçante était la mort d'une femme en couches, car celle-ci avait sur la collectivité un pouvoir magique. Situation à laquelle l'Europe traditionnelle, avec sa forte mortalité en couches, se trouvait fréquemment confrontée.

Le seul spectacle d'une mère à l'agonie était déjà un mauvais présage. « Ce sont des nains qui emportent les accouchées, disait-on dans le Weichselland. On voit les marques de leurs barbes sur les visages des mortes[24]. » Dans la région de Toulon, on procédait aux relevailles « même si la mère était morte en couches » afin d'écarter tout maléfice. « On se réunissait chez la morte, explique Van Gennep, on étalait sur son lit ses vêtements et ses bijoux ; la marraine apportait des bottines neuves ; on habillait l'enfant ; puis, aux premiers coups de cloche, la marraine prenait l'enfant et criait à la mère : " Commère, la messe va commencer, c'est le moment de se mettre en chemin. " Alors le cortège quittait la chambre ; si l'on entendait un craquement dans le plancher ou l'escalier, on disait : " C'est l'âme de la morte avec ses bottines neuves qui s'en vient à la messe des relevailles. "[25] » Si la morte était chaussée de neuf, c'était aussi par bienveillance.

« Si une femme meurt en couches, et si elle laisse derrière elle un petit enfant vivant, disait-on en Alsace, il faut avant l'enterrement lui mettre une paire de souliers bien faits et bien cloutés, car le chemin venant de l'éternité est très long et elle doit l'emprunter chaque nuit, et ceci pendant quatre semaines, afin d'allaiter l'enfant[26]. » Mais les villageois devaient également parer à éventualité plus grave : que l'âme de la morte, faute des rites appropriés, revienne les hanter. En Provence, la superstition voulait que, si on ne procédait pas à des relevailles en bonne et due forme, l'âme de la défunte vînt demander réparation. C'est ce qu'illustre l'histoire d'un boutiquier dont l'épouse était morte en couches et qui, négligeant de faire procéder au rite des relevailles, s'empressa d'épouser l'une de ses employées. Celle-ci, lorsqu'elle se trouvait seule, était poursuivie par des frappements. L'âme qui venait ainsi la troubler ne consentit à s'éloigner que lorsque la nouvelle épouse eut disposé sur le lit les vêtements de la morte et accompli tous les autres rites de ces relevailles pour ainsi dire rétroactives[27]. Afin de s'assurer un départ sans retour de l'âme de la mère, les paysans de Frise du Nord jetaient dans la tombe ouverte une aiguille, du fil, de la toile et des ciseaux, « pour qu'elle puisse s'occuper », disaient-ils, et ne revienne pas sous la forme d'un spectre[28].

Moyens plus radicaux encore, ceux employés vers l'an mille par les paysans de Saxe pour prévenir tout retour de la femme morte en travail sans avoir accouché : ils l'empalaient purement et simplement dans la tombe, elle et son fœtus mort. (Les villageoises prenaient le même genre de précautions brutales contre le nouveau-né mort avant baptême.) Ce type de peurs devait persister en Saxe jusqu'au XVIe siècle au moins[29].

Afin de protéger la collectivité, la femme morte en couches était souvent inhumée dans un coin du cimetière, à côté des meurtriers et des suicidés, quand elle n'en était pas tout simplement exclue. Luther avait eu beau stigmatiser, en 1525, la pratique qui consistait à enterrer les femmes mortes en couches « derrière le mur du cimetière », le conseil municipal de Breslau, en 1528, décrète que les accouchées ne doivent pas être inhumées « le long des allées où les gens passent ou ont affaire, mais dans un angle ou à proximité du mur de clôture, où il y a peu d'activité ». Question à nouveau débattue à Breslau en 1713, par le consistoire protestant cette fois : « Il était naguère d'usage chez nous d'entourer de clôtures les tombes des accouchées afin que nul ne fût infecté par les matières contagieuses dont leur corps était plein. Mais ces pauvres femmes, en vérité, ne sont point impures », déclare un des experts en droit du consistoire. La ville de Breslau n'en continuera pas moins à faire inhumer ces femmes en dehors du cimetière et derrière une clôture, afin de protéger les passants contre leurs « émanations corrompues[30] ».

Qu'on ne s'y méprenne pas : ces mesures avaient pour but de protéger la collectivité contre la défunte, et non l'inverse. Le village de Niebusch, en Allemagne, par exemple, décrète, en 1790, que la femme morte en couches sera inhumée séparément. Motif : « Toute femme de quinze à quarante-neuf ans qui, par accident, marcherait sur la tombe de cette femme à une certaine période du mois le paierait chèrement[31]. » En Silésie, on allait plus loin : la tombe était délimitée par quatre pieux, autour desquels était passée une corde, car, croyait-on, « toute jeune fille ou jeune femme qui foulerait ladite tombe mourrait en couches à son tour[32]. » Dans tel village proche d'Essen (Allemagne), on fixait un mouchoir au-dessus de la tombe au moyen de quatre piquets, car les accouchées, à la différence des autres catégories de défunts, n'étaient censées monter au ciel qu'une fois le tissu tombé en poussière[33].

Des femmes donc contagieuses, à n'en pas douter. Voulait-on du reste, en Bohême, châtier son petit ami d'une infidélité, il suffisait pour cela de lui lancer à la figure une poignée de terre prise sur la tombe de l'une de ces pestiférées[34]. Était-il plus clair moyen de faire entendre à tous : le corps de la femme est un danger ?

La solidarité des femmes : rempart contre les peurs masculines

Culture féminine, culture de la consolation ; lieu où pouvaient se rencontrer et se comprendre les victimes d'une même misère du corps.

Mais la culture féminine avait aussi une autre fonction : défendre les femmes contre les agressions des hommes. Ces terribles atteintes à sa sexualité, comment la femme traditionnelle y réagissait-elle ? Dans une certaine mesure, bien sûr, elle acceptait la vision masculine des choses. Sinon, elle eût refusé sa subordination. Aujourd'hui encore, ce sont les autres femmes, et non les hommes, qui, dans certaines régions d'Afrique, accomplissent les rites mutilants de l'excision, montrant à quel point les femmes peuvent intérioriser les mythes masculins à leur endroit[35]. De même dans l'Europe traditionnelle, les sages-femmes ont contribué à accréditer l'idée de l'enfantement-salissure en portant elles-mêmes le nouveau-né sur les fonts baptismaux pour éviter tout déplacement à la mère en attente de relevailles[36].

Et pourtant, face à ces peurs masculines, il existait chez les femmes une certaine forme de résistance, qui était aussi le principal mode de solidarité féminine dans la société traditionnelle. Solidarité dont je tenterai de montrer qu'elle s'est cristallisée autour de l'enfantement et des couches, période où, précisément, elles étaient censées être le plus dangereuses pour leur environnement.

Bien entendu, les femmes avaient d'autres occasions de manifester leur solidarité. On songe aux travaux qui, chaque hiver, occupaient plusieurs de leurs soirées par semaine : dans bien des cas une affaire entre femmes de tous âges, mais si souvent aussi avec la participation des hommes qu'il est difficile d'y voir une pratique spécifiquement féminine[37]. Martine Segalen a montré le caractère exclusivement féminin de la lessive au village : « Nul homme ne s'approcherait du lavoir, tant est redouté ce groupe de femmes dont la force est accrue par le nombre[38]. » Les préparatifs du carnaval, des fêtes de moissons et autres festivités émaillant le calendrier villageois offraient aux femmes mariées bien des occasions d'être ensemble[39]. Mais en aucune de ces circonstances les hommes ne les tenaient pour souillées, pas plus qu'elles-mêmes ne s'estimaient vulnérables. Seule la période de couches donnait lieu à l'expression de telles peurs d'un côté, d'un tel sentiment de vulnérabilité de l'autre.

Période, par conséquent, où se manifeste une forte solidarité féminine, dirigée parfois explicitement contre les hommes. Lorsque les voisines se pressent autour du lit de misère, c'est pour apporter leur soutien. Mais il y a plus. « Une femme en couches ne doit jamais rester seule », disaient les villageoises. Et lorsque les autres femmes sont présentes, elles accomplissent autour du lit certains rites ; comme, par exemple, en Autriche, lorsqu'elles retirent leur tablier pour en faire une ceinture à la parturiente : rituel destiné à écarter « tout ce qui peut amener du mal[40] ».

Après la naissance se déroulait une sorte de fête des femmes. Elle avait lieu à l'occasion du baptême (la mère, rappelons-le, n'y assistait pas), ou tout simplement pour célébrer la naissance elle-même.

Reinhard Worschech souligne le caractère spécifiquement féminin de ces fêtes baptismales : « Pour la communauté des femmes, le baptême constitue l'événement le plus important de l'existence. » Un potentat local interdit, en 1619, ce genre de festivités, « pour la raison, dit-il, que jusqu'à ce jour beaucoup ont attiré grandes quantités de femmes ; après le baptême, il leur est offert non seulement un repas, à grands frais inutiles, mais également force chants, cris, rires et commotion, lesquels se déroulent en présence de l'accouchée [41]. » Dans la région de Hunsrück, la nouvelle accouchée recevait normalement la visite de toutes ses voisines. Et celles-ci venaient avec leurs enfants, lesquels apportaient des cadeaux pour le nouveau-né. Au XIXᵉ siècle, nous dit un ethnologue, « de telles visites ne se concevaient pas sans schnaps, la boisson " nationale " de Hunsrück, ni sans un grand tapage. C'est pourquoi, dans le comté de Sponheim, il fut décrété qu'il ne devait jamais y avoir plus de quatre femmes à la fois auprès de la mère, avant comme après l'accouchement, et qu'il fallait prévoir un ragoût [42] ». Dans certaines régions, ces fêtes duraient « des jours et des jours [43] ». Elles existaient également en France et tenaient partout une place importante dans la vie des paysannes traditionnelles [44]. C'était toujours, répétons-le, des fêtes de femmes, auxquelles les hommes n'étaient pas invités. Combien significatif le fait que la seule grande fête des femmes du village se déroulait précisément au moment où la femme était censée dégager les miasmes les plus dangereux : la période de couches.

Solidarité féminine qui se resserrait, enfin, lorsque l'accouchée succombait. Dans l'Allgäu (Allemagne), c'étaient les voisines qui, en cas de décès d'une autre femme (enceinte ou non), se chargeaient de la veillée funèbre [45]. En Franconie, un mandement ecclésiastique stipulait que le corps d'une accouchée devait être transporté sur les lieux du service funèbre par d'autres femmes : « Sur le parvis de l'église, le corps est aspergé d'eau bénite par le prêtre, puis les femmes portent la défunte dans l'église [46]. » Il était rare que les voisines tiennent les cordons du poêle, mais en Allemagne comme en France, elles constituaient, tant durant l'office que dans le cortège, un groupe distinct [47].

Pourquoi n'en savons-nous pas plus sur des rituels d'une telle importance ? Pourquoi les détails n'en figurent-ils que dans d'obscurs ouvrages d'ethnologie ? C'est parce que ces manifestations de la culture féminine mettaient l'homme très mal à l'aise. Parce que les festivités entourant le rétablissement de la mère, les cérémonies présidant aux obsèques de l'accouchée, suscitaient en lui les plus vives craintes : qui sait ce dont était capable alors ce corps auquel il attribuait des pouvoirs magiques ? Crainte et refus de l'autre, donc. Les souffrances des femmes, affirmaient en substance les hommes, ne nous regardent pas. Ou comme on disait en Alsace : « Femme malade le matin, femme guérie à midi [48]. »

La démystification du corps féminin

Toutes ces peurs de l'homme face au corps féminin devaient pratiquement s'éteindre dans le long cheminement menant de la société traditionnelle au rationalisme bourgeois du début du xxe siècle. Ainsi s'est trouvé supprimé tout un pan de la solidarité féminine, ainsi se sont trouvées bouleversées les relations entre les sexes. La femme, dans ce processus, a cessé de faire alliance avec les autres femmes pour se tourner vers l'homme, d'abord son mari, accessoirement son médecin. Deux facteurs, si ma thèse est juste, ont mis un terme à cette solidarité séculaire : les progrès de la santé et l'avènement du mariage d'inclination [49].

En disant cela, je m'inscris en faux contre tout un courant récent de recherches, qui voudrait qu'au xixe siècle et au début du xxe siècle la femme ait *refusé* « le piège du sentiment familial [50] ». Il m'apparaît, au contraire, que la sentimentalisation des relations hommes-femmes apparue dans le mariage au xixe siècle a *libéré* les femmes du terrible carcan où les tenaient enfermées les peurs masculines traditionnelles. Le développement de la relation affective dans le couple a eu pour effet de dissiper les vieilles angoisses de l'homme quant aux « pouvoirs maléfiques » du corps de la femme, ou du moins de les enfouir dans l'inconscient.

Notons, tout d'abord, la disparition effective des formes traditionnelles de la solidarité entre femmes. Imagine-t-on aujourd'hui dans une maternité une trentaine de voisines occupant la salle de travail ? Dans la France rurale du début du xxe siècle, les femmes faisaient encore cercle autour de la parturiente, mais celle-ci l'acceptait de moins en moins : « J'ai dit à ma belle-mère de sortir, ça a fait un drame » ; ou bien : « J'ai dit à mon mari : faut que tu restes [51] ! » Certains auteurs ont prétendu que l'isolement affectif de la femme dans le mariage moderne créait de nouvelles formes de solidarité féminine [52]. Il apparaît pourtant clairement qu'au milieu du xixe siècle l'exigence d'intimité familiale exprimée par le couple avait porté un coup aux relations que les femmes pouvaient entretenir entre elles en dehors de la famille nucléaire. Un historien a montré, par exemple, que c'est à partir des années 1830 que le mari, aux États-Unis, a commencé à remplacer les voisines auprès de la parturiente [53].

Certains indices, d'autre part, laissent supposer l'existence d'une période de transition : la mort d'une accouchée y reste perçue comme un événement *sui generis,* mais les rites ont maintenant pour fonction de protéger non plus la collectivité contre la défunte, mais la défunte elle-même contre les influences nocives du monde extérieur. Selon un ethnologue écrivant juste avant la Première Guerre mondiale, la coutume du Wurtemberg consistant à délimiter la tombe d'une accouchée par quatre piquets et une corde n'avait plus pour but alors que d' « assurer la tranquillité de la disparue[54] ». Dans certains comtés du même Wurtemberg, nous apprend un autre auteur, « les accouchées jouissent d'une telle considération que, si l'une d'elles vient à disparaître, les gens l'estiment bénie[55] ». Dans la région suisse du Vorderprättigau, enfin, si la femme morte en couches avait droit à un traitement particulier, si l'inhumation était plus tardive pour elle que pour tout autre, c'était uniquement pour ne pas risquer de mettre en terre une personne vivante[56].

Exemples isolés, certes, d'une nouvelle sentimentalité envers la femme morte en couches. Mais quel chemin parcouru depuis la vieille coutume saxonne qui consistait à l'empaler ! Nul doute que, lorsque sont signalées ces pratiques nouvelles, le mode de vie familial fondé sur la relation affective s'est déjà imposé. Et peut-être faut-il voir dans ces nouveaux rites une preuve de résorption des peurs masculines. Quoi qu'il en soit, passé les années 1920, les décès maternels à terme allaient devenir si rares que toutes les coutumes s'y rattachant devaient tomber en désuétude ; la mort en couches cessa d'être une occasion de connivence et de solidarité entre femmes.

Mais expliquer ainsi le déclin des peurs masculines, c'est réduire un phénomène d'interactions complexes à ses aspects purement « techniques ». Argumentation technique encore, celle expliquant que, si l'homme a cessé d'avoir une telle peur des femmes, c'est parce que la médecine a pu faire la preuve que celles-ci ne portaient pas de grenouille vivante dans le ventre, et que les horribles odeurs liées aux infections puerpérales étaient le fait, non des démons, mais des bactéries.

Car derrière ces évolutions techniques se jouait un autre processus, culturel celui-là et au cours duquel la vieille culture féminine s'est progressivement dissoute pour faire place au couple moderne fondé essentiellement sur l'inclination. Cette dissolution s'est faite en deux temps. Par l'émergence, d'abord, vers 1800, d'un nouveau type de relation intrafamiliale, où l'on voit l'homme s'ouvrir à la tendresse. Nouveau mode de vie familial — bourgeois à l'origine — qui va amener les femmes à se consacrer davantage à leur mari et à leur famille qu'aux autres femmes. Ce phénomène se situe à la fin du XVIIIᵉ et au début du XIXᵉ siècle (sauf dans la paysannerie) et ne doit absolument rien aux progrès de la santé dont j'ai parlé tout au long de ce livre, lesquels, en général, sont postérieurs d'un siècle environ. La « famille moderne », néanmoins, devait porter un coup décisif à la culture féminine traditionnelle.

Mais pour que sonne le glas de la culture féminine, encore fallait-il que cette « culture de la consolation » perdît toute raison d'être. C'est seulement en un second temps, lorsque seront abolies les souffrances qui initialement avaient conduit les femmes à se serrer les coudes, que la solidarité féminine cessera, ou du moins cessera d'être une rivale de la famille. Condition remplie vers 1920, quand les handicaps physiques qui, de temps immémorial, avaient conduit les femmes à chercher réconfort auprès de leurs compagnes, furent pratiquement résorbés : par les progrès de la médecine, par les nouvelles possibilités d'avortement, par le renversement des courbes de mortalité au détriment des hommes, par les multiples progrès que nous avons vus s'opérer tout au long de cet ouvrage. Elles n'avaient alors plus aucune raison physique, ni de redouter le mépris des hommes, ni de chercher consolation auprès des autres femmes. Ainsi était parachevée cette évolution qui, en deux étapes, avait amené la femme à renoncer à la culture féminine traditionnelle pour s'investir dans la famille.

Pour tous ces progrès intervenus dans la santé des femmes, le premier quart du xxᵉ siècle a souvent été la période décisive. C'est aussi l'époque de la première des deux grandes vagues de féminisme qu'a connues notre siècle. Simple coïncidence ? Apparemment oui. Mais il me semble que le premier de ces phénomènes a été une condition préalable du second ; que c'est d'avoir acquis « droit de santé » qui a permis aux femmes de se lancer dans le féminisme. Si mon hypothèse concernant cette triple conjonction — santé, féminisme, famille moderne — est exacte, force est alors de conclure que la première vague de féminisme s'est produite non pas sur fond de culture féminine traditionnelle, mais dans le cadre d'une alliance avec l'homme. Un homme « nouveau » que cet homme-là, transformé par la famille moderne en époux affectueux, n'ayant plus rien de commun avec la brute méprisante que nous avons rencontrée presque tout au long de ce livre. Et une « nouvelle alliance » teintée, à nos yeux, de douce ironie. Car elle vient nous rappeler combien mal enracinée historiquement est la *seconde* grande vague de féminisme de ce siècle, celle des années 1965-1980, qui, elle, devait faire alliance non pas avec, mais *contre* les hommes.

Annexe

Sources utilisées pour le « relevé sur deux siècles » des décès maternels par infection [*]

Le relevé consiste en un échantillonnage de l'énorme littérature relative à la fièvre puerpérale. Je me suis efforcé de trouver des observations indiquant la date de l'accouchement, celle du début de la maladie et, en cas d'issue mortelle, celle du décès.

INFECTIONS CONTRACTÉES À DOMICILE

Percivall Willughby, *Observations in Midwifery*, East Ardsley, S.R. Publishers, 1972, réédition d'un manuscrit du xviie siècle, p. 79-80, 105-106, 127-129, 171-172 : quatre cas à Derby et dans les environs, 1638-1669.

Paul Portal, *la Pratique des accouchements*, Paris, 1685, p. 183-186, 291-294 : deux cas à Paris, 1671 et 1679.

François Mauriceau, *Observations sur la grossesse et l'accouchement des femmes*, Paris, 1694, p. 45-46 : un cas à Paris, 1672.

Philippe Peu, *la Pratique des accouchements*, Paris, 1694, p. 231-234 : un cas à Paris, date inconnue.

Guillaume Mauquest de La Motte, *Traité complet des accouchements*, édition revue et corrigée, Leyde, 1729, p. 228-229, 454, 578, 580-581, 584, 623-628, 631-634, 722 : treize cas à Valognes (Normandie) et dans les environs, 1683-1721.

Johann Storch, *Weiberkranckheiten*, 8 vol., Gotha, 1746-1753, VI, p. 171 et 201 : deux cas, vraisemblablement à Gotha, 1722.

Frederick Hoffmann, *Opera omnia physico-medica*, 2e éd., 6 vol., Genève, 1740, II, p. 73. August Hirsch signale que les trois cas rapportés par Hoffmann s'étaient produits lors d'une épidémie à Francfort en 1725 : in *Handbuch der historisch-geographischen Pathologie*, 2e éd., 3 vol., Stuttgart, 1881-1886, III, p. 292.

Georg Wilhelm Christoph Consbruch, *Medicinische Ephemeriden nebst einer medicinischen Topographie der Grafschaft Ravensberg*, Chemnitz, 1793, p. 139 : un cas, date non indiquée.

William Butter, *An Account of Puerperal Fevers as they Appear in Derbyshire*, Londres, 1775, p. 34-48 : le cas que j'ai retenu date de 1765.

Ernest Gray, s.d., *Man Midwife : the Further Experiences of John Knyveton, M.D., during the Years 1763-1809*, Londres, Robert Hale, 1946, p. 22-23, 27 : deux cas à Londres, 1765-1766.

Charles White, *A Treatise on the Management of Pregnant and Lying-In Women*, Londres, 1772, p. 246-251, 254-257, 283-285, 290-295, 300-302 : sept cas à Manchester, 1770-1772 ; un cas ailleurs.

Friedrich Osiander, *Bobachtungen... Krankheiten der Frauenzimmer*, Tübingen, 1787, p. 3-12 : un cas à Cassel, 1781.

Alexander Gordon, *A Treatise on the Epidemic Puerperal Fever of Aberdeen*, Londres,

---

[*] Énumérées dans l'ordre chronologique selon la date de publication ou celle du cas cité. Pour les abréviations utilisées dans les références, voir p. 300.

ANNEXE

1795 ; réédité dans Charles Meigs, s.d., *History, Pathology and Treatment of Puerperal Fever*, Philadelphie, 1842 : je n'ai retenu que sept des soixante-dix-sept cas décrits, 1788-1791, p. 36-46 de l'édition Meigs.

Kenneth Cameron, s.d., *Shelley and his Circle, 1773-1822*, Cambridge (Mass.), Harvard University Press, 1961, I, p. 186-195 : mort de Mary Wollstonecroft, Londres, 1797.

William Hey, *A Treatise on the Puerperal Fever... in Leeds and its Vicinity, 1809-1812*, Londres, 1813 : j'ai repris les trois premiers des vingt-six cas observés, 1809-1810 ; réédité dans Meigs, *Puerperal Fever*, p. 88-101.

John Armstrong, *Facts and Observations relative to the Fever commonly Called Puerperal*, 1814, rééd. *in* Meigs : j'ai retenu trois cas, à Sunderland, 1813, p. 204-214 de l'édition Meigs.

Thomas West, « Observations on some Diseases, particularly Puerperal Fever, which occurred in Abingdon... 1813 and 1814 », *London Medical Repository*, 3, 1815, p. 103-105 : étude générale.

Augustus B. Granville, *A Report on the Practice of Midwifery at the Westminster General Dispensary during 1818*, Londres, 1819, p. 161-178 : huit cas.

Carnet d'observations de Gideon A. Mantell, médecin à Lewes : trois cas en 1820 ; document actuellement à la Turnbull Library de Wellington (Nouvelle-Zélande).

William Campbell, « Observations on the Disease usually Termed Puerperal Fever », *Edinburgh Medical and Surgical Journal*, 18, 1822, p. 195-225 : j'ai retenu deux cas sur les quinze signalés lors de cette épidémie à Édimbourg en 1821.

Robert Lee, « Cases of Severe Affections of the Joints after Parturition », *LMG*, 3, 1829, p. 663-666 : un cas à Londres en 1828.

John Roberton, « Is Puerperal Fever Infectious ? », *LMG*, 9, 1832, p. 503-505 : épidémie à Manchester, 1830-1831.

T. Ogier Ward, notice in *LMG*, 14, 1834, p. 815-816 : un cas à Birmingham, 1834.

Épidémie de *Puerperalfriesel* survenue en 1836 dans le village de Gerichtstetten (Bade), lettre du Dr Hermann Wertheim du 5 septembre 1837, chemise 236/16088, *Generallandesarchiv* de Carlsruhe.

R. Yates Ackerley, « Remarks on the Nature and Treatment of Puerperal Fever », *LMG*, NS, ii, 1838, p. 463-466 : un cas lors d'une épidémie à Londres, 1838.

James Reid, « Report of Parochial Lying-In Cases... 1839 to 1840 », *LMG*, NS, i, 1841, p. 233-239 : un cas à Londres, 1839.

James Reid, « Obstetric Report of Cases », *LMG*, NS, i, 1845, p. 1324-1332 : un cas à Londres, 1842.

W.B. Kesteven, « A Case of Puerperal Uterine Phlebitis », *LMG*, NS, 11, 1850, p. 926-930 : un cas à Londres, 1850.

Matthew Jennette, « On Inflammation and Abscess of the Uterine Appendages », *LMG*, NS, 11, 1850, p. 275-276 : trois cas à Birkenhead, 1844 et 1850.

Frederick J. Brown, « Case of Puerperal Phlebitis », *LMG*, NS, 13, 1851, p. 418-421 : un cas à Rochester (Angleterre), 1850.

Zandyck, *Étude sur la fièvre puerpérale... à Dunkerque*, Paris, 1856 : trois cas parmi ceux présentés p. 7-19, épidémie de 1854.

Schulten, « Ergebnisse einiger Blutuntersuchungen in Puerperalkrankheiten », *Virchows Archiv für pathologische Anatomie*, 14, 1858, p. 501-509.

Schulten, « Einiges über contagiöse Puerperalkrankheiten », *Virchows Archiv für pathologische Anatomie*, 17, 1859, p. 228-238. Les deux comptes rendus concernent la même épidémie survenue dans un village de Hesse rhénane dans les années 1850.

Anonyme, *Generalbericht der Sanitäts-Verwaltung im Königreiche Bayern*, II, 1863, p. 82, et III, 1868, p. 58-59 : épidémie de 1860-1861 en Souabe, épidémies de 1862-1863 dans les environs d'Eggenfelden et Fürth.

Ch. Fichot, *Une épidémie de fièvre puerpérale à Pont-Saint-Ours*, Nevers, 1879 : j'ai retenu trois cas, p. 16-17, datant apparemment de 1879.

Adolf Weber, *Bericht über hundert in der Landpraxis operativ behandelte Geburten*, Munich, 1901, p. 16 : deux cas dans la région d'Alsfeld, années 1890.

ANNEXE

Arthur von Magnus, « Über reine puerperale Staphylokokkenpyämie », *ZBG*, 26, 1902, p. 868-873 : un cas à Königsberg, 1901.

Harold Bailey, « A Report of Five Years' Artivities of... Bellevue Hospital », *AJO-G*, 16, 1928, p. 462-468 : cas survenus à New York en 1922-1924.

INFECTIONS CONTRACTÉES À L'HÔPITAL

Philippe Peu, *la Pratique des accouchements*, p. 268-269 : compte rendu général, Paris, 1664.

J.P. Xaviero Fauken, *Das in Wien im Jahre 1771... Fäulungsfieber*, Vienne, 1772, p. 61-69 : cas à Vienne, 1746 et 1770 ; le titre de l'ouvrage se réfère à une épidémie de caractère non obstétrical.

Henriette Carrier, *Origines de la Maternité de Paris*, Paris, 1888, p. 41-42 : cas à Paris, 1746 et 1778.

John Leake, *Practical Observations on the Child-Bed Fever*, 5ᵉ éd., Londres, 1781, II, p. 161-199 : neuf cas à Londres, 1768-1770, pour la plupart lors d'une épidémie.

Jacques-René Tenon, *Mémoires sur les hôpitaux de Paris*, Paris, 1788, p. 243-245 : compte rendu général des épidémies de 1774-1786.

Francis Home, *Clinical Experiments*, Londres, 1782, p. 71-77 : deux cas à Édimbourg, 1774.

Osiander, *Beobachtungen*, p. 55-70 : cinq cas à Cassel, 1781.

Doublet, « Mémoire sur la fièvre à laquelle on donne le nom de fièvre puerpérale », *Journal de médecine*, novembre 1782, p. 2-5 : compte rendu général, Paris, 1781.

Dejean *et alii, Mémoire sur la maladie qui a attaqué... les femmes en couche*, Soissons, 1783, p. 6-9 : compte rendu général, Paris, vers 1782.

Alphonse Leroy, *Essai sur l'histoire naturelle de la grossesse*, Genève, 1787, p. 142-149 : compte rendu général, Paris, milieu des années 1780.

Lukas Boër, *Abhandlungen und Versuche geburtshilflichen Inhalts*, Vienne, 1792, II, p. 132-136 et 176-177 : quatre cas à Vienne, 1790-1791.

Johann Friedrich Osiander, *Bemerkungen über die französische Geburtshülfe*, Hanovre, 1813, p. 247-251 et 261-266 : trois cas à Paris, 1810.

Franz Karl Nägele, *Schilderung des Kindbettfiebers... zu Heidelberg*, Heidelberg, 1812 : j'ai pris les six premiers cas, p. 20-23, épidémie de 1811-1812.

Robert Gooch, *An Account of some of the most Important Diseases Peculiar to Women*, Londres, 1829, p. 40-58 et 90-93 : compte rendu général, Londres, 1812-1820 ; un cas des années 1820.

Ad. Elias von Siebold, *Versuch... Darstellung des Kindbettfiebers*, Francfort, 1826 : j'ai retenu cinq des décès survenus à Berlin en mars 1825, p. 148-168.

Robert Collins, *A Practical Treatise on Midwifery Containing the Result of 16,654 Births Occurring in the Dublin Lying-In Hospital*, Boston, 1841 : je n'ai retenu que les quatre premiers décès parmi tous ceux signalés à Dublin, 1826-1831, p. 254-260.

Lee, « Severe Affections », p. 663-665 : deux cas à Londres, 1829.

Dormann, « Nachrichten über die Ereignisse in der Herzoglich-Nassauischen Hebammenlehr... Anstalt », *Medicinische Jahrbücher für das Herzogthum Nassau*, 3, 1845, p. 113-128 : trois cas à Hadamar, 1830, 1832 et 1838.

Meigs, « Introductory Essay », *History of Puerperal Fever*, p. 26-28 : un cas à Philadelphie, 1830.

Daniel Tyerman, « Case of Difficult Labour », *LMG*, 12, 1833, p. 704 : un cas à Londres, 1833.

Edward Rigby, « General Lying-In Hospital : Midwifery Reports », *LMG*, 17, 1836, p. 121-122 : deux cas à Londres, 1834.

James Reid, notice, *LMG*, ii, 1838, p. 371-372 ; et i, 1841, p. 270-271 : un cas à Londres, 1837 ; épidémie en 1841.

Eugène Fabre, *Clinique d'accouchements... de Marseille*, Paris, 1840, p. 51-57 et 77-82 : deux cas à Marseille, certainement en 1839.

James Reid, notice, *LMG*, NS, i, 1845, p. 1324-1332 : trois cas à Londres, 1843-1844.

Carl Heymer, *Breiträge zum Puerperalfieber,* Würzburg, thèse de médecine, 1847 : je n'ai retenu que deux cas pour cette épidémie de Würzburg en 1847, p. 31-37.

D.-N. Bonnet, *Treize Années de pratique à la Maternité de Poitiers,* Poitiers, 1857, p. 114-123 : compte rendu général, 1849-1850.

Émile Thierry, *Des maladies puerpérales observées à l'hôpital Saint-Louis en 1867,* Paris, 1868, *passim :* compte rendu général, 1867.

J.S. Parry, compte rendu, *AJO,* 7, 1874-1875, p. 162-165 : deux cas à Philadelphie, 1870 et 1873.

Franz Torggler, *Bericht über die Thätigkeit der... Klinik zu Innsbruck,* Prague, 1888, p. 153-155 : quinze cas, 1881-1885.

Hermann Pfannenstiel, « Kasuistischer Beitrag zur Atiologie des Puerperalfiebers », *ZBG,* 12, 1888, p. 617-627 : épidémie de Breslau, 1887.

Paul Bar, *la Maternité de l'hôpital Saint-Antoine... du 18 mai 1897 au 1er Janvier 1900,* Paris, 1900, p. 159-160 : six cas.

Ploeger, « Bericht über die Geburten... Frauenklinik in Berlin während 15 Jahren », *ZGH,* 53, 1905, p. 253-258 : trente et un cas, 1890-1902.

Sanders, « Wochenbetts- und Säuglingsstatistik », *ZGH,* 66, 1910, p. 1-18 : six cas à Berlin, 1907-1909.

Bailey, *op. cit. :* quatre cas à New York, 1922-1924.

W.A. Defoe, « An Account of an Epidemic of Puerperal Sepsis », *Edinburgh Obstetrical Society. Transactions,* 84, 1925, p. 133-139 : épidémie de 1924 à Toronto.

Comment évaluer la mortalité par infection post-partum

Les statistiques officielles antérieures à 1930, fondées sur la comptabilisation des causes de décès, ne permettent pas une évaluation sérieuse de la fréquence des infections. Plusieurs facteurs, en effet, viennent fausser les chiffres.

Comme le montre le tableau 6.C (p. 297), 15 % environ des décès en couches n'apparaissent pas comme tels dans les relevés officiels, le médecin constatant le décès ayant omis de signaler que celui-ci était consécutif à une grossesse. Imputés à une « occlusion intestinale » ou autre, ils ne pouvaient même pas figurer à la rubrique des décès maternels de causes infectieuses. Stanley Warren, parlant de l'enregistrement des décès en couches vers 1900 dans le Maine, aux États-Unis, écrit ceci : « Bien que je ne puisse le prouver par des chiffres, j'ai la conviction que les statistiques figurant dans le rapport officiel sur notre État […] sont incomplètes : elles disent la vérité, mais pas tout entière. Les décès de femmes en couches imputables selon toute probabilité à l'infection sont signalés aux services de santé locaux comme étant dus à des causes telles que péritonite, épuisement, abcès au bassin, etc., alors qu'il faudrait écrire : " Cause du décès : septicémie puerpérale " [1]. » Une étude effectuée en 1911 par le Bureau américain du recensement devait conclure que 10 % environ des décès déclarés comme étant dus à une péritonite étaient en fait imputables à une infection puerpérale [2]. Les choses devaient s'améliorer lorsque fut prévu sur les certificats de décès un emplacement spécial où signaler « toute cause indirecte considérée comme ayant fortement contribué à entraîner la mort ». Cette modification fut introduite en Angleterre et au pays de Galles, par exemple, en 1927 [3]. En Écosse, le généraliste fut tenu, à partir de 1929, de signaler par un P* sur le certificat toute grossesse constatée au moment du décès ou dans les quatre semaines ayant précédé celui-ci [4].

Mais même lorsque le médecin constatant le décès signalait que la défunte était une nouvelle accouchée, les préposés aux registres pouvaient fort bien ranger le cas dans quelque autre catégorie. Ainsi, lorsque l'infection puerpérale aboutissait à une pneumonie, le décès pouvait-il se trouver classé parmi les « maladies pulmonaires ». De

---

* Pour *pregnancy,* c'est-à-dire grossesse. *(N.d.T.)*

même, une infection mortelle des voies urinaires avait des chances de se trouver cataloguée dans la rubrique « néphrite aiguë ». Et le reste à l'avenant. Jusqu'en 1896, date de la mise au point par Georges Widal de sa réaction permettant le diagnostic de la typhoïde, « un nombre considérable » de décès dus à des infections puerpérales étaient classés, en Angleterre, sous la rubrique « fièvre entérique » (entendez : typhoïde). « De plus, nombre de décès en couches, par le passé, étaient imputés à la scarlatine [...], à la bronchite ou à la grippe. Ce ne sont là que quelques exemples de la façon dont on expliquait autrefois les décès des suites de fièvres puerpérales [5]. »

Lorsque la classification des décès maternels se fit plus complexe, ces décès furent rangés dans la catégorie des « causes associées à un état de grossesse, mais sans rapport direct avec celui-ci ». Ces décès dits « sans rapport » avec la grossesse posent de sérieux problèmes. En tant que décès de mères, ils entrent dans notre champ de recherche. Mais combien d'entre eux étaient-ils dus à une infection des voies génitales, combien antérieurs à l'accouchement, et combien effectivement provoqués par une maladie d'origine non génitale ? Il s'agit moins ici d'incriminer tel ou tel médecin malhonnête — cherchant à maquiller la réalité pour se blanchir — que de constater l'insuffisance du savoir médical du temps en ce qui concerne les infections du post-partum. La femme qui mourait de pneumonie quinze jours après avoir accouché et qui ne présentait pas les symptômes évidents de la péritonite (tympanisme, forte fièvre, pouls très rapide) était, en toute honnêteté, considérée comme ayant succombé à une infection pulmonaire « sans rapport » avec l'accouchement. Certains des décès dus à la diphtérie ou à la typhoïde peuvent être acceptés comme tels, car des maladies infectieuses, après tout, se rencontraient couramment dans l'ensemble de la population. Les décès attribués à une perforation d'ulcère gastrique ou à un cancer durant les couches peuvent légitimement être considérés comme « non liés » à l'accouchement. De même pour certains des décès dus à une maladie de cœur ou rénale chronique, compte tenu tout spécialement du taux élevé dans l'ensemble de la population des infections provoquées par le streptocoque groupe A (rhumatisme articulaire aigu, glomérulonéphrite aiguë).

Mais une enquête approfondie effectuée en Écosse au début des années 1930 devait conclure que, sur 2 500 décès de femmes en couches, 2,5 % seulement « n'avaient aucun lien, sauf de temps, avec la grossesse » ; et que 1,4 % avaient été facilités par la grossesse (décès dus à la maladie de Hoddgkin, à la colite ulcéreuse et autres) [6]. On peut donc raisonnablement évaluer à 5 % le taux de mortalité maternelle effectivement « sans rapport » avec la grossesse avant l'avènement des antibiotiques. Et considérer, par conséquent, tout pourcentage supérieur comme sujet à caution. Il est peu vraisemblable, par exemple, que 17 % des décès maternels enregistrés au pays de Galles en 1929-1934 soient imputables à des causes « associées », c'est-à-dire à un état préexistant à la période des couches.

La commission chargée du réexamen des cas devait réduire de moitié le nombre des décès simplement « associés » à une grossesse [7]. Après examen attentif de chacun des cas, elle parvint à la conclusion que l'on avait abusé du diagnostic de « causes associées », notamment pour les maladies de cœur, les affections gynécologiques et la grippe [8].

Autre problème : la tendance des Britanniques à classer certains décès de causes infectieuses dans la catégorie « accidents de couches » plutôt que dans celle des « infections ». Ainsi, le diagnostic de *phlegmasia alba dolens,* de causes infectieuses ou non, était, jusqu'en 1921, systématiquement écarté de la rubrique « fièvre puerpérale » pour être classé dans celle des « autres causes puerpérales [9] ». On ignorait tout simplement qu'une bonne partie des thrombo-embolies sont d'origine infectieuse, et on confondait les infections urinaires du post-partum avec les « toxémies » de la grossesse. D'autres problèmes de classification ajoutent encore à l'imprécision des statistiques relatives aux infections : ainsi, lorsque les Anglais, après 1911, firent passer les décès des suites de mastite de la rubrique « infections » à celle des « autres causes puerpérales [10] ».

Résultat de ces diverses insuffisances : les statistiques officielles des infections, avant 1900, sous-évaluent nettement la réalité. En 1933, Munro Kerr était on ne peut plus net sur ce point : « [...] les chiffres anciens [relatifs à la fièvre puerpérale en Angleterre] sous-estiment la mortalité par rapport à ce qu'elle est aujourd'hui, quantité de décès liés à la grossesse et à l'accouchement ayant été omis [11]. » Une étude sur la comptabilisation des infections aux Pays-Bas vers 1900 qualifiait les statistiques officielles de « sujettes à caution [12] ». Et une enquête similaire réalisée dans le canton de Neuchâtel vers 1880 concluait que le nombre effectif des décès était sous-évalué de 20 % [13].

Nouveau problème à partir de 1910 environ : les chiffres relatifs aux infections puerpérales incluent maintenant les avortements septiques (cf. chapitre 8). Avec le bond en avant des avortements infectieux, on passe donc d'un excès à un autre : le sous-évaluée, l'infection maternelle devient *surévaluée*. Les Anglais, par exemple, ne font alors figurer sous la rubrique « avortements » qu'une infime proportion des décès dus à des avortements provoqués, à savoir ceux pour lesquels un jury de coroner a conclu à l'homicide ou au suicide. Jusqu'en 1930, l'état civil en Angleterre inclura les infections post-abortum dans la catégorie des « infections puerpérales [14] ». Et même après cette date, il est peu probable que tous les décès dus à des avortements septiques aient été répertoriés dans la nouvelle catégorie des « infections post-abortum ».

Tout ceci fait que la forte régression à long terme de la mortalité due aux infections n'apparaît point dans les chiffres officiels. Sous-évaluée au XIXe siècle, surévaluée au début du XXe siècle, la mortalité maternelle de causes infectieuses paraît statistiquement à peu près constante.

Afin de remédier à ces défaillances, j'ai tenté d'établir des séries de longue durée à partir d'études locales. Celles-ci offrent l'avantage que les décès de femmes en couches y sont normalement répertoriés individuellement, ce qui permet d'écarter les avortements, d'inclure dans tous les cas appropriés les décès présentés comme « indépendants » de toute grossesse, etc.

Mais les décès dus à des maladies de cœur ou pulmonaires, ainsi que les décès « non infectieux » dus au phlegmasia alba dolens, à l'embolie ou à la néphrite posent toutefois un problème très particulier. Étaient-ils ou non le fait d'une infection puerpérale ?

Très faible était la mortalité en couches réellement imputable à des maladies de cœur de caractère organique. Selon Otfried Fellner, 0,9 % seulement des femmes souffrant de rétrécissement ou d'insuffisance mitrale et ayant accouché à l'hôpital de Vienne avaient effectivement succombé à ladite maladie [15]. (L'examen prénatal avait révélé chez nombre d'entre elles une maladie de cœur.) Il faut donc se méfier des séries imputant aux « affections cardiaques » un nombre relativement élevé de décès : la cause réelle de l'arrêt du cœur, dans la plupart des cas, était vraisemblablement une septicémie contractée en couches. De même, les évolutions infectieuses affectaient souvent les poumons. Sur 222 autopsies pratiquées à la Maternité de Paris en 1829, par exemple, 19 % devaient révéler une pleurite et 12 % une pneumonie ou autre [16]. Attention, donc, à la « pneumonie » comme cause de décès « non liée » à la grossesse.

Chaque fois que l'insuffisance des données oblige à l'estimation, j'ai considéré, sauf mention précise des troubles avant l'accouchement, que tout décès imputé à une maladie pulmonaire (hormis la tuberculose) ou à un arrêt cardiaque est en fait l'aboutissement d'un processus infectieux. J'ai également repris à mon compte l'opinion exprimée par la commission d'enquête sur la mortalité maternelle en Écosse selon laquelle, s'agissant des décès attribués à la « pyélite », à la « cystite » et autres affections des voies urinaires, « on est fondé à se demander si certains de ces cas n'étaient pas dus en fait [...] à la grossesse elle-même », sauf, bien sûr, maladie déjà diagnostiquée avant l'accouchement [17].

Autres problèmes encore : ceux que posent le phlegmasia alba dolens et la thrombo-embolie lorsque le diagnostic n'est pas confirmé post-mortem — et dans 22 des 28 décès par « embolie de la mère » examinés par la commission d'enquête sur la mortalité maternelle en Angleterre, il n'y avait pas eu d'autopsie [18]. L'une des « embolies », par exemple, devait s'avérer être une gangrène gazeuse [19]. Le recul apparent de la mortalité par phlegmasia et embolie — diagnostics courants autrefois — était « probablement dû au fait que l'on en reconnaissait souvent maintenant l'origine infectieuse [20] ». A vrai dire, rien ne permet de supposer que le taux des maladies thrombo-emboliques non infectieuses ait fortement évolué avec le temps, sauf à la faveur de certaines innovations dans les soins (éviter un alitement prolongé, par exemple). Ma conviction est que la grande majorité des décès imputés au phlegmasia et à l'embolie étaient en fait d'origine infectieuse. Ceci semblerait confirmé par le doublement, en Écosse, du nombre des cas diagnostiqués après la Première Guerre mondiale : 20 décès pour 100 000 accouchements en 1918 ; 39 en 1921 ; 49 en 1927. Explication la plus plausible : l'usage du diagnostic d'embolie pour l'avortement infectieux [21]. Autre chose intéressante à noter : la commission d'enquête pour le pays de Galles a estimé que plus du quart des décès imputés au phlegmasia et à l'embolie pour la période 1929-1934 étaient dus à l'infection ; 12 % à une hémorragie ou une toxémie ; et le reste à des « traumatismes [22] ».

1. Stanley Warren, « The Prevalence of Puerperal Septicemia in Private Practice », *AJO*, 51, 1905, p. 309.
2. Cité dans Grace L. Meigs, *Maternal Mortality... in the United States*, Washington, U.S. Department of Labor, Children's Bureau, pub. n° 19, 1917, p. 39.
3. Great Britain, Ministry of Health, *Report on an Investigation into Maternal Mortality*, Londres, 1937, p. 35.
4. J. M. Munro Kerr, *Maternal Mortality and Morbidity*, Édimbourg, 1933, p. 4.
5. *Ibid.*, p. 4 et 63.
6. Charlotte Douglas et Peter L. McKinlay, *Report on Maternal Morbidity and Mortality in Scotland*, Édimbourg, Department of Health for Scotland, 1935, p. 203-210.
7. Great Britain, Ministry of Health, *Report on Maternal Mortality in Wales*, Londres, 1937, p. 47.
8. *Ibid.*, p. 153.
9. Douglas et McKinlay, *op. cit.* [6], contient un graphique commode (p. 302) montrant les fluctuations d'une rubrique à l'autre des diverses causes de décès en couches.
10. *Ibid.*, p. 302.
11. Munro Kerr, *op. cit.* [4], p. 4.
12. Catharine Van Tussenbroek, « Kindbett-Sterblichkeit in den Niederlanden », *Archiv für Gynäkologie*, 95, 1911-1912, p. 38.
13. Edmond Weber, *Beiträge zur Mortalitäts-Statistik an septischen puerperalen Prozessen*, thèse de médecine, Berne, 1890, p. 21.
14. Douglas et McKinlay, *op. cit.* [6], p. 302.
15. Otfried Fellner, *Die Beziehungen innerer Krankheiten zu Schwangerschaft, Geburt und Wochenbett*, Leipzig, 1903, p. 73-75 et 85. Sur les 30 600 accouchements de cette série, 94 femmes seulement présentaient une maladie de cœur à caractère organique ; selon Fellner, toutefois, plus de 700 parturientes souffraient de quelque affection cardiaque ; de toutes ces femmes à risque, 6 seulement devaient succomber.
16. Dr Tonnellé, « Des fièvres puerpérales », *Archives générales de médecine*, 22, 1830, p. 487.
17. Douglas et McKinlay, *op. cit.* [6], p. 72.
18. Great Britain, Ministry of Health, *op. cit.* [3], p. 163.
19. *Ibid.*, p. 34.
20. *Ibid.*, p. 52.
21. Douglas et McKinlay, *op. cit.* [6], p. 57.
22. Great Britain, Ministry of Health, *op. cit.* [7], p. 152.

Sources utilisées pour le calcul de la mortalité à terme par infection (1860-1939)

Sauf indication contraire, les taux calculés à partir des sources qui suivent excluent les décès des suites d'avortements, de perforations de l'utérus et de césariennes. J'ai fait tout mon possible pour inclure, dans tous les cas appropriés, les décès considérés à

ANNEXE

l'époque comme étant de caractère « non obstétrical ». Pour les données hospitalières, je me suis efforcé de suivre les mères condamnées transférées dans un service purement médical. Les statistiques hospitalières présentées ici excluent les femmes déjà infectées au moment de leur admission. Le chiffre entre parenthèses à la fin de chaque référence est celui du nombre des décès d'origine infectieuse pour 1 000 accouchements.

MILIEU HOSPITALIER, 1860-1869

Emma L. Call, « The Evolution of Modern Maternity Technic », *AJO*, 58, 1908, p. 400. J'ai admis la définition de l'infection donnée par cet auteur ; New England Hospital for Women (20 pour 1 000).

Louis Hirigoyen, *Compte rendu de la clinique obstétricale de l'hôpital Saint-André de Bordeaux*, Bordeaux, 1880, p. 28-30 ; donne la liste explicative des décès (19,6 pour 1 000).

Queirel, *Histoire de la maternité de Marseille*, Marseille, 1889, p. 44. Les données fournies couvrent en fait la période 1827-1867. J'ai considéré comme étant d'origine infectieuse les décès dus aux causes suivantes : péritonite, septicémie, pneumonie, pleurésie, entérite, « affection cérébrale », phlébite, ictère, érysipèle, scarlatine, fièvre miliaire et intermittente, rougeole (40,8 pour 1 000).

Catharine Van Tussenbroek, « Kindbett-Sterblichkeit in den Niederlanden », *Archiv für Gynäkologie*, 95, 1911-1912, p. 44 ; maternité d'Amsterdam, 1865 ; j'ai admis la définition de l'infection donnée par l'auteur (40 pour 1 000).

Louis Sentex, *Compte rendu des faits observés à la clinique d'accouchements de...* *Bordeaux*, Bordeaux, 1863, p. 24-27 ; chiffres relatifs à la période 1859-1863. Outre les cas évidents, j'ai compté comme infectieux de nombreux cas d' « entérite », d'érysipèle et autres (35,4 pour 1 000).

MILIEU HOSPITALIER, 1870-1879

Pour les données fournies par Tussenbroek, « Kindbett », Hirigoyen, *Saint-André de Bordeaux*, et Call, « Modern Technic », voir MILIEU HOSPITALIER, 1860-1869. Les taux sont respectivement de 48, 24,3 et 4,7 pour 1 000.

G. Eustache, *Clinique d'accouchements... de Lille*, Lille, 1889, p. 27-28 pour les années 1877-1881. J'ai retenu les six décès de mères manifestement liés à une infection (9,3 pour 1 000).

MILIEU HOSPITALIER, 1880-1889

Pour les données fournies par Call, « Modern Technic », Eustache, *Clinique de Lille*, Queirel, *Maternité de Marseille*, et Tussenbroek, « Kindbett », voir MILIEU HOSPITALIER, 1860-1869 et 1870-1879. Les taux sont respectivement de 1,6, 7, 19 et 10 pour 1 000.

F. Ahlfeld, « Beiträge zur Lehre vom Resorptionfieber... », *ZGH*, 27, 1893, p. 497-500 ; données relatives à la Maternité de Marbourg, 1883-1893. J'ai retenu les décès manifestement dus à une infection (4,7 pour 1 000).

Robert Boxall, « Mortality in Childbed », *JOB*, 7, 1905, p. 326-327 ; York Road Hospital, liste des décès (2,9 pour 1 000).

Georges Duval, *De la morbidité de la Charité*, Lille, 1899, p. 39-60, données relatives aux années 1878-1889. J'ai inclus divers cas de « congestion pulmonaire », « gangrène de la vulve » et autres (22,2 pour 1 000).

Camillo Fürst, *Klinische Mittheilungen über Geburt und Wochenbett... Wien*, Vienne,

286

ANNEXE

1883. J'ai inclus divers cas d'endocardite, bronchite, etc. Cet auteur a suivi les mères transférées en médecine (10,3 pour 1 000).

Jacob Genneper, *Die Geburten und puerperalen Todesfälle des Bonner Frauenklinik, 1885-1894*, thèse de médecine, Bonn, 1894, p. 6. Outre 17 décès par *puerperale Infektion*, j'ai inclus 1 embolie de l'artère pulmonaire, 5 *vitum cordis*, 4 pneumonies, 3 typhus et 1 diphtérie (8,5 pour 1 000).

Adolphe Pinard, *Du fonctionnement de la maternité de Lariboisière... 1882-1889*, Paris, 1889, p. 24-25 et 37. Liste des décès (3,3 pour 1 000).

MILIEU HOSPITALIER, 1890-1899

Pour les données fournies par Boxall, « Childbed », Call, « Modern Technic », Duval, *Morbidité de la Charité*, Genneper, *Frauenklinik*, et Tussenbroek, « Kindbett », voir MILIEU HOSPITALIER, 1880-1889. Les taux sont respectivement de 0,2, 1, 1,2, 8,5 et 60.

Paul Bar, *la Maternité de l'hôpital Saint-Antoine*, Paris, 1900, p. 159-160. Liste pour les années 1897-1899 (3,8 pour 1 000).

C. de Marval, *Uber Mortalität und Morbidität des Puerperalfiebers... zu Basel... 1887-1896*, thèse de médecine, Bâle, 1897, p. 25. Les 14 cas d'infection comprennent deux pneumonies et une néphrite (3,7 pour 1 000).

Koblanck, « Zur puerperalen Infektion », *ZGH*, 34, 1896, p. 269-270. Données concernant la Frauenklinik de l'université de Berlin, 1888-1895. Parmi les 38 décès imputables à une infection contractée à l'hôpital, j'en ai inclus 8 dus à une « néphrite » et 14 à d'autres causes « médicales » telles que : « apoplexio », pneumonie, embolie, etc. (4,6 pour 1 000).

Porak et Macé, *Statistique du service d'accouchement de la Charité*, Paris, 1898, p. 10-11 pour 1895-1897. Les quatre cas d'infection comprennent un décès par pneumonie (1,6 pour 1 000).

H. Schimmel, « Bericht über die geburtshilfliche Abteilung der Universitäts-Frauenklinik Würzburg », *ZGH*, 87, 1924, p. 421 ; données relatives aux années 1889-1900. J'ai utilisé, sans en rien modifier, le nombre des « infections contractées à l'hôpital » (0,8 pour 1 000).

F. von Winckel a correspondu avec un certain nombre de cliniques et rapporté leur taux de mortalité en couches dans *Handbuch der Geburtshülfe*, I(*i*)-III(*iii*), Wiesbaden, 1903-1907, III(*ii*), p. 340, plus notes des pages suiv. Les trois cliniques dont les données sont suffisamment détaillées pour nous permettre d'exclure césariennes, avortements et infections contractées avant l'hospitalisation, et d'inclure les décès « de causes médicales » suspectes, sont les suivantes :

Budapest	1894-1903	1,4 pour 1 000
Bâle	1896-1901	0,2 pour 1 000
Leipzig	1892-1904	1,1 pour 1 000

MILIEU HOSPITALIER, 1900-1909

Pour les données fournies par Boxall, « Childbed », Schimmel, « Würzburg », et Tussenbroek, « Kindbett », voir MILIEU HOSPITALIER, 1890-1899. Les taux de mortalité dus à l'infection sont respectivement de 0,4, 0 et 0. D'après Winckel, 10 pour 1 000 à Kiel, et 0 à Lausanne et Bâle.

Constantin J. Bucura, « Geburtshülfliche Statistik der Klinik Chrobak », *Archiv für Gynäkologie*, 77, 1906, p. 453-483 ; Vienne, 1903-1904 ; liste de certains décès en couches (1,1 pour 1 000).

ANNEXE

Henri Ferré, *Fonctionnement de la Maternité de Pau,* Pau, 1909, p. 4 ; données relatives à 1905-1907. Outre 1 décès par infection donné comme tel, j'ai imputé à l'infection : 1 décès des suites d'un érysipèle, 1 cas d' « auto-infection chez une albuminurique » et 1 décès « par pneumonie chez une albuminurique » (4,2 pour 1 000).

I. L. Hill, « The Statistics of One Thousand Cases of Labor », *AJO,* 54, 1906, p. 47 ; pour le Cornell Medical College de New York vers 1905 (aucun décès).

Sanders, « Wochenbetts- und Säuglingsstatistik », *ZGH,* 66, 1910, p. 1-18 : hôpital Virchow à Berlin, 1907-1909 ; liste des décès (4,5 pour 1 000).

MILIEU HOSPITALIER, 1910-1919

Pour les données fournies par Schimmel, « Würzburg », voir MILIEU HOSPITALIER, 1900-1909 (0,6 pour 1 000).

James A. Harrar, « Clinical Report of the Work of the First Division of the Lying-In Hospital for the Year 1912 », *Bulletin of the Lying-In Hospital of the City of New York,* 9, 1914, p. 215-216 ; liste fournie ; les 3 décès par infection sont consécutifs à une intervention obstétricale (2,7 pour 1 000).

M. Rothbaum, « Vergleich der mütterlichen und kindlichen Mortalität », *MGH,* 110, 1940, p. 93 ; données relatives à Zurich, 1912-1913 ; liste des décès de femmes en couches. J'ai considéré comme étant d'origine infectieuse toute une série de décès par « anémie-néphrite-entérite », « méningite purulente », « myocardite », « calculs biliaires-phlegmonose », « urémie » et autres, plus un décès signalé comme dû à l'infection (4,8 pour 1 000).

Samuel J. Scadron, « The Maternal Mortality in 34,900 Deliveries », *AJO-G,* 27, 1934, p. 128-133 ; données concernant la Maternité juive de New York, 1909-1920. J'ai admis la définition de l'infection donnée par l'auteur et soustrait de ses totaux les décès par césarienne (0,9 pour 1 000).

MILIEU HOSPITALIER, 1920-1929

Pour les données fournies par Scadron, « Maternal Mortality », et Schimmel, « Würzburg », voir MILIEU HOSPITALIER, 1910-1919. Les taux de mortalité par infection pour 1 000 accouchements sont respectivement de 0,5 et 0.

W. Bickenbach, « Uber die Müttersterblichkeit bei klinischer Geburtshilfe », *ZBG,* 64, 1940, p. 830 ; relatif à Göttingen, 1925-1929 ; les 3 décès par infection consécutifs à une intervention (0,7 pour 1 000).

F.J. Browne, « Antenatal Care and Maternal Mortality », *Lancet,* 2 juillet 1932, p. 1-4 : données relatives à huit hôpitaux londoniens, vers 1926-1930, hôpital " C " omis. J'ai repris tels quels les 30 décès signalés comme étant d'origine infectieuse ; césariennes écartées (0,7 pour 1 000).

Charles W. Frank, « Obstetric Mortality : an Analysis of 2,268 Maternity Cases at the Bronx Hospital », *AJO-G,* 21, 1931, p. 708-714 : aucun décès par infection.

S.A. Gammeltoft, « The Importance of Ante-Natal Care », *Acta Obstetricia et Gynecologica Scandinavica,* 5, 1926, p. 365 ; relatif à Copenhague, 1917-1925. Outre 24 cas diagnostiqués d'infection puerpérale (dont certains déjà infectés à l'admission), j'ai inclus 7 décès par « embolie », 5 décès par néphrite non chronique, 2 décès par anémie pernicieuse (diagnostiqués *post-partum*), 1 « parotite », 1 abcès au cerveau et 1 « méningite pneumococcique » (2,7 pour 1 000).

J. Severy Hibben, « Statistical Survey of Obstetrics in Pasadena », *AJO-G,* 10, 1935, p. 843-847 ; aucun décès par infection en 1924 ; accouchements à l'hôpital pour l'essentiel.

R.W. Holmes *et alii,* « Factors and Causes of Maternal Mortality », *JAMA,* 93, 1929,

p. 1445 ; relatif à Minneapolis, 1925-1928. J'ai ajouté 9 décès par embolie aux 20 décès par infection signalés comme tels (1,1 pour 1 000).

Carl H. Ill, « An Analysis of Obstetric Work Done in Essex County, N.J. Hospitals... 1927-1929 », *AJO-G*, 22, 1931, p. 129-133. Outre les décès imputés à l'infection, j'ai inclus 6 cas de pneumonie, 1 pleurésie, 1 pyélito-phlébite, 1 gastrite phlegmoneuse, 2 embolies, etc. (0,9 pour 1 000).

Clifford B. Lull, « An Analysis of One Thousand Obstetric Case Histories », *AJO-G*, 24, 1932, p. 75-86 : Philadelphie dans les années 1920, aucun décès par infection.

James Raglan Miller, « The Use of Mortality Statistics in Rating Maternity Service », *AJO-G*, 25, 1933, p. 580. Aux 10 décès reconnus d'origine infectieuse, j'en ai ajouté 5 par maladie de cœur et 5 par pneumonie.

Hans Nevinny, « Uber zehn Jahre Klinikgeburten », *ZGH*, 107, 1933-1934, p. 96-97 ; concerne Innsbruck, 1922-1931. A 3 cas d'infection puerpérale, j'ai ajouté 3 décès dus à la « scarlatine », 1 embolie pulmonaire liée à thrombose, 1 décès par périchondrite et médiastinite au douzième jour, et 1 thrombose de la carotide au seizième jour (1,1 pour 1 000).

Ernst Puppel, « Uber Totgeburten, Frühsterblichkeit und mütterliche Mortalität in den Jahren 1925-1931 », *Archiv für Gynäkologie*, 150, 1932, p. 263-264 ; concerne Mayence, 1925-1931. Les deux décès par infection consécutifs à une intervention chirurgicale (0,4 pour 1 000).

Meyer Rosensohn, « Obstetric Mortality : an Analysis of the Cases at the (New York) Lying-In Hospital in 1924 », *AJO-G*, 11, 1926, p. 97. Outre 1 décès par infection après rupture utérine, j'ai inclus 1 décès par embolie (0,4 pour 1 000).

Scottish Board of Health, *Maternal Mortality : Report on Maternal Mortality in Aberdeen, 1918-1927*, Édimbourg, 1928, p. 47, tableau VII. Les décès imputés à l'infection dans les accouchements hospitaliers « réservés à l'avance » excluent les cas de phlegmasia alba dolens, phlébite et embolie (normalement inclus dans les chiffres que je rapporte ici), car sont également rangées dans cette catégorie certaines causes de décès manifestement non infectieuses, telles que crise de vomissements (4,5 pour 1 000).

Stephen E. Tracy, « A Review of One Thousand and One Obstetric Cases », *AJO-G*, 16, 1928, p. 51-56. Aucun décès par infection à la Maternité juive de Philadelphie, 1925-1926.

MILIEU HOSPITALIER, 1930-1939

Pour les données fournies par Bickenbach, « Müttersterblichkeit », et Rothbaum, « Vergleich », voir MILIEU HOSPITALIER 1920-1929 et 1910-1919. Les taux de mortalité par infection pour ces deux sources sont respectivement de 0,1 et 2,4 pour 1 000.

Clarence C. Briscoe, « A Ten-Year Analysis of Puerperal Sepsis Deaths in Philadelphia », *AJO-G*, 45, 1943, p. 145 ; données relatives à 1932-1942. J'ai repris les taux fournis par cette source, avortements exclus.

M. Edward Davis, « A Review of the Maternal Mortality at the Chicago Lying-In Hospital, 1931-1945 », *AJO-G*, 51, 1946, p. 497. Aux 16 décès dus à infection génitale avant 1939, j'ai ajouté 5 décès par pneumonie et 2 par méningite, bien que la date de ces infections « non génitales » ne soit pas précisée (0,9 pour 1 000).

Felicitas Denker-Hauser, « Uber die Müttersterblichkeit bei klinischer Geburtshilfe », *ZBG*, 66, 1942, p. 791 ; concerne Rostock, 1934-1940. Les 3 décès par infection consécutifs à intervention chirurgicale (0,4 pour 1 000).

A. Edeling, « Zur Frage der Anstaltsenbindungen », *ZBG*, 65, 1941, p. 1700 ; pour Dessau, 1933-1940 ; donne liste des décès (0,4 pour 1 000).

H. Husslein, « Zur Frage Haus- oder Anstaltsgeburt », *ZBG*, 64, 1940, p. 1957 ; pour Prague, 1935-1939 ; 7 décès reconnus d'origine infectieuse et 1 pneumonie (0,8 pour 1 000).

J. Irving Kushner, « A Critical Analysis of the First 3,060 Cases Delivered at the Bronx

Hospital », *AJO-G*, 32, 1936, p. 877 ; données relatives à 1932-1934. Aucun décès par infection, césariennes exceptées.

H.I. McClure, « Maternal Mortality in Hospital Practice », *JOB*, NS, 44, 1937, p. 1001-1002 ; pour Belfast, 1927-1936. Outre 3 décès reconnus comme dus à une infection puerpérale, j'ai inclus 1 infection après éclampsie, 2 décès dus à une « maladie de cœur » (« les malades s'effondrèrent quelques jours après l'accouchement pour succomber dans les quarante-huit heures ») et 2 décès par pyélo-néphrite, non diagnostiquée avant l'accouchement (0,9 pour 1 000).

New York Academy of Medicine, *Maternal Mortality in New York City : a Study of All Puerperal Deaths, 1930-1932*, New York, 1933, p. 85 et 141 : 265 décès par septicémie (à l'exclusion des césariennes), plus 70 décès par phlegmasia alba dolens (1,4 pour 1 000).

Mario Nizza, « La Mortalità materna per cause ostetriche », *Ginecologia*, 4, 1938, p. 9 ; concerne Turin, 1935-1937. J'ai admis la définition de l'infection donnée par l'auteur (0,4 pour 1 000).

Obstetrical Society of Boston, « Maternal Mortality in Boston... 1933-1935 », *NEJM*, 14, janv. 1937, p. 45. Chiffres de l'infection acceptés ; à l'exclusion des césariennes et avortements (0,9 pour 1 000).

Lazar Stark, « Auswertung von 1000 Anstaltsgeburten », *MGH*, 89, 1931, p. 161 ; relatif à Breslau, vers 1930 ; 1 décès vraisemblablement d'origine infectieuse, par « phlegmon périphérique », probablement une métastase (1 pour 1 000).

Else Theisen, « Betrachtungen über Anstalts- und Hausgeburten », *ZBG*, 64, 1940, p. 307. Aucun décès par infection dans les accouchements spontanés (impossible de savoir combien de décès dans les accouchements provoqués : l'auteur dit simplement que pour ces derniers la mortalité est plus élevée à domicile qu'en milieu hospitalier).

DOMICILE, 1860-1869

Pour Tussenbroek, « Kindbett », voir MILIEU HOSPITALIER, 1860-1869 (7,8 pour 1 000).

Alfred Hegar, *Die Sterblichkeit während Schwangerschaft, Geburt und Wochenbett unter Privatverhältnissen*, Fribourg, 1868, p. 7-16. Porte sur 34 500 accouchements par sage-femme en pays de Bade, 1864-1866. J'ai retenu 107 décès par infection, dont la moitié liés à intervention obstétricale (3,1 pour 1 000).

E. Marchal, *Étude sur la mortalité des femmes en couches dans la ville de Metz*, Metz, 1867, p. 8. Sur 7 500 accouchements en 1856-1865, j'ai trouvé 47 décès en couches des suites d'infection : 27 par péritonite ou fièvre puerpérale, 7 par « affections aiguës des voies respiratoires », 3 par « affection du cœur », 4 typhoïdes, 1 scarlatine, 1 entérite, 1 dysenterie, 1 « mort subite huit jours plus tard » et 2 « anémies compliquant l'état puerpéral » (6,2 pour 1 000).

DOMICILE, 1870-1879

Pour Tussenbroek, « Kindbett », voir MILIEU HOSPITALIER, 1860-1869 (3,5 pour 1 000).

Samuel W. Abbott, « A Summary of Obstetric Cases Reported by Members of the Middlesex East District Medical Society », *Boston Medical and Surgical Journal*, 107, 1882-1883, p. 5 ; concerne la région de Boston, 1875-1881. J'ai imputé à l'infection des voies génitales : 4 péritonites, 2 septicémies, 3 embolies, 1 endocardite rhumatismale, 1 érysipèle, 1 maladie rénale, 1 urémie, et divers autres cas (5,6 pour 1 000).

H.H. Atwater, « Analysis of One Thousand Cases of Midwifery in Private Practice », *AJO*, 12, 1879, p. 285 ; concerne Burlington (Vermont), années 1870 ; 4 décès vraisemblablement dus à l'infection : 3 par « fièvre puerpérale » et 1 par « hydrothorax » (4,4 pour 1 000).

ANNEXE

DOMICILE, 1880-1889

Pour Pinard, *Lariboisière*, et Tussenbroek, « Kindbett », voir MILIEU HOSPITALIER
1880-1889 et 1860-1869. Dans le service d'accouchements à domicile de Pinard à
Lariboisière, le taux de mortalité par infection pour la période 1883-1888 est de 1,8 pour
1 000 ; à Amsterdam, selon Tussenbroek, il est de 4,2 pour 1 000.

Franz Unterberger, « Die Sterblichkeit im Kindbett im Grossherzogtum Mecklenburg-
Schwerin in den Jahren 1886-1909 », *Archiv für Gynäkologie*, 95, 1911-1912,
p. 133. Sur 163 décès vraisemblablement dus à l'infection pour la période 1886-
1887, j'ai retenu certains cas de « pneumonie », « pleurite » et « néphrite » (4,5
pour 1 000).

DOMICILE, 1890-1899

Pour Tussenbroek, « Kindbett », voir MILIEU HOSPITALIER, 1860-1869 (1,6 pour 1 000).

Philipp Ehlers, *Die Sterblichkeit « Im Kindbett » in Berlin und in Preussen, 1867-1896*,
Stuttgart, 1900, p. 50 ; à propos de Berlin, 1895-1896, j'accepte la définition de
l'infection par Ehlers ; il ne doit pas être très loin de la vérité, car il a pris la peine
de vérifier les circonstances d'un certain nombre de décès. La grande majorité des
accouchements pratiqués à Berlin à cette époque étaient des accouchements à
domicile (2,6 pour 1 000).

DOMICILE, 1900-1909

Pour Tussenbroek, « Kindbett », et Unterberger, « Mecklenburg-Schwerin », voir
MILIEU HOSPITALIER, 1860-1869, et DOMICILE, 1880-1889. Les taux pour cette décennie
sont respectivement de 1,1 et 1,9 pour 1 000.

James A. Harrar, « The Results and Technique of the Lying-In Hospital Out-Patient
Service in 45,000 Confinements », *Bulletin of the Lying-In Hospital of the City of
New York*, 6, 1909, p. 60-61 ; concerne les années 1895-1909. Outre 36 décès par
« bactériémie » et « saprémie », j'ai compté comme décès par infection de causes
génitales : 8 décès par pneumonie, 6 par maladie de cœur, 4 par urémie, 3 par
embolie, 2 par néphrite aiguë, 1 par « fièvre et éruption ecchymotique » et 1 par
érysipèle. Si l'on en croit Harrar, la mortalité par infection est passée de 1,2 pour
1 000 pour les 10 000 premiers accouchements à 0,2 pour les 5 000 les plus récents
(1,4 pour 1 000).

DOMICILE, 1910-1919

W.R. Nicholson, « Remarques » sur la mortalité maternelle à Philadelphie en 1915, in
AJO, 73, 1916, p. 514. Outre les 5 cas d'infection reconnus comme tels, j'ai inclus
3 décès par embolie, 1 phlébite, 1 endocardite, 1 phlébite avec endocardite et 1
pneumonie (0,9 pour 1 000).
Stroeder, « Zur Notwendigkeit der Trennung der Puerperalfieber-Erkrankungen und -
Todesfälle post abortum und derjenigen post partum maturum... », *ZBG*, 36,
1912, p. 1185. Concerne Hambourg, 1910-1911. Mortalité par infection à terme
retenue telle quelle. Malgré la présence de quelques accouchements en milieu
hospitalier, la grande majorité des accouchements considérés sont vraisemblablement des accouchements à domicile (1,7 pour 1 000).

DOMICILE, 1920-1929

Pour les données concernant Aberdeen, voir Scottish Health Board, *Maternal Mortality*, *in* MILIEU HOSPITALIER, 1920-1929. Pour Minneapolis, voir Holmes, « Factors and Causes », *in* MILIEU HOSPITALIER, 1920-1929. Les taux sont respectivement de 1,2 et 0,7 pour 1 000.

John S. Fairbairn, « Observations on the Maternal Mortality in the Midwifery Service of the Queen Victoria's Jubilee Institute », *BMJ*, 8 janv. 1927, p. 48-49. Concernant l'Angleterre, 1924-1925. Outre 40 décès officiellement imputés à des infections puerpérales, j'en ai inclus 33 par « influenza, pneumonie ou bronchite », 24 par embolie et thrombose, 11 par « maladie de cœur, compliquée parfois de bronchite », 3 par « hémorragie cérébrale » et 1 par « congestion pulmonaire » (0,7 pour 1 000).

F.W. Jackson, « A Five-Year Survey of Maternal Mortality in Manitoba, 1928-1932 », *Canadian Public Health Journal*, 25, 1934, p. 104-105. Parmi les 126 décès à terme imputés à l'infection figurent 34 décès par phlegmasia alba dolens ou embolie, ou mort subite ; sont exclus 48 décès dus à d'autres causes non précisées, dont certaines sans aucun doute étaient une infection des voies génitales (1,8 pour 1 000).

Communication de Marian Ross, secrétaire du Frontier Nursing Service, de Wendover (Kentucky), citée par J.M. Munro Kerr, *Maternal Mortality and Morbidity*, Édimbourg, 1933, p. 248-249. Aucun décès par infection entre 1920 et 1931.

W.H.F. Oxley, « Maternal Mortality in Rochdale », *BMJ*, 16 fév. 1935, p. 306 ; relatif à 1929-1931. Aux 10 décès attribués à une infection, j'ai ajouté 3 décès par embolie. Le nombre des décès « non liés » à la grossesse n'étant pas indiqué, ce taux représente un chiffre minimal (3,5 pour 1 000).

DOMICILE, 1930-1939

Pour les données de Briscoe, « Ten-Year Analysis », de la New York Academy of Medicine, *Maternal Mortality*, de Nizza, « Mortalità Materna », et de Theisen, « Hausgeburten », voir MILIEU HOSPITALIER, 1930-1939. Les taux de mortalité par infection y sont respectivement de 1,2, 1, 0,5 et 0.

Henry Buxbaum, « Out-Patient Obstetrics », *AJO-G*, 31, 1936, p. 409-419 ; service consultations du Chicago Maternity Center, 1932-1934 ; fournit la liste des décès de femmes en couches, toutes autopsiées : 6 cas d'infection (0,9 pour 1 000).

Enquête de N. Conti et Pohlen sur la mortalité maternelle en Allemagne dans les accouchements pratiqués par des sages-femmes, citée dans H. Husslein, « Zur Frage Haus- oder Anstaltsgeburt », *ZBG*, 64, 1940, p. 1958. Taux de mortalité par infection puerpérale égal à 0,8 pour 1 000.

Tableaux annexes

TABLEAU 6.A

MORTALITÉ MATERNELLE PAR INFECTION AU TEMPS DE L'OBSTÉTRIQUE TRADITIONNELLE (POUR 1 000 ACCOUCHEMENTS)

Northeim[1]	1618-1775	7,1
Ravensberg[2]	1782-1792	10,8
Neumark en Brandebourg[3]	1789-1798	6,6
Kurmark en Brandebourg[4]	1789-1798	7,4
Königsberg[5]	1790	14
Königsberg[6]	1794-1795	7,9
Un hôpital de Berlin, accouchements à l'hôpital et à domicile[7]	1829-1835	11,2
Un comté du pays de Bade[8]	1864-1866	3,1
Redditch (Angleterre) pratique privée[9]	1834-1842	5,3
Metz[10]	1856-1865	6,2
Taux moyen		*8*

NOTA : Les données relatives à Northeim, Ravensberg, le Brandebourg et Königsberg distinguent uniquement entre « mères décédées durant l'accouchement » (*Kreissenden*) et « mères décédées pendant les couches » (*Wöchnerinnen*). J'ai considéré que cette dernière catégorie est celle des décès par infection, étant donné que les autres grandes causes de mortalité d'origine obstétricale — hémorragie, éclampsie, état de choc — provoquent la mort très rapidement. Parmi les primipares décédées dans les années 1920 dans le Massachusetts, par exemple, 52 % des décès par éclampsie se sont produits dans les vingt-quatre heures suivant l'accouchement ; et aucun des décès par infection ne fut aussi brutal. Voir Mary F. DeKruif, « A Study of 370 Deaths of Primiparae », *NEJM*, 27 déc. 1928, p. 1305.

1. Tiré de Boris Schaefer, *Die Wöchnerinnensterblichkeit im 18ten Jahrhundert*, thèse de médecine, Berlin 1923, p. 48-49. Les décès de *Wöchnerinnen* représentaient 83 % de l'ensemble des décès maternels.
2. *Ibid.*, p. 51. Les *Wöchnerinnen* représentent 85 % des décès maternels.
3. *Ibid.*, p. 56. Les *Wöchnerinnen* représentent 71 % des décès.
4. *Ibid.*, p. 55. Les *Wöchnerinnen* représentent 77 % des décès.
5. Wilhelm Walter, *Die Sterblichkeit in Königsberg... 1790 und 1791*, thèse de médecine, Kiel, 1917, p. 46-48 : 1 décès *in der Geburt*, 25 décès en *Wochenbett* ; certains des décès en *Wochenbett* sans doute d'origine autre qu'infectieuse.

293

TABLEAU ANNEXE 6.A

6. Paul Strassen, *Die Sterblichkeit in Königsberg...* *1794 und 1795*, thèse de médecine, Kiel, 1919, p. 18 : 1 décès en *Kindbett*, 30 décès en *Wochenbett*.
7. H. Wollheim, *Versuch einer midicinischen Topographie und Statistik von Berlin*, Berlin, 1844, p. 342-343 : données relatives aux services hospitalier et d'accouchements à domicile de la *Königliche Entbindungsanstalt*. Sur les 38 décès de mères, j'ai considéré comme étant d'origine infectieuse : 7 fièvres puerpérales, 3 *Nervenfieber*, 2 typhus abdominaux, 3 cas d'inflammation et gangrène de l'utérus, 4 cas de « putréfaction utérine » avec phlébite, 1 phlegmasia alba dolens, 1 apoplexie, 1 « délire » et 1 gangrène pulmonaire. Au total, 61 % des décès maternels.
8. Alfred Hegar, *Die Sterblichkeit während Schwangerschaft, Geburt und Wochenbett*, Fribourg, 1868, p. 7-16 ; région de l'Oberrheinkreis, essentiellement des accouchements par sage-femme. Sur 187 décès au total, j'ai considéré comme infectieux : 24 cas de péritonite, 80 infections diverses du bassin (à l'exclusion de 6 ruptures d'utérus), 2 cas d' « albuminurie avec hydropisie » et 1 cas de péritonite avec myome. Au total, 57 % des décès maternels ; grossesses à terme ou proches du terme.
9. H.E. Collier, « A Study of the Influence of Certain Social Changes upon Maternal Mortality and Obstetrical Problems, 1834-1927 », *JOB*, 37, 1930, p. 29. Sur 565 cas consécutifs, 3 infections probables (les seuls décès).
10. E. Marchal, *Étude sur la mortalité des femmes en couches dans la ville de Metz*, Metz, 1867, p. 8. Sur un total de 68 décès de femmes en couches, j'ai imputé à l'infection : 27 péritonites ou fièvres puerpérales, 2 « anémies » (les hémorragies sont classées à part), 7 infections pulmonaires aiguës, 3 maladies de cœur, 4 typhoïdes, 1 entérite, 1 dysenterie, 1 scarlatine et 1 mort subite huit jours après l'accouchement (embolie ?). Ces 47 décès de causes vraisemblablement infectieuses représentent 69 % de la mortalité maternelle globale.
Pour appuyer ma thèse selon laquelle, à cette époque, les décès en couches étaient dus en grande partie à des causes infectieuses, voici quelques cas supplémentaires où la cause du décès est connue :
Hambourg, 1826 : Au moins 81 % des décès étaient d'origine infectieuse, car, sur 27 décès maternels au total, 22 étaient dus à la fièvre puerpérale, Cf. « Ubersicht des Gesundheitszustandes der Stadt Hamburg », *Magazin der ausländischen Literatur der gesamten Heilkunde*, mars-avril 1829, p. 329-330.
Genève, 1838-1855 : 65 % des décès maternels étaient sans doute d'origine infectieuse. Sur un total de 91 décès, on relève 48 fièvres puerpérales, 5 anascara ou phlegmasia alba dolens, 3 pneumonies, 2 gangrènes vaginales. Cf. Fr. Oesterlen, *Handbuch der medicinischen Statistik*, Tübingen, 1865, p. 669-70.
Villes du Danemark, 1876-1885 : Au moins 71 % des décès en couches étaient dus à la fièvre puerpérale. Cf. *Denmark : its Medical Organization, Hygiene and Demography*, Copenhague, 1891, p. 428.

TABLEAU 6.B

BACTÉRIES RESPONSABLES DES INFECTIONS DU SANG POST-PARTUM, 1909-1946*

	Nombre de mères**	Résultats de laboratoire	%
Hambourg, hôpital général, 1909-1910[1]	14	streptocoque hémolytique streptocoque anaérobie *E. coli* autres	22 36 21 21
			100
Vienne, 1912-1917[2]	86	streptocoque hémolytique streptocoque «non hémolytique» staphylocoque autres	65 28 3 4
			100
Berlin, années 1920[3]	244	streptocoque hémolytique streptocoque anaérobie staphylocoque autres et mixtes	23 22 35 20
			100
Saint Louis (Etats-Unis), 1924-1934[4]	22	streptocoque hémolytique streptocoque anaérobie staphylocoque autres	25 33 17 25
			100
Londres, Queen Charlotte Isolation Hospital, 1930-1938[5]	213	streptocoque hémolytique streptocoque anaérobie *E. coli* staphylocoque autres	62 17 7 5 9
			100
Londres, Queen Charlotte Maternity Hospital, 1930-1939[6]	31	streptocoque hémolytique streptocoque anaérobie staphylocoque clostridia autres	29 13 16 16 26
			100

(voir suite du tableau page suivante)

* Toutes cultures faites en milieu aérobie *et* anaérobie.
** Le «nombre de mères» est parfois celui des cultures positives.

295

TABLEAU ANNEXE 6.B

	Nombre de mères**	Résultats de laboratoire	%
New York,	98	streptocoque hémolytique	6
Lying-In Hospital,		streptocoque anaérobie	22
1935-1943 [7]		autres streptocoques	39
		E. coli	14
		staphylocoque	7
		autres	12
			100
Melbourne,	53	streptocoque hémolytique	9
Women's Hospital,		streptocoque anaérobie	57
1941-1946 [8]		autres streptocoques	8
		E. coli	11
		autres	15
			100

1. Hugo Schottmüller, « Zur Bedeutung einiger Anaëroben in der Pathologie, insbesondere bei puerperalen Erkrankungen », *Mitteilungen aus den Grenzgebieten der Medizin und Chirurgie*, 21, 1910, p. 450-490 ; données concernant 14 infections à terme, p. 490. Cet auteur donne au streptocoque aérobie le nom de *S. erysipelas*.

2. Josef Halban et Robert Köhler, *Die pathologische Anatomie des Puerperalprozesses*, Vienne, 1919, p. 162-163. Cas tous mortels. Les prélèvements de sang effectués sur 17 autres cas mortels étaient « stériles », même après plusieurs cultures. Malgré des techniques soigneuses, semble-t-il, les chercheurs ne trouvèrent de streptocoques anaérobies qu'une seule fois.

3. Kurt Sommer, « Die puerperale Sepsis », *ZGH*, 94, 1929, p. 484. La plupart des 244 mères victimes d'infection après l'accouchement devaient succomber ; pour 42 d'entre elles, les analyses de sang devaient donner des résultats « stériles », ce qui fait douter des méthodes utilisées.

4. Otto H. Schwarz et T.K. Brown, « Puerperal Infection due to Anaerobic Streptococci », *AJO-G*, 31, 1936, p. 379-387. Parmi les mères à terme atteintes d'une infection mortelle, 10 avaient des cultures de sang « stériles » ; 4 seulement des 22 décès étaient liés à un accouchement spontané ; tous les autres étaient consécutifs à une césarienne ou autre intervention majeure.

5. Pour 1930-1932, d'après L.C. Rivett *et alii*, « Puerperal Fever : a Report upon 533 Cases Received at the Isolation Block of Quenn Charlotte's Hospital », *Porceedings of the Royal Society of Medicine*, 26, 1932-1933, p. 1161-1175 ; ne comprend que les mères atteintes de péritonite ou de septicémie dont le sang avait donné lieu à culture positive. Pour les années 1933-1938, d'après G.F. Gibberd, « Puerperal Sepsis, 1930-1965 », *JOB*, 73, 1966, p. 1-10. L'auteur ne précise pas les méthodes de culture utilisées et j'en suis réduit à supposer qu'il s'est agi de cultures aérobies *et* anaérobies. Une série de pourcentages est donnée sous la rubrique « Micro-organismes responsables d'infections mortelles ».

6. *Ibid.* J'ai fait la moyenne des pourcentages relatifs à 1930-1934 et 1935-1939. Ici encore, la provenance des prélèvements et les méthodes de culture ne sont pas précisées.

7. R. Gordon Douglas et Ione F. Davis, « Puerperal Infection », *AJO-G*, 51, 1946, p. 352-368. Sur 295 femmes atteintes d'infection post-partum, l'hôpital devait effectuer 524 cultures. Dans les 90 positives étaient présents 98 micro-organismes différents. Le pourcentage élevé des cultures de streptocoque alpha s'explique par la multiplicité des prélèvements effectués sur des sujets souffrant d'endocardite bactérienne subaiguë.

8. Arthur M. Hill, « The Diagnosis, Prevention and Treatment of Puerperal Infection », *Medical Journal of Australia*, 35, 1948, p. 227-235.

TABLEAU 6.C

MORTALITÉ MATERNELLE :
% DE CERTIFICATS DE DÉCÈS TROMPEURS
(NE SIGNALANT PAS LA GROSSESSE)

Danemark[1]	1882-1889	16
Berlin[2]	1885-1892	25
Berlin[3]	1895-1896	41
Aberdeen[4]	1918-1927	13
Pays de Galles[5]	1929-1934	3
Angleterre[6]	1934	4
Moyenne		*15*

1. E. Ingerslev, « Die Sterblichkeit an Wochenbettfieber in Dänemark und die Bedeutung der Antiseptik für dieselbe », *ZGH*, 26, 1893, p. 457.
2. Philipp Ehlers, *Die Sterblichkeit « Im Kindbett » in Berlin und in Preussen, 1877-1896*, Stuttgart, 1900, p. 30-33.
3. *Ibid.*
4. J. Parlane Kinloch, *et alii, Maternal Mortality... in Aberdeen, 1918-1927, with Special Reference to Puerperal Sepsis*, Édimbourg, Scottish Board of Health, 1928, p. 8.
5. Great Britain, Ministry of Health, *Report on an Investigation into Maternal Mortality*, Londres, 1937, p. 34.

TABLEAU ANNEXE 8.A

TABLEAU 8.A

POURCENTAGE DES DÉCES MATERNELS PAR INFECTION
DUS A AVORTEMENT SEPTIQUE AUX XIXᵉ ET XXᵉ SIECLES

Suisse[1]		Villes du	
1901-1909	18	West Riding	
1910-1919	34	(Yorkshire)[7]	
1920-1929	33	1923-1929	33
1930-1939	45		
		Angleterre et	
Hambourg[2]		pays de Galles[8]	
1875-1879	7	début des	
1880-1889	15	années 1930	21
1890-1894	22		
1901-1909	52	Ecosse[9]	
1910-1919	73	1931-1935	13
1920-1927	83	1936-1938	18
Berlin[3]		Oregon[10]	
1885-1887	19	1927-1928	64
1895-1896	34		
1910-1912	67	Manitoba[11]	
1920-1926	79	1928-1932	29
Magdebourg[4]		Ontario[12]	
1924-1927	72	1933-1934	38
Allemagne[5]		Minneapolis[13]	
1926-1928	57	1925-1928	53
1931-1933	54		
1934-1938	42	Washington, DC[14]	
		1937-1940	24
Quatre villes			
hollandaises[6]		Etats-Unis	
1885	5	enquête sur	
1895	19	quinze Etats[15]	
1900	29	1927-1928	45

1. *Statistisches Jahrbuch der Schweiz*, 1945, p. 124-125.
2. Hambourg 1875-1894 : d'après Philipp Ehlers, *Die Sterblichkeit « Im Kindbett »* in *Berlin und in Preussen, 1877-1896*, Stuttgart, 1900, p. 48 ; j'ai considéré tous les décès post-abortum comme étant dus à l'infection. Hambourg 1901-1927 : d'après Hans Nevermann, « Zur Frage der Mortalität durch Schwangerschaft, Geburt und Wochenbett », *ZBG*, 52, 1928, p. 2356 ; avortements septiques seuls inclus.
3. Berlin 1885-1896 : d'après Ehlers, *op. cit.*, p. 33, 43 : j'ai considéré tous les décès post-abortum comme imputables à l'infection. Berlin 1910-1912 : d'après Sigismund Peller, *Fehlgeburt und Bevölkerungsfrage*, Stuttgart, 1930, p. 159. Berlin 1922-1926 : d'après E. Roesle, « Die Ergebnisse der Magdeburger Fehlgeburtenstatistik », *Statistisches Jahrbuch der Stadt Magdeburg, 1927*, p. 140.
4. Roesle, *op. cit. supra*, p. 138 (*Ansässige Frauen* uniquement).
5. Allemagne 1926-1928 : d'après Max Hirsch, *Mutterschaftsfürsorge*, Leipzig, 1931, p. 154. Allemagne 1931-1938 : d'après E. Philipp, « Der heutige Stand der Bekämpfung der Fehlgeburt », *ZBG*, 64, 1940, p. 231.

298

6. Catharine Van Tussenbroek, « Kindbett-Sterblichkeit in den Niederlanden », *Archiv für Gynäkologie*, 95, 1911-1912, p. 50 et 68. Je suppose tous les décès post-abortum dus à l'infection (Amsterdam, Rotterdam, Gravenhage, Utrecht).

7. Janet Campbell, s.d., *High Maternal Mortality in Certain Areas*, Londres, Ministry of Health, Reports on Public Health and Medical Subjects, n° 68, 1932, p. 24-44 ; établi sur les données relatives à cinq villes.

8. J.M. Munro Kerr, *Maternal Mortality and Morbidity*, Édimbourg, 1933, p. 46. L'auteur résume un rapport officiel dans lequel il est dit : « L'infection post-abortum représente 21,2 % de la mortalité maternelle par infection puerpérale. »

9. Écosse 1931-1933 : d'après Charlotte A. Douglas et Peter L. McKinlay, *Report on Maternal Morbidity and Mortality in Scotland*, Édimbourg, Department of Health for Scotland, 1935, p. 54. Écosse 1934-1938 : Les statistiques de l'infection à terme comprennent les décès par « phlegmasia alba dolens de causes puerpérales et embolie », le plus souvent sans doute d'origine infectieuse.

10. Raymond E Watkins, « A Five-Year Study of Abortion », *AJO-G*, 26, 1933, p. 161.

11. F.W. Jackson, « A Five-Year Survey of Maternal Mortality in Manitoba, 1928-1932 », *Canadian Public Health Journal*, 25, 1934, p. 105. Parmi les 126 décès à terme par infection, 34 sont dus au phlegmasia alba dolens et autres.

12. J.T. Phair et A.H. Sellers, « A Study of Maternal Deaths in the Province of Ontario », *Canadian Public Health Journal*, 25, 1934, p. 566.

13. R.W. Holmes *et alii*, « Factors and Causes of Maternal Mortality » *JAMA*, 9 nov. 1929, p. 1445 : « 53 % des décès dus à une septicémie puerpérale s'étaient produits avant le cinquième mois. »

14. Beatrice Bishop Berle, « An Analysis of Abortion Deaths in the District of Columbia for the Years 1938, 1939, 1940 », *AJO-G*, 43, 1942, p. 820.

15. Frances C. Rothbert, « A Study of Maternal Mortality in 15 States », *AJO-G*, 26, 1933, p. 280-281. Sont exclus de cette étude les avortements « criminels », c'est-à-dire vraisemblablement ceux pour lesquels on avait la certitude de la participation d'une tierce personne. Pourtant, plus de la moitié des avortements non thérapeutiques de cette série étaient des avortements provoqués.

Notes

Liste des abréviations utilisées

AJO   *American Journal of Obstetrics*

AJO-G   *American Journal of Obstetrics and Gynaecology* (après 1920)

BMJ   *British Medical Journal*

JAMA   *Journal of the American Medical Association*

JOB   *Journal of Obstetrics and Gynaecology of the British Empire* (après 1961 : *of the British Commonwealth*)

LMG   *London Medical Gazette*

MGH   *Monatsschrift für Geburtshilfe und Gynäkologie*

NEJM   *New England Journal of Medicine*

ZBG   *Zentralblatt für Gynäkologie*

ZGH   *Zeitschrift für Geburtshilfe (-hülfe) und Gynäkologie*

Le nom de l'éditeur n'est indiqué que pour les ouvrages postérieurs à 1945. Les chiffres entre crochets renvoient, dans chaque chapitre, à la note où apparaît pour la première fois, et intégralement, la référence.

s.d. = sous la direction de

Chapitre 1

1. Outre mon propre ouvrage, Edward Shorter, *The Making of the Modern Family*, New York, Basic Books, 1975, trad. fr. *Naissance de la famille moderne*, Paris, Éd. du Seuil, 1977, voir Lawrence Stone, *The Family, Sex and Marriage in England, 1500-1800*, New York, Harper & Row, 1977, et Jean-Louis Flandrin, *Familles : parenté, maison, sexualité dans l'ancienne société*, Paris, Hachette, 1976. Des points de vue contraires au mien sont exposés dans Michael Mitterauer et Reinhard Sieder, *Vom Patriarchat zur Partnerschaft : zum Strukturwandel der Familie*, Munich, Beck, 1977, et dans Louise A. Tilly et Joan W. Scott, *Women, Work and Family*, New York, Holt, Rinehart & Winston, 1978. Pour une vue d'ensemble des thèses en présence, voir Michael Anderson, *Approaches to the History of the Western Family, 1500-1914*, Londres, Macmillan, 1980.
2. Lionel Tiger, *Men in Groups*, Londres, Nelson, 1969.
3. Alexandre Bouët, *Breiz Izel ou la Vie des Bretons dans l'Armorique*, nouv. éd. du texte de 1835, Quimper, 1918, p. 278.
4. Ernst Schlee, « Sitzordnung beim bäuerlichen Mittagsmahl », *Kieler Blätter zur Volkskunde*, 8, 1976, p. 6-9.

5. Eugène Olivier, *Médecine et Santé dans le pays de Vaud au xviiie siècle, 1675-1798,* 2 vol., Lausanne, 1939, vol. I, p. 578.

6. Yves Castan, *Honnêteté et Relations sociales en Languedoc, 1715-1780,* Paris, Plon, 1974, p. 164, 171 et 172.

7. Alain Corbin, *Archaïsme et Modernité en Limousin au xixe siècle,* 2 vol., Paris, Rivière, 1975, vol. I, p. 282-283.

8. Cité dans Martine Segalen, « Le mariage, l'amour et les femmes dans les proverbes populaires français (suite) », *Ethnologie française,* 6, 1976, p. 70.

9. Marta Wohlgemuth, *Die Bäuerin in zwei badischen Gemeinden,* Carlsruhe, 1913, p. 111-112.

10. Voir Hans Fehr, *Die Rechtsstellung der Frau und der Kinder in den Weistümern,* Iéna, 1912, p. 57 (« Der Mann ist des Weibes Vogt und Meister »).

11. *Ibid.,* p. 57-60.

12. Lisbeth Burger, *Vierzig Jahre Storchentante : aus dem Tagebuch einer Hebamme,* Breslau, 1936, p. 178 ; voir aussi p. 247.

13. Eduard Dann, *Topographie von Danzig,* Berlin, 1835, p. 155.

14. Christoph Gottlieb Büttner, *Vollständige Anweisung wie... ein verübter Kindermord auszumitteln sey,* Königsberg, 1771, p. 180.

15. Johann Storch, *Von Weiberkranckheiten,* 8 vol., Gotha, 1746-1753, vol. V, p. 245-247.

16. Segalen, art. cité [8], p. 74.

17. Elfriede Moser-Rath, « Frauenfeindliche Tendenzen im Witz », *Zeitschrift für Volkskunde,* 74, 1978, p. 54, n. 67.

18. Shorter, *op. cit.* [1].

19. Segalen, art. cité [8], p. 76-77.

20. *Ibid.,* p. 77.

21. Françoise Loux : « Certaines pratiques à l'égard de l'enfant mort peuvent apparaître étranges ou marquées d'indifférence ; elles ont en réalité un but précis », in *le Jeune Enfant et son corps dans la médecine traditionnelle,* Paris, Flammarion, 1978, p. 257 ; voir également p. 19-20.

22. Adolf Müller, *Beiträge zu einer hessischen Medizingeschichte des 15.-18. Jahrhunderts,* Darmstadt, 1929, p. 19 (« Kühverrecke grosser Schrecke, Weibersterbe kein Verderbe »).

23. Ludwig Büttner, *Fränkische Volksmedizin,* Erlangen, 1935, p. 214 (« Weiber sterben, kein Verderben, Gaul verrecken, das macht Schrecken »).

24. Jacques Cambry, *Voyage dans le Finistère ou état de ce département en 1794 et 1795,* 3 vol., Paris, an VII-1799, t. II, p. 11.

25. Cité dans Guy Arbellot, *Cinq Paroisses du Vallage, xviie-xviiie siècles,* thèse 3e cycle, Paris, École des hautes études en sciences sociales, 1970, p. 274, n. 1.

26. Rudolf Dohrn, « Erfahrungen bei Prüfungen und dem Nachexamen der Hebammen », *ZBG,* 30, 1906, p. 908.

27. Burger, *op. cit.* [12], p. 26.

28. Max Thorek, *A Surgeon's World : an Autobiography,* Philadelphie, 1943, p. 80-81.

29. Anne Amable Augier du Fot, *Catéchisme sur l'art des accouchements,* Soissons, 1775, p. xv.

30. Maria Bidlingmaier, *Die Bäuerin in zwei Gemeinden Württembergs,* thèse d'État, Tübingen, 1918, p. 173. Je remercie David Sabean pour m'avoir fait connaître ce texte.

31. Burger, *op. cit.* [12], p. 53-55.

32. Segalen, art. cité [8], p. 71.

33. Burger, *op. cit.* [12], p. 90-91.

34. Rudolf Temesvary, *Volksbräuche und Aberglauben in der Geburtshilfe und der Pflege des Neugebornen in Ungarn,* Leipzig, 1900, p. 101.

35. Michael Zuckerman, « William Byrd's Family », *Perspectives in American History,* 12, 1979, p. 270-271.

36. Bud Berzing, s.d., *Sex Songs of the Ancient Letts,* New York, University Books, 1969, p. 37, 66, 81 et 86. C'est à Andrejs Plakans que je dois d'avoir connu ce texte.

37. Ces textes se trouvent en divers endroits de Berzing, *ibid.*, mais voir plus particulièrement p. 255-262.

38. *Ibid.*, p. 257.

39. Pelkonen, *Über volkstümliche Geburtshilfe in Finnland*, Helsinki, 1931, p. 56 (« mit dem Hinterteil wird gedroschen, mit dem Munde gesät »). Voir également Christian Gotthilf Salzmann, *Über die heimlichen Sünden der Jugend*, 2ᵉ éd., Francfort, 1794, p. 54 (« Bey dem Zanken der Eheleute macht oft die Frau dem Manne den Vorwurf, dass er ihr nicht ehelich beywohne und doch von ihr verlange, dass sie ihm — »).

40. G.H. Fielitz, « Beobachtungen über verschiedene Hindernisse und Schwierigkeiten bei Ausübung der Geburtshülfe », *Johann Christ. Starks Archiv für die Geburtshülfe*, 2, 1, 1789, p. 58.

41. Dʳ Martin, *Mémoires de médecine*, Paris, 1835, p. 282-286.

42. Adrian Wegelin, « Allgemeine Ubersicht des dritten Hunderts künstlicher Entbindungen », *J.C. Starks Neues Archiv für die Geburtshülfe*, 3, 1804, p. 91-93.

43. Fehr, *op. cit.* [10], p. 2.

44. Ian Maclean, *The Renaissance Notion of Woman*, Cambridge, Cambridge University Press, 1980, p. 105, n. 54.

45. Jacques Solé, *l'Amour en Occident à l'époque moderne*, Paris, Albin Michel, 1976, p. 87-92.

46. J.-L. Liébaut, *Trésor des remèdes secrets pour les maladies des femmes*, Paris, 1597, p. 529.

47. Robert Burton, *Anatomy of Melancholy*, 3 vol., 1621, rééd. Londres, Dent/ Everyman, 1932, vol. 3, p. 55.

48. Segalen, art. cité [8], p. 48 et 63.

49. Cette évolution a été bien étudiée par Carl N. Degler, *At Odds : Women and the Family in America from the Revolution to the Present*, New York, Oxford University Press, 1980, p. 249-279 ; ainsi que par Randolph Trumbach, *The Rise of the Egalitarian Family : Aristocratic Kinship and Domestic Relations in Eighteenth-Century England*, New York, Academic Press, 1978, p. 87-113 et *passim*.

50. Shorter, *op. cit.* [1], chap. 3.

51. Emmanuel Le Roy Ladurie, *Montaillou, village occitan*, Paris, Gallimard, 1975, chap. 10-12.

52. Berzing, *op. cit.* [36], p. 89 et 199.

53. *Ibid.*, p. 245-246.

54. *Ibid.*, p. 230 et 274.

55. *Ibid.*, p. 46.

56. Guillaume de La Motte, *Traité complet des accouchements*, 1715, rééd. Leyde, 1729, p. 11-12.

57. *Ibid.*, p. 71.

58. Margaret Hagood, *Mothers of the South : Portraiture of the White Tenant Farm Woman*, 1939, rééd. New York, Norton, 1977, p. 118 et 166-167.

59. Marie Stopes, « *The First Five Thousand* » : *Being the First Report of the First Birth Control Clinic in the British Empire*, Londres, 1925, p. 47.

60. Emma Goldman, *Living my Life*, 2 vol., 1931, rééd. New York, Dover, 1970, t. I, p. 186.

61. Burger, *op. cit.* [12], p. 93.

62. Wohlgemuth, *op. cit.* [9], p. 112-115.

63. Bidlingmaier, *op. cit.* [30], p. 167-168.

64. Women's Cooperative Guild, *Maternity : Letters from Working Women*, 1915, rééd. New York, Garland, 1980, p. 48-49 et 67.

Chapitre 2

1. Rose Frisch, « Menstrual Cycles : Fatness as a Determinant of Minimum Weight for Height Necessary for their Maintenance or Onset », *Science*, 185, 1974, p. 949-951.

NOTES DU CHAPITRE 2

2. Francis E. Johnston *et alii*, « Critical Weight at Menarche : Critique of a Hypothesis », *American Journal of Diseases of Children*, 129, 1975, p. 19-23 ; James Trussell, « Menarche and Fatness », *Science*, 200, 1978, p. 1506-1509 (voir réponse de Frisch dans « Menstrual Cycles » [1], p. 1510-1513) ; et W.Z. Billewicz *et alii*, « Comments on the Critical Metabolic Mass and the Age of Menarche », *Annals of Human Biology*, 3, 1976, p. 51-59.

3. Lennart Jacobson, « On the Relationship between Menarcheal Age and Adult Body Structure », *Human Biology*, 26, 1954, p. 130, tableau 1, établit une relation entre « facteur graisse » et poids du corps. Francis E. Johnston examine la littérature relative à ces questions dans « Control of Age at Menarche », *Human Biology*, 46, 1974, p. 159-171. Voir également J.C. Van Wieringen, « Secular Growth Changes », *in* Frank Falkner et J.M. Tanner, s.d., *Human Growth*, 2 vol., New York, Plenum, 1978, t. II, p. 451-452.

4. Darrel Amundsen et Carol Jean Diers, « The Age of Menarche in classical Greece and Rome », *Human Biology*, 41, 1969, p. 125-132, et « The Age of Menarche in Medieval Europe », *Human Biology*, 45, 1973, p. 363-369 ; la citation est tirée de ce dernier article, p. 368.

5. Il s'agit de Quarinonius, cité dans Leona Zacharias et Richard J. Wurtman, « Age at Menarche : Genetic and Environmental Influences », *NEJM*, 17 avr. 1969, p. 873.

6. Edward Shorter, « L'âge des premières règles en France, 1850-1950 », *Annales : Économie, Sociétés, Civilisations*, 36, 1981, p. 497, tableau 1.

7. J.E. Brudevoll *et alii*, « Menarcheal Age in Oslo during the Last 140 Years », *Annals of Human Biology*, 6, 1979, p. 411, fig. 1 : et Bengt-Olov Ljung *et alii*, « The Secular Trend in Physical Growth in Sweden », *Annals of Human Biology*, 1, 1974, p. 253, fig. 11.

8. Citons parmi les travaux les plus récents : J.M. Tanner et P.B. Eveleth, « Variability between Populations in Growth and Development at Puberty », *in* S.R. Berenberg, s.d., *Puberty : Biologic and Psychosocial Consequences*, Leyde, Kroese, 1975, p. 269, fig. 8.

9. Voir G.H. Brundtland, « Menarcheal Age in Norway : Halt in the Trend towards Earlier Maturation ». *Nature*, 241, 1973, p. 478; et T.C. Dann et D.F. Roberts, « End of the Trend? A 12-Year Study of Age at Menarche », *BMJ*, 4 août 1973, p. 265-267.

10. On trouvera beaucoup de données intéressantes sur la « tendance séculaire » dans J.M. Tanner, *Growth at Adolescence*, 2ᵉ éd., Oxford, Blackwell, 1962, p. 149 ; et dans Phyllis B. Eveleth et J.M. Tanner, *Worldwide Variation in Human Growth*, Cambridge, Cambridge University Press, 1976, p. 260-261. Pour des données belges sur une population de classes moyennes, semble-t-il, dans les années 1830, voir Lambert A.J. Quetelet, trad. angl. sous le titre *A Treatise on Man*, Édimbourg, 1842, p. 64. Pour des données relatives aux États-Unis entre 1971 et 1974, voir Department of Health, Education and Welfare, *Weight and Height of Adults 18-74 Years of Age : United States, 1971-1974*, Hyattsville, National Center for Health Statistics, 1979, DHEW pub. n° (PHS) 79-1659, tableau 15, p. 28.

11. Wilhelm Ludwig Willius, *Beschreibung der Natürlichen Beschaffenheit in der Margravschaft Hochberg*, Nuremberg, 1783, p. 192-194.

12. Exemples tirés de Lily Weiser-Aall, « Die Speise des Neugeborenen », dans Edith Ennen et Günter Wiegelmann, s.d., *Festschrift Matthias Zender*, 2 vol., Bonn, Röhrscheid, 1972, t. I, p. 543-544.

13. Franz Xaver Mezler, *Versuch einer medizinischen Topographie der Stadt Sigmaringen*, Fribourg, 1822, p. 155.

14. Emprunté à Lucienne A. Roubin, *Chambrettes des Provençaux. Une maison des hommes en Méditerranée septentrionale*, Paris, Plon, 1970, p. 130 (commune de La Mure, vers 1912).

15. Marta Wohlgemuth, *Die Bäuerin in zwei badischen Gemeinden*, Karlsruhe, 1913, p. 76.

16. Weiser-Aall, *op. cit.* [12], t. I, p. 543.

17. Gertrud Herrig, *Ländliche Nahrung im Strukturwandel des 20. Jahrhunderts :*

Untersuchungen im Westeifeler Reliktgebiet am Beispiel der Gemeinde Wolsfeld,
Meisenheim, Hain, 1974, p. 99, n. 210.

18. Emprunté à Derek Oddy et Derek Miller, s.d., *The Making of the Modern British Diet,* Londres, Croom Helm, 1976, p. 220, citation de « Sixth Report of the Medical Officer of the Privy Council », 1864.

19. Cité dans Hans J. Teuteberg et Günter Wiegelman, *Der Wandel der Nahrungsgewohnheiten unter dem Einfluss der Industrialisierung,* Göttingen, Vandenhoeck, 1972, p. 325.

20. Moritz T.W. Bromme, *Lebensgeschichte eines modernen Fabrikarbeiters,* 1905, rééd. Francfort, Athenäum, 1971, p. 351.

21. Sur les déformations du bassin dues au rachitisme, voir Theodor Hoffa, « Die Entstehung des rachitischen Beckens », *Monatsschrift für Kinderheilkunde,* 27, 1923-1924, surtout p. 436.

22. Percivall Willughby, *Observations in Midwifery,* 1863, rééd. East Ardsley, S.R. Publishers, 1972, p. 16. Le manuscrit de Willughby date du xviiᵉ siècle.

23. Cité dans J. Lawson Dick, *Rickets,* New York, 1922, p. 63.

24. August Hirsch, *Handbuch der historisch-geographischen Pathologie,* 2ᵉ éd., Stuttgart, 1886, t. III, p. 516-517.

25. James R. Smyth, « Miscellaneous Contributions to Pathology and Therapeutics », *LMG,* NS, 1, 1843-1844, p. 328.

26. Dʳ Rame, *Essai historique et médical sur Lodève,* Lodève, 1841, p. 62-63.

27. Dʳ Olivet, *Essai sur la topographie médicale de la ville de Montereau-faut-Yonne,* févr. 1819. Manuscrit appartenant à la Société de l'école de médecine de Paris.

28. Francis Ivanhoe, « Was Virchow Right about Neanderthal ? », *Nature,* 227, 1970, p. 578 ; voir également H. Grimm, « Über Rachitis-Verdachtsfälle im ur- und frühgeschichtlichen Material », *Zeitschrift für die gesamte Hygiene und ihre Grenzgebiete,* 18, 1972, p. 451-455.

29. Poul Norlung, *Wikingersiedlungen in Grönland,* Leipzig, 1937, p. 122-123.

30. Dʳ Brouzet, *Essai sur l'éducation médicinale des enfants,* Paris, 1754, t. II, p. 213-214.

31. Voir Calvin Wells, « Prehistoric and Historical Changes in Nutritional Diseases », *Progress in Food and Nutrition Science,* 1, 1975, p. 752-753 ; et Paul A. Janssens, *Palaeopathology : Diseases and Injuries of Prehistoric man,* Londres, Baker, 1970, p. 66.

32. Par exemple, Jean-Marie Munaret, *le Médecin des villes et des campagnes,* 3ᵉ éd., Paris, 1862, p. 446-447 ; Fritz Kipping, *Über die ätiologische Bedeutung der äusseren Lebensbedingungen für die Häufigkeit des engen Beckens,* thèse de médecine, Fribourg, 1911, p. 13 et 44-45 ; et Victor Fossel, *Volksmedicin und medicinischer Aberglaube in Steiermark,* Graz, 1886, p. 83.

33. P.-J. Lesauvage, *Essai topographique et médical sur Bayonne et ses environs,* Paris, 1825, p. 120-121 ; Jürdens, « Versuch einer medizinischen Topographie der Stadt Hof », *Journal der practischen Arzneykunde,* 6, 1798, p. 843-844 ; Fr. Wilhelm Lippich, *Topographie... Laibach,* Laibach, 1834, p. 183 ; sur Lyon, voir Dʳ Martin, *Mémoires de médecine,* Paris, 1835, p. 4 ; Friedrich Julius Morgen, *Beiträge zu einer medicinischen Topographie... Memel,* Memel, 1843, p. 228 ; Jakob Christian Schäffer, *Versuch einer medicinischen Ortsbeschreibung der Stadt Regensburg,* Ratisbonne, 1787, p. 44, qui affirme que la maladie affecte essentiellement les enfants des classes pauvres ; et Hermann Wasserfuhr, *Untersuchungen über die Kindersterblichkeit in Stettin,* Stettin 1867, p. 22.

34. Dʳ W. Fordyce, cité dans Dick, *op. cit.* [23], p. 315.

35. Le Dʳ Ludwig Mauthner en 1841, cité par Gustav Otruba, « Lebenserwartung und Todesursachen der Wiener », *Jahrbuch des Vereines für Geschichte der Stadt Wien,* 15-16, 1959-1960, p. 214.

36. Isambard Owen, « Reports of the Collective Investigation Committee... », *BMJ,* 19 janv. 1889, p. 114.

37. Janet Campbell *et alii, High Maternal Mortality in Certain Areas,* Londres, Ministry of Health, Reports on Public Health, n° 68, 1932, p. 28-29.

38. John L. Morse, « The Frequency of Rickets in Infancy in Boston and Vicinity », *JAMA*, 24 mars 1900, p. 724.

39. British Pediatric Association, *Report on the Incidence of Rickets in War Time*, London, Ministry of Health, Reports on Public Health, n° 92, 1944, p. 4, citant un rapport du Dr Chisholm.

40. Cité dans Carl Coerper, « Beitrag zur Rachitisfürsorge », *Zeitschrift für Säuglings-und Kleinkinderschutz*, 15, 1923, p. 335-336.

41. Dick, *op. cit.* [23], p. 58-59.

42. William Smellie, *Treatise on the Theory and Practice of Midwifery*, Londres, 1752, p. 82.

43. Harold E. Harrison, dans Henry L. Barnett et Arnold H. Einhorn, *Pediatrics*, 15e éd., New York, Appleton-Century-Crofts, 1972, p. 205.

44. Brouzet, *op. cit.* [30], t. II, p. 215.

45. Voir Joseph B. DeLee, *Principles and Practice of Obstetrics*, 6e éd., Philadelphie, 1933, p. 720 et 733.

46. *Ibid.*, p. 718 ; et Louis M. Hellman et Jack A. Pritchard, *Williams Obstetrics*, 14e éd., New York, Appleton-Century-Crofts, 1971, p. 897 ; pourcentages basés sur 48 000 cas relevés par l'Obstetrical Statistical Cooperative.

47. Franz von Winckel, *Handbuch der Geburtshülfe*, 3 vol., Wiesbaden, 1903-1907, t. II, p. 1874.

48. Joseph Daquin, *Topographie médicale de la ville de Chambéry*, Chambéry, 1787, p. 79 et 82.

49. Carl Schreiber, *Physisch-medicinische Topographie... Eschwege*, Marbourg, 1849, p. 164-165.

50. Voir résumé de l'article d'Ernesto Pestalozza in *ZBG*, 20, 1896, p. 1090.

51. F. Ahlfeld, *Berichte und Arbeiten aus der geburtshülflich... Klinik zu Giessen, 1881-1882*, Leipzig, 1883, p. 10.

52. J. Whitridge Williams, « A Statistical Study of the Incidence and Treatment of Labor Complicated by Contracted Pelvis », *AJO-G*, 11, 1926, p. 737, tableau 1.

53. Von Winckel, *op. cit.* [47], t. III, p. 1870.

54. Willughby, *op. cit.* [22], p. 109-110.

55. Stephen Kern, *Anatomy and Destiny : a Cultural History of the Human Body*, Indianapolis, Bobbs-Merrill, 1975, p. 10.

56. Samuel Thomas Soemmerring, *Über die Schädlichkeit der Schnürbrüste*, Leipzig, 1788, p. 104-105 et 160-161. Soemmerring mentionne les adversaires antérieurs du corset p. 96-97.

57. Axel Hansen, « Die Chlorose im Altertum », *Archiv für die Geschichte der Medizin* [du Sudhoff], 24, 1931, p. 184.

58. Paul Diepgen, *Frau und Frauenheilkunde in der Kultur des Mittelalters*, Stuttgart, Thieme, 1963, p. 207.

59. Lawrence Stone, *The Family, Sex and Marriage in England, 1500-1800*, New York, Harper & Row, 1977, p. 445-446.

60. John Jac. Günther, *Versuch einer medicinischen Topographie von Köln am Rhein*, Berlin, 1833, p. 113-115 ; Morgen, *op. cit.* [33], p. 130 ; et Paul M. Zettwach, *Über die fehlerhafte Ernährung der Kinder in Berlin*, Berlin, 1845, p. 6.

61. Leopold Fleckles, *Die herrschenden Krankheiten des Schönen Geschlechtes... in grossen Städten*, Vienne, 1832, p. 14.

62. John S. Haller, Jr., et Robin M. Haller, *The Physician and Sexuality in Victorian America*, Urbana, University of Illinois Press, 1974, p. 146-174.

63. Christoph Raphael Schleis von Löwenfeld, *Medizinische Ortsbeschreibung der Stadt Schwandorf in Nordgau*, Sulzbach, 1799, p. 29.

64. Joseph Steiner, *Versuch einer medizinischen Topographie vom Landgerichtsbezirke Parckstein und Weyden in der Obern Pfalz*, Sulzbach, 1808, p. 62 ; F.J. Werfer, *Versuch einer medizinischen Topographie der Stadt Gmünd*, Gmünd, 1813, p. 80 ; et Eugène Bougeatre, *la Vie rurale dans le Mantois*, Meulan, 1971.

65. Soemmerring, *op. cit.* [56], p. 149.

66. Eugène Olivier, *Médecine et santé dans le pays de Vaud au xviiie siècle*, 2 vol., Lausanne, 1939, t. I, p. 565.
67. Munaret, *op. cit.* [32], p. 419.
68. Wohlgemuth, *op. cit.* [15], p. 93 ; et Maria Bidlingmaier, *Die Bäuerin in zwei Gemeinden Württembergs*, thèse d'État, Tübingen, 1918, p. 111.
69. Dr W.H. Sheehy, note dans *Lancet*, 18 févr. 1871, p. 256. Je dois cette référence et quelques autres à une communication de K. Vertesi, « On the Theoretical and Methodological Errors of 19th Century Physicians Writing on the Detrimental Effects of the Corset », 1981.
70. Gerhart S. Schwarz, « Society, Physicians and the Corset », *Bulletin of the New York Academy of Medicine*, 55, 1979, p. 556-557, et *NEJM*, lettres du 15 mars 1973, p. 584 ; du 21 juin 1973, p. 1359 ; du 5 juillet 1973, p. 46 ; du 27 sept. 1973, p. 698 ; et du 10 oct. 1974, p. 802.

Chapitre 3

1. Organisation mondiale de la santé, *Traditional Birth Attendants*, Genève, OMS, 1979, p. 7 : « Entre 60 et 80 % des accouchements sont effectués par des matrones. »
2. Brigitte Jordan, *Birth in Four Cultures*, Montréal, Eden Press, 1978, p. 95, note 3.
3. Catherine M. Scholten, « On the Importance of the Obstetrick Art : Changing Customs of Childbirth in America, 1760 to 1825 », *William and Mary Quarterly*, 3e série, 34, 1977, p. 433.
4. *In* Gustav Klein, s.d., *Eucharius Rösslin's « Rosengarten »*, Munich, 1910, p. 8. La première édition allemande, *Der Swangern Frauwen und Hebammen Rosegarten*, fut publiée à Worms en 1513, et la première édition anglaise, *The Byrth of Mankynde*, parut à Londres en 1540. Voici l'original :

> *Ich meyn die Hebammen alle sampt*
> *Die also gar kein wissen handt*
> *Darzu durch ihr Hynlessigkeit*
> *Kind verderben weit und breit.*

5. Pour une bonne synthèse de ces critiques, voir Jacques Gélis, « Sages-femmes et accoucheurs : l'obstétrique populaire aux xviie et xviiie siècles », *Annales : Économies, Sociétés, Civilisations*, 32, 1977, p. 927-957 ; et Mireille Laget, « La naissance aux siècles classiques : pratique des accouchements et attitudes collectives en France aux xviie et xviiie siècles », même numéro, p. 958-992, ainsi que *Naissances. L'accouchement avant l'âge de la clinique*, Paris, Éd. du Seuil, coll. « L'Univers historique », 1982.
6. Elseluise Haberling, toutefois, fait état de sages-femmes lisant des manuels, in *Beiträge zur Geschichte des Hebammenstandes : der Hebammenstand in Deutschland von seinen Anfängen bis zum Dreissigjährigen Krieg*, Berlin, 1940, p. 57-58.
7. Pour une description détaillée de ces remarquables organisations professionnelles, voir *ibid.*, p. 42-44 et *passim*.
8. Johann Ferdinand Roth, *Fragmente zur Geschichte der Bader, Barbierer, Hebammen, Erbaren Frauen und Geschwornen Weiber in der freyen Reichsstadt Nürnberg*, Nuremberg, 1792, p. 35.
9. *Ibid.*, p. 35.
10. Heinrich Fasbender, *Geschichte der Geburtshilfe*, Iéna, 1906, p. 81.
11. *Ibid.*, p. 81, note 6.
12. Alois Nöth, *Die Hebammenordnungen des XVIII. Jahrhunderts*, thèse de médecine, Würzburg, 1931.
13. Georg Burckhard, *Die deutschen Hebammenordnungen von ihren ersten Anfängen bis auf die Neuzeit*, Leipzig, 1912, p. 34.
14. Haberling, *op. cit.* [6], p. 29.
15. *Ibid.*, p. 29.
16. Ida Wehrli, *Das öffentliche Medizinalwesen der Stadt Baden im Aargau*, Aarau, 1927, p. 95.

17. Alexandre Faidherbe, *les Accouchements en Flandre avant 1789*, Lille, 1891, p. 17-18.
18. Jean-Pierre Goubert, *Malades et Médecins en Bretagne, 1770-1790*, Paris, Klincksieck, 1974, p. 163.
19. Burckhard, *op. cit.* [13], p. 34.
20. Friedrich Osiander, *Beobachtungen... Krankheiten der Frauenzimmer und Kinder und die Entbindungswissenschaft betreffen*, Tübingen, 1787, p. 181-182.
21. Dr Goldschmidt, *Volksmedicin im Nordwestlichen Deutschland*, Brême, 1854, p. 92-93.
22. J.B. Gebel, *Aktenstücke die Möglichkeit der gänzlichen Blattern-ausrottung... betreffend*, Breslau, 1802, p. 130-131.
23. Percivall Willughby, *Observations in Midwifery*, 1863, rééd. East Ardsley, S.R. Publishers, 1972, p. 29.
24. H. Krauss, « Zur Geschichte des Hebammenwesens im Fürstentum Ansbach », *Archiv für die Geschichte der Medizin* [du Sudhoff], 6, 1912, p. 65-66.
25. Joseph Berthelot, *Topographie de... Bressuire (en 1786)*, Bressuire, 1887, p. 15.
26. Laget, art. cité [5], p. 976.
27. Gebel, *op. cit.* [22], p. 130.
28. Haberling, *op. cit.* [6], p. 16-17.
29. *Ibid.*, p. 36-37.
30. Egon Schmitz-Cliever, *Die Heilkunde in Aachen*, Aix-la-Chapelle, Sonderdruck Zeitschrift Aachener Geschichtsverein, Bd. 74/75, 1963, p. 59.
31. H. Deichert, *Geschichte des Medizinalwesens im Gebiet des ehemaligen Königreichs Hannover*, Hanovre, 1908, p. 91-92.
32. Jakob Rüff, *Ein Schön lustig Trostbüchle...*, Zurich, 1554. Ce jugement sur la supériorité du manuel de Rüff est repris de Haberling, *op. cit.* [6], p. 94-101. Sur la réglementation de l'activité des sages-femmes de Zurich, voir Eugène Olivier, *Médecine et Santé dans le pays de Vaud au xviiie siècle, 1675-1798*, 2 vol., Lausanne, 1939, t. I, p. 276.
33. Sur Amsterdam, voir Catharine Van Tussenbroek, « Das Hebammenwesen in den Niederlanden », *Gynäkologische Rundschau*, 6, 1912, p. 255 ; sur Darmstadt, Adolf Müller, *Beiträge zu einer hessischen Medizingeschichte des 15.-18. Jahrhunderts*, Darmstadt, 1929, p. 17-18 ; et sur la Bavière, Alexander von Hoffmeister, *Das Medizinalwesen im Kurfürstentum Bayern*, Munich, Fritsch, 1975, p. 84.
34. Nöth, thèse citée [12], p. 58-59.
35. Gélis, art. cité [5], p. 953, n. 30.
36. François Lebrun, *les Hommes et la Mort en Anjou*, Paris, Mouton, 1971, p. 212, n. 53.
37. Goubert, *op. cit.* [18], p. 162, sur la Bretagne.
38. Jean Donnison, *Midwives and Medical Men : a History of Inter-Professional Rivalries and Women's Rights*, New York, Schocken, 1977, p. 6. Voir également James H. Aveling, *English Midwives, Their History and Prospects*, 1872, rééd. Londres, Elliott, 1967, p. 88.
39. J.M. Munro Kerr, s.d., *Historical Review of British Obstetrics and Gynaecology, 1800-1950*, Édimbourg, Livingstone, 1954, p. 278. Sur la réglementation à Édimbourg au xviiie siècle, voir toutefois R.E. Wright-St. Clair, « Early Essays at Regulating Midwives », *New Zealand Medical Journal*, 63, 1964, p. 725.
40. Deichert, *op. cit.* [31], p. 92.
41. Fasbender, *op. cit.* [10], p. 85 ; et Nöth, *op. cit.* [12], *passim*.
42. Haberling, *op. cit.* [6], p. 106.
43. Marcel Fosseyeux, *l'Hôtel-Dieu de Paris au xviie et au xviiie siècle*, Paris, 1912, p. 286 et 402. Pour une description de la maternité de l'Hôtel-Dieu, voir Jacques-René Tenon, *Mémoires sur les hôpitaux de Paris*, Paris, 1788, p. 230.
44. Hermann Freund, « Das Hebammenwesen », *in* Joseph Krieger, s.d., *Topographie der Stadt Strassburg*, Strasbourg, 1889, p. 306. La date est souvent donnée, à tort, comme étant l'année 1728 ; voir, par exemple, Gélis, art. cité [5], p. 955, n. 48.
45. Sur l'école de Würzburg, voir Joseph Horsch, *Versuch einer Topographie der*

Stadt Würzburg, Arnstadt, 1805, p. 384-385 ; sur Berlin, F.C. Wille, *Über Stand und Ausbildung der Hebammen im 17. und 18. Jahrhundert in Chur-Brandenburg*, Berlin, 1934, p. 21 ; sur Neuötting, voir Hoffmeister, *op. cit.* [33], p. 84-85 ; sur Bâle, Hans Jenzer, « Die Gründung der Hebammenschulen in der Schweiz im 18. Jahrhundert », *Gesnerus*, 23, 1966, p. 69. A l'école de Coblence, le cours était de trois mois ; les possibilités cliniques offertes ne ressortent pas clairement de l'étude d'E. François, « La population de Coblence au xviiiᵉ siècle », *Annales de démographie historique*, 1975, p. 314-315.

46. Laget, art. cité [5], p. 985 ; Goubert, *op. cit.* [18], p. 165 (sur les premiers cours pour sages-femmes en Bretagne) et p. 168 et suiv. (sur la campagne de Mᵐᵉ du Coudray). Jacques Gélis a publié une carte des cours pour sages-femmes créés en France entre 1750 et 1800 : « Regard sur l'Europe médicale des Lumières : la collaboration internationale des accoucheurs et la formation des sages-femmes au xviiiᵉ siècle », *in* Arthur Imhof, s.d., *Mensch und Gesundheit in der Geschichte*, Husum, Matthiesen, 1980, p. 288.

47. G.V. Jägerschmidt, « Hygienische Ortsbeschreibung des Badischen Physikats Rötteln und Sausenberg », 1760, in Generallandesarchiv, Karlsruhe, manusc. n° 394 des « Hausfideikommiss ». C'est grâce à l'amabilité d'Arthur Imhof que j'ai eu copie de ce manuscrit.

48. Dietrich Tutzke, « Über statistische Untersuchungen als Beitrag zur Geschichte des Hebammenwesens im ausgehenden 18. Jahrhundert », *Centaurus*, 4, 1956, p. 353.

49. « Soll den Hebammen der Gebrauch des Mutterrohres in der geburtshilflichen Praxis verboten werden ? », *Wiener medizinische Presse*, tiré à part du n° 5, 1890, p. 4.

50. Tutzke, art. cité [48], p. 354.

51. C.F. Senff, *Über Vervollkommnung der Geburtshülfe*, Halle, 1812, p. 41.

52. Rudolf Dohrn, « Erfahrungen bei Prüfungen und dem Nachexamen der Hebammen », *ZBG*, 30, 1906, p. 904-905.

53. Gélis, art. cité [5], carte p. 935. Voir toutefois la description de l'élection d'une sage-femme dans le diocèse de Sarlat *in* Georges Rocal, *le Vieux Périgord*, Paris, 1927, p. 45.

54. Jean-Marie Munaret, *le Médecin des villes et des campagnes*, 3ᵉ éd., Paris, 1862, p. 399.

55. Bern. Christ. Faust, *Gedanken über Hebammen und Hebammenanstalten auf dem Lande*, Francfort, 1784, p. 34-35. Voir également les propos très durs d'Osiander sur l'inaptitude des candidates de plus de trente ans, *op. cit.* [20], p. 168-171.

56. H.G. Gernet, *Geschichte des Hamburgischen Landphysicats von 1818 bis 1871*, Hambourg, 1884, p. 63.

57. Bertel von Bonsdorff, *The History of Medicine in Finland*, Helsinki, Société finlandaise des sciences, 1975, p. 215.

58. Alain Corbin, *Archaïsme et Modernité en Limousin au xixᵉ siècle*, 2 vol., Paris, Rivière, 1975, t. I, p. 92-93 ; et Bernard Edeine, *la Sologne*, 2 vol., Paris, Mouton, 1974, t. II, p. 585.

59. Dohrn, art. cité [52], p. 908.

60. Goubert, *op. cit.* [18], p. 171-172.

61. Moritz von Willich, *Erfahrungen und Bemerkungen über die Krankheiten auf der Insel Rügen*, lieu de publication non indiqué, 1805, p. 18-19.

62. Johann Adolph Behrends, *Der Einwohner in Frankfurt am Mayn in Absicht auf seine Fruchtbarkeit, Mortalität und Gesundheit geschildert*, Francfort, 1771, p. 228-229.

Chapitre 4

1. Suzanne Arms, *Immaculate Deception : a New Look at Women and Childbirth in America*, Boston, Houghton Mifflin, 1975, p. 8.

2. Florence E.F. Barnes, s.d., *Ambulatory Maternal Health Care*, American Public Health Association, Committee on Maternal Health Care, 1978, p. 18.

3. R. de Westphalen, *Petit Dictionnaire des traditions populaires messines*, Metz, 1934, p. 328.

4. H. Höhn, « Sitte und Brauch bei Geburt, Taufe und in der Kindheit », *Württembergische Jahrbücher*, 1909, p. 256.

5. Aloys Winterling, *Die bäuerliche Lebens- und Sittengemeinschaft der hohen Rhön*, Cologne, 1939, p. 88.

6. Barbara Ehrenreich et Deirdre English, *Witches, Midwives and Nurses : a History of Women Healers*, 2ᵉ éd., Old Westbury (État de New York), The Feminist Press, 1973, p. 15-17.

7. Guillaume de La Motte, *Traité complet des accouchements*, éd. revue et corrigée, 1715, rééd. Leyde, 1729, p. 64-65.

8. Franz Strohmayr, *Versuch einer physisch-medicinischen Topographie von... St. Pölten*, Vienne, 1813, p. 117-118.

9. Friedrich Colland, *Untersuchung der gewöhnlichen Ursachen so vieler frühzeitig-todtgebohrner... Kinder*, Vienne, 1800, p. 9.

10. *Bavaria : Landes- und Volkskunde des Königreichs Bayern*, vol. 1 : *Ober- und Niederbayern*, Munich, 1860, p. 463. Le chiffre de « centaine de livres » ne comprend pas le sang perdu par vésication.

11. Voir l'échange de lettres entre le Dᴿ Koestlin et le Dᴿ Israel in *Zeitschrift für Medizinalbeamte*, 23, 1910, p. 561-564.

12. Lily Weiser-Aall, « Die Speise des Neugeborenen », in Edith Ennen et Günter Wiegelmann, s.d., *Festschrift Matthias Zender*, 2 vol., Bonn, Ludwig Röhrscheid, 1972, t. I, p. 543, n. 62.

13. Pour des exemples d'envies satisfaites, voir Westphalen, *op. cit.* [3], p. 327 ; Freddy Sarg, *la Naissance en Alsace*, Strasbourg, Oberlin, 1974, p. 12-13 ; et Yvonne Verdier, *Façons de dire, façons de faire*, Paris, Gallimard, 1979, p. 49-52.

14. Hans Fehr, *Die Rechtstellung der Frau und der Kinder in den Weistümern*, Iéna, 1912, p. 5.

15. Sur la Franconie, voir Christian Pfeufer, « Über das Verhalten der Schwangeren... auf dem Lande », *Jahrbuch der Staatsarzneikunde*, 3, 1810, p. 49 ; sur le Périgord, voir R. Beaudry, « Alimentation et population rurale en Périgord au xviiiᵉ siècle », *Annales de démographie historique*, 1976, p. 52-53.

16. Weiser-Aall, *op. cit.* [12], p. 543.

17. Gertrud Herrig, *Ländliche Nahrung im Strukturwandel des 20. Jahrhunderts*, Meisenheim, Hain, 1974, p. 215.

18. Dᴿ Zengerle, « Auszug... statistisch-medicinischen Topographie des Oberamtsbezirks Wangen », *Medicinisches Correspondenz-Blatt des württembergischen ärtzlichen Vereins*, 18, 1848, p. 256.

19. Marta Wohlgemuth, *Die Bäuerin in zwei badischen Gemeinden*, Karlsruhe, 1913, calculé d'après le tableau des p. 116-123.

20. Maria Bidlingmaier, *Die Bäuerin in zwei Gemeinden Württembergs*, thèse d'État, Tübingen, 1918, p. 267.

21. Louis Caradec, *Topographie médico-hygiénique du département du Finistère*, Brest, 1860, p. 78.

22. Voir la série « Rural Child Welfare » du Children's Bureau of the US Department of Labor, Frances Sage Bradley et Margaretta A. Williamson, *Rural Children in Selected Counties of North Carolina*, 1918, p. 34 ; Viola I. Paradise, *Maternity Care and the Welfare of Young Children in a Homesteading County in Montana*, 1919, p. 58 ; et Helen M. Dart, *Maternity and Child Care in Selected Rural Areas of Mississippi*, 1921, p. 38. Textes rééd. par Arno Press, New York, 1972.

23. E. Pelkonen, *Über volkstümliche Geburtshilfe in Finnland*, Helsinki, 1931, p. 88.

24. Höhn, *op. cit.* [4], p. 258.

25. Westphalen, *op. cit.* [3], p. 327.

26. Heinz Küstner, *Fortpflanzungsschädigung der erwerbstätigen Frau und ihre Abhilfe*, Leipzig, 1930, p. 48 et 55-58.

27. Women's Cooperative Guild, *Maternity : Letters from Working-Women*, Londres, 1915, p. 22 et 53.

28. Herbert Thoms, *Chapters in American Obstetrics*, Springfield (Illinois), 1933, p. 10.
29. De La Motte, *op. cit.* [7], p. 428-429.
30. Jean-Marie Munaret, *le Médecin des villes et des campagnes*, Paris, 1862, p. 396.
31. Sur la préséance des femmes âgées, voir Reinhard Worschech, *Frauenfeste und Frauenbräuche in vergleichender Betrachtung mit besonderer Berücksichtigung Frankens*, thèse de doctorat, Würzburg, 1971, p. 183, n. 236 par exemple.
32. Bernhard Christian Faust, *Gedanken über Hebammen und Hebammenanstalten auf dem Lande*, Francfort, 1784, p. 31, n. 14.
33. Alois Nöth, *Die Hebammenordnungen des XVIII. Jahrhunderts*, thèse de médecine, Würzburg, 1931, p. 117.
34. Adams Walther, « Zur Hebammenfrage », *ZBG*, 8, 1884, p. 306.
35. Munaret, *op. cit.* [30], p. 400.
36. Daniel Fabre et Jacques Lacroix, *la Vie quotidienne des paysans du Languedoc au XIXe siècle*, Paris, Hachette, 1973, p. 91.
37. Bernard Edeine, *la Sologne. Contribution aux études d'ethnologie métropolitaine*, 2 vol., Paris, Mouton, 1974, t. II, p. 586.
38. On trouvera une analyse de la pensée médiévale dans Elseluise Haberling, *Beiträge zur Geschichte des Hebammenstandes : der Hebammenstand in Deutschland von seinen Anfängen bis zum Dreissigjährigen Krieg*, Berlin, 1940, p. 67.
39. Heinrich Fasbender, *Geschichte der Geburtshilfe*, Iéna, 1906, p. 38.
40. Alfred Martin, « Gebärlage der Frau... », *Archiv für die Geschichte der Medizin* [du Sudhoff], 10, 1917, p. 211.
41. Haberling, *op. cit.* [38], p. 69.
42. Max Höfler, *Der Isar-Winkel aerztlich-topographisch geschildert*, Munich, 1891, p. 187.
43. Friedrich Julius Morgen, *Beiträge zu einer medicinischen Topographie... Memel*, Memel, 1843, p. 49-50.
44. Carl Müller, *Volksmedizinisch-geburtshilfliche Aufzeichnungen aus dem Lötschental*, Berne, Hans Huber, 1969, p. 70.
45. Edeine, *op. cit.* [37], t. II, p. 584.
46. Rose-Claire Schüle, « L'accouchement dans le Valais central de 1850 à 1950 », *Gesnerus*, 36, 1979, p. 57.
47. Rudolf Temesvary, *Volksbräuche und Aberglauben in der Geburtshilfe... in Ungarn*, Leipzig, 1900, p. 46-47.
48. Voir Jean-Paul Stucky, *Der Gebärstuhl : die Gründe für sein Verschwinden im deutschen Sprachbereich*, Zurich, Juris, 1965, p. 34 et *passim*.
49. Percivall Willughby, *Observations in Midwifery*, 1863, rééd. East Ardsley, S.R. Publishers, 1972, p. 21-22.
50. Moritz Gerhard Thilenius, *Kurzer Unterricht für die Hebammen und Wöchnerinnen auf dem Lande*, Cassel, 1769, p. 38.
51. Nöth, *op. cit.* [33], p. 17.
52. Müller, *op. cit.* [44], p. 77.
53. J.H. Wigand, *Beyträge zur... Geburtshülfe*, Hambourg, 1800, p. 78, p. 82.
54. Leo Eloesser *et alii*, *Pregnancy, Childbirth and the Newborn : a Manual for Rural Midwives*, 3e éd. angl., Ninos Héroes, Instituto indigenista interamericano, 1973, p. 40-46.
55. Par exemple Jack A. Pritchard et Paul C. MacDonald, *Williams Obstetrics*, 16e éd., New York, Appleton-Century-Crofts, 1980, p. 405-435.
56. C.F. Senff, *Über Vervollkommnung der Geburtshülfe*, Halle, 1812, p. 89.
57. Christoph Raphaël Schleis von Löwenfeld, *Warum ist die Sterblichkeit der neugebohrnen Kinder so gross ?*, Sulzbach, 1794, note p. 52.
58. Adolf Müller, *Beiträge zu einer hessischen Medizingeschichte*, Darmstadt, 1929, p. 18.
59. Nöth, *op. cit.* [33], p. 43.
60. *Ibid.*, p. 154.
61. *Ibid.*, p. 160.

62. *Ibid.*, p. 175.

63. Louise Bourgeois, *Observations diverses sur la stérilité*, Paris, 1626, p. 47-48.

64. L.S. (dit « Nicolas ») Saucerotte, *Examen de plusieurs préjugés et usages abusifs concernant les femmes enceintes*, Strasbourg, 1777, p. 16 : « Je veux parler des attouchements continuels et peu ménagés qu'elles font aux femmes qui sont dans les maux, en s'efforçant de dilater mal-à-propos l'orifice de la matrice, dans la fausse vue de hâter le travail. »

65. Jacques Mesnard, *le Guide des accoucheurs*, Paris, 1753, p. 336-337.

66. Willughby, *op. cit.* [49], p. 20.

67. *Ibid.*, p. 119.

68. Fasbender, *op. cit.* [39], p. 39.

69. Résumé dans Haberling, *op. cit.* [38], p. 69-70.

70. Jean L. Liébaut, *Thrésor des remèdes secrets pour les maladies des femmes*, Paris, 1597, p. 882.

71. Fasbender, *op. cit.* [39], p. 214.

72. Willughby, *op. cit.* [49], p. 39 : « these great tuggers of women's bodies ».

73. Saucerotte, *op. cit.* [64], p. 25.

74. Müller, *op. cit.* [44], p. 106.

75. Edmund Chapman, *A Treatise on the Improvement of Midwifery*, 2ᵉ éd., Londres, 1735, p. 124.

76. Bourgeois, *op. cit.* [63], p. 175-176 et 182-183.

77. Heinrich Ernest Justi, « Etwas über die sehr nothwendige Verbesserung des Hebammenwesens in Sachsen », *Johann Christ. Starks Archiv für die Geburtshülfe*, 1 (*ii*), 1787, p. 43-45.

78. Sur ces très anciennes doctrines, voir Fasbender, *op. cit.* [39], p. 766 et *passim*.

79. Francis Ramsbotham, *The Principles and Practice of Obstetric Medicine and Surgery*, Londres, 1841, p. 195-196. Voir également Charles D. Meigs, *Obstetrics*, 5ᵉ éd., Philadelphie, 1867, p. 352 ; et Fleetwood Churchill, *On the Diseases of Women*, nouv. éd. américaine, Philadelphie, 1852, p. 543.

80. Voir Wohlgemuth, *op. cit.* [19], p. 124 ; et G. Lammert, *Volksmedizin und medizinischer Aberglaube in Bayern*, Würzburg, 1869, p. 173.

81. Women's Cooperative Guild, *op. cit.* [27], p. 32.

82. Dans le débat qui suivit la communication faite par Victor Bonney, « The Continued High Maternal Mortality of Child-Bearing », *Proceedings of the Royal Society of Medicine. London*, 12, 1918-1919, p. 103.

83. Ramsbotham, *op. cit.* [79], p. 196.

84. Dʳ Rieger, manuscrit *Topographie des Physikats-Bezirkes Cadolzburg*, 1860, *in* Bayerische Staatsbibliothek, Cod. Germ. 6874.

85. Dʳ Wunderlich, *Versuch einer medicinischen Topographie der Stadt Sulz am Neckar*, Tübingen, 1809, p. 50.

86. Thilenius, *op. cit.* [50], p. 6-7.

87. Emil Schleiniger, *Die Gesundheitsverhältnisse der Bevölkerung des Eifischtales*, thèse de médecine, Bâle, 1938, p. 18.

88. Caradec, *op. cit.* [21], p. 78.

89. Mathias Macher, *Medizinisch-statistische Topographie... Steiermark*, Graz, 1860, p. 107. Voir également Anton Elsener, *Medizinisch-topographische Bemerkungen über einen Theil des Urnerlandes*, Altdorf, 1811, p. 85, qui affirme que les accouchées sont sur pied dès le deuxième jour, et Wilhelm Brenner-Schaeffer, *Darstellung der sanitätlichen Volks-Sitten... der Oberpfalz*, Amberg, 1861, p. 14, qui dit : deux à trois jours après l'accouchement pour « certaines » femmes.

90. Pfeufer, art. cité [15], p. 54.

91. P.J. Schneider, *Versuch einer medizinisch-statistischen Topographie von Ettlingen*, Karlsruhe, 1818, p. 131-132, note.

92. Catherine M. Scholten, « On the Importance of the Obstetric Art : Changing Customs of Childbirth in America, 1760 to 1825 », *William and Mary Quarterly*, 3ᵉ série, 34, 1977, p. 434.

NOTES DU CHAPITRE 5

93. Ann Oakley, « A Case of Maternity : Paradigms of Women as Maternity Cases », *Signs,* 4, 1979, p. 607-631.

Chapitre 5

1. Annotation de 1813, citée dans Carl N. Degler, *At Odds : Women and the Family in America from the Revolution to the Present,* New York, Oxford University Press, 1980, p. 59.
2. W.B. Kesteven, « A Case of Puerperal Uterine Phlebitis », *LMG,* NS, 11, 1850, p. 926.
3. Women's Cooperative Guild, *Maternity : Letters from Working-Women,* 1915, rééd. New York, Garland, 1980, p. 166.
4. Zandyck, *Étude sur la fièvre puerpérale... qui a régné à Dunkerque,* Paris, 1856, p. 37-38.
5. Erwin Richter, « Verschiedenes von unbekannteren Volksheilbräuchen in baye-rischen Mirakelbüchern », *Münchener medizinische Wochenschrift,* 25 déc. 1953, p. 1401.
6. Freddy Sarg, *la Naissance en Alsace,* Strasbourg, Oberlin, 1974, p. 29.
7. Victor Fossel, *Volksmedicin und medicinischer Aberglaube in Steiermark,* Graz, 1886, p. 52.
8. Keith Thomas, *Religion and the Decline of Magic,* New York, Scribner's, 1971, p. 28.
9. H. Höhn, « Sitte und Brauch bei Geburt, Taufe und in der Kindheit », *Württembergische Jahrbücher,* 1909, p. 257 : « Ist vollends der Aschermittwoch trübe, so sterben in demselben Jahre alle Wochnerinnen. »
10. Mireille Laget, « La naissance aux siècles classiques : pratique des accouche-ments et attitudes collectives en France aux XVIIe et XVIIIe siècles », *Annales ESC,* 32, 1977, p. 967.
11. Parmi les sources d'estimation, voir Ludwig Formey, *Versuch einer medicinischen Topographie von Berlin,* Berlin, 1796, p. 122 (« Unter hundert Geburten kann man höchstens 4 bis 6 schwere und widernatürliche im Durchschnitt annehmen ») ; Gottlieb von Ehrhart, *Physisch-medizinische Topographie... Memmingen,* Memmingen, 1813, p. 108, bas du tableau VII (« schlimme Niederkünfte » dans 1 743 accouchements) ; Jakob Kriechbanner, *Medizinische Topographie des königlich bairischen Landgerichts Tölz, 1805,* manuscrit *in* Staatsarchiv München, Gesundheitsamt Tölz, n° 68 ; Joseph Steiner, *Versuch einer medizinischen Topographie vom Landgerichtsbezirke Parckstein und Weyden in der obern Pfalz,* Sulzbach, 1808, p. 57 (532 « schwere regelmässige Geburten », plus 13 « regelwidrige Geburten » pour 2 300 accouchements) ; John S. Fairbairn, « Observations on the Maternal Mortality in the Midwifery Service of the Queen Victoria's Jubilee Institute », *BMJ,* 8 janv. 1927, p. 48 (16 221 « appels pour difficulté ou retard dans le travail » sur 104 000 accouchements ; au total, 24 000 appels au médecin) ; Maria Bidlingmaier, *Die Bäuerin in zwei Gemeinden Württembergs,* thèse d'État, Tübingen, 1918, p. 176 (calculé sur 475 accouchements) ; et J. Lane-Claypon, « Preliminary Report by the Medical Officer... in Lancashire », *Forty-Third Annual Report of the Local Government Board, 1913-1914, Containing a Third Report on Infant Mortality,* Londres, document n° 7511, 1914, p. 149-168 (« aide médicale demandée » pour 7 313 accouchements sur 54 000 signalés aux sages-femmes ; à l'exclusion des accouchements « retenus à l'avance » pratiqués par des médecins).
12. Cité par Doris Haire, « The Cultural Warping of Childbirth », *in* John Ehrenreich, s.d., *The Cultural Crisis of Modern Medicine,* New York, Monthly Review Press, 1978, p. 194.
13. « Le travail n'est généralement pas prolongé » : Jack Pritchard et Paul C. Mac-Donald, *Williams Obstetrics,* 16e éd., New York, Appleton-Century-Crofts, 1980, p. 802.
14. Marie Lachapelle, *Pratique des accouchements,* 3 vol., Paris, 1825, t. II, tableau terminal.

15. *Ibid.*

16. Rudolf Beck, *Geburten und Geburtshilfe in ländlichen Verhältnissen : eine statistische Studie aus den Geburtstabellen des Amtes Sursee über die letzten 39 Jahre,* thèse de médecine, Bâle, 1930, p. 19. J'ai considéré l'expression *unregelmässige Schädellage* comme désignant la position occipito-iliaque postérieure. La présentation céphalique, bien sûr, est celle du sommet du crâne.

17. Fleetwood Churchill a fort commodément établi des séries statistiques importantes sur les présentations dans *On the Theory and Practice of Midwifery,* 3ᵉ éd., Philadelphie, 1848, p. 386-404. Voir également les travaux de Davis (sur Londres) (voir notes du tableau 5.3) ; Spiegelberg (sur le pays de Bade), in *Text Book of Midwifery,* 2 vol., trad. angl., Londres, 1887-1888 ; Büttner (sur le Mecklembourg) (voir notes du tableau 5.3) ; Hecker (sur la maternité de Munich) (voir notes du tableau 5.3) ; Collins (sur le Rotunda Hospital de Dublin) (voir notes du tableau 5.3) ; et Hirsch (qui donne les statistiques de l'ensemble du pays de Bade) (voir notes du tableau 5.4). A quoi on peut ajouter Alfred Velpeau, *Traité complet de l'art des accouchements,* Paris, 1835, t. I, p. cxxvii, citant les résultats de Mᵐᵉ Boivin à la Maison royale de santé de Paris vers 1800-1812 ; Anselm Martin, *Die neue Gebär-Anstalt,* Munich, 1857, p. 171-175, sur les résultats obtenus à Munich entre 1783 et 1856 ; Siegfried Rosenfeld, « Zum Schutze der Gebärenden », *ZGH,* 57, 1906, p. 156, qui donne des chiffres pour l'Autriche, par Province, pour la période 1898-1902 ; James W. Markoe, « Observations and Statistics on Sixty Thousand Labors Occurring in the Service of the Society of the Lying-In Hospital of the City of New York », *Bulletin of the Lying-In Hospital,* 6, 1909, p. 104, pour New York durant les années 1890-1909 ; et Great Britain, Ministry of Health, *Report on Maternal Mortality in Wales,* Londres, document Cmd n° 5423, 1937, p. 66, pour les présentations dans les accouchements pratiqués par des sages-femmes au pays de Galles en 1934.

18. Bidlingmaier, *op. cit.* [11], p. 176.

19. Voir Louis Hellman et Jack A. Pritchard, s.d., 14ᵉ éd. du *Williams Obstetrics,* New York, Appleton-Century-Crofts, 1971, p. 396.

20. Ferdinand August Ritgen, *Jahrbücher der Entbindungsanstalt zu Giessen,* 2, 1820, tableaux (moyenne : 15,4 heures) : j'ai exclu du calcul un travail de 226 heures et un autre de 261 ; Ritgen divise les 109 accouchements en cinq phases et donne la durée pour chaque phase. Voir aussi Dormann, « Nachrichten über die Ereignisse in der... Entbindungsanstalt zu Hadamar », *Medicinische Jahrbücher für das Herzogthum Nassau,* 3, 1845, p. 89-92 (moyenne : 16 heures) : les données portent sur 379 accouchements « naturels » seulement et tendent par conséquent à sous-évaluer la durée globale. John George Metcalf, « Statistics in Midwifery », *American Journal of Medical Sciences,* NS, 6, 1843, p. 330 (moyenne : 19 heures) : les valeurs numériques pour ces 300 cas ne sont pas à prendre trop à la lettre, car Metcalf a tendance à grouper ses cas au bout de 12, 24 et 36 heures ; travail le plus long : 90 heures. Otto Spiegelberg, *op. cit.* [17], p. 186 : 506 cas, détails parfois insuffisants (moyenne : 17 heures pour les primipares, 11 pour les multipares).

Spiegelberg, t. I, p. 186, met en doute certaines « statistiques que l'on cite assez fréquemment comme faisant apparaître une durée moyenne plus courte » et qu'il attribue à « la difficulté qu'il y a à fixer avec précision le début du travail ». Peut-être fait-il là allusion aux statistiques souvent citées de Robert Collins sur le Rotunda Hospital de Dublin vers 1820, dans *A Practical Treatise of Midwifery,* Boston, 1841. Selon Collins, 22 % des 15 850 cas dont la durée avait été enregistrée s'étaient terminés en une heure ou moins. La même étonnante brièveté se retrouve dans la série fournie par Marie Lachapelle pour la Maison d'accouchement de Paris en 1811 : 15 % des accouchements durant deux heures ou moins, la moyenne étant de 6,5 heures ; cf. Lachapelle, *op. cit.* [14], t. I, p. 147.

21. Augustus Granville, *Report of the Practice of Midwifery at the Westminster General Dispensary during 1818,* Londres, 1819, p. 22.

22. T.N.A. Jeffcoate, « Prolonged Labour », *Lancet,* 8 juillet 1961, p. 62, fig. 3.

23. Hellman et Pritchard, *op. cit.* [19], p. 840.

24. Jeffcoate, art. cité [22], p. 61.

25. Guillaume de La Motte, *Traité complet des accouchements*, éd. revue et corrigée, 1715, rééd. Leyde, 1729, p. 377-378.
26. Voir, par exemple, Dorothée Chellier, *Voyage dans l'Aurès. Notes d'un médecin envoyé en mission chez les femmes arabes*, Tizi-Ouzou, 1895, p. 17-18 ; et L. Raynaud, *Étude sur l'hygiène et la médecine au Maroc*, Alger, 1902, p. 138.
27. Louise Bourgeois, *Observations diverses sur la stérilité*, Paris, 1626, p. 48.
28. Manuscrit du xviie siècle : Percivall Willughby, *Observations in Midwifery*, 1863, rééd. East Ardsley, S.R. Publishers, 1972, p. 158.
29. Cité dans Laget, art. cité [10], p. 977.
30. Moritz Gerhard Thilenius, *Kurzer Unterricht für die Hebammen und Wöchnerinnen auf dem Lande*, Cassel, 1769, p. 2 et 8.
31. W.R. Wilde, « A Short Account of the Superstitions and Popular Practices Relating to Midwifery... in Ireland », *Monthly Journal of Medical Science*, 35, 1849, p. 721-722.
32. Rudolf Temesvary, *Volksbräuche und Aberglauben in der Geburtshilfe... in Ungarn*, Leipzig, 1900, p. 54.
33. Voir Friedrich A. Flückiger, *Pharmacographia : a History of the Principal Drugs of Vegetable Origin Met with in Great Britain and British India*, 2e éd., Londres, 1879, p. 740 ; et Gerhard Madaus, *Lehrbuch der biologischen Heilmittel*, 1938, rééd. Hildesheim, Olms, 1976, t. III, p. 2503.
34. G. Lammert, *Volksmedizin und medizinischer Aberglaube in Bayern*, Würzburg, 1869, p. 166.
35. Christian Pfeufer, « Über das Verhalten der Schwangeren, Gebährenden und Wöchnerinnen auf dem Lande », *Jahrbuch der Staatsarzneikunde*, 3, 1810, p. 52-53.
36. Wilde, art. cité [31], p. 722.
37. Willughby, *op. cit.* [28], p. 156-157. Le procédé, du reste, échoua.
38. K.B. Wiklund, *Lappische Heilkunde*, Oslo, 1932, p. 155.
39. Voir de La Motte, *op. cit.* [25], p. 270.
40. Anonyme, *Kurzgefasste Gedanken von dem verderbten Zustande der Hebammen*, Lübeck, 1752, p. 7-8.
41. E. Pelkonen, *Über volkstümliche Geburtshilfe in Finnland*, Helsinki, 1931, p. 163.
42. De La Motte, *op. cit.* [25], p. 365.
43. Alois Nöth, *Die Hebammenordnungen des XVIII. Jahrhunderts*, thèse de médecine, Würzburg, 1931, p. 23, résume diverses ordonnances réglementant l'activité des sages-femmes au xviiie siècle. Elseluise Haberling, in *Beiträge zur Geschichte des Hebammenstandes... von seinen Anfängen bis zum Dreissigjährigen Krieg*, Berlin, 1940, p. 75-76, montre combien le traitement de cette complication par les sages-femmes urbaines qualifiées était évolué, comparé à celui des médecins du temps.
44. Un exemple parmi bien d'autres est rapporté par H. Krauss, « Zur Geschichte des Hebammenwesens im Fürstentum Ansbach », *Archiv für die Geschichte der Medizin* [du Sudhoff], 6, 1912, p. 67-68 ; « Schwobacher Amtsbericht » du 13 janvier 1745.
45. Augier du Fot, *Catéchisme sur l'art des accouchements pour les sages-femmes de la campagne*, Soissons, 1775, p. xii.
46. Schwarz, « Nachricht von einem merkwürdigen Geburtsfalle... », *Zeitschrift für die Staatsarzneikunde*, 3, 1823, p. 143-144.
47. Barbara Ehrenreich et Deirdre English, *For Her Own Good : 150 Years of the Experts' Advice to Women*, New York, Anchor, 1979, p. 8-9.
48. Exposé par Heinrich Fasbender, *Geschichte der Geburtshilfe*, 1906, rééd. Hildesheim, Olms, 1964, p. 124-125.
49. Voir Haberling, *op. cit.* [43], p. 99.
50. Nöth, *op. cit.* [43], p. 144.
51. De La Motte, *op. cit.* [25], p. 522-523.
52. Höfling, « Zur medicinischen Statistik von Kurhessen », *Zeitschrift für die staatliche Arzneikunde*, 21, 1841, p. 462-468 ; C.F. Danz et C.F. Fuchs, *Physisch-medicinische Topographie des Kreises Schmalkalden*, Marbourg, 1848, p. 357 ; Rudolf

NOTES DU CHAPITRE 5

Beck, *Geburten und Geburtshilfe in ländlichen Verhältnissen : eine statistische Studie aus den Geburtstabellen des Amtes Sursee über die letzten 39 Jahre,* thèse de médecine, Bâle, 1930, p. 35-37 ; Otto Büttner, « Mecklenburg-Schwerins Geburtshilfe im Jahre 1904 », *ZGH,* 61, 1908, p. 193-194 ; John Hall Davis, *Parturition and its Difficulties with Clinical Illustrations and Statistics of 13,783 Deliveries,* Londres, 1865, p. 339.

53. Edmund Chapman, *A Treatise on the Improvement of Midwifery,* 2e éd., Londres, 1735, p. vi.

54. Dohrn, « Über die operativen Befugnisse der preussischen Hebammen », *Deutsche medizinische Wochenschrift,* 16, 1980, p. 140.

55. Cette histoire est bien connue. Pour un résumé, voir Walter Radcliffe, *Milestones in Midwifery,* Bristol, Wright, 1967, p. 30-45.

56. Jean-Marie Munaret, *le Médecin des villes et des campagnes,* Paris, 1862, p. 412.

57. Lisbeth Burger, *Vierzig Jahre Storchentante : aus dem Tagebuch einer Hebamme,* Breslau, 1936, p. 20-21.

58. Voir Davis, *op. cit.* [52], p. 339.

59. Max Hirsch, *Fruchtabtreibung und Präventivverkehr im Zusammenhang mit dem Geburtenrückgang,* Würzburg, 1914, p. 73.

60. Voir, par exemple, Jacques Gélis, « Sages-femmes et accoucheurs : l'obstétrique populaire aux xviie et xviiie siècles », *Annales ESC,* 32, 1977, p. 949 ; et Louis Caradec, *Topographie médico-hygiénique du département du Finistère,* Brest, 1860, p. 337.

61. Friedrich B. Osiander, *Beobachtungen, Abhandlungen und Nachrichten welche vorzüglich Krankheiten der Frauenzimmer und Kinder und die Entbindungswissenschaft betreffen,* Tübingen, 1787, p. 177-178.

62. Cité par James H. Aveling, *English Midwives. Their History and Prospects,* 1872, rééd. Londres, Elliott, 1967, p. 128.

63. Johann F. Osiander, *Bemerkungen über die französische Geburtshülfe,* Hanovre, 1813, p. 91-92.

64. Hirsch, *op. cit.* [59], p. 72.

65. K. Schreiber, « Ein Beitrag zur Statistik der Geburtshülfe mit besonderer Beziehung auf Kurhessen », *Neue Zeitschrift für Geburtskunde,* 11, 1842, p. 196.

66. On trouvera des séries dans Hirsch, *op. cit.* [59], p. 73 ; et, du même auteur, « Der Weg der operativen Geburtshilfe in bevölkerungspolitischer Beleuchtung », *Archiv für Frauenkunde,* 13, 1927, p. 208-209.

67. Adrian Wegelin, « Allgemeine Ubersicht des dritten Hunderts künstlicher Entbindungen », *Johann Christ. Starks Neues Archiv für die Geburtshülfe,* 3, 1804, p. 155-157.

68. Le débat sur la question de savoir laquelle des deux vies, celle de la mère ou celle de l'enfant, doit primer l'autre n'a pas encore trouvé son historien. Pour un aperçu, cependant, voir Haberling, *op. cit.* [43], p. 26 ; parmi ceux qui prennent position, citons Churchill, *op. cit.* [17], p. 317 ; Edmund Chapman, *A Treatise on the Improvement of Midwifery,* 2e éd., Londres, 1735, p. 156 ; et de La Motte, *op. cit.* [25], p. 335 et 527 et suiv.

69. Churchill, *op. cit.* [17], p. 353-354.

70. Haberling, *op. cit.* [43], p. 78-79.

71. Willughby, *op. cit.* [28], p. 55 ; et un autre cas p. 56.

72. Du Fot, *op. cit.* [45], p. xii.

73. Jean-Louis Baudelocque, paraphrasé par Osiander, *op. cit.* [63], p. 160.

74. H. Deichert, *Geschichte des Medizinalwesens... Hannover,* Hanovre, 1908, p. 94.

75. Thilenius, *op. cit.* [30], p. 91.

76. On trouvera plusieurs séries relatives à la mortalité maternelle dans les hôpitaux parisiens *in* Léon Lefort, *Des maternités,* Paris, 1866, p. 24-30.

77. Willughby, *op. cit.* [28], p. 81.

78. Pour un point récent de ces problèmes, voir Dorothy Nortman, « Parental Age as a Factor in Pregnancy Outcome and Child Development », *Reports on Population/Family Planning,* n° 16, août 1974, p. 1 et suiv.

79. Parmi les travaux les plus récents, voir Jacques Dupâquier, *la Population rurale du Bassin parisien à l'époque de Louis XIV,* Paris, Éditions de l'École des hautes études

en sciences sociales, 1979, p. 364 ; données portant sur un échantillon de neuf villages aux xviie et xviiie siècles.

80. Voir les données réunies par Derek Llewellyn-Jones, « The Effect of Age and Social Status on Obstetric Efficiency », *JOB*, 72, 1965, p. 197.

81. Franz Torggler, *Bericht über die Thätigkeit der geburtshilflich-gynäkologischen Klinik zu Innsbruck*, Prague, 1888, p. 110-113.

82. Wegelin, art. cité [67], p. 141-142, et p. 127 pour la répartition par âge des trente-cinq primipares.

83. Pritchard et MacDonald, *op. cit.* [13], p. 488, fig. 21-1A.

84. Burger, *op. cit.* [57], p. 154-155.

85. De La Motte, *op. cit.* [25], p. 282.

86. Comptage effectué par Mireille Laget dans art. cité [10], p. 970.

87. Pelkonen, *op. cit.* [41], p. 292.

88. Osiander, *op. cit.* [61], p. 174-175.

89. Hellman et Pritchard, *op. cit.* [19], p. 609.

90. De La Motte, *op. cit.* [25], p. 331.

91. Nöth, *op. cit.* [43], p. 121.

92. Bourgeois, *op. cit.* [27], p. 67.

93. Sur l'histoire du placenta praevia, voir Fasbender, *op. cit.* [48], p. 745-763.

94. Hirsch, « Weg operativen Geburtshilfe », art. cité [66], p. 210.

95. Hermann Fehling, *Entwicklung der Geburtshilfe und Gynäkologie im 19. Jahrhundert*, Berlin, 1925, p. 112 ; voir également le débat autour de la communication de H. Küstner, « Die Zunahme der geburtshilflichen Komplikationen in den letzten Jahren », in *ZBG*, 50, 1926, p. 3402-3403.

96. Fleetwood Churchill, « Report of Cases of Convulsions Occurring in Puerperal Women », *LMG*, 15, 1835, p. 107-108.

97. Nortman, art. cité [78], graphique p. 19.

98. François Mauriceau, *Observations sur la grossesse et l'accouchement*, Paris, 1694, p. 3.

99. Fleetwood Churchill, *On the Diseases of Women*, nouv. éd. américaine, Philadelphie, 1852, p. 491.

100. Carl Müller, *Volksmedizinisch-geburtshilfliche Aufzeichnungen aus dem Lötschental*, Berne, Huber, 1969, p. 60.

101. Ernest Gray (présenté par), *Man Midwife : the Further Experiences of John Knyveton, M.D.*, Londres, 1946, p. 80-81.

102. Laget, art. cité [10], p. 970.

103. Pfeufer, art. cité [35], p. 52-53.

104. Women's Cooperative Guild, *op. cit.* [3], p. 36-37.

105. Hirsch, *op. cit.* [66], p. 211.

106. Dorothy Long, *Medicine in North Carolina*, 2 vol., Raleigh, North Carolina Medical Society, 1972, t. II, p. 663-664.

107. Joseph DeLee, *Principles and Practice of Obstetrics*, 6e éd., Philadelphie, 1933, p. 396.

108. Pritchard et MacDonald, *op. cit.* [13], p. 687.

109. J.M. Munro Kerr, s.d., *Historical Review of British Obstetrics and Gynaecology, 1800-1950*, Édimbourg, Livingstone, 1954, p. 156.

110. Voir Charles White, *Treatise on the Management of Pregnant and Lying-In Women*, Londres, 1772, p. 340 ; David Levine et Keith Wrightson, *Poverty and Piety in an English Village, Terling, 1525-1700*, New York, Academic Press, 1979, p. 58 ; John Demos, *A Little Commonwealth*, New York, Oxford University Press, 1970, p. 66 ; John Jewett, « Changing Maternal Mortality in Massachusetts », *NEJM*, 28 févr. 1957, p. 397 ; Frederick Irving, « Modern Trends in the Artificial Termination of Pregnancy and Labor », *AJO-G*, 40, 1940, p. 621.

111. Arno Trübenbach, *Dorfsippenbuch von Grossurleben und Kleinurleben nebst... Wiegleben*, Langensalza, 1941, p. 240, tableau 37 ; Sigismund Peller, « Studies on Mortality since the Renaissance », *Bulletin of the History of Medicine*, 13, 1943, p. 443 ; Arthur Imhof, « Die Übersterblichkeit verheirateter Frauen im fruchtbaren Alter »,

Zeitschrift für Bevölkerungswissenschaft, 1979, p. 504, tableau 6 ; voir Dupâquier, *op. cit.* [79], p. 347, tableau 140, qui résume les travaux de « reconstitution de familles » effectués en France à cette date.

112. Claude Bruneel, *la Mortalité dans les campagnes : le duché de Brabant aux xvii et xviiie siècles,* Louvain, Éd. Nauwelaerts, 1977, p. 456, n. 8.

113. Peller, art. cité [111], p. 446.

114. *Denmark. Its Medical Organization, Hygiene and Demography,* Copenhague, 1891, p. 428-430 ; concerne uniquement les villes.

115. Les données relatives à la mortalité maternelle en Suède sont empruntées à Friedrich Hendriks, « On the Vital Statistics of Sweden from 1749-1855 », *Journal of the Statistical Society of London,* 25, 1862, p. 167. Celles concernant le nombre des accouchements sont tirées de Gustav Sundbärg, *Bevölkerungsstatistik Schwedens, 1750-1900,* 1967, rééd. Stockholm, Statistika Centralbyran, 1970, p. 127.

116. Thomas R. Forbes, « The Regulation of English Midwives in the Eighteenth and Nineteenth Centuries », *Medical History,* 3, 1971, p. 354.

117. Friedrich Colland, *Untersuchung der gewöhnlichen Ursachen so vieler frühzeitigtodtgebohrner und der grossen Sterblichkeit neugebohrner Kinder,* Vienne, 1800, note, p. 90.

118. Pour la Suisse, voir *Statistisches Jahrbuch der Schweiz,* 1945, p. 124 ; 1979, p. 67.

119. Brennecke, *Die soziale Bewegung auf geburtshilflichem Gebiete während der letzten Jahrzehnte,* Halle, 1896, p. 42-44 ; Otto Walter, *Geschichte des Hebammenwesens im Grossherzogthum Mecklenburg-Schwerin,* thèse de médecine, Rostock, 1883, p. 62-67 ; Franz Unterberger, « Die Sterblichkeit im Kindbett im Grossherzogthum Mecklenburg-Schwerin in den Jahren 1886-1909 », *Archiv für Gynäkologie,* 95, 1911-1912, p. 132. Pour l'Islande, voir Gunnlaugur Snaedel *et alii,* « Obstetric and Perinatal Medicine in Iceland, 1881-1971 », *Acta Obstetricia et Gynecologica Scandinavica,* suppl. 45, 1975, p. 14-15. Les données concernant la Belgique et la Suède sont empruntées aux annales statistiques de ces deux pays. Les données relatives à l'Angleterre pour la période 1891-1930 se trouvent dans Donnison, *Midwives and Medical Men : a History of Inter-Professional Rivalries and Women's Rights,* New York, Schocken, 1977, p. 188. Mary Dublin, « Maternal Mortality and the Decline of the Birth Rate », *Annals of the American Academy of Political and Social Sciences,* 188, nov. 1936, p. 107-116 ; Linda Berry, « Age and Parity Influences on Maternal Mortality : United States, 1919-1969 », *Demography,* 14, 1977, p. 297-310 ; Edward Jow-Ching Tu, « Cohort Maternal Mortality : New York, 1917-1972 », *American Journal of Public Health,* 69, 1979, p. 1052-1055 ; Janet Campbell, *Maternal Mortality,* Londres, Reports on Public Health, n° 25, 1924, p. 9 ; Great Britain, Ministry of Health, *Report on an Investigation into Maternal Mortality,* Londres, 1937, p. 111 et 136 ; J.M. Winter, « Infant Mortality, Maternal Mortality and Public Health in Britain in the 1930s », *Journal of European Economic History,* 8, 1979, p. 455.

120. Hugo Ehrenfest, s.d., *Fetal, Newborn, and Maternal Morbidity and Mortality,* New York, 1933, p. 96.

Chapitre 6

1. Ad. Elias von Siebold, *Versuch einer pathologisch-therapeutischen Darstellung des Kindbettfiebers,* Francfort, 1826, p. 102.

2. Francis Adams, s.d., *The Genuine Works of Hippocrates,* 2 vol., Londres, 1849, t. I, p. 378-379 ; Épidémies : livre I, section xi.

3. Note dans *AJO,* 7, 1874-1875, p. 164.

4. Guy Thuillier, *Pour une histoire du quotidien au xixe siècle en Nivernais,* Paris, Mouton, 1977, p. 86, n. 39, citant le Dr Fichot, 1888.

5. Freddy Sarg, *la Naissance en Alsace,* Strasbourg, Oberlin, 1974, p. 39.

6. Victor Fossel, *Volksmedicin und medicinischer Aberglaube in Steiermark,* Graz, 1886, p. 60.

7. J. Matthews Duncan, *On the Mortality of Childbed and Maternity Hospitals*, Édimbourg, 1870, p. 7.

8. Rudolf Temesvary, *Volksbräuche und Aberglaube in der Geburtshilfe... in Ungarn*, Leipzig, 1900, p. 96.

9. Moritz Gerhard Thilenius, *Kurzer Unterricht für die Hebammen und Wöchnerinnen auf dem Lande*, Cassel, 1769, p. 74.

10. Guillaume Mauquest de La Motte, *Traité complet des accouchements*, éd. revue et corrigée, Leyde, 1729, p. 228-229.

11. Robert Bland, *Some Calculations of the Number of Accidents of Deaths Which Happen in Consequence of Parturition*, Londres, 1781, p. 8.

12. William Squire, « Puerperal Temperatures », *Obstetrical Society of London, Transactions*, 9, 1867, p. 133.

13. Richard L. Sweet et William J. Ledger, « Puerperal Infectious Morbidity », *AJO-G*, 117, 1973, p. 1098.

14. Voir, par exemple, Arthur M. Hill, « Why Be Morbid? Paths of Progress in the Control of Obstetric Infection, 1931 to 1960 », *Medical Journal of Australia*, 25 janv. 1964, p. 103.

15. Dormann, « Nachrichten über die Ereignisse... Entbindungsanstalt zu Hadamar », *Medicinische Jahrbücher für das Herzogthum Nassau*, 3, 1845, p. 101.

16. Frank H. Jackson, « Puerperal Sepsis », *AJO*, 54, 1906, p. 21.

17. Alexander Miller, « Presidential Address — Twenty Year's Obstetric Practice », *Glasgow Medical Journal*, série 5, 51, 1899, p. 219-221.

18. Par exemple, Robert Lee, « On Puerperal Fever and Crural Phlebitis », *in* Charles Meigs, s.d., *The History, Pathology and Treatment of Puerperal Fever*, Philadelphie, 1842, p. 222 ; Walter Sigwart, « Die Pathologie des Wochenbetts », *in* Josef Halban et Ludwig Seitz, s.d., *Biologie und Pathologie des Weibes*, Berlin, 1927, t. VIII, p. 459 et 477 ; Rudolf Beck, *Geburten und Geburtshilfe in ländlichen Verhältnissen*, thèse de médecine, Bâle, 1930, p. 53.

19. Tonnellé, « Des fièvres puerpérales », *Archives générales de médecine*, 22, 1830, p. 482.

20. Josef Halban et Robert Köhler, *Die pathologische Anatomie des Puerperalprozesses*, Vienne, 1919, p. 160-162.

21. D. Berry Hart et A.H. Freeland Barbour, *Manual of Gynecology*, Édimbourg, 1886, p. 164.

22. Francis Home, *Clinical Experiments, Histories and Dissections*, Londres, 1782, p. 71-77 et 86.

23. Étude du « Dr Ferguson » citée dans Fleetwood Churchill, *On the Theory and Practice of Midwifery*, 3e éd., Philadelphie, 1848, p. 497.

24. Alphonse Leroy, *Essai sur l'histoire naturelle de la grossesse et de l'accouchement*, Genève, 1787, p. 146.

25. De La Motte, *op. cit.* [10], p. 629-630.

26. Charles White, *A Treatise on the Management of Pregnant and Lying-In Women*, 2e éd., Londres, 1777, p. 283-284.

27. Augustus B. Granville, *A Report of the Practice of Midwifery at the Westminster General Dispensary during 1818*, Londres, 1819, p. 163.

28. David Charles et Maxwell Finland, *Obstetric and Perinatal Infections*, Philadelphie, Lea & Febiger, 1973, p. 264.

29. Joseph B. DeLee, *The Principles and Practice of Obstetrics*, 6e éd., Philadelphie, 1933, p. 931.

30. G.F. Gibberd, « Puerperal Sepsis, 1930-1965 », *JOB*, NS, 73, 1966, p. 2. Voir également de La Motte, *op. cit.* [10], p. 579.

31. Robert Lee, « Cases of Severe Affections of the Joints After Parturition », *LMG*, 3, 1829, p. 664-665.

32. Percivall Willughby, *Observations in Midwifery*, manuscrit du xviie siècle, 1863, rééd. East Ardsley, S.R. Publishers, 1972, p. 220-222.

33. Joseph DeLee, *op. cit.* [29], p. 935.

34. William Godwin, *Memoirs of the Author of a Vindication of the Rights of Woman*,

NOTES DU CHAPITRE 6

Londres, 1798, p. 173-199 ; et Kenneth Neill Cameron, s.d., *Shelley and His Circle, 1773-1822,* Cambridge (Mass.), Harvard University Press, 1961, t. I, p. 186-196.

35. Women's Cooperative Guild, *Maternity : Letters from Working Women,* Londres, 1915, p. 173.

36. James Young, « Maternal Mortality from Puerperal Sepsis », *BMJ,* 9 juin 1928, p. 967.

37. Matthew Jennett, « On Inflammation and Abscess of the Uterine Appendages », *LMG,* NS, 11, 1850, p. 275-276.

38. Sur tous ces points, voir William J. Sinclair, *Semmelweis : his Life and his Doctrine,* Manchester, 1909, p. 360-361. Pour une histoire moderne de la lutte contre le streptocoque, voir Harry F. Dowling, *Fighting Infection : Conquests of the Twentieth Century,* Cambridge (Mass.), Harvard University Press, 1977, p. 55-69. Pasteur a donné son témoignage dans *Bulletin de l'Académie de médecine,* 2ᵉ série, 8, 1879, p. 271-274.

39. Hugo Schottmüller, « Zur Bedeutung einiger Anaëroben in der Pathologie, insbesondere bei puerperalen Erkrankungen », *Mitteilungen aus den Grenzgebieten der Medizin und Chirurgie,* 21, 1910, p. 450-490.

40. August Hirsch résume la littérature d'autrefois sur cette question dans *Handbuch der historisch-geographischen Pathologie,* 2ᵉ éd., 3 vol., Stuttgart, 1881-1886, t. III, p. 327-328.

41. Lukas Boër, *Abhandlungen und Versuche geburtshilflichen Inhalts,* Vienne, 1807, t. II, p. 140.

42. Paul Delaunay, *la Maternité de Paris,* Paris, 1909, p. 146, 149 et 159.

43. Robert Storrs, note in *LMG,* NS, *i,* 1845, p. 1087-1088.

44. F. von Winckel, *Handbuch der Geburtshülfe,* 3 vol., Wiesbaden, 1903-1907, t. III, p. 396.

45. Charles H. Rammelkamp, « Hemolytic Streptococcal Infections », *in* George W. Thorn *et alii, Harrison's Principles of Internal Medicine,* 8ᵉ éd., New York, McGraw-Hill, 1977, p. 818.

46. Sherwood L. Gorbach et John G. Bartlett, « Anaerobic Infections », *NEJM,* 23 mai 1974, p. 1179.

47. Willughby, *op. cit.* [32], p. 172.

48. Lukas Boër, *op. cit.* [41], p. 90.

49. J. Wernitz, « Über die Misserfolge der Antisepsis beim Puerperalfieber », *ZBG,* 18, 1894, p. 1064.

50. Gorbach et Bartlett, art. cité [46], p. 1183 ; et Richard L. Sweet, « Anaerobic Infections of the Female Genital Tract », *AJO-G,* 122, 1975, p. 892.

51. Johann Friedrich Osiander, *Bemerkungen über die französische Geburtshülfe,* Hanovre, 1813, p. 259-266.

52. Georg Wilhelm Christoph Consbruch, *Medicinische Ephemeriden nebst einer medicinischen Topographie der Grafschaft Ravensberg,* Chemnitz, 1793, p. 139.

53. D'après Sweet, « Anaerobic Infections », art. cité [50], p. 892.

54. Voir Heinrich Fasbender, *Geschichte der Geburtshilfe,* Iéna, 1906, p. 591.

55. A.K. Chalmers, *The Health of Glasgow, 1818-1925,* Glasgow, 1930, p. 262.

56. Joan Taylor et H.D. Wright, « The Nature and Sources of Infection in Puerperal Sepsis », *JOB,* NS, 37, 1930, p. 228.

57. Jean Donnison, *Midwives and Medical Men : a History of Inter-Professional Rivalries and Women's Rights,* New York, Schocken Books, 1977, p. 190 et *passim ;* et Richard W. Wertz et Dorothy C. Wertz, *Lying-In : a History of Childbirth in America,* New York, Free Press, 1977, p. 128.

58. J.M. Munro Kerr, *Maternal Mortality and Morbidity,* Édimbourg, 1933, p. 82 et 105.

59. Charles A. White et Franklin P. Koontz, « Beta-Hemolytic Streptococcus Infections in Postpartum Patients », *Obstetrics and Gynecology,* 41, 1973, p. 27 ; et B.P. Watson, « Puerperal Infection », *AJO-G,* 40, 1940, p. 585.

60. Sanders, « Wochenbetts- und Säuglingsstatistik », *ZGH,* 66, 1910, p. 5-6.

61. Carl Müller, *Volksmedizinisch-geburtshilfliche Aufzeichnungen aus dem Lötschental,* Berne, Hans Huber, 1969, p. 72-75 et 115.

62. Young, art. cité [36], p. 968.

63. Josefine Biedermann, *Die weise Frau : ernste und heitere Erlebnisse aus 30-jähriger Praxis*, Graz, 1934, p. 32.

64. K.B. Wiklund, *Lappische Heilkunde*, Oslo, 1932, p. 162, vol. 20 d'une série de publications sous la direction de J. Qvigstad.

65. Charlotte A. Douglas et Peter L. McKinlay, Department of Health for Scotland, *Report on Maternal Morbidity and Mortality in Scotland*, Édimbourg, 1935, p. 179-180.

66. Calculé d'après les données fournies par Adolphe Pinard, *Du fonctionnement de la Maternité de Lariboisière*, Paris, 1889, *passim*. Pour souligner le contraste, j'ai écarté les sujets présentant une température comprise entre 38 et 38,9 °C.

67. Otto Büttner, « Mecklenburg-Schwerins Geburtshilfe im Jahre 1904 », *ZGH*, 61, 1908, p. 198.

68. Müller, *op. cit.* [61], p. 72.

69. E. Radtke, « Ursachen und Bekämpfung des Kindbettfiebers », *Veröffentlichungen aus dem Gebiete der Medizinalverwaltung*, 1, 1912, p. 29.

70. Franz Unterberger, « Die Sterblichkeit im Kindbett... Mecklenburg-Schwerin », *Archiv für Gynäkologie*, 95, 1911-1912, p. 136.

71. Janet Campbell, *Maternal Mortality*, Londres, Ministry of Health, Reports on Public Health, n° 25, 1924, p. 110.

72. J. Whitridge Williams dans « Discussion on Puerperal Sepsis », *JOB*, NS, 32, 1925, p. 242.

73. Arthur Hill, « The Diagnosis, Prevention and Treatment of Puerperal Infection », *Medical Journal of Australia*, 21 févr. 1948, p. 231.

74. Jacques-René Tenon, *Mémoires sur les hôpitaux de Paris*, Paris, 1788, p. 222, 239-240 et 269.

75. Léon Lefort, *Des maternités*, Paris, 1866, p. 58.

76. *Aerzlicher Bericht des k. k. Gebär- und Findelhauses zu Wien... 1861*, Vienne, 1863, calculé sur les cas des pages 68 à 78.

77. Rapporté par Sinclair, *op. cit.* [38], p. 48-60.

78. Douglas et McKinlay, *op. cit.* [65], p. 193-195.

79. Gustav Zinke, *in* « Discussion », *AJO*, 77, 1918, p. 118.

80. Campbell, *op. cit.* [71], p. 39.

81. Franz Alois Stelzig, *Versuch einer medizinischen Topographie von Prag*, 2 vol., Prague, 1824, t. II, p. 42.

82. Janet Campbell *et alii*, *High Maternal Mortality in Certain Areas*, Londres, Ministry of Health, Reports on Public Health, n° 68, 1932.

83. Douglas et McKinlay, *op. cit.* [65], p. 70, tableau 24.

84. *Bericht Gebärhaus, op. cit.* [76], calculé sur les cas des pages 68 à 78. Sur les 56 cas étudiés, j'ai écarté une « pleurite » dont la survie fut de 122 jours. Celle-ci incluse, la moyenne est de 14,2 jours.

85. Grace Meigs, *Maternal Mortality... in the United States*, Washington, Children's Bureau, U.S. Department of Labor, pub. n° 19, 1917, p. 16, n. 1, et Eardley Holland, *Lancet*, 20 avril 1935, p. 936.

86. Par exemple Cullingworth, « Undiminished Mortality from Puerperal Fever in England and Wales », *Obstetrical Society of London. Transactions*, 39, 1897, p. 93 ; Francis B. Smith, *The People's Health, 1830-1910*, New York, Holmes & Meier, 1979, p. 56 ; et Ann Oakley, « Wisewoman and Medicine Man : Changes in the Management of Childbirth », *in* Juliet Mitchell et Ann Oakley, s.d., *The Rights and Wrongs of Women*, Harmondsworth, Penguin, 1976, p. 45 et 47.

87. Voir, par exemple, Suzanne Arms, *Immaculate Deception : a New Look at Women and Childbirth in America*, Boston, Houghton Mifflin, 1975, p. 17-22.

88. Hermann Fehling, *Entwicklung der Geburtshilfe und Gynäkologie im 19. Jahrhundert*, Berlin, 1925, p. 46.

89. Sur le caractère de plus en plus infectieux du milieu hospitalier « prélistérien » voir Edward D. Churchill, « The Pandemic of Wound Infection in Hospitals », *Journal of the History of Medicine*, 20, 1965, p. 389-404 ; et John Eric Erichsen, *On Hospitalism and the Causes of Death After Operations*, Londres, 1874, *passim*.

90. L'article comprenait cinq parties, rééd. dans *Medical Classics*, 2, 1937, p. 28-71.
91. Rudolf Dohrn, *Geschichte der Geburtshülfe der Neuzeit*, Tübingen, 1904, p. 292 ; et F. Siredey, *les Maladies puerpérales : étude clinique*, Paris, 1884, p. 92.
92. O'Donel T.D. Browne, *The Rotunda Hospital, 1745-1945*, Édimbourg, 1947, p. 139 ; et Sinclair, *Semmelweis, op. cit.* [38], p. 365.
93. Emma L. Call, « The Evolution of Modern Maternity Technic », *AJO*, 58, 1908, p. 396.
94. Robert Boxall, « Mortality in Childbed », *JOB*, 7, 1905, p. 317.
95. Catharine Van Tussenbroek, « Kindbett-Sterblichkeit in den Niederlanden », *Archiv für Gynäkologie*, 95, 1911-1912, p. 32.
96. Claude E. Heaton, « Control of Puerperal Infection in the United States during the Last Century », *AJO-G*, 46, 1943, p. 483.
97. Edmund Weber, *Beiträge zur Mortalitäts-Statistik an septischen puerperalen Prozessen*, thèse de médecine, Berne, 1890, p. 31.
98. Catharine Macfarlane, « A month at Bumm's Klinik, Berlin », *AJO*, 59, 1909, p. 463.
99. Paul Zweifel, *in* « Diskussion », *ZBG*, 38, 1906, p. 1188.
100. Voir Fehling, *op. cit.* [88], p. 185-195.
101. Munro Kerr, *op. cit.* [58], p. 239.
102. Alois Valenta, « Wie soll an den Hebammenschulen die Antiseptik gelehrt... werden ? », *ZBG*, 12, 1888, p. 778.
103. Frank H. Jackson, « Puerperal Sepsis », *AJO*, 54, 1906, p. 23.
104. De La Motte, *op. cit.* [10], p. 584.
105. E. Hönck, « Ein Beitrag zur Hebammenfrage », *ZGH*, 25, 1893, p. 107-145.
106. Douglas et McKinlay, *op. cit.* [65], p. 178.
107. Radtke, art. cité [69], p. 19, 20-21 et 27.
108. Siegfried Rosenfeld, « Zum Schutze der Gebärenden », *ZGH*, 57, 1906, p. 165 ; la « moyenne » est le taux moyen des divers Länder.
109. Otto R. Eichel, « A Preliminary Report of a Statistical Study of Puerperal Sepsis », *AJO-G*, 7, 1924, p. 672.
110. Chalmers, *op. cit.* [55], p. 263.
111. Dr Wengler, « Das Auftreten von Wochenbettfieber und seine Bekämpfung in zwei Landkreisen », *Zeitschrift für Medicinal-Beamte*, 30, 1917, p. 176.
112. Döllner, « Zur Frage des Wochenbettfiebers », *Zeitschrift für Medicinal-Beamte*, 30, 1917, p. 332.

Chapitre 7

1. Edward Shorter, *The Making of the Modern Family*, New York, Basic Books, 1975, p. 227-255 ; trad. fr. *Naissance de la famille moderne*, Paris, Éd. du Seuil, 1977.
2. Queirel, *Histoire de la Maternité de Marseille*, Marseille, 1889, p. 15.
3. Cité par Alain Mathiot, *la Pratique obstétricale à Lyon à la fin du xviiie siècle*, thèse de médecine, Lyon, 1975, p. 20-21.
4. Adams Walther, « Zur Hebammenfrage », *ZBG*, 8, 1884, p. 308.
5. Jacques Gélis, « Sages-femmes et accoucheurs : l'obstétrique populaire aux xviie et xviiie siècles », *Annales ESC*, 32, 1977, p. 947.
6. *Ibid.*, p. 948.
7. Joseph Daquin, *Topographie médicale de la ville de Chambéry*, Chambéry, 1787, p. 80.
8. F.J. Werfer, *Versuch einer medizinischen Topographie der Stadt Gmünd*, Gmünd, 1813, p. 97.
9. Friedrich Pauli, *Medicinische Statistik... Landau*, Landau, 1831, p. 60.
10. H. Wollheim, *Versuch einer medizinischen Topographie und Statistik von Berlin*, Berlin, 1844, p. 117.
11. C.F. Senff, *Über Vervollkommung der Geburtshülfe*, Halle, 1812, p. 85.
12. Eduard Otto Dann, *Topographie von Danzig*, Berlin, 1835, p. 280.

13. H.B. Semmelink, « Statistisches über 600 Geburten der Privatpraxis », *ZGH*, 71, 1912, p. 368.

14. R. Dohrn, « Erfahrungen bei Prüfungen und dem Nachexamen der Hebammen », *ZBG*, 30, 1906, p. 907.

15. John Douglas, *A Short Account of the State of Midwifery in London*, Londres, 1736, p. 68-70.

16. Catherine M. Scholten, « " On the Importance of the Obstetrick Art " : Changing Customs of Childbirth in America », *William and Mary Quarterly*, 3ᵉ série, 34, 1977, p. 428-445 ; Jane B. Donegan, *Women and Men Midwives : Medicine, Morality and Misogyny in Early America*, Westport, Greenwood, 1978, p. 110-135 ; et Jean Donnison, *Midwives and Medical Men : a History of Inter-Professional Rivalries and Women's Rights*, New York, Schocken Books, 1977, p. 22 et *passim*.

17. A.K. Chalmers, *The Health of Glasgow, 1818-1925*, Glasgow, 1930, p. 263.

18. Robert R. Rentoul, « Is it in the Best Interest of Public Health... Supplying Poorer Women only with Midwives... », *Lancet*, 16 janv. 1897, p. 155.

19. « Report of the Infant Mortality Committee », *Obstetrical Society of London. Transactions*, 11, 1869, p. 134.

20. Estimation du Dʳ J.H. Aveling, reprise par Francis B. Smith, *The People's Health, 1830-1910*, New York, Holmes & Meier, 1979, p. 55.

21. Estimation de Thomas Darlington, « The Present Status of the Midwife », *AJO*, 63, 1911, p. 870.

22. Helen M. Dart, *Maternity and Child Care in Selected Rural Areas of Mississippi*, Washington, U.S. Department of Labor, Children's Bureau, pub. nᵒ 88, 1921, p. 27 ; et, pour la Caroline du Nord, Frances S. Bradley et Margaretta A. Williamson, *Rural Children in Selected Counties of North Carolina*, Washington, U.S. Department of Labor, Children's Bureau, pub. nᵒ 33, 1918, p. 30.

23. Margaret Hagood, *Mothers of the South : Portraiture of the White Tenant Farm Woman*, 1939, rééd. New York, Norton, 1977, p. 113.

24. Dans le débat sur la communication de F.E. Leavitt, « Obstetrics as Practised in the Country », *St. Paul Medical Journal*, 18, 1916, p. 372.

25. Grace Abbott, « The Midwife in Chicago », *American Journal of Sociology*, 20, 1914-1915, p. 684.

26. J. Clifton Edgar, « The Education, Licensing and Supervision of the Midwife », *AJO*, 73, 1916, p. 388.

27. Pour les statistiques sur les sages-femmes en Grande-Bretagne de 1919 à 1922, voir Janet Campbell, *Maternal Mortality*, Londres, Ministry of Health, Reports on Public Health, nᵒ 25, 1924, p. 31 ; pour 1946 et 1970, se reporter à National Birthday Trust Fund, *British Births, 1970*, vol. 1 : *The First Week of Life*, Londres, Heinemann, 1975, p. 27 (les élèves sages-femmes sont comprises dans le total). Pour les sages-femmes américaines, on trouvera les statistiques de 1935 à 1946 dans Paul H. Jacobson, « Hospital Care and the Vanishing Midwife » *Milbank Memorial Fund Quarterly*, 34, 1956, p. 254 ; et celles pour 1970 et 1977 dans *Statistical Abstract of the United States, 1979*, p. 63. Les accouchements pratiqués par les sages-femmes comprennent également la catégorie « opérateur non précisé ».

28. *Statistical Yearbook of the Netherlands*, 1978, p. 48.

29. Lettre de R.W. Burslem, *BMJ*, 1ᵉʳ décembre 1979, p. 1442-1443.

30. Les données comparées concernant le milieu des années 1970 sont empruntées au *Statistisches Jahrbuch für die Bundesrepublik Deutschland*, 1980, p. 671.

31. Jacqueline Gottely, « Premiers résultats d'une enquête nationale sur les sages-femmes », *Cahiers de sociologie et de démographie médicales*, 16, 1976, p. 156 : chiffres de 1973.

32. On trouvera des exemples de chaises obstétricales conçues par des médecins dans Harold Speert, *Iconographia Gyniatrica : a Pictorial History of Gynecology and Obstetrics*, Philadelphie, Davis, 1973, p. 268-269.

33. Citation empruntée à Jean Paul Stucky, *Der Gebärstuhl : die Gründe für sein Verschwinden im deutschen Sprachbereich*, Zurich, Juris, 1965, p. 37 ; voir aussi les pages 33 et 34.

NOTES DU CHAPITRE 7

34. Friedrich Julius Morgen, *Beiträge zu einer medicinischen Topographie... der Stadt Memel*, Memel, 1843, p. 144.
35. Harvey Graham, *Eternal Eve : the Mysteries of Birth and the Customs that Surround It*, éd. revue, Londres, Hutchinson, 1960, p. 189.
36. Voir, par exemple, le chapitre VIII, « Pain and Childbirth : the Doctor's Fallacy », *in* Suzanne Arms, *Immaculate Deception : a New Look at Women and Childbirth in America*, Boston, Houghton Mifflin, 1975, p. 115 et suiv.
37. Voir, par exemple, E. Pelkonen, *Über volkstümliche Geburtshilfe in Finnland*, Helsinki, 1931, p. 143 (« Strafe für den Sündenfall den Frauen »).
38. Yvonne Verdier, *Façons de dire, façons de faire*, Paris, Gallimard, 1979, p. 93.
39. Hagood, *op. cit.* [23], p. 115-116.
40. Flora Thompson, *Lark Rise to Candleford*, 1939, rééd. Penguin, 1973, p. 50.
41. Otto Spiegelberg, *A Text Book of Midwifery*, trad. angl., 2 vol., Londres, 1887, t. I, p. 257.
42. Sur les tentatives de lutte contre la douleur avant l'ère de l'anesthésie, voir Claire Elizabeth Fox, *Pregnancy, Childbirth and Early Infancy in Anglo-American Culture, 1675-1830*, thèse, University of Pennsylvania, 1966, p. 144-147.
43. Carl Müller, *Volksmedizinisch-geburtshilfliche Aufzeichnungen aus dem Lötschental*, Berne, Huber, 1969, p. 83 ; voir également Pelkonen, *op. cit.* [37], p. 154, 175 et suiv.
44. Pour une étude récente sur ces points, voir A.J. Youngson, *The Scientific Revolution in Victorian Medicine*, Londres, Croom Helm, 1979, p. 42-72.
45. *Ibid.*, p. 112.
46. James W. Duncan, « The " Radical " in Obstetrics », *AJO-G*, 20, 1930, p. 226.
47. Eardley Holland, « Birth Injury in Relation to Labor », *AJO-G*, 33, 1937, p. 18.
48. Ransom S. Hooker, s.d., *Maternal Mortality in New York City : a Study of a Puerperal Deaths, 1930-1932*, New York, New York Academy of Medicine, Committee on Public Health Relations, 1933, p. 113.
49. Great Britain, Ministry of Health, *Report on an Investigation into Maternal Mortality*, Londres, 1937, Cmd 5422, p. 117.
50. Harry E. Beard, « Home Obstetrics », *West Virginia Medical Journal*, janv. 1940, p. 19.
51. Campbell, *op. cit.* [27], p. 48.
52. Leavitt, art. cité [24], p. 370.
53. Carl Joseph Gauss, « Geburten im künstlichen Dammerschlaf », *Archiv für Gynäkologie*, 78, 1906, p. 579-631. Pour un bref historique du demi-sommeil artificiel, voir J.M. Munro Kerr, s.d., *Historical Review of British Obstetrics and Gynecology, 1800-1950*, Édimbourg, Livingstone, 1954, p. 231-234. Judith Walzer Leavitt examine les possibilités de cette technique comme moyen pour les femmes de mieux maîtriser leur accouchement : « Birthing and Anesthesia : the Debate over Twilight Sleep », in *Signs*, 6, 1980, p. 147-164.
54. Tous ces procédés sont décrits par J.M. Munro Kerr, *Maternal Mortality and Morbidity*, Édimbourg, 1933, p. 231-236.
55. Youngson, *op. cit.* [44], p. 101 et suiv.
56. Charles Waller, *Elements of Practical Midwifery*, 4e éd., Londres, 1858, p. 151-152.
57. James Young, « Maternal Mortality and Maternal Mortality Rates », *AJO-G*, 31, 1936, p. 210.
58. O'Donel T.D. Browne, *The Rotunda Hospital, 1745-1945*, Édimbourg, Livingstone, 1947, p. 230.
59. Richard W. Wertz et Doorthy C. Wertz, *Lying-In : a History of Childbirth in America*, New York, Free Press, 1977, p. 178-198.
60. Faits rapportés dans Francis B. Smith, *The People's Health, 1830-1910*, New York, Holmes & Meier, 1979, p. 23.
61. *Ibid.*, p. 24.
62. John W. Williams, « Medical Education and the Midwife Problem in the United States », *JAMA*, 58, 1912, p. 1-5.

323

63. Rudolph Holmes, « The Fads and Fancies of Obstetrics : a Comment on the Pseudo-scientific Trend of Modern Obstetrics », *AJO-G*, 2, 1921, p. 231.

64. Mabel Dobbin Crawford, « The Obstetric Forceps and its Use », *Lancet*, 11 juin 1932, p. 1242.

65. J.S. Templeton, « Obstetrics in Country Practice », *Illinois Medical Journal*, 33, 1918, p. 92.

66. Andrew Topping, « Prevention of Maternal Mortality », *Lancet*, 7 mars 1936, p. 546.

67. R. Veitch Clark, à propos de Manchester, à une réunion du Royal Sanitary Institute, *Lancet*, 20 avril 1935, p. 937.

68. Voir Munro Kerr, *op. cit.* [54], p. 113.

69. J. Hofbauer, « Hypophysenextrakt als Wehenmittel », *ZBG*, 35, 1911, p. 137-141.

70. Joseph B. DeLee, cité par Morris Fishbein, *Joseph Bolivar DeLee : Crusading Obstetrician*, New York, Dutton, 1949, p. 248.

71. Pour la commodité du lecteur, voici la liste des éditions du *Williams Obstetrics* et de leurs auteurs, cités dans ce chapitre : 1re éd. (1906), 2e (1908), 5e (1926), 6e (1930), par John Whitridge Williams lui-même ; 7e (1936) et 9e (1945), par Henricus J. Stander ; 10e (1950), 11e (1956), 12e (1961) et 13e (1966), par Nicholson J. Eastman ; 14e (1971) par Louis M. Hellman et Jack A. Pritchard ; et 16e (1980) par Jack A. Pritchard et Paul E. MacDonald. Jusqu'à la 10e édition, le manuel s'est intitulé simplement *Obstetrics : a Textbook*. Toutes éditions publiées à New York par Appleton-Century-Crofts.

72. Hermann Fehling, *Entwicklung der Geburtshilfe und Gynäkologie im 19. Jahrhundert*, Berlin, 1925, p. 58-59.

73. G.H. Luedtke, dans le débat sur Leavitt, « Obstetrics as Practised in the Country », art. cité [24], p. 373.

74. Great Britain, Ministry of Health, *Report on Maternal Mortality in Wales*, Londres, Cmd 5423, 1937, p. 108.

75. Alexander Miller, « Twenty Years' Obstetric Practice », *Glasgow Medical Journal*, série 5, 51, 1899, p. 225.

76. H.E. Collier, « A Study of the Influence of Certain Social Changes upon Maternal Mortality and Obstetrical Problems, 1834-1927 », *JOB*, 37, 1930, p. 41, n. 1.

77. Henry Jellett, *Causes and Prevention of Maternal Mortality*, Londres, 1929, p. 207, pour l'Angleterre. Voir aussi Th. Heynemann, « Ergebnisse und Lehren der erweiterten geburtshilflichen Landesstatistik Hamburgs (1932-1935) », *ZGH*, 114, 1937, p. 252 ; Elizabeth Moore, *Maternity and Infant Care in a Rural County in Kansas*, Washington, U.S. Department of Labor, Children's Bureau, pub. n° 26, 1917, p. 23-24 ; E.D. Plass, « A Statistical Study of 129, 539 Births in Iowa », *AJO-G*, 28, 1934, calculé d'après les chiffres des tableaux p. 298-299 ; et Henry Buxbaum, « Obstetrics in the Home », *Surgical Clinics of North America*, févr. 1943, p. 57.

78. Jellett, *op. cit.*, [77], p. 200.

79. Douglas Miller, « Observations on Unsuccessful Forceps Cases », *BMJ*, 4 août 1928, p. 183.

80. Crawford, art. cité [64], p. 1241.

81. *Ibid.*, p. 1242.

82. James Hendry, « Unsuccessful Forceps Cases », *BMJ*, 4 août 1928, p. 187.

83. Campbell, *op. cit.* [27], p. 52.

84. Crawford, art. cité [64], p. 1241-1242 ; et Miller, art. cité [79], p. 184.

85. Voir Munro Kerr, *op. cit.* [54], p. 51. Édimbourg, 1933, p. 51.

86. Hendry, art. cité [82], p. 185-186. Il citait lady Selborne.

87. Jellett, *op. cit.* [77], p. 238.

88. L'expression est du Dr Dilys Jones, cité dans Janet Campbell *et alii*, *High Maternal Mortality in Certain Areas*, Londres, Ministry of Health, Reports on Public Health, n° 68, 1932, p. 80.

89. Rapporté par Crawford, art. cité [64], p. 1243.

90. Victor Bonney, « The Continued High Maternal Mortality of Child-bearing », *Proceedings of the Royal Society of Medicine*, 12, 1918-1919, p. 96.

91. Lapthorn Smith, dans la discussion de la communication de Bonney, *ibid.*, p. 104.
92. Maurice Mottram, « The Rural Practitioner and Maternity », *BMJ*, 3 janv. 1925, p. 42.
93. William F. Shaw, « Unseccessful Forceps Cases », *BMJ*, 4 août 1928, p. 189.
94. Great Britain, rapport cité [74], p. 106.
95. Extrait des réponses au questionnaire de Leavitt, art. cité [24], p. 371.
96. Ernst Zürcher, *Die geburtshülfliche Landpraxis,* Trogen, 1887, p. 4 et 13.
97. Campbell, *op. cit.* [27], p. 56.
98. Shaw, art. cité [93], p. 190.
99. Munro Kerr, *op. cit.* [54], p. 113-114.
100. Templeton, art. cité [65], p. 92.
101. A propos de Franklin (Tennessee), rapporté dans K.S. Howlett, « Country Obstetrics », *Tennessee State Medical Association Journal*, 16, 1923-1924, p. 176.
102. Moore, *op. cit.* [77], p. 25.
103. C. Henry Davis, « Maternal Mortality : a Crime of Today », *Surgery, Gynecology and Obstetrics*, 30, 1920, p. 289.
104. Chiffres sur Detroit en 1908 dans Clara M. Davis, « Obstetrical Service for the Laboring Classes », *Journal of the Michigan State Medical Society*, 7, 1908, p. 214. Sur Detroit entre 1925 et 1945, données empruntées à Harold C. Mack et R.S. Sidall, « Cesarean Section in Detroit During 1945 », *AJO-G*, 56, 1948, p. 60. Chiffres sur le Royaume-Uni tirés de National Birthday Trust Fund, *British Births 1970,* p. 25. Pour les Pays-Bas, enfin, données empruntées à *Statistical Yearbook of the Netherlands, 1978,* p. 48.
105. Lettre de Robert Anderson, *BMJ*, 2 juillet 1921, p. 28.
106. Adolf Weber, *Bericht über Hundert in der Landpraxis operative behandelte Geburten,* Munich, 1901, p. 4.
107. Eneas K. MacKenzie, « Rural Midwifery Practice », *Practitioner*, 115, 1925, p. 269.
108. Bonney, art. cité [90], p. 87-89 et 96.
109. Zürcher, *op. cit.* [96], p. 2 et 8.
110. Rapport du gouvernement britannique cité [49], p. 23. Les auteurs résument ici les rapports antérieurs, mais de toute évidence ce rapport a également pour but de contrôler les généralistes.
111. Edwin Daily, « Maternity Care in the United States : Planning for the Future », *AJO-G*, 49, 1945, p. 129.
112. Egbert Morland, *Alice and the Stork, or the Rise in the Status of the Midwife as Exemplified in the Life of Alice Gregory,* Londres, Hodder & Stoughton, 1951, p. 38 et 49-50.
113. Lisbeth Burger, *Vierzig Jahre Storchentante : aus dem Tagebuch einer Hebamme,* Breslau, 1936, p. 166-167.
114. Détails empruntés à Morris Vogel, *The Invention of the Modern Hospital : Boston, 1870-1930,* Chicago, University of Chicago Press, 1980, p. 117-119.
115. Emma L. Call, « The Evolution of Modern Maternity Technic », *AJO*, 58, 1908, p. 403.
116. Wertz et Wertz, *op. cit.* [59], p. 168.
117. Sur l'importance de ces facteurs à Düsseldorf et dans d'autres villes d'Allemagne, voir le débat entre Else Theisen et un groupe d'obstétriciens berlinois : Theisen, « Betrachtungen über Anstalts- und Hausgeburten », *ZBG*, 64, 1940, p. 307-311 ; et Rott *et alii*, « Betrachtungen über Anstalts- und Hausgeburten », *ZBG*, 64, 1940, p. 442-1454.
118. Jacques Gélis, *Accoucheur de campagne sous le Roi-Soleil,* Toulouse, Privat, 1979, p. 45, n. 55.
119. Alois Nöth, *Die Hebammenordnungen des XVIII. Jahrhunderts,* thèse de médecine, Würzburg, 1931, p. 84 (ordonnance sur les sages-femmes du Burggrafschaft de Nuremberg). Voir également Max Runge, « Uber die Berechtigung des Kaiserschnittes an der Sterbenden », *ZGH*, 9, 1883, p. 260-262.

120. G. Lammert, *Volksmedizin und medizinischer Aberglaube in Bayern*, Würzburg, 1869, p. 12-13.

121. Texte reproduit dans une note de *Pediatrics*, 54, 1974, p. 460. Il s'agit à l'origine d'un article de Duncan Stewart, « The Cesarean Operation Done with Success by a Midwife », in *Medical Essays and Observations*, 5, 1752, p. 360-362, que je n'ai pu consulter. Sur la célèbre histoire de Jacob Nufer, le châtreur de porcs qui réussit à pratiquer une césarienne sur sa femme en l'an 1500, voir Theodore Cianfrani, *A Short History of Obstetrics and Gynecology*, Springfield (Illinois), Charles C. Thomas, 1960, p. 125 et 131-132.

122. Sur les origines lointaines, voir Heinrich Fasbender, *Geschichte der Geburtshilfe*, Iéna, 1906, p. 136-139 et 221-222.

123. Mireille Laget, « La césarienne ou la tentation de l'impossible : xvII^e et xvIII^e siècle », *Annales de Bretagne*, 86, 1979, p. 183.

124. Jacques-René Tenon, *Mémoires sur les hôpitaux de Paris*, Paris, 1788, p. 251, n. 33.

125. Sur la Grande-Bretagne, voir Fleetwood Churchill, *On the Theory and Practice of Midwifery*, 6e éd., Londres, 1872, p. 406-408. Sur les États-Unis, voir Robert P. Harris, « Special Statistics of the Cesarean Operation in the United States », *AJO*, 14, 1881, p. 347.

126. Selon M.P. Rucker, « A Brief History of Obstetrics and Gynecology in Virginia », *AJO-G*, 31, 1936, p. 190.

127. L'histoire de la césarienne moderne reste à écrire, mais pour les grandes lignes on pourra se reporter à Owen H. Wangensteen et Sarah D. Wangensteen, *The Rise of Surgery from Empiric Craft to Scientific Discipline*, Minneapolis, University of Minnesota Press, 1978, p. 200-213 ; à Harold Speert, *Essays in Eponymy : Obstetric and Gynecologic Milestones*, New York, Macmillan, 1958, p. 594-603 ; ainsi qu'à Robert P. Harris, « Remarks on the Cesarean Operation », *AJO*, 11, 1878, p. 621.

128. Browne, *op. cit.* [58], p. 183 ; Vogel, *op. cit.* [114], p. 117 ; Paul Bar, *la Maternité de l'hôpital Saint-Antoine*, Paris, 1900, p. 156 ; et Georges Duval, *De la morbidité et de la mortalité à l'hôpital de la Charité*, Lille, 1899, p. 55 et 206.

129. J.H. Carstens, « Cesarean Section », *AJO*, 29, 1894, p. 776 ; si le diamètre antéro-postérieur du bassin était inférieur à 7,5 cm.

130. Fehling, *op. cit.* [72], p. 56.

131. James D. Voorhees, « Can the Frequency of some Obstetrical Operations Be Diminished ? », *AJO*, 77, 1918, p. 10.

132. Joseph Baer *et alii*, « The Present Position of Version and Extraction », *AJO-G*, 24, 1932, p. 600.

133. D. Anthony D'Esopo, « Trends in the Use of the Cesarean Section Operation », *AJO-G*, 58, 1949, p. 1122.

134. Browne, *op. cit.* [58], p. 197 ; une seule, finalement, fut pratiquée.

135. *Williams Obstetrics* [71], comparer les éditions successives. Par exemple : 2e éd., 1908, p. 463-464 ; 6e éd., 1930, p. 568 ; 10e éd., 1950, p. 1126.

136. *Queen Charlotte's Text-Book of Obstetrics*, 4e éd., Londres, 1936, p. 526-527.

137. Gilbert I. Strachan, *Textbook of Obstetrics*, Londres, Lewis, 1947, p. 682.

138. Plass, art. cité [77], p. 298-299.

139. Hugo Sellheim dans *Biologie und Pathologie des Weibes*, sous la direction de Josef Halban et Ludwig Seitz, Berlin, 1927, chap. VII, 1, p. 267-268.

140. Dans un texte de 1918 : Voorhees, art. cité [131], p. 5 et 9.

141. Thomas E. Cone, Jr., *History of American Pediatrics*, Boston, Little, Brown & Co., 1979, p. 151.

142. Jellett, *op. cit.* [77], p. 220.

143. Frank Meriwether, « Cesarean Section Versus Craniotomy », *AJO*, 44, 1901, p. 207.

144. Joseph DeLee in *AJO-G*, 2, 1921, p. 299.

145. Voir l'affrontement entre le « conservateur » anglais Eardley Holland et le « progressiste » canadien James Goodall au congrès 1936 de l'American Gynecological Society, après la communication de Holland stigmatisant le « forceps prophylactique »,

in « Birth Injury in Relation to Labor », *AJO-G*, 33, 1937, p. 3-13 ; débat p. 13-18.
146. Albert H. Aldridge et Richard S. Meredith, « Obstetric Responsibility for the Prevention of Fetal Deaths », *AJO-G*, 42, 1941, p. 388.
147. Ville de Toronto, Department of Public Health, *Annual Statement, 1979,* 1980, p. 146, chiffres de 1979.
148. Calculé d'après les données de l'*Annuaire statistique de la France,* 1979, p. 40-41, et celles du *Statistical Abstract of the United States, 1979,* p. 75.
149. James D. Voorhees, « The Etiology of Puerperal Sepsis », *AJO*, 53, 1906, p. 762.
150. Fehling, *op. cit.* [72], p. 47.
151. Leonard W. Bickle, lettre publiée dans *BMJ,* 20 nov. 1920, p. 803 ; et Ploeger, « Statistischer Bericht über die Geburten der Königlichen Universitäts-Frauenklinik in Berlin », *ZGH,* 53, 1905, p. 242.
152. *Williams Obstetrics* [71], 7ᵉ éd., 1936, p. 394.
153. Article de Le Lorier, « La morbidité et la mortalité maternelles à la maternité de l'hôpital Boucicaut de 1924 à 1928 », *Gynécologie et Obstétrique,* 20, 1929, p. 595 ; Florence E. Barrett, « The Prophylactic Treatment of Puerperal Sepsis », *Lancet,* 23 juin 1923, p. 1280 ; Manuel S. Tansinsin, « A Statistical Study of Puerperal Morbidity in Hospital Practice », *AJO-G,* 18, 1929, p. 99 ; et Joseph B. DeLee, *The Principles and Practice of Obstetrics,* 6ᵉ éd., Philadelphie, 1933, p. 297.
154. *Williams Obstetrics* [71], 16ᵉ éd., p. 408.
155. Cité dans William Leishman, *A System of Midwifery,* 3ᵉ éd., Philadelphie, 1879, p. 265 et 266.
156. W.S. Playfair, *A Treatise on the Science and Practice of Midwifery,* 3ᵉ éd., Philadelphie, 1880, p. 279.
157. Charles D. Meigs, *Obstetrics,* 5ᵉ éd., Philadelphie, 1867, p. 329.
158. Richard C. Norris, s.d., *An American Text-Book of Obstetrics,* Philadelphie, 1905, p. 369.
159. DeLee, *op. cit.* [153], 5ᵉ éd., p. 320.
160. *Williams Obstetrics* [71], 7ᵉ éd., p. 407-408.
161. P. Cazeaux, *Obstetrics : the Theory and Practice,* 7ᵉ éd. américaine, Philadelphie, 1884, p. 394 ; Spiegelberg, *op. cit.* [41], t. I, p. 256 ; W.F.T. Haultain, *Practical Handbook of Midwifery and Gynaecology,* 5ᵉ éd., Édimbourg, Livingstone, 1957, p. 67 ; et Matthew M. Garrey *et alii, Obstetrics Illustrated,* 2ᵉ éd., Édimbourg, Churchill-Livingstone, 1974, p. 209 (« L'accouchement peut être pratiqué en position latérale gauche ou en position dorsale »).
162. Voir la 16ᵉ éd. de *Williams Obstetrics* [71], p. 416.
163. Pour un bref historique du déclenchement artificiel du travail, voir Hugo Ehrenfest, *Fetal, Newborn and Maternal Morbidity and Mortality,* New York, White House Conference on Child Health, Report of the Subcommittee on Factors and Causes of Fetal... Mortality, 1933, p. 184-188.
164. Sur Bellevue Hospital, voir les remarques de Harold C. Bailey dans la discussion de plusieurs textes, *AJO-G,* 1, 1920-1921, p. 74-75 ; sur Evanston Hospital, Robert M. Grier, « Maternal Morbidity », *AJO-G,* 34, 1937, p. 302 ; et sur l'ensemble des États-Unis en 1967, American College of Obstetricians and Gynecologists, *National Study of Maternity Care : Survey of Obstetric Practice ans Associated Services in Hospitals in the United States,* Chicago, ACOG, 1970, p. 16.
165. James Walker, « Fetal Anoxia », *JOB,* 61, 1954, p. 166 et 168.
166. *Williams Obstetrics* [71], 16ᵉ éd., p. 414, 683, 937 et 950-951.
167. Sur les pourcentages britanniques pour 1965 et 1972, voir le texte de Peter Howie, « The Induction of Labor », dans *Benefits and Hazards of the New Obstetrics,* sous la direction de Tim Chard et Martin Richards, Londres, Heinemann, 1977, p. 93. Pour 1970, voir National Birthday Trust Fund, *British Births,* p. 79. Pour le milieu des années 1970, voir Ian Donald, *Practical Obstetric Problems,* 5ᵉ éd., Londres, Lloyd-Luke, 1979, p. 512 (« plus de 40 % à Glasgow »). La maternité de Watford avait, en 1974, un taux d'accouchements artificiellement déclenchés de 55 % (voir Richard H. Tipton et B. V. Lewis, lettre dans *BMJ,* 15 févr. 1975, p. 391). Oxford aussi

avait, en 1974, un taux de 55 % (lettre de John Bonnar, *BMJ*, 13 mars 1976, p. 652).
168. Margaret F. Myles, *Textbook for Midwives*, 8e éd., Édimbourg, Churchill-Livingstone, 1975, p. 549 ; à noter que la 1re éd. de ce manuel (1953) adoptait une position nettement plus modérée (p. 585). Parmi les textes britanniques soulignant les dangers d'une grossesse prolongée, voir Neville R. Butler et Eva D. Alberman, *Perinatal Problems : the Second Report of the 1958 British perinatal Mortality Survey*, Édimbourg, Churchill-Livingstone, 1969, p. 268-272 ; R.A. Cole *et alii*, « Elective Induction of Labour », *Lancet*, 5 avril 1975, p. 768 ; et K. O'Driscoll *et alii*, « Selective Induction of Labour », *BMJ*, 27 décembre 1975, p. 728.

169. Fasbender, *op. cit.* [122], p. 595 ; Fielding Ould, *A Treatise of Midwifery*, Dublin, 1742, p. 145-146.

170. Rudolf Beck, *Geburten und Geburtshilfe in ländlichen Verhältnissen : eine statistiche Studie aus den Geburtabellen des Amtes Sursee über die Letzten 39 Jahre*, thèse de médecine, Bâle, 1930, p. 47.

171. Erwin Zweifel, « Erfahrungen an den letzten 10 000 Geburten », *Archiv für Gynäkologie*, 101, 1913-1914, p. 681.

172. Henry Buxbaum, « Out-Patient Obstetrics », *AJO-G*, 31, 1936, p. 413.

173. DeLee, *op. cit.* [153], p. 322.

174. Voir discussion du texte d'Anna Broomall dans *AJO*, 11, 1878, p. 605-606, et, pour d'autres exemples : Charles Jewett, s.d., *The Practice of Obstetrics*, 3e éd., Londres, 1907, p. 253 ; Alfred L. Galabin, *Practice of Midwifery*, 7e éd., Londres, 1910, p. 648 ; Robert W. Johnstone, *Text-Book of Midwifery*, 7e éd., Londres, 1934, p. 157.

175. Eastman, *Williams Obstetrics*, [71], p. 412.

176. Howard C. Taylor, « Indications and Technique of Episiotomy », *American Journal of Surgery*, NS, 35, 1937, p. 403.

177. DeLee, *op. cit.* [153], p. 322 et 331 ; Eastman, *Williams Obstetrics* [71], p. 410.

178. Norman R. Kretzschmar, « A Study of Consecutive Episiotomies », *AJO-G*, 35, 1938, p. 621-622.

179. H. Bristol Nelson et Daniel Abramson, « The Advantages of Conservative Obstetrics », *AJO-G*, 41, 1941, p. 802.

180. Ontario, Ministry of Health, *Hospital Statistics*, 1978-1979, p. 92 ; H. Glosemeyer et H. Stockhausen, « Mediolaterale Episiotomie oder mediane Episiotomie ? », *Geburtshilfe und Frauenheilkunde*, 38, 1978, p. 34-37. Sur Brighton, voir Constance L. Beynon, « Midline Episiotomy as a Routine Procedure », *JOB*, 81, 1974, p. 128.

181. Juliet Willmott, « Too Many Episiotomies », *Midwives Chronicle*, févr. 1980, p. 46.

182. Données sur les États-Unis en 1975 tirées de Chard et Richards, *op. cit.* [167], p. 39, citant des chiffres inédits provenant de l'American Hospital Record Study of the Commission on Professional and Hospital Activities.

183. Tenon, *op. cit.* [124], p. 252.

184. M. Semon, « Über die in dem Provinzial-Hebammeninstitut zu Danzig in den Jahren 1887-1897 ausgeführten Zangenentbindungen », *ZGH*, 39, 1898, p. 139, donnant en exemple les chiffres de douze autres maternités.

185. Ehrenfest, rapport cité [164], p. 221, 222.

186. Joseph DeLee, « The Prophylactic Forceps Operation », *AJO-G*, 1920-1921, p. 34-44, citation p. 43.

187. Compte rendu du congrès 1921 de l'American Gynecological Society, *AJO-G*, 2, 1921, p. 298-300 et 306-307.

188. Williams, *Williams Obstetrics*, [71], 6e éd., p. 481.

189. Browne, *Rotunda Hospital, op. cit.* [58], p. 206. Chiffres de 1974 sur le National Maternity Hospital de Dublin dans la lettre de John Bonnar, *BMJ*, 13 mars 1976, p. 652. Dans certains hôpitaux britanniques pour les années 1970, le taux est de 17,8 %. Voir Iain Chalmers *et alii*, « Obstetric Practice and Outcome of Pregnancy in Cardiff Residents, 1965-1973 », *BMJ*, 27 mars 1976, p. 736 ; et Jean Fedrick et Patricia Yudkin, « Obstetric Practice in the Oxford Record Linkage Study Area, 1965-1972 », *BMJ*, p. 739 : moyenne des deux enquêtes.

190. Ehrenfest, rapport cité [164], p. 220. Ehrenfest était contre les « progressistes ».

191. Eastman, *Williams Obstetrics* [71], 10ᵉ éd., p. 1058.
192. Édition actuelle (la 16ᵉ) du *Williams Obstetrics* [71], p. 1044 ; Ontario, *Hospital Statistics*, volumes 1975 à 1977-1978.
193. Ontario, *Hospital Statistics* [180], 1978-1979, p. 92, par exemple ; et, pour Oxford, voir la lettre de Bonnar, *BMJ*, 13 mars 1976, p. 652.
194. Eastman, *Williams Obstetrics* [71], 11ᵉ éd., p. 1135 ; 13ᵉ éd., p. 1126.
195. O. Hunter Jones, « Cesarean Section in Present-Day Obstetrics », *AJO-G*, 126, 1976, p. 527. La progression du nombre des césariennes n'est pas due à une augmentation du pourcentage des « récidives » ; deux séries montrent un accroissement de la part des « premières césariennes » depuis les années 1940. Voir les chiffres de Jones sur Charlotte (Caroline du Nord) entre 1940 et 1975, dans « Caesarean Section », art. cité *supra*, p. 522, ainsi que Lester T. Hibbard, « Changing Trends in Cesarean Section », *AJO-G*, 125, 1976, p. 799.
196. American College of Obstetricians and Gynecologists, *National Study*, rapport cité [164], p. 10.
197. National Birthday Trust Fund, *op. cit*, [27], p. 27.

Chapitre 8

1. A. Guisan, « La médecine judiciaire au xviiiᵉ siècle, d'après les procédures criminelles vaudoises », *Revue suisse de médecine*, 13, 1912-1913, p. 674.
2. Egon Weinzierl, *Die uneheliche Mutterschaft*, Berlin, 1925, p. 39-41.
3. Cité dans Helmuth Jahns, *Das Delikt der Abtreibung im Landgerichtsbezirk Duisburg in der Zeit von 1910 bis 1935*, thèse d'État, Bonn, 1938, p. 36.
4. Emma Goldman, *Living my Life*, 2 vol., 1931, rééd. New York, Dover, 1970, t. I, p. 185-186.
5. Voir, par exemple, Franz Xaver Güntner, *Kindesmord und Fruchtabtreibung in gerichtsärztlicher Beziehung*, Prague, 1845, p. 71.
6. Johann Storch, *Unterricht vor Heb-Ammen*, vol. I de *Von Kranckheiten der Weiber*, 8 vol., Gotha, 1746-1753, p. 162, par exemple.
7. Cité dans Alan Macfarlane, « Illegitimacy ans Illegitimates in English History », in *Bastardy and Its Comparative History*, sous la direction de Peter Laslett *et alii*, Cambridge (Mass.), Harvard University Press, 1980, p. 77.
8. E. Pelkonen, *Uber volkstümliche Geburtshilfe in Finnland*, Helsinki, 1931, p. 60.
9. Ambroise Tardieu, *Étude médico-légale sur l'avortement*, Paris, 1868, p. 28.
10. Procédé décrit par Carl Heinrich Stratz, *Die Frauen auf Java eine gynäkologische Studie*, Stuttgart, 1897, p. 47-48. Voir, plus récemment, Josefina R. Reynes, « The Significance of Abortion in Bohol », texte du projet MCH/FP de la province de Bohol, aux Philippines, oct. 1979, p. 18-19 ; et Tongplaew Narkavonnakit, « Abortion in Rural Thailand : a Survey of Practitioners » (sur la Thaïlande), *Studies in Family Planning*, 10, 1979, p. 226.
11. P. Fraenkel, « Uber den Tod beim Abort », *ZBG*, 50, 1926, p. 2217 ; voir également G. Leubuscher, « Krimineller Abort in Thuringen », *Vierteljahrsschrift für gerichtliche Medicin*, série 3, 50, 1915, p. 9, qui affirme que la technique du massage se pratiquait très fréquemment *(mehrfach)*.
12. Voir Wolfgang Jöchle, « Menses-Inducing Drugs : their Role in Antique, Medieval and Renaissance Gynecology and Birth Control », *Contraception*, 10, 1974, p. 425-439 ; et Ruth Hähnel, « Der künstliche Abortus im Altertum », *Archiv für die Geschichte der Medizin* (pour le Sudhoff), 29, 1936, p. 224-255.
13. Christian Gottlieb Troppanneger, *Decisiones Medico-forenses ... de Lethalitate Vulnerum*, Dresde, 1733, p. 225-226.
14. Voir liste dans Jules Massé, *Botanique médicale*, 11ᵉ éd., Paris, 1867, p. 281-286.
15. Alexander Berg, *Der Krankheitskomplex der Kolik- und Gebärmutterleiden in Volksmedizin und Medizingeschichte*, Berlin, 1935, p. 57 sur la Prusse-Orientale.
16. Ces faits ont donné naissance à un courant historiographique quelque peu

lénifiant ; voir notamment Muriel Joy Hughes, *Women Healers in Medieval Life and Literature*, Freeport (New York), 1943, p. 22-36 en particulier.

17. J. Thomsen, « Ein Fall von Abtreibung der Leibesfrucht », *Vierteljahrsschrift für gerichtliche und öffentliche Medicin*, NF, 1, 1864, p. 316.

18. Dr Flügel, *Volksmedizin und Aberglaube im Frankenwalde*, Munich, 1863, p. 47.

19. Voir L. Schenkel-Hulliger *et alii*, « Experimental Models in the Search for Antigestagenic Compounds with Menses-Inducing Activity », *Journal of Steroid Biochemistry*, 11, 1979, p. 757.

20. F.J. McCann, cité dans *BMJ*, 2 févr. 1929, p. 203.

21. Otto Kostenzer, « Das Arzneibuch " der alten Frau Taentzlin " zu Schwaz », *Veröffentlichungen des Tiroler Landesmuseum Ferdinandeum*, 55, 1975 ; voir, par exemple, la recette « Zu fürkhommen ainer yeden frawen ir krannckait », p. 38.

22. J.-B. Chomel, *Abrégé de l'histoire des plantes usuelles*, 2 vol., Paris, 1739, t. I, p. 149-150.

23. Storch, *op. cit.* [6], t. III, p. 199-200.

24. Coralie W. Rendle Short, « Causes of Maternal Death among Africans in Kampala, Uganda », *JOB*, 1961, p. 45.

25. Harvey Graham, *Eternal Eve : the Mysteries of Birth and the Customs that Surround It*, éd. revue et corrigée, Londres, Hutchinson, 1960, p. 17.

26. Warren R. Dawson, *A Leechbook or Collection of Medical Recipes of the Fifteenth Century*, Londres, 1934, p. 97.

27. Percivall Willughby, *Observations in Midwifery*, 1863, rééd. East Ardsley, S.R. Publishers, 1972, p. 59.

28. Parmi d'innombrables exemples, voir Westphalen, *Petit Dictionnaire des traditions populaires messines*, Metz, 1934, p. 4-6 ; Eugène Olivier, *Médecine et Santé dans le pays de Vaud au xviie siècle*, Lausanne, 1939, t. I, p. 273 et 277 ; et Moritz Gerhard Thilenius, *Kurzer Unterricht für die Hebammen und Wöchnerinnen auf dem Lande*, Cassel, 1769, p. 50.

29. B.D.H. Miller, « She Who Hath Drunk Any Potion... » *Medium Aevum*, 31, 1962, p. 191.

30. Guillaume Mauquest de La Motte, *Traité complet des accouchements*, éd. revue et corrigée, 1715, rééd. Leyde, 1729, p. 68.

31. Edward Moore, lettre parue dans *Lancet*, 22 mars 1862, p. 307.

32. Sur ces pays du tiers monde, voir, par exemple, J.C. Saha *et alii*, « Ecbolic Properties of Indian Medicinal Plants », *Indian Journal of Medical Research*, 49, 1961, p. 130-151 ; R. Moreno Azorero et B. Schvartzman, « 268 plantas medicinales utilizadas para regular la fecundidad en algunos paises de Sudamérica », *Reproducion*, 2, 1975, p. 163-183 ; et Yun Cheung Kong, « Potential Anti-Fertility Plants from Chinese Medicine », *American Journal of Chinese Medicine*, 4, 1976, p. 105-128.

33. Voir Organisation mondiale de la santé, *Ninth Annual Report, Special Programme of Research... in Human Reproduction*, Genève, 1980, p. 84-85. Pour un bon compte rendu de l'état de ces recherches, voir Norman S. Farnsworth *et alii*, « Potential Value of Plants as Sources of New Antifertility Agents », *Journal of Pharmaceutical Sciences*, 64, 1975, p. 535-598 et 717-754.

34. Felix von Oefele, « Anticonceptionnele Arzneistoffe », *Heilkunde*, 2, 1897-1898, p. 494.

35. Cité dans Wolfgang Schneider, *Lexikon zur Arzneimittelgeschichte*, 7 vol., Francfort, Govi Verlag, 1968-1975, t. V-1, p. 335 (« Aufsteigen und Wehetum der Mutter »).

36. Gerhard Madaus, *Lehrbuch der biologischen Heilmittel*, 1938, rééd. Hildesheim, Georg Olms, 1976, t. III, p. 2504.

37. H.H. Ploss, *Zur Geschichte, Verbreitung und Methode der Frucht-Abtreibung*, Leipzig, 1883, p. 47.

38. Dawson, *op. cit.* [26], p. 125.

39. Béla Issekutz, *Die Geschichte der Arzneimittelforschung*, Budapest, Akadémiai Kiado, 1971, p. 330.

40. J. Alksnis, « Materialen zur lettischen Volksmedizin », dans Rudolf Kobert, s.d.,

Historische Studien aus dem Pharmakologischen Institute... Dorpat, Halle, 1894, t. IV, p. 226.

41. E. Ferdut, *De l'avortement,* Paris, 1865, p. 83 ; et Madaus, *op. cit.* [36], p. 2503.
42. Dr Weihe, « Use of Ergot in Inducing Abortion », *LMG,* 18, 1836, p. 543.
43. James Whitehead, *On the Causes and Treatment of Abortion and Sterility,* Londres, 1847, p. 254.
44. John H. Morgan, « An Essay on the Causes of the Production of Abortion among Our Negro Population », *Nashville Journal of Medicine and Surgery,* 19, 1860, p. 120.
45. Ernest Guenther, *Essential Oils,* 6 vol., New York, Van Nostrand, 1948-1952, t. III, p. 383-384 ; et Otto Gessner, *Gift- und Arzneipflanzen von Mitteleuropa,* 3e éd., Heidelberg, Winter, 1974, p. 311-312.
46. Lafeuille, *la Vérité sur l'avortement,* Paris, sans date, p. 100.
47. Dr Moïssidès, « Contribution à l'étude de l'avortement dans l'Antiquité grecque », *Janus,* 26, 1922, p. 143 ; Madaus, *op. cit.* [36], p. 2373-2376 ; P. Fournier, *le Livre des plantes médicinales et vénéneuses de France,* 3 vol., Paris, 1947-1948, t. III, p. 357-358 ; et Elseluise Haberling, *Beiträge zur Geschichte des Hebammenstandes,* I : *Der Hebammenstand in Deutschland von seinen Anfängen bis zum Dreissigjährigen Krieg,* Berlin, 1940, p. 71.
48. Jean Renaux, « A propos des propriétés abortives des essences de rue et de sabine », *Archives internationales de pharmacodynamie,* 66, 1941, p. 472.
49. T. Hélie, « De l'action vénéneuse de la rue et de son influence sur la grossesse », *Annales d'hygiène et de médecine légales,* 20, 1838, p. 181-182. Pour le point de vue selon lequel la rue agissait en tant que toxique, voir T. Gallard, *De l'avortement au point de vue médico-légal,* Paris, 1878, p. 20.
50. André Patoir *et alii,* « Étude expérimentale comparative de quelques abortifs », *Gynécologie et Obstétrique,* 39, 1939, p. 201.
51. Saha, art. cité [32], p. 140 ; Andrée Levesque, « Grandmother Took Ergot », *Broadsheet,* nov. 1976, p. 30 ; Rudolf Temesvary, *Volksbräuche und Aberglaube in der Geburtshilfe und der Pflege des Neugebornen in Ungarn,* Leipzig, 1900, p. 18 ; et Morgan, art. cité [44], p. 118.
52. Louis Caradec, *Topographie médico-hygiénique du département du Finistère,* Brest, 1860, p. 337.
53. Heinrich Marzell, *Volksbotanik : die Pflanze im deutschen Brauchtum,* Berlin, 1935, p. 106 (« Verwendung nur für Liebhaber »).
54. Torald Sollmann, *A Manual of Pharmacology,* 6e éd., Philadelphie, 1942, p. 168.
55. Morgan, art. cité [44], p. 117-118.
56. R. Frank Chandler *et alii,* « Herbal Remedies of the Maritime Indians », *Journal of Ethnopharmacology,* 1, 1979, p. 62 ; et George A. Conway et John C. Slocumb, « Plants Used as Abortifacients and Emmenagogues by Spanish New Mexicans », *Journal of Ethnopharmacology,* 1, 1979, p. 62 et 253.
57. Ely Van de Warker, *The Detection of Criminal Abortion,* 1872, rééd. New York, Arno Press, 1974, p. 73.
58. Frederick Taussig, *Abortion, Spontaneous and Induced : Medical and Social Aspects,* Saint Louis, 1936, p. 353.
59. Saha, art. cité [32], p. 141.
60. Sainte Hildegarde mentionnée dans Fournier, *op. cit.* [47], t. I, p. 394.
61. Renaux, art. cité [48], p. 472 ; Lucy Prochnow, « Experimentelle Beiträge zur Kenntnis der Wirkung der Volksabortiva », *Archives internationales de pharmacodynamie,* 12, 1911, p. 317 ; voir aussi André Patoir *et alii,* art. cité [50], p. 204-205, qui conclut, sur la base d'expériences faites sur des cobayes et des lapines, que la sabine est une plante toxique et non abortive.
62. Cité par Heinrich Lehmann, *Beiträge zur Geschichte von... Juniperus Sabina,* thèse de doctorat, Bâle, 1935, p. 132-133. Voici l'original : « Zuletst so verfüren die jüngen huren / geben jnen Seuenpalmen depulvert / oder darüber zu trincken / dardurch vil kinder verderbt werd. Zu solchem handel gehört ein scharpffer Inquisitor und meyster. »

63. Cité dans Louis Lewin, *Die Fruchtabtreibung durch Gifte und andere Mittel*, 3ᵉ éd., Berlin, 1922, p. 328.
64. Von Oefele, art. cité [34], p. 490.
65. Marzell, *op. cit.* [53], p. 180.
66. G. Lammert, *Volksmedizin und medizinischer Aberglaube in Bayern*, Würzburg, 1869, p. 162 ; et Lewin, *op. cit.* [63], p. 328.
67. Augustus Granville, *A Report of the Practice of Midwifery at the Westminster General Dispensary during 1818*, Londres, 1819, p. 148.
68. Raimund Werb, *Die Wandlung der Abtreibungsmethoden und ihre forensische Bedeutung*, thèse de médecine, Marbourg, 1936, p. 17.
69. Jonas Frykman, « Sexual Intercouse and Social Norms : a Study of Illegitimate Births in Sweden, 1831-1933 », *Ethnologia Scandinavica*, 1975, p. 135.
70. Lewin, *op. cit.* [63], p. 333-335.
71. Rudolph Lex, « Die Abtreibung der Leibesfrucht », *Vierteljahrsschrift für gerichtliche und öffentliche Medicin*, NF, 4, 1866, p. 239-240.
72. M. Kronfeld, « Volksthümliche Abortiva und Aphrodisiaca in Oesterreich », *Wiener medizinische Wochenschrift*, 2 nov. 1889, p. 1699 (« so geläufig wie das Einmaleins »).
73. Voir Guenther, *op. cit.* [45], t. I, p. 68-77.
74. Madaus, *op. cit.* [365], t. I, p. 319.
75. Thomsen, art. cité [17], p. 325.
76. Roger Goulard, « Avorteurs et avorteuses à la Bastille », *Bulletin de la Société française d'histoire de la médecine*, 15, 1921, p. 267-282.
77. Hermann W. Freund, « Das Hebammenwesen », dans *Topographie der Stadt Strassburg*, sous la direction de Joseph Krieger, Strasbourg, 1889, p. 303.
78. Dʳ Coutèle, *Observations sur la constitution médicale de l'année 1808 à Albi*, Albi, 1809, p. 101.
79. Johann Ludwig Casper, *Practisches Handbuch der gerichtlichen Medicin*, 4ᵉ éd., 2 vol., Berlin, 1864, t. I, p. 236.
80. Otto Stoll, *Die Erhebungen über Volksmedizin in der Schweiz*, Zurich, 1901, p. 13, repris de *Schweiz. Archiv für Volkskunde*, 5, 1901.
81. De La Motte, *op. cit.* [30], p. 285-286.
82. Joseph Capuron, *la Médecine légale relative à l'art des accouchements*, Paris, 1821, p. 314.
83. Henry Oldham, « Clinical Lecture on the Induction of Abortion in a Case of Contracted Vagina from Cicatrization », *LMG*, NS, 9, 1849, p. 45-46.
84. Tardieu, *op. cit.* [9], p. 118.
85. Dʳ Martin, *Mémoires de médecine*, Paris, 1835, p. 288-289.
86. Joubert, article « Fausse couche » in l'*Encyclopédie*, vol. 6, 1766, p. 452.
87. Sir Bernard Spilsbury devant la Medico-Legal Society, *BMJ*, 2 févr. 1929, p. 203.
88. Great Britain, Ministry of Health, *Report on Maternal Mortality in Wales*, Londres, Cmd 5423, 1937, p. 70.
89. Leopold Kohn, *Beitrag zum suspeketen und kriminellen Abort an Hand von 76 Fällen der Zürcher Frauenklinik*, thèse de médecine, Zurich, 1917, p. 14.
90. A. Haberda, « Gerichtsärztliche Erfahrungen über die Fruchtabtreibung in Wien », *Vierteljahrsschrift für gerichtliche Medizin*, 3 F, 56, 1918, suppl., p. 56-57.
91. Atle Berg, « Statistische Untersuchungen der von 1920 bis 1929 im Städtischen Krankenhaus Ullevaal in Oslo behandelten Aborte », *Acta Obstetricia et Gynecologica Scandinavica*, 11, 1931, p. 69-70.
92. Thomas V. Pearce, « Three Hundred Cases of Abortion », *JOB*, 37, 1930, p. 797.
93. P. Balard, compte rendu dans *la Presse médicale*, 9 janv. 1937, p. 49.
94. Sur la région de Kiel, voir Elisabeth Baldauf, *Die Frauenarbeit in der Landwirtschaft*, thèse d'État, Kiel, 1932, p. 57.
95. Ralph Benson, *Handbook of Obstetrics and Gynecology*, 6ᵉ éd., Los Altos (Californie), Lange, 1977, p. 260 ; et C.J. Roberts et C.R. Lowe, « Where Have all the Conceptions Gone ? », *Lancet*, 1ᵉʳ mars 1975, p. 498-499.

NOTES DU CHAPITRE 8

96. Rapporté dans Erik Lindqvist, *Uber die Aborte in Malmö, 1897-1928*, Helsinki, 1931, p. 241.
97. Rapporté dans Emil Bovin, « Die Resultate exspektativer Behandlung... », *Acta Gynecologica Scandinavica*, 3, 1924-1925, p. 107.
98. Communication du Dr Blondel à la Société d'obstétrique de Paris, *la Presse médicale*, 26 mars 1902, p. 296.
99. E. Roesle, « Die Ergebnisse der Magdeburger Fehlgeburten-statistik », *Statistisches Jahrbuch der Stadt Magdeburg*, 1927, p. 135.
100. Voir, par exemple, Josef Krug, « Die Fehlgeburten im Deutschen Reich », *Münchener medizinische Wochenschrift*, 15 nov. 1940, p. 1277 ; et Roesle, art. cité [99], p. 137.
101. Lindqvist, *op. cit.* [96], p. 243.
102. Rapporté par W. Latzko, « Die Behandlung des fieberhaften Abortus », *ZBG*, 45, 1921, p. 426.
103. Karl Freudenberg, « Berechnungen über die Häufigkeit der tödlichen Fehlgeburten in Deutschland », *Münchener medizinische Wochenschrift*, 6 mai 1932, p. 759. D'autres auteurs avancent des estimations moins vraisemblables, supérieures de milliers d'unités à celle-ci. Voir L. Bouchacourt, « A propos de quelques cas récents de poursuites judiciaires pour avortement clandestin », *Journal des praticiens*, 44, suppl., 1930, p. 1884 ; et P. Pankow, « Strafbare und straflose Schwangerschaftsunterbrechungen », *Deutsche medizinische Wochenschrift*, 12 oct. 1928, p. 1713.
104. Exemples tirés de Sigismund Peller, *Fehlgeburt und Bevölkerungsfrage*, Stuttgart, 1930, p. 141 ; Wilhelm Liepman, « Die Gefahren des Aborts », *Deutsche medizinische Wochenschrift*, 1er mars 1929, p. 351 ; et Bouchacourt, *ibid.*, p. 1884, n. 1.
105. F. Pietrusky, « Zur Frage der kriminellen Fruchtabtreibung », *Deutsche Zeitschrift für die gesamte gerichtliche Medizin*, 14, 1929, p. 54-55.
106. Great Britain, Ministry of Health, *Maternal Mortality in Wales*, p. 74.
107. Friedrich Moser, *Über Morbidität und Mortalität bei Abortus*, thèse de médecine, Berne, 1900, p. 23 ; J.M. Munro Kerr, *Maternal Mortality and Morbidity*, Édimbourg, 1933, p. 46 ; et Taussig, *op. cit.* [58], p. 382.
108. Voir les statistiques de Wilhelm Liepmann, *Die Abteibung*, Berlin, 1927, p. 6. Hugo Lappin présente toute une série d'études dans *Statistik der Aborte in den Jahren 1925-1926*, thèse de médecine, Munich, 1927, p. 15-16.
109. Roesle, art. cité [99], p. 137 ; et Ernst Brezina et Valerie Reuterer, « Uber den Abortus in Österreich », *Archiv für Hygiene*, 14, 1935, p. 335.
110. Taussig, *op. cit.* [58], p. 386-387 ; Hans Nevermann, « Zur Frage der Mortalität durch Schwangerschaft, Geburt und Wochenbett », *ZBG*, 52, 1928, p. 2357 ; et Great Britain, Ministry of Health, Home Office, *Report of the Interdepartmental Committee on Abortion*, Londres, 1939, p. 15, sur les sulfamides.
111. Dr Fuchs, « Wandlungen des Abortusproblems », *ZBG*, 55, 1931, p. 1921.
112. A propos des médecins pratiquant illégalement l'avortement au début du siècle, voir, par exemple, John A. Lyons, « Premature Interruption of Pregnancy », *AJO*, 56, 1907, p. 682 ; Frank H. Jackson, « Criminal Abortion », *AJO*, 58, 1909, p. 663 ; H. Wellington Yates, « Treatment of Abortion », *AJO-G*, 3, 1922, p. 43-45 ; Edward Weiss, *AJO-G*, 3, 1922, p. 82 ; Max Nassauer, *Der moderne Kindermord*, Leipzig, 1919, p. 18 ; Adolphe Pinard, *Revue pénitentiaire et de droit pénal*, 41-42, 1917, p. 186.
113. Voir estimations de Max Hirsch, *Fruchtabtreibung*, Stuttgart, 1921, p. 2-8.
114. Données sur Berlin (1882-1915) dans Karl Hartmann, *Die Häufigkeit des Abortes : ein statistischer Beitrag aus der Universitätsfrauenklinik in Marburg*, thèse de médecine, Marbourg, 1919, p. 13-14. Pour 1915-1916, d'après Agnes Bluhm, « Zur Kenntnis der Gattungsleistungen der Industriearbeiterinnen im Kriege », *Archiv für Rassen- und Gesellschaftsbiologie*, 13, 1921, p. 76 ; voir aussi Bleichröder, « Über die Zunahme der Fehlgeburten in den Berliner städtischen Krankenhäusern », *Berliner klinische Wochenschrift*, 9 mars 1914, p. 452 ; C. Hamburger, *Berliner klinische Wochenschrift*, 20 nov. 1916, p. 1269 ; Freudenberg, art. cité [103].
115. Sigismund Peller, « Studien zur Statistik des Abortus », *ZBG*, 53, 1929, p. 2221 (femmes mariées accouchant pour la seconde fois à la clinique Piskacek de Vienne).

333

NOTES DU CHAPITRE 8

116. P.E. Treffers, « Abortion in Amsterdam », *Population Studies,* 20, 1966-1967, p. 300 (données relatives à des femmes admises en obstétrique dans un hôpital d'Amsterdam).

117. Virginia Clay Hamilton, « Some Sociologic and Psychologic Observations on Abortion : a Study of 537 Cases », *AJO-G,* 39, 1940, p. 290 (femmes déclarées « non enceintes » dans 67 cas).

118. Lisbeth Burger, *Vierzig Jahre Storchentante : aus dem Tagebuch einer Hebamme,* Breslau, 1936, p. 227.

119. Cité dans Madeleine Simms, « Midwives and Abortion in the 1930's », *Midwife and Health Visitor,* 10, 1974, p. 115.

120. Voir, par exemple, Linda Gordon, *Woman's Body, Woman's Right : a Social History of Birth Control in America,* New York, Viking/Grossman, 1976, p. 35-45.

121. Heinrich Fasbender, *Geschichte der Geburtshilfe,* Iéna, 1906, p. 859, note que c'est l'Anglais Robert Lee qui aurait utilisé le premier ce procédé.

122. W. Schütte, « Die Fruchtabtreibung durch innerlich gereichte Abortivmittel und durch den Einhautstich », *Zeitschrift für die Staatliche Arzneikunde,* 46 Ergänzungsheft, 1855, p. 106.

123. Ferdut, *op. cit.* [41], p. 86.

124. Frederic Griffith, « Instruments for the Production of Abortion Sold in the Market-Places of Paris », *Medical Record,* 30 janv. 1904, p. 171-172.

125. Franz Maria Feldhaus, *Die Technik der Vorzeit, der geschichtlichen Zeit und der Naturvölker,* Munich, Moos, 1965, p. 1074 (article intitulé « Spritze »).

126. Décrites, par exemple, dans Elisabeth Bennion, *Antique Medical Instruments,* Londres, Sotheby, 1979, p. 169-175.

127. Historique retracé dans Fasbender, *op. cit.* [121], p. 858-862.

128. J. Lazarewitch, « Induction of Premature Labour by Injection to the Fundus of the Uterus », *Transactions, Obstetrical Society of London,* 9, 1867, p. 161-202. Je dois cette source à Susan Lawrence.

129. Ferdut, *op. cit.* [41], p. 85.

130. Tardieu, *op. cit.* [9], p. 66-67.

131. W. Benthin, « Uber kriminelle Fruchtabtreibung », *ZGH,* 77, 1915, p. 597.

132. Arthur Horvat, « Beitrag zur Statistik krimineller Aborte », *MGH,* 59, 1922, p. 281.

133. Haberda, art. cité [90], p. 82.

134. Hans Schneickert, « Die gewerbsmässige Abtreibung und deren Bekämpfung », *Monatsschrift für Kriminalpsychologie,* 2, 1905-1906, p. 630-631 (« Neuerdings kommen auch Gummispritzen in den Handel »).

135. Konstantin Inderheggen, *Das Delikt der Abtreibung im Landgerichtsbezirk M.-Gladbach in der Zeit von 1908 bis 1938,* thèse d'État, Bonn, 1939, p. 42. Par « procédés mécaniques », dans ce contexte, il faut entendre essentiellement la seringue. Je dois cette référence à l'un de mes étudiants, James Woycke, qui prépare une thèse de doctorat sur l'évolution des pratiques de limitation des naissances en Allemagne ; voir aussi Pierre-Louis Duclerget, *Contribution à l'étude de l'avortement criminellement provoqué,* thèse de médecine, Nancy, 1922, p. 57. Tous les cas signalés ne viennent pas de cet hôpital.

136. Voir, par exemple, les remarques d'Adolphe Pinard dans *la Presse médicale,* 18 mars 1905, p. 175 ; Max Gerstmann, « Statistisches über Aborte », *MGH,* 68, 1925, p. 221.

137. Voir Jahns, *op. cit.* [3], p. 53, par exemple.

138. Pour plus de précisions, voir Hans-Georg Heinemann, *An der Rostocker Universitäts-Frauenklinik beobachtete Perforationen des graviden Uterus bei Abortusausräumung (1920-1930),* thèse de médecine, Rostock, 1931 ; Erich Münchmeyer, *Uber die pathologischanatomischen Befunde der im Gerichtlich-medizinischen Institut zu München vorliegenden Fälle von tödlich verlaufener Fruchtabtreibung,* thèse de médecine, Munich, 1927 ; et Judith Traube, *Über die Perforation des Uterus mit der Kornzange bei Aborten,* thèse de médecine, Berlin, 1912.

139. Voir également Alfred Percheval, *Des manœuvres abortives chez les femmes qui*

334

ne sont pas enceintes, thèse de médecine, Paris, 1911, p. 45 ; et Arthur Schönbek, « Ein Fall von kriminellem Abortus », *ZBG*, 29, 1905, p. 1497-1498.

140. On trouvera des exemples dans Münchmeyer, thèse citée [138], *passim*; et dans Weissenrieder, « Fruchtabtreibung Tod durch Luftembolie », *Zeitschrift für Medizinalbeamte*, 23, 1910, p. 585-593.

141. Fr. Thomä, « Abtreibungsversuch bei fehlender Schwangerschaft », *ZBG*, 36, 1912, p. 1429-1431.

142. Voir note de Doléris in *la Presse médicale*, 18 févr. 1905, p. 111 ; Griffith, art. cité [124], p. 172 ; et W. Benthin, « Über kriminelle Fruchtabtreibung », *ZGH*, 77, 1915, p. 626 (« Leider sind die Spritzen in den Drogerien, bei Bandagisten, selbst in den Friseurgeschäften gegen ein geringes Entgelt erhältlich »).

143. Pinard, art. cité [112], p. 174.

144. Petzsch, *Abtreibung und Findelhäuser*, Greifswald, 1929, p. 16 ; A. Grotjahn, *Geburten-Rückgang und Geburten-Regelung*, Berlin, 1921, p. 72-73 ; et citation de Benthin, art. cité [142], p. 609.

145. Kohn, thèse citée [89], p. 13 ; Duclerget, thèse citée [135], p. 60 ; sur Königsberg, voir Walter Offermann, « Beitrag zur Behandlung des fieberhaften Abortes und einiges über die kirminellen Aborte überhaupt », *ZGH*, 84, 1921, p. 382 ; et Hans Reichling, *Abortivmittel und Methoden des kriminellen Aborts im Landgerichtsbezirk Essen*, thèse de médecine, Münster, 1939, p. 19-20. Je dois cette source à James Woycke.

146. H. Fr. Harbitz, « Aetiologische und klinische Untersuchungen von Aborten », *Acta Obstetricia et Gynecologica Scandinavica*, 11, 1931, p. 51 ; et H.S. Pasmore, « A Clinical and Sociological Study of Abortion », *JOB*, 44, 1937, p. 459.

147. Gordon, *op. cit.* [120], p. 64-66 ; il n'est pas fait de distinction entre douche vaginale et utérine.

148. Procédé décrit dans Haberda, art. cité [90], p. 83-86.

149. Cité dans J. Milton Mabbott, « The Regulation of Midwives in New York », *AJO*, 55, 1907, p. 520. Sur Portland, voir Raymond E. Watkins, « A Five-Year Study of Abortion », *AJO-G*, 26, 1933, p. 162.

150. Voir Horatio R. Storer, « The Use and Abuse of Uterine Tents », *American Journal of the Medical Sciences*, NS, 37, 1859, p. 59 ; et J.M. Munro Kerr, *Operative Midwifery*, 2ᵉ éd., Londres, 1911, p. 449. Je remercie Susan Lawrence de m'avoir fait connaître ces sources, ainsi que celle qui suit.

151. W. Edward Pritchard, « Abortion Procured by Tents of Common Sea Tangle », *Transactions, Obstetrical Society of London*, 5, 1863, p. 198-199.

152. T. Gallard, *l'Avortement au point de vue médico-légal*, Paris, 1878, p. 29.

153. Selon le Dʳ Kiefer, *ZBG*, 50, 1926, p. 2216.

154. Janet CampBell, s.d., *High Maternal Mortality in Certain Areas*, Londres, Ministry of Health, Reports on Public Health, nᵒ 60, 1932, p. 82. L'auteur ignore manifestement l'usage exact de l'écorce, qu'il prend pour une drogue.

155. Rapport interministériel britannique, *op. cit.* [110], p. 62.

156. On la trouvera décrite dans Harold Speert, *Iconographia Gyniatrica : a Pictorial History of Gynecology and Obstetrics*, Philadelphie, Davis, 1973, p. 463.

157. Sur l'histoire de la curette utérine, je dois beaucoup à un texte non publié de Susan Lawrence, « Instrumental Therapeutic Abortion and Induction of Premature Labor in Nineteenth Century », 1978.

158. Le premier texte en date mentionné sur ce sujet dans le *Surgeon General's Index*, vol. 19, 1914, est celui de V.-L.-S. Chandelier, *Du curettage total de l'utérus comme méthode d'avortement provoqué*, Lille, 1896. Paul F. Mundé, dans son important article de 1878 sur la question, ne mentionne pas le curetage comme procédé d'avortement : « The Dull Wire Curette in Gynecological Practice », *Transactions, Edinburgh Obstetrical Society*, 5, 1877-1880, p. 48-64.

159. Voir Davis B. Hart, *Guide to Midwifery*, Londres, 1912, p. 415.

160. Nicholson J. Eastman, *Williams Obstetrics*, 10ᵉ éd., New York, Appleton-Century-Crofts, 1950, p. 1045.

161. Cité dans Roger Darquenne, « L'obstétrique aux xvıııᵉ et xıxᵉ siècles », in

NOTES DU CHAPITRE 8

*Écoles et Livres d'école en Hainaut du xvf au xix*e* siècle,* Mons, Éd. universitaires, 1971, p. 306.
162. Grotjahn, *op. cit.* [144], p. 58.
163. R. Hoffstätter, « Tentamen abortus provocandi deficiente graviditate », *Beiträge zur gerichtlichen Medizin,* 5, 1922, p. 36-37.
164. Gallard, *op. cit.* [152], p. 29. Il ressort clairement du texte que l'hystéromètre en question est en fait une curette utérine.
165. Reichling, thèse citée [145], p. 23.
166. M. Magid et N. Pantschenko, « Versuche der Fruchtabtreibung und intrauterine Eingriffe bei ektopischer Schwangerschaft », *ZBG,* 57, 1933, p. 706.
167. On a sur ce sujet une littérature considérable. Voir, par exemple, Arthur Stein, « Attempted Abortion in the Absence of Uterine Pregnancy », *AJO,* 75, 1917, p. 644-651 ; et Hans Hermann Schmid, « Tentamen abortus provocandi deficiente graviditate », *ZBG,* 36, 1912, p. 1457-1461.
168. Propos du Dr Hammerschlag lors d'un débat, *ZBG,* 50, 1926, p. 2216 (« Die Abtreiber infizieren, die Arzte verletzen »).
169. Sur cette progression, voir Werb, *op. cit.* [68], p. 44.
170. Heinemann, *op. cit.* [138], p. 2.
171. Voir Jalmar H. Simons sur Minneapolis, « Statistical Analysis of One Thousand Abortions », *AJO-G,* 37, 1939, p. 843 (33 % des avortements obtenus par des drogues, principalement l'ergot et la quinine) ; et Virginia Clay Hamilton, « The Clinical and Laboratory Differentiation of Spontaneous and Induced Abortion », *AJO-G,* 41, 1941, p. 62, 64 et 65.
172. Voir Kohn, *op. cit.* [89], p. 13 (24 %) ; sur Königsberg, Benthin, art. cité [142], p. 595-596 (120 cas) ; Helmuth Hahn, *Gerichtärztliche Erfahrungen über den kriminellen Abort am Landgericht Göttingen in den Jahren 1909-1919,* thèse de médecine, Göttingen, 1920, p. 18 (98 cas) ; Ernst Puppel, « Der kriminelle Abort in Thüringen, 1915-1926 », *Deutsche Zeitschrift für die gesamte gerichtliche Medizin,* 12, 1928, p. 578 (« très rare ») ; Inderheggen, thèse citée [135], p. 38 (12 %) ; Reichling, thèse citée [145], p. 19-20 (219 cas, 11 %) ; sur Elisabethgrad (par la suite Kirovgrad), S. Weissenberg, « Hundert Fehlgeburten, ihre Ursachen und Folgen », *Archiv für Rassen- und Gesellschafts-Biologie,* 7, 1910, p. 609-610 (49 cas, 45 %) ; et H. Fr. Harbitz, art. cit. [146], p. 51 (parmi les 159 qui reconnurent s'être fait avorter, 19 %).
173. Cité dans Ethel M. Elderton, *Report on the English Birthrate,* Londres, 1914, p. 137.
174. Simms, art. cité [119], p. 114.
175. Great Britain, Ministry of Health, Home Office, rapport cité [110], p. 41.
176. Hans Zahler, *Die Krankheit im Volksglauben des Simmenthals,* Berne, 1898, p. 56.
177. Margarete Möckli von Seggern, *Arbeiter und Medizin : die Einstellung des Zürcher Industriearbeiters zur wissenschaftlichen und volkstümlichen Heilkunde,* Bâle, Krebs, 1965, p. 148.
178. Rudolf Kobert, *Lehrbuch der Intoxikationen,* 2 vol., Stuttgart, 1902-1906, t. II, p. 598-599.
179. Sur le frelatage du safran, voir Madaus, *op. cit.* [36], t. II, p. 1124. Sur l'inefficacité du safran en Thuringe, sans doute par suite de frelatage, voir Leubuscher, art. cité [11], p. 1.
180. Ant. Joseph Scholz, *Pharmazeutisch-gebräuchliche Coniferen-Blattdrogen insbesondere Juniperus Sabina und seine Verfälschungen,* thèse de doctorat, Bâle, 1923, p. 55.
181. André Patoir *et alii,* « Sur l'emploi fréquent des toxiques végétaux dits abortifs », *La presse médicale,* 3-6 déc. 1941, p. 1292.
182. Voir, entre autres enquêtes, « Quacks and Abortion : a Critical and Analytical Inquiry », *Lancet,* 10 déc. 1898, p. 1570-1571 ; 17 déc., p. 1652-1653 ; 24 déc., p. 1723-1725 ; 31 déc., p. 1807-1809 ; « The Composition of Certain Secret Remedies », *BMJ,* 7 déc. 1907, p. 1653-1658 ; British Medical Association, *More Secret Remedies : what they Cost and what they Contain,* Londres, 1912, p. 184-209 ; remarques de G. Roche Lynch

NOTES DU CHAPITRE 8

dans *BMJ*, 2 févr. 1929, p. 204 ; Martin Cole et A.F.M. Brierley, « Abortifacient Drugs », *Journal of Sex Research*, 4, 1968, p. 16-25 ; P.S. Brown, « Female Pills and the Reputation of Iron as an Abortifacient », *Medical History*, 21, 1977, p. 291-304 ; Arthur J. Cramp, *Nostrums and Quackery*, Chicago, 1921, t. II, p. 160-182, et *Nostrums and Quackery and Pseudo-Medicine*, 1936, t. III, p. 64-66 ; et A. Beythien et H. Hempel, « Über die Tätigkeit des Chemischen Untersuchungsamtes der Stadt Dresden im Jahre 1914 », *Pharmazeutische Zentralhalle*, 56, 1915, p. 372.

183. Voir remarques de Bernard Spilsbury in *BMJ*, 2 févr. 1929, p. 203.

184. Sur la Suède, voir G. Hedrén, « Zur Statistik und Kasuistik der Fruchtabtreibung », *Vierteljahrsschrift für gerichtliche Medizin*, 3ᵉ série, 29, 1905, p. 55.

185. Kobert, *op. cit.* [178], t. II, p. 283.

186. Hedrén, art. cité [184], p. 50-55 ; Lewin, *op. cit.* [63], p. 248-256 ; et Werb, thèse citée [68], p. 7-8.

187. Hedrén, *ibid.*, p. 52. Selon Kobert, *op. cit.* [178], t. II, p. 285, la dose mortelle était de cinquante allumettes.

188. Lewin, *op. cit.* [63], p. 276.

189. Dawson, *op. cit.* [26], p. 99.

190. Lewin, *op. cit.* [63], p. 281.

191. Arthur Hall et W.B. Ransom, « Plumbism from the Ingestion of Diachylon as an Abortifacient », *BMJ*, 24 févr. 1906, p. 428.

192. G. Schwarzwaeller, « Zur Fruchtabtreibung durch Gifte », *Berliner klinische Wochenschrift*, 18 févr. 1901, p. 194.

193. Morris M. Datnow, « An Experimental Investigation Concerning Toxic Abortion Produced by Chemical Agents », *JOG*, 35, 1928, p. 710 et *passim*.

194. Great Britain, Ministry of Health, Home Office, rapport cité [110], p. 56-57.

195. Lynch, art. cité [182], p. 204.

196. Pearce, art. cité [92], p. 782.

197. Voir, pour l'essentiel, Issekutz, *op. cit.* [39], p. 45-53 ; ou, en anglais, Louis S. Goodman et Alfred Gilman, *The Pharmacological Basis of Therapeutics*, 5ᵉ éd., New York, Macmillan, 1975, p. 1062.

198. Cité dans Madaus, *op. cit.* [36], t. I, p. 350.

199. Issekutz, *op. cit.*, [39], p. 46-47.

200. Lewin, *op. cit.* [63], p. 364, rapportant des expériences françaises des années 1870.

201. *Sixth Report of the Medical Officer of the Privy Council, 1863*, Londres, 1864, p. 457, citant un rapport du Dʳ Henry J. Hunter sur la surmortalité infantile dans certaines régions rurales d'Angleterre.

202. Oefele, art. cité [34], p. 493.

203. National Birth Rate Commission, *The Declining Birth-Rate, its Causes and Effects*, 2ᵉ éd., Londres, 1917, p. 274.

204. R.M. Mayer, « Tod nach Fruchtabtreibung mit Chinin », *Archiv für Toxikologie*, 6, 1935, p. 37.

205. Simons, art. cité [171], p. 843.

206. Simms, art. cité [119], p. 114.

207. Great Britain, Ministry of Health, Home Office, rapport cité [110], p. 42.

208. Rapporté dans *la Presse médicale*, 7 janv. 1903, p. 28.

209. Voir K. Hofbauer, « Betrachtungen zur Chininwirkung am Herzen bei einer Chininintoxikation nach Abortversuch », *Wiener medizinische Wochenschrift*, 106, 1956, p. 377 ; et K. Willner et L. Heinrichs, « Subakute tödliche Chininvergiftung nach Abortversuch », *Archiv für Toxikologie*, 19, 1961, p. 224-225.

210. M. Canale, « Clinica degli avvelenamenti da abortivi chimici », *Minerva ginecologica*, 21, 1969, p. 1184 ; Lewin, *op. cit.* [63], p. 364 ; et Edgar Rentoul et Hamilton Smith, *Glaister's Medical Jurisprudence and Toxicology*, 13ᵉ éd., Édimbourg, Churchill, 1973, p. 386.

211. Moïssidès, art. cité [47], p. 143.

212. Daniel Fabre et Jacques Lacroix, *la Vie quotidienne des paysans du Languedoc au xixᵉ siècle*, Paris, Hachette, 1973, p. 190.

213. Madaus, *op. cit.* [36], t. III, p. 2091.
214. Cité dans Siegmar Schultze (pseudonyme : D' Aigrement), *Volkserotik und Pflanzenwelt,* 2 vol., Halle, 1908-1909, t. I, p. 139.
215. Madaus, *op. cit.* [36], t. III, p. 2092 ; et Schneider, *op. cit.* [35], t. III, p. 43.
216. Voir A. Tschirch, *Handbuch der Pharmakognosie,* 3 vol., Leipzig, 1907-1927, t. II, p. 1260 ; et aussi Carl Stange, « Bemerkungen über die ätherischen Oele... des Petersiliensamens », *Repertorium für die Pharmacie,* 15, 1823, p. 108-109.
217. Voir Joret et (Augustin ?) Homolle, *Mémoire sur l'apiol,* Paris, 1855, p. 6-7 et 43-44.
218. Thomas Sanctuary, « Concerning the Action of Certain Remedies in " Functional " Amenorrhea », *Lancet,* 10 janv. 1885, p. 59. Parmi d'autres sources sur l'efficacité de l'apiol en tant qu'emménagogue, voir I. Galligo, « Studj Terapeutici Sull'Apiolo », *Imparziale,* 1, 1861-1862, p. 7 ; Marotte, « De l'utilité de l'apiol dans l'aménorrhée et la dysménorrhée », *Bulletin de thérapeutique médicale,* 65, 1863, p. 295-349 ; V.-A. Fauconneau-Dufresne, *De l'emploi de l'apiol,* Paris, 1876, p. 10-16 ; et A. Lamouroux, *Étude sur l'apiol,* Paris, 1881, conclusions de la p. 16.
219. Roberts Bartholow, *Practical Treatise on Materia Medica and Therapeutics,* 3ᵉ éd., New York, 1879, p. 512.
220. « Quacks and Abortion », *Lancet,* 10 déc. 1898, p. 1570 ; 24 déc. 1898, p. 1725.
221. George B. Wood et Franklin Bache, *The Dispensatory of the United States,* 12ᵉ éd., Philadelphie, 1868, p. 640-641.
222. Mentionné dans *Pharmazeutische Zentralhalle,* 41, 1900, p. 784.
223. William Martindale, *The Extra Pharmacopoeia,* 4ᵉ éd., Londres, 1885, p. 80-81.
224. Lamouroux, *op. cit.* [218], p. 3.
225. Sur sa présence épisodique au Codex, voir Raymond-Jean-Paul Quilichini, *Contribution à l'étude analytique de l'apiol,* thèse de médecine, Bordeaux, 1952, p. 61-62.
226. Mentionné dans *Pharmaceutical Journal,* 90, 1943, p. 130.
227. *Jahresbericht über die Fortschritte der Pharmacognosie,* NF, 18-19, 1883-1884, p. 706 ; c'est la première fois que l'apiol est mentionné dans le *Jahresbericht,* dont la publication débute en 1866.
228. *Merck Index of Chemicals and Drugs,* Rahway (New Jersey), 1889, p. 20.
229. *Pharmazeutische Zentralhalle,* 44, 1903, p. 8.
230. Mentionné dans *Pharmazeutische Zentralhalle,* 53, 1912, p. 1039.
231. Werb, *op. cit.* [68], p. 18-19.
232. A. Beythien et H. Hempel, « Uber die Tätigkeit des Chemischen Untersuchungsamtes der Stadt Dresden im Jahre 1927 », *Pharmazeutische Zentralhalle,* 69, 1928, p. 340.
233. Pʳ Kochmann, « Anthemis nobilis und Apiol, sind sie Abortivmittel ? », *Archiv für Toxikologie,* 2, 1931, p. 36.
234. Walther Ripperger, *Grundlagen zur praktischen Pflanzenheilkunde,* Stuttgart, 1937, p. 297.
235. Note dans *Pharmazeutische Zeitung,* 80, 1935, p. 227.
236. G. Joachimoglu, « Apiolum viride als Abortivum », *Deutsche medizinische Wochenschrift,* 3 déc. 1926, p. 2080.
237. Ph. Chapelle, « L'apiol liquide, son long passé irréprochable et les graves accidents récents qu'on lui attribue faussement », *Journal de pharmacie et de chimie,* série 8, 18, 1933, p. 25 ; l'auteur représente une société de produits pharmaceutiques.
238. Patoir, art. cité [181], p. 1292.
239. Trillat *et alii,* « Un cas d'intoxication mortelle par l'apiol », *Bulletin de la société d'obstétrique et de gynécologie,* 1931, p. 615.
240. Nicolo Candela, « Sull'aborto criminoso con mezzi chimici », *Annali di ostetricia e ginecologia,* 50, 1928, p. 1519 ; et aussi Francesco d'Aprile, « Sull'aborto criminoso », *Annali di ostetricia e ginecologia,* 50, 1928, p. 1226.
241. E. Schifferli, « Einige Fälle von Abtreibung durch " Apiol "-Präparate », *Deutsche Zeitschrift für die gesamte gerichtliche Medizin,* 30, 1938, p. 55-58.

242. H. Jagdhold, « Apiol als Abortivum », *Archiv für Toxikologie*, 4, 1933, p. 126-127.

243. Voici les sources : Brenot, « Intoxication mortelle par l'apiol », *Journal suisse de pharmacie*, 3 janv. 1914, p. 6-7, résumé du compte rendu original, paru dans *la Bourgogne médicale*, 15 juillet 1913 ; d'Aprile, art. cité [240], signalant trois décès en Italie dans les années 1920 ; Trillat, art, cité [239], p. 615-616 ; L. Laederich *et alii*, « Intoxication mortelle par l'apiol », *Bulletins et Mémoires de la Société médicale des hôpitaux de Paris*, 3ᵉ série, 48, 1932, p. 746-757 ; A. Patoir et G. Patoir, « L'hépatonéphrite apiolique », *l'Écho médical du Nord*, 3ᵉ série, 4, 1935, p. 319 ; Pietro Piccioli, « Avvelenamento da apiolo ingerito a scopo abortivo », *Giornale del medico practico*, 19, 1937, p. 22-23 (décès imputé à l'apiol, mais l'autopsie révéla la présence de traces de persil dans l'intestin, ce qui fait penser à une intoxication par ingestion d'une décoction de persil) ; Adrien Debuirre, *Étude clinique et expérimentale des quelques produits abortifs d'origine végétale*, thèse de médecine, Lille, 1938, p. 20-22 ; Roger Papet, *A propos de quelques cas d'intoxication grave par ingestion d'apiol dans un but abortif*, thèse de médecine, Lyon, 1939, p. 32-33 ; Mauro Barni, « L'intossicazione da apiolo », *Minerva medicolegale*, 72, 1952, p. 6-7 ; Louis Lowenstein et Donald H. Ballew, « Fatal Acute Hemolytic Anemia... from Ingestion of a Compound Containing Apiol », *Canadian Medical Association Journal*, 1ᵉʳ févr. 1958, p. 195-196 (l' « Apergol » ingéré contenant également de la sabine et de l'ergotine, il n'est pas certain que l'intoxication ait été entièrement imputable à l'apiol) ; et Ch. Vitani, « Difficultés rencontrées à propos des avortements par toxiques », *Médecine légale et dommage corporel*, 2, 1969, p. 153-154.

244. Dans l'importante littérature italienne publiée sur la question après la Seconde Guerre mondiale, voir Armando Prassoli, « Su di un caso di avvelenamento mortale da ingestione a scopo abortivo di decotto di radici di prezzemolo », *Folia gynecologica*, 42, 1947, p. 257-278 ; Corrado Belvederi, « Su quattro casi di anuria postabortiva », *Rivista italiana di ginecologia*, 32, 1949, p. 349-370 ; Clemente Puccini, « Alcune considerazioni sugli avvelenamenti da apiolo », *Minerva medicolegale*, 81, 1961, p. 194-200 (l'autopsie révéla la présence d'apiol dans plusieurs organes, mais la victime ayant intégré une décoction de persil, le décès n'est peut-être pas à mettre au compte de l'apiol) ; Michele Mumolo, « Su di un caso di intossicazione acuta e mortale da apiolo », *Recenti Progressi in medicina*, 36, 1964, p. 139-151 (la victime avait avalé une décoction de persil, mais souffrait également d'endométrite ; apiol découvert à l'autopsie) ; et V. Mele, « Sulla intossicazione da prezzemolo usato come mezzo abortivo », *Folia medica*, 51, 1968, p. 601-613.

245. J. Chevalier, « A propos de l'apiol », *Bulletin général de thérapeutique médicale*, 158, 1909, p. 103.

246. Georg Strassmann, « Brauchbare und unbrauchbare Abtreibungsmittel », *MGH*, 75, 1926-1927, p. 82.

247. F. von Neureiter *et alii*, *Handwörterbuch der gerichtlichen Medizin*, Berlin, 1940, p. 58.

248. Gessner, *op. cit.* [45], p. 307.

249. Candela, art cité [240], cas 1 à 8 et obs. A et B, p. 1208-1215.

250. Rodolfo Marri, « Contributo alla farmacologia degli olii eterei : ricerche sperimentali sull'apiolo », *Archivio italiano di scienze farmacologiche*, 8, 1939, résumé des résultats p. 266.

251. Sur le rôle des lésions placentaires dans l'action abortive de l'apiol, voir André Patoir, « Intoxication apiolique expérimentale », *l'Écho médical du Nord*, NS, 6 1936, p. 650-651, et Patoir *et alii*, « Étude expérimentale », 39, 1939, p. 202-203 ; Armando Prassoli, « L'azione dell'apiolo sulla cellula coriale e sulla placenta della cavia », *Folia gynecologica*, 42, 1947, conclusions résumées p. 307.

252. *British Pharmaceutical Codex*, éd. 1949, p. 1443.

253. *Dispensatory of the United States*, éd. 1955, p. 1796.

254. Jagdhold expose son conflit avec le *Münchener medizinische Wochenschrift* à la page 126 ; sa défense de l'apiol parut dans *Archiv für Toxikologie* [242].

255. Lewin, *op. cit.* [63], 3ᵉ éd., p. 223 ; la 4ᵉ éd. (1925) ne développe pas davantage.

256. Éditorial in *Pharmaceutical Journal*, 17 juin 1939, p. 612.
257. G.R. Brown, communication personnelle, 2 juillet 1979.
258. Arthur Osol, communication personnelle, 9 juillet 1979.
259. Le premier compte rendu général de cette épidémie est celui de J.W.G. ter Braak, « Polyneuritis nach Gebrauch eines Abortivums », *Deutsche Zeitschrift für Nervenheilkunde*, 125, 1932. Puis vint Warner Naumann, « Uber Polyneuritiden nach Gebrauch von Apiol », *Archiv für Toxikologie*, 8 1937, p. 207-210. Sur l'épidémie américaine de « paralysie du gingembre », due également au phosphate de créosote, voir Manuel L. Weber, « A Follow-Up Study of Thirty-Five Cases of Paralysis Caused by Adulterated Jamaica-Ginger Extract », *United States Veterans' Administration Medical Bulletin*, 13, 1937, p. 228-242.
260. Voir note dans *AJO-G*, 28, 1934, p. 305.
261. Taussig, *op. cit.* [58], p. 353.
262. Voir J. R. Walmsley, « Apiol », *Quarterly Journal of Pharmacy*, 1, 1928, p. 388-394.
263. *Dispensatory of the United States*, éd. 1947, p. 1543.
264. Note sur les « huiles emménagogues » mentionnant également l'apiol, *JAMA*, 8 nov. 1913, p. 1725 ; citant à l'appui de sa thèse David I. Macht, « The Action of So-Called Emmenagogue Oils on the Isolated Uterus », *JAMA*, 12 juillet 1913, p. 105-107.
265. *Annual Reprint of the Reports of the Council on Pharmacy and Chemistry of the American Medical Association for 1923*, Chicago, 1924, p. 12-13 ; et Franz Berger, *Handbuch der Drogenkunde*, 7 vol., Vienne, Maudrich, 1949-1967, t. V, 1960, p. 330.
266. Torald Sollmann, *Manual of Pharmacology*, 6ᵉ éd., 1942, p. 168.

Chapitre 9

1. U.S. Department of Health and Human Services, *Vital Statistics of the United States*, 1978, vol. II, section 5 : *Life Tables*, Hyattsville, U.S. Department of Health and Human Services, pub. N° 81-1104, 1980, p. 4-5.
2. Ashley Montagu, *The Natural Superiority of Women*, New York, Macmillan, 1953, p. 80.
3. Sur la surlongévité masculine aujourd'hui dans les pays pauvres, voir G. Acsadi et J. Nemeskeri, *History of Human Life Span and Mortality*, Budapest, Akadémiai Kiado, 1970, p. 185, tableau 56.
4. On trouvera des chiffres sur un certain nombre de pays dans Fr. Oesterlen, *Handbuch der medicinischen Statistik*, Tübingen, 1865, p. 170-171.
5. *Ibid.*, p. 163.
6. Marilyn M. McMillen, « Differential Mortality by Sex in Fetal and Neonatal Deaths », *Science*, 6 avr. 1979, p. 89-90. Voir également Ingrid Waldron, « Why do Women Live Longer than Men ? », *Journal of Human Stress*, mars 1976, p. 3.
7. Voir données fournies par Louis I. Dublin et Alfred J. Lotka, *Length of Life : a Study of the Life Table*, New York, 1936 : « Il semble bien que jusqu'au début du xıxᵉ siècle, la durée moyenne de vie était de 35 à 40 ans » (p. 56). Pour les différences entre hommes et femmes, voir les chiffres des pages 45 à 58.
8. Voir *Dodeligheten og dens Arsaker i Norge, 1856-1955*, Oslo, Statistik Sentralbyra, 1961, p. 185, tableau 124.
9. Keith Wrightson et David Levine, *Poverty and Piety in an English Village : Terling, 1525-1700*, New York, Academic Press, 1979, p. 59.
10. Alois Bek, *Die Bevölkerungsbewegung im ländlichen Raum in den letzten 250 Jahren*, thèse de doctorat, Hohenheim, date non indiquée, p. 120.
11. Voir, entre autres : Hans Christian Johansen, *Befolkningsudvikling og Familiestruktur i det 18. Arhundrede*, Odense, University Press, 1976, p. 121, qui donne les taux de mortalité par classe d'âge ; Jacques Dupâquier, *La Population rurale du Bassin parisien à l'époque de Louis XIV*, Paris, Éd. de l'École des hautes études en sciences sociales, 1979, p. 287, tableau 103 (quotients de mortalité montrant une surmortalité féminine jusqu'à l'âge de trente ans) ; l'étude d'Arthur Imhof, « Die Übersterblichkeit

verheirateter Frauen im fruchtbaren Alter », *Zeitschrift für Bevölkerungswissenschaft,* 1979, p. 497 (sur les mariages dans quatre comunautés allemandes au XIXe siècle : 18 % des maris et 25 % des femmes ne vivaient pas jusqu'à quarante-neuf ans) ; voir aussi les chiffres de Nels Wayne Mogensen, *Aspects de la société augeronne aux XVIIe et XVIIIe siècles,* thèse de troisième cycle, Paris-Sorbonne, 1971, p. 119 ; les chiffres (pour 1700-1796) donnés par Claude Bruneel, *la Mortalité dans les campagnes : le duché de Brabant aux XVIIe et XVIIIe siècles,* Louvain, Éd. Nauwelaerts, 1977, p. 422 ; et *Historik Statistik för Sverige,* del. 1 : *Befolkning,* Stockholm, Statistika Centralbyran, 1969, p. 111 (donne les taux de mortalité par sexe et par classe d'âge pour la Suède à partir de 1751) : seul cas où apparaît une plus grande longévité des femmes, quel que soit l'âge.

12. Paul H. Jacobson, « An Estimate of the Expectation of Life in the United States in 1850 », *Milbank Memorial Fund Quarterly,* 35, 1957, p. 198, tableau 1.

13. *Statistische Nachrichten über das Grossherzogthum Oldenburg,* 11, 1870, p. 224.

14. *Ibid.,* calculé d'après les taux indiqués p. 39 et 44.

15. *Ibid.,* p. 78 pour la Belgique ; pour la Norvège, voir *Dodeligheten* [8], p. 51.

16. La meilleure étude des taux de mortalité en Angleterre suivant l'âge, le sexe et la cause du décès est celle de W.P.D. Logan, « Mortality in England and Wales from 1848 to 1947 », *Population Studies,* 4, 1950-1951, p. 132-178 (nombreux tableaux).

17. Bud Berzing, *Sex Songs of the Ancient Letts,* New York, University Books, 1969, p. 140-141.

18. Dr Rame, *Essai historique et médical sur Lodève,* Lodève, 1841, p. 72.

19. Susan Sontag, dans *Illness as Metaphor,* New York, Farrar, Straus & Giroux, 1977, trad fr. *la Maladie comme métaphore,* Éd. du Seuil, 1979, brosse un portrait quelque peu chargé de la tuberculose au XIXe siècle en tant que maladie « à la mode » dans les milieux bourgeois.

20. Voir *Denmark. Its Medical Organization, Hygiene and Demography,* Copenhague, 1891, p. 429 ; *Dodeligheten, op. cit.* [8], p. 121 ; et sur Stockholm, Max Mosse et Gustav Tugendreich, *Krankheit und soziale Lage,* Munich, 1913, p. 251 ; Friedrich Prinzing, « Krankheitsstatistik (spezielle) », *in* A. Grotjahn et J. Kaup, s.d., *Handwörterbuch der sozialen Hygiene,* 2 vol., Leipzig, 1912, t. I, p. 673 (données relatives à la Leipziger Ortskrankenkasse) ; et Elizabeth Wicht-Candolfi, *la Mortalité à Genève, 1730-1739,* mémoire de maîtrise, université de Genève, 1971, p. 35-37 et 64-67 ; ont servi de dénominateur à ces calculs les chiffres relatifs à la « population résidente » pour l'année 1798, selon la classe d'âge et le sexe, tels que les donne Alfred Perrenoud, *la Population de Genève, XVIe-XIXe siècles,* Genève, Librairie Jullien, 1979, p. 532.

21. *Denmark, op. cit.* [20], p. 429.

22. Prinzing, *op. cit.* [20], p. 673 (chiffres relatifs à la Ortskrankenkasse).

23. Calculé d'après les données de Wicht-Candolfi, mémoire cité [20] ; sont incluses dans les infections abdominales et gastro-intestinales les affections suivantes : « abcès, inflammation bas-ventre » « miséréré, colique », « inflammation entrailles », « hydropique », « hydropsie matrice », « diarrhée » et « dévoiement, vomissement ».

24. Philipp Ehlers, *Die Sterblichkeit « im Kindbett » in Berlin und Preussen, 1877-1896,* Stuttgart, 1900, p. 39.

25. Evelyn B. Ackerman, « Use by Patients of a French Provincial Hospital, 1895-1923 », *Bulletin of the History of Medecine,* 54, 1980, p. 199.

26. Dublin et Lotka, *op. cit.* [7], p. 210 ; et Leslie Schoenfield, « Diseases of the Gallbladder », in *Harrison's Principles of Internal Medicine,* sous la direction de Kurt J. Isselbacher *et alii,* 9e éd., New York, McGraw-Hill, 1980, p. 1490.

27. Denys Jennings, « Perforated Peptic Ulcer : Changes in Age-Incidence and Sex-Distribution in the Last 150 Years », *Lancet,* 2 mars 1940, p. 396, fig. 1.

28. *Ibid.,* p. 444-445. Voir également H.B.M. Murphy, « Historic Changes in the Sex Ratios for Different Disorders », *Social Science and Medicine,* 12 B, 1978, p. 143-145.

29. Jennings, art. cité [27], p. 396.

30. Hermann Fehling, *Entwicklung der Geburtshilfe und Gynäkologie im 19. Jahrhundert,* Berlin, 1925, p. 263.

31. F. Bisset Hawkins, *Elements of Medical Statistics,* Londres, 1829, calculé d'après

les tableaux des pages 87 à 99 ; décès des personnes âgées de plus de quinze ans durant la période 1821-1824.

32. *Denmark, op. cit.* [20], p. 428-430 (villes uniquement).

33. Voir, par exemple, les statistiques de l'OMS pour les États-Unis et la RFA dans *World Health Statistics Annual 1979*, p. 137 et 305.

34. *Denmark, op. cit.* [20], p. 428-430 ; sur Breslau, voir Jonas Graetzer, *Edmund Halley und Caspar Neumann : ein Beitrag zur Bevölkerungs-Statistik*, Breslau, 1833, p. 66-75 ; sur la Norvège, *Dodeligheten, op. cit.* [8], p. 151.

35. Dominique Tabutin, « La surmortalité féminine en Europe avant 1940 », *Population*, 33, 1978, p. 135 (pour les années 1848-1872). M'ont également été utiles deux textes non publiés de Michel Poulain et Dominique Tabutin : « Mortalité aux jeunes âges en Europe et en Amérique du Nord du xixᵉ à nos jours », document de travail n° 76, août 1979, et « La surmortalité des petites filles en Belgique au xixᵉ et au début du xxᵉ siècle », document de travail n° 77, oct. 1979, Département de démographie, Université catholique de Louvain.

36. Voir, par exemple, David T. Purtilo et John L. Sullivan, « Immunological Bases for Superior Survival of Females », *American Journal of the Diseases of Children*, 133, 1979, p. 1251-1252.

37. Verena Martin-Kies, *Der Alltag eines Engadiner Arztes um 1700*, Coire, Calven Kommissionsverlag, 1977, p. 88.

38. Franz Mezler, *Versuch einer medizinischen Topographie der Stadt Sigmaringen*, Fribourg, 1822, p. 164 et 346.

39. Dʳ Goldschmidt, *Volksmedicin im nordwestlichen Deutschland*, Brême, 1854, p. 39.

40. Gertrud Dyhrenfurth, *Ein schlesisches Dorf und Rittergut*, Leipzig, 1906, calculé d'après les pages 104-113.

41. Marta Wohlgemuth, *Die Bäuerin in zwei badischen Gemeinden*, Carlsruhe, 1913, calculé d'après les pages 118-121.

42. Mezler, *op. cit.* [38], p. 349 et 351.

43. Maria Bidlingmaier, *Die Bäuerin in zwei Gemeinden Württembergs*, thèse d'État, Tübingen, 1918, p. 105.

44. B. Walkmeister-Dambach, *Leben und Arbeit der Bündner Bäuerin*, tiré à part de *Schweizerische landwirtschaftliche Monatshefte*, 1928, p. 13.

45. Dyhrenfurth, *op. cit.* [40], d'après les pages 105-113, question 17.

46. Enisabeth Baldauf, *Die Frauenarbeit in der Landwirtschaft*, thèse d'État, Kiel, 1932, p. 119.

47. Friedrich Prinzing, « Die kleine Sterblichkeit des weiblichen Geschlechts in den Kulturstaaten und ihre Ursachen », *Archiv für Rassen- und Gesellschafts-Biologie*, 2, 1905, p. 378.

48. *Dodeligheten, op. cit.*, [8], p. 123.

49. Robert E. Kennedy, Jr., *The Irish : Emigration, Marriage and Fertility*, Berkeley, University of California Press, 1973, p. 59-60.

50. F.A.M. Kerckhaert et F.W.A. Van Poppel, *Tables de mortalité abrégées par sexe et état matrimonial pour les Pays-Bas, période 1850-1970*, Tilburg, Instituut voor Social Wetenschappelijk, 1974, calculé d'après les tableaux, *passim*.

51. *Dodeligheten, op. cit.* [8], p. 188.

52. Oesterlen, *op. cit.* [4], p. 190 (chiffres pour la période 1855-1857).

53. Prinzing, *op. cit.* [20], t. II, p. 545-546 ; concerne la période 1896-1905.

54. Barnard Christian Faust, *Gedanken über Hebammen... auf dem Lande*, Francfort, 1784, p. 11.

55. Joseph Wolfsteiner, *in* Bavaria : *Landes- und Volkskunde des Königreichs Bayern*, vol. 2 : *Oberpfalz und Regensburg*, Munich, 1863, p. 329.

56. Imhof, art. cité [11], p. 497, tableau 2.

57. Logan, art. cité [16], p. 158-159, tableau 7 A ; *Denmark, op. cit.* [20], p. 428 ; et Georg Wilhelm Consbruch, *Medicinische Ephemeriden nebst einer medicinischen Topographie der Grafschaft Ravensberg*, Chemnitz, 1793, dernier tableau (années 1782-1784).

58. Bettie Freeman, « Fertility and Longevity in Married Women Dying after the End of the Reproductive Period », *Human Biology*, 7, 1935, p. 407, tableau 6.

59. Ministère américain de la santé, National Cancer Institute, *SEER Program : Cancer Incidence and Mortality in the United States, 1973-1976*, Bethesda, Department of Health, Education and Welfare, pub. n° (NIH) 78-1837, p. 2, 4 et 66.

60. H. Oeser *et alii*, « Die Konstanz der Krebsgefährdung des Menschen », *Deutsche medizinische Wochenschrift*, 15 févr. 1974, p. 273-277 ; outre Oeser, voir W. Lock, note, *ibid.*, 24 mai 1974, p. 1157 ; et la réponse d'Oeser dans le même numéro, p. 1158-1159 ; voir également O. Gsell, « Trend der Carcinomsterblichkeit der letzten 50-60 Jahre, dargestellt am Beispiel der Schweiz », *Zeitschrift für Krebsforschung*, 72, 1969, p. 199, fig. 2.

61. Edwin Silverberg, *Gynecologic Cancer : Statistical and Epidemiological Information*, lieu de publication non indiqué, American Cancer Society, 1975, p. 23, fig. 2.

62. Hubert Walter, *Bevölkerungsgeschichte der Stadt Einbeck*, Hildesheim, Lax, 1960, p. 116.

63. Friedrich Pauli, *Medicinische Statistik der Stadt... Landau*, Landau, 1831, p. 101-102 (causes des décès selon un médecin).

64. Ernst Julius Meyer, *Versuch einer medicinischen Topographie und Statistik... Dresden*, Stolberg am Harz, 1840, p. 333.

65. Franz Alois Stelzig, *Versuch einer medicinischen Topographie von Prag*, 2 vol., Prague, 1824, t. II, p. 87, tableau 4.

66. H.J.G. Bloom *et alii*, « Natural History of Untreated Breast Cancer, 1805-1933 », *BMJ*, 28 juillet 1962, p. 217.

67. Sur l'Angleterre et le pays de Galles, voir Logan, art. cité [16], p. 158-159, tableau 7 A ; sur le Danemark, *Denmark Hygiene, op. cit.* [20], p. 429 (villes uniquement) ; sur la Norvège, *Dodeligheten, op. cit.* [8], p. 150 (âges : 30 à 39 ans) ; et pour les États-Unis, *World Health Statistics Annual*, OMS, 1979, p. 135 (35 à 44 ans).

68. Robert Hamilton, *Observations on Scrophulous Affections with Remarks on Schirrus, Cancer and Rachitis*, Londres, 1791, p. 67-71.

69. Bloom, art. cité [66], p. 215.

70. Franz Strohmayr, *Versuch einer physisch-medicinischen Topographie von... St Pölten*, Vienne, 1813, p. 262.

71. Johann Ebel, *Schilderung des Gebirgsvolkes vom Kanton Appenzell*, Leipzig, 1798, p. 400.

72. Hamilton, *op. cit.* [68], p. 70.

73. Béla Issekutz, *Die Geschichte der Arzneimittelforschung*, Budapest, Akadémiai Kiado, 1971, p. 33.

74. Par exemple, Lawson Tait, *Diseases of Women*, 2ᵉ éd., New York, 1879, p. 62, sur les cancers utérins.

75. Illustré dans Harold Speert, *Iconographia Gyniatrica : a Pictorial History of Gynecology and Obstetrics*, Philadelphie, Davis, 1973, p. 29-30.

76. Sur Halsted, voir William A. Cooper, « The History of the Radical Mastectomy », *Annals of Medical History*, série 3, n° 3, 1941, p. 48-50 ; et Edward L. Lewison, *Breast Cancer and its Diagnosis*, Baltimore, Williams & Wilkins, 1955, p. 19-21.

77. Raymond M. Cunningham, « Management of Breast Cancer », *Southern Medical Journal*, 69, 1976, p. 261 (taux de récurrence locale : 20 % seulement).

78. Bloom, art. cité [66], p. 218, tableau 11.

79. Silverberg, *op. cit.* [61], p. 24-25, fig. 3 et 4 (distribution par âge, États-Unis).

80. Paul Diepgen, *Frau und Frauenheilkunde in der Kultur des Mittelalters*, Stuttgart, Thieme, 1963, p. 170 (citation du médecin grec Sérapion d'Alexandrie).

81. François Mauriceau, *Observations sur la grossesse et l'accouchement des femmes*, Paris, 1694, p. 9-10.

82. Robert Semple, « Menstruation at Advanced Periods of Life », *LMG*, 15, 1835, p. 467-468.

83. Joseph Adams, *Observations on Morbid Poisons, Phagedena and Cancer*, Londres, 1795, p. 176.

84. John Leake, *Medical Instructions Towards the Prevention and Cure of Chronic Diseases Peculiar to Women*, 5ᵉ éd., Londres, 1781, p. 116 et 117.

85. *Ibid.*, p. 114-116.

86. Tait, *op. cit.* [74], p. 62.

87. F.J. Beyerlé, *Über den Krebs der Gebärmutter*, lieu non indiqué, 1818, p. 71.

88. Hans Zahler, *Die Krankheit im Volksglauben des Simmenthals : ein Beitrag zur Ethnographie des Berner Oberlandes*, Berne, 1898, p. 82 («Für die Fystlen und Kräbs»).

89. Percivall Willughby, *Observations in Midwifery*, 1863, rééd. East Ardsley, S.R. Publishers, 1972, p. 227-230.

90. Harold Speert, *Essays in Eponymy : Obstetric and Gynecologic Milestones*, New York, MacMillan, 1958, p. 673. Sur le radium, voir Robert Abbe, «Radium in Surgery», *JAMA*, 21 juillet 1906, p. 183-185. Voir également Joseph Stallworthy, «Progress in Gynecologic Oncology : a Personal Retrospective View», *Gynecologic Oncology*, 8, 1979, p. 259.

91. Charles C. Norris et F. Sidney Dunne, «Carcinoma of the Body of the Uterus», *AJO-G*, 32, 1936, p. 988.

92. Silverberg, *op. cit.* [61], p. 46 et 35 ; chiffres concernant «tous les stades» de la maladie, avec traitement chirurgical, chimique, hormonal ou par irradiation ; chiffres de survie sur quinze ans disponibles pour la seule période 1950-1959.

93. Voir Eugene D. Weinberg, «Iron and Infection», *Microbiological Reviews*, 42, 1978, p. 45-66.

94. Prinzing, *op. cit.* [20], p. 673.

95. Innes H. Pearse et Lucy H. Crocker, *The Peckham Experiment : a Study in the Living Structure of Society*, Londres, 1943, p. 315.

96. Margery Spring Rice, *Working-Class Wives : their Health and Conditions*, 2ᵉ éd., Londres, Virago, 1981, p. 37-38.

97. Voir sur ce point Leslie J. Witts, *Hypochromic Anemia*, Londres, Heinemann, 1969, p. 14.

98. Magnus Huss, *Uber die endemischen Krankheiten Schwedens*, trad. allem., Brême, 1854, p. 132, n. 62.

99. Witts, *op. cit.* [97], p. 106.

100. William Crosby, «Who Needs Iron?», *NEJM*, 8 sept. 1977, p. 544.

101. Citation du Dʳ Ashwell, «Observations on Chlorosis», *Guy's Hospital Reports*, 1, 1836, p. 560-561.

102. Citation tirée de Virgil F. Fairbanks, *Clinical Disorders of Iron Metabolism*, 2ᵉ éd., New York, Grune & Stratton, 1971, p. 9.

103. Johannes Lange, cité dans Ralph H. Major, *Classic Descriptions of Disease*, 2ᵉ éd., New York, 1939, p. 528-529.

104. Johann Storch, *Von Kranckheiten der Weiber*, 8 vol., Gotha, 1746-1753, t. II, p. 64-67.

105. Zahler, *op. cit.* [88], p. 94-95.

106. Heinrich Höhn, «Volksheilkunde (I)», *Württembergische Jahrbücher*, 1917-1918, p. 138.

107. Fairbanks, *op. cit.* [102], p. 18.

108. Dʳ Douvillé, *Topographie physique et médicale de Compiègne*, Anvers, 1881, p. 196.

109. Witts, *op. cit.* [97], p. 33.

110. H. St. H. Vertue, «Chlorosis and Stenosis», *Guy's Hospital Reports*, 104, 1955, p. 334 («La chlorose, en fait, [...] est une maladie différente de l'anémie microcytique chronique»).

111. Bartholomäus von Battisti, *Abhandlungen von den Krankheiten des schönen Geschlechts*, Vienne, 1784, p. 38.

112. Voir l'article très brillant, mais peu convaincant, de Karl Figlio, «Chlorosis and Chronic Disease in Nineteenth-Century Britain : the Social Constitution of Somatic Illness in a Capitalust Society», *Social History*, 3, 1978, p. 167-197.

113. Th. Deneke, « Über die auffallende Abnahme der Chlorose », *Deutsche medizinische Wochenschrift*, 4 juillet 1924, p. 902.

114. J.M.H. Campbell, « Chlorosis : a Study of the Guy's Hospital Cases during the Last Thirty Years », *Guy's Hospital Reports*, 73, 1923, p. 253.

115. Richard Cabot, « The General Pathology of the Blood-Forming Organs », in *Modern Medicine : its Theory and Practice*, sous la direction de William Osler, Philadelphie, 1909, p. 639-640.

116. R.J. Weissenbach, « La chlorose est-elle en voie de disparition ? Et pourquoi ? », *le Progrès médical*, 3 mai 1924, p. 271.

117. H. Sellheim, *ZBG*, 50, 1926, p. 2069-2070.

118. Storch, *op. cit.* [104], t. II, p. 72.

119. Dʳ Ashwell, art. cité [101], p. 530.

120. Campbell, art. cité [114], p. 255-256 ; voir également Cabot, texte cité [115], p. 642.

121. Vertue, art. cité [110], p. 341-343.

122. H. Boëns-Boissau, *Traité pratique des maladies, des accidents... des houilleurs*, Bruxelles, 1862, p. 73-77 sur « les jeunes filles employées aux travaux des charbonnages ». Sur l'utilisation de cet ouvrage par Zola, voir Richard H. Zakarian, *Zola's « Germinal » : a Critical Study of its Primary Sources*, Genève, Droz, 1972, p. 104-105.

123. Huss, *op. cit.* [98], p. 119-130.

124. *Bavaria : Landes- und Volkskunde des Konigreichs Bayern*, vol. IV : *Unterfranken*, Munich, 1866, p. 215 ; et Jean-Auguste Crouzet, *Topographie médicale de Lodève*, Montpellier, 1912, rédigé en 1898, p. 167.

125. Campbell, art. cité [114], p. 281 ; et Cabot, art. cité [115], p. 641.

126. Sarah Stage, *Female Complaints : Lydia Pinkham and the Business of Women's Medicine*, New York, Norton, 1979, p. 85, qui y voit une « préférence » des médecins pour les « femmes fragiles » ; et Vincent Harris, « Observations on Anemia », *Saint-Bartholomew's Hospital Reports*, 20, 1884, p. 87, pour qui « la chlorose est une maladie que l'on observe parmi les couches aisées ».

127. D'après la traduction anglaise, *Joyfull Newes out of the Newe Founde Worlde*, parue en 1577, et citée par Fairbanks, *op. cit.* [102], p. 5.

128. The Works of Thomas Sydenham, présenté par R.G. Latham, 2 vol., Londres, 1848-1850, t. II, p. 103 et 232.

129. Voir Russell L. Haden, « Historical Aspects of Iron Therapy in Anemia », *JAMA*, 17 sept. 1938, p. 1060 ; et Fairbanks, *op. cit.* [102], p. 14-15.

130. Sur cette éclipse, voir *ibid.*, p. 15-16 et 29-30.

Chapitre 10

1. Robert W. Kistner, *Gynecology*, 3ᵉ éd., Chicago, Year Book, 1979, p. 80.

2. *A. Leechbook of the Fifteenth Century*, présenté par Warren R. Dawson, Londres, 1934, p. 189.

3. Anton Elsener, *Medizinisch-topographische Bemerkungen über einen Theil des Urnerlandes*, Altdorf, 1811, p. 84.

4. D'après Kistner, *op. cit.* [1], p. 80 ; et pour l'homme : « Office Visits for Male Genito-Urinary Conditions : National Ambulatory Medical Care Survey, United States, 1977-1978 », *Advance Data from Vital and Health Statistics of the National Center for Health Statistics*, nᵒ 63, 3 nov. 1980, p. 4.

5. Selon Leslie T. Morton, *A Medical Bibliography*, 3ᵉ éd., Londres, Deutsch, 1970, p. 600, entrée 5207.

6. C. P. Anyon *et alii*, « A Study of Candida in One Thousand and Seven Women », *New Zealand Medical Journal*, 73, 1971, p. 10.

7. William Smellie, *A Treatise on the Theory and Practice of Midwifery*, Londres, 1752, p. 163.

8. Parmi les nombreux médecins s'étonnant de constater que les malades atteintes de

« fleurs blanches » se retrouvaient parfois stériles, voir Joseph Schneider, *Versuch einer Topographie der Residenzstadt Fulda*, Fulda, 1806, p. 191.

9. Percivall Willughby, *Observations in Midwifery*, 1863, rééd. East Ardsley, S.R. Publishers, 1972, p. 241-242.

10. Friedrich Colland, *Untersuchung der gewöhnlichen Ursachen so vieler frühzeitigtodtgebohrner... Kinder*, Vienne, 1800, p. 71-72.

11. William Black, *An Arithmetical and Medical Analysis of the Diseases and Mortality of the Human Species*, 2ᵉ éd., Londres, 1789, p. 194.

12. Eduard Otto Dann, *Topographie von Danzig*, Berlin, 1835, p. 249.

13. Marie C. Stopes, « *The First Five Thousand* » : *Being the First Report of the First Birth Control Clinic in the British Empire*, Londres, 1925, p. 53.

14. J.-B. Denis Bucquet, *Topographie médicale de la ville de Laval, manuscrit inédit de 1808*, Angers, 1894, p. 70-71.

15. Dʳ Rame, *Essai historique et médical sur Lodève*, Lodève, 1841, p. 75.

16. F. J. Werfer, *Versuch einer medizinischen Topographie... Gmünd*, Gmünd, 1813, p. 138.

17. Johann Rambach, *Versuch einer physisch-medizinischen Beschreibung von Hamburg*, Hambourg, 1801, p. 335.

18. Le Dʳ Ludwig Mauthner dans un rapport de 1841, cité dans Gustav Otruba, « Lebenserwartung und Todesursachen der Wiener », *Jahrbuch des Vereines für Geschichte der Stadt Wien*, 15/16, 1959-1960, p. 214.

19. Dʳ Zengerle, « Auszug... medicinischen Topographie des Oberamtsbezirks Wangen », *Medicinisches Correspondenz-Blatt des württembergischen ärztlichen Vereins*, 18, 1848, p. 255.

20. F. Schuler, « Die glarnerische Baumwollindustrie und ihr Einfluss auf die Gesundheit der Arbeiter », *Vierteljahrsschrift für Gesundheitspflege*, 4, 1972, p. 110 et 132.

21. Jean-Baptiste-Marin Lesaas, *Essai sur la topographie médicale de la ville d'Elbeuf*, Rouen, 1874, p. 26.

22. Voir Langdon Parsons et Sheldon C. Sommers, *Gynecology*, 2ᵉ éd., Philadelphie, Saunders, 1978, p. 109-110 ; et Gilles R. G. Monif, *Infectious Diseases in Obstetrics and Gynecology*, New York, Harper & Row, 1974, p. 107.

23. Bien que je ne souscrive pas entièrement à ses vues sur la question, voir Jean-Pierre Peter, « Entre femmes et médecins : violence et singularités dans les discours du corps... à la fin du xviiiᵉ siècle », *Ethnologie française*, 6, 1976, p. 341-348.

24. Cité dans Josef Werlin, « Rezepte zur Frauenheilkunde aus dem 16. Jahrhundert », *Medizinische Monatsschrift*, 20, 1966, p. 266.

25. G. Lammert, *Volksmedizin und medizinischer Aberglaube in Bayern*, Würzburg, 1869, p. 149-150.

26. Hans Zahler, *Die Krankheit im Volksglauben des Simmenthals*, Berne, 1898, p. 71.

27. Jacques Idoux, *Exploration des traditions thérapeutiques des guérisseurs... du département de la Moselle*, thèse de pharmacie, Metz, 1975, p. 92.

28. James Whitehead, *On the Causes and Treatment of Abortion and Sterility*, Londres, 1847, p. 255.

29. E. Pelkonen, *Über volkstümliche Geburtshilfe in Finnland*, Helsinki, 1931, p. 30.

30. Francis Ramsbotham, note in *LMG*, NS, 6, 1848, p. 910.

31. *Sex Songs of the Ancient Letts*, présenté par Bud Berzing, New York, University Books, 1969, p. 39.

32. K.H. Lübben, *Beiträge zur Kenntnis der Rhön*, Weimar, 1881, p. 76.

33. Rudolf Temesvary, *Volksbräuche und Aberglauben in der Geburtshilfe... in Ungarn*, Leipzig, 1900, p. 98.

34. Maria Bidlingmaier, *Die Bäuerin in zwei Gemeinden Württembergs*, thèse d'État, Tübingen, 1918, p. 147.

35. Dʳ Märkel, « Medicinisch-topographische und ethnographische Beschreibung... Roding, 1860 », manuscrit *in* Staatsarchiv Amberg, Landgerichtsarzt Roding, n° 2.

NOTES DU CHAPITRE 10

36. Paul Diepgen, *Frau und Frauenheilkunde in der Kultur des Mittelalters*, Stuttgart, Thieme, 1963, p. 174.
37. Pelkonen, *op. cit.* [29], p. 17-18.
38. Margarete Möckli von Seggern, *Arbeiter und Medizin : die Einstellung des Zürcher Industriearbeiters zur wissenschaftlichen und volkstümlichen Heilkunde*, Bâle, Krebs, 1965, p. 40.
39. Voir, par exemple, Bucquet, *op. cit.* [14], p. 71. On trouvera de nombreuses observations sur le muguet dans la série SRM, n° 175-182, de l'Académie de médecine de Paris.
40. Johann Osiander, *Volksarzneymittel*, 3ᵉ éd., Tübingen, 1838, p. 417. Sur les effets procystocides de la sauge (*Salvia officinalis*), entre autres huiles volatiles, voir N. Jankov *et alii*, « Action of Some Essential Oils on *Trichomonas Vaginalis* », *Folia Medica*, 10, 1968, p. 309.
41. Voir, par exemple, Richard Quain, *Dictionary of Medicine*, 6 vol., Londres, 1886, t. III, p. 826.
42. *Merck's Manual of the Materia Medica*, 5ᵉ éd., New York, 1923, p. 325, conseille l'usage du bicarbonate de soude. Mais voir aussi Kistner, *op. cit.* [1], p. 86.
43. *Merck Manual* [42], p. 174-175.
44. *Ibid.*, p. 324-326.
45. Arthur Curtis, *A Text-Book of Gynecology*, Philadelphie, 1930, p. 269.
46. E.D. Plass *et alii*, « Monilia Vulvovaginitis », *AJO-G*, 21, 1931, p. 320-334.
47. Louis S. Goodman et Alfred Gilman, *The Pharmacological Basis of Therapeutics*, 5ᵉ éd., New York, Macmillan, 1975, p. 1086.
48. Les chiffres sur Graz sont tirés d'Otto Burkard, « Erhebungen über Tripperverbreitung und Tripperfolgen in Arbeiterkreisen », *Zeitschrift für Bekämpfung der Geschlechtskrankheiten*, 12, 1911-1912, p. 248 et 253.
49. Monif, *op. cit.* [22], p. 179.
50. Parsons et Sommers, *op. cit.* [22], p. 833.
51. Eugène Olivier, *Médecine et Santé dans le pays de Vaud au xviiiᵉ siècle, 1675-1798*, 2 vol., Lausanne, 1939, t. II, p. 696.
52. J.B. Kyll, « Über syphilitische Ansteckung von Wöchnerinnen durch Milchaussaugerinnen », *Zeitschrift für die Staatsarzneikunde*, 17, 1837, p. 454.
53. H.J. Källmark, *Eine statistische Untersuchung über Syphilis*, thèse de médecine, Uppsala, 1931, p. 35.
54. Johann Storch, *Von Weiberkranckheiten*, 8 vol., Gotha, 1746-1753, t. VIII, p. 243-244.
55. Guillaume de La Motte, *Traité complet des accouchements*, éd. revue et corrigée, Leyde, 1729, p. 663-664.
56. J.-B.-F. Descuret, *la Médecine des passions*, Paris, 1841, p. 488.
57. Morton, *op. cit.* [5], p. 599.
58. Voir, par exemple, Alain Corbin, *les Filles de noce : misère sexuelle et prostitution (19ᵉ et 20ᵉ siècles)*, Paris, Montaigne, 1978, p. 362-390.
59. Edward Shorter, *The Making of the Modern Family*, New York, Basic Books, 1975, trad. fr. *Naissance de la famille moderne*, Paris, Ed. du Seuil, 1977, chap. iii.
60. Källmark, thèse citée [53], p. 71.
61. Lisbeth Burger, *40 Jahre Storchentante : aus dem Tagebuch einer Hebamme*, Breslau, 1936, p. 133.
62. Friedrich Prinzing, « Krankheitsstatistik (spezielle) », *in* A. Grotjahn et J. Kaup, s.d., *Handwörterbuch der sozialen Hygiene*, 2 vol., Leipzig, 1912, t. I, p. 673.
63. A. Blaschko, « Geschlechtskrankheiten », *in* Grotjahn et Kaup, *op. cit.* [62], t. I, p. 400.
64. Lida J. Usilton, « Prevalence of Venereal Disease in the United States », *Venereal Disease Information*, 11, 1930, p. 556.
65. Max Mosse et Gustav Tugendreich, *Krankheit und soziale Lage*, Munich, 1913, p. 510.
66. Emil Noeggerath, *Die latente Gonorrhoe im weiblichen Geschlecht*, Bonn, 1872, p. 65.

67. Statistique établie d'après les chiffres pour la Finlande (environ 1924 à 1936), cités dans Elisabeth Rees et E.H. Annels, « Gonococcal Salpingitis », *British Journal of Venereal Disease*, 45, 1969, p. 205 et 206.

68. Arthur H. Curtis, « Bacteriology and Pathology of Fallopian Tubes Removed at Operation », *Surgery, Gynecology and Obstetrics*, 33, 1921, p. 625 ; et Howard C. Taylor, « Notes on Fifty Years of Progress in Gynecology », *American Journal of Surgery*, NS, 51, 1941, p. 99.

69. Phillips Cutright et Edward Shorter, « The Effects of Health on the Completed Fertility of Nonwhite and White U.S. Women Born between 1867 and 1935 », *Journal of Social History*, 13, 1979, p. 192-217.

70. Alma Thomas (pseudonyme : Anneliese Bergsteiger), *Erinnerungen einer Hebamme*, Osterwieck, 1941, p. 42.

71. Noeggerath, *op. cit.* [66], p. 81.

72. Sur les effets stérilisants des maladies vénériennes, voir Anne Retel-Laurentin, « Évaluation du rôle de certaines maladies dans l'infécondité », *Population*, 33, 1978, p. 117, graphique 2.

73. Massimo Livi-Bacci, *A History of Italian Fertility during the Last Two Centuries*, Princeton, Princeton University, Press, 1977, p. 263, tableau 7.6.

74. Paul Ehrlich et S. Hata, *Die experimentelle Chemotherapie der Spirillosen*, Berlin, 1910, p. 136.

75. Harry F. Dowling, *Fighting Infection : Conquests of the Twentieth Century*, Cambridge, Harvard University Press, 1977, p. 146.

76. W.J. Sinclair, « The Injuries of Parturition : the Old and the New », *BMJ*, 4 sept. 1897, p. 589-590.

77. Thomas A. Emmet, « The Necessity for Early Delivery, as Demonstrated by the Analysis of 161 Cases of Vesico-Vaginal Fistula », *American Gynecological Society, Transactions*, 3, 1878, p. 116-117, tableau ; statistiques pour 73 cas seulement.

78. Willughby, *op. cit.* [9], p. 54.

79. De La Motte, *op. cit.* [55], p. 513-514.

80. George Fielding, « Case of Recto-Vaginal Fistula Successfully Treated », *LMG*, 18, 1836, p. 49.

81. Paul A. Janssens, *Paleopathology : Diseases and Injuries of Prehistoric Man*, Londres, Baker, 1970, p. 118.

82. Citations empruntées à Henry C. Falk et M. Leon Tancer, « Vesicovaginal Fistula : an Historical Survey », *Obstetrics and Gynecology*, 3, 1954, p. 338-339.

83. Harold Speert, *Essays in Eponymy : Obstetric and Gynecologic Milestones*, New York, Macmillan, 1958, p. 442-443.

84. « Summarische Auszüge aus den Tagebüchern des Königlichen clinischen Institut's (Göttingen, 1787) », texte imprimé avec observations manuscrites sur les malades, Staats- und Universitäts-bibliothek de Göttingen, à « octobre 1786 ».

85. Mary Rose MacDonald, étude de séminaire, université de Toronto, 1980.

86. Robert Bland, *Some Calculations of the Number of Accidents or Deaths which Happen in Consequence of Parturition*, Londres, 1781, p. 7.

87. Paul Portal, *la Pratique des accouchements*, Paris, 1685, p. 10.

88. Rapporté par Franz von Winckel, *Allgemeine Gynäkologie*, Wiesbaden, 1909, p. 157.

89. Fleetwood Churchill, *On the Theory and Practice of Midwifery*, 3ᵉ éd. américaine, Philadelphie, 1848, p. 467.

90. Douglas Miller, « Observations on Unsuccessful Forceps Cases », *BMJ*, 4 août 1928, p. 185.

91. Sinclair, art. cité [76], p. 594 ; voir également Emmet, art. cité [77], p. 124, qui en attribue le déclin à l'accroissement de l'emploi du forceps.

92. Voir John R. Kight, « John Peter Mettauer and the First Successful Closure of Vesico-vaginal Fistula in the United States », *AJO-G*, 99, 1967, p. 885-892.

93. Voir Seale Harris, *Women's Surgeon : the Life Story of J. Marion Sims*, New York, Macmillan, 1950, p. 82-102.

94. Barbara Ehrenreich et Deirdre English, *For Her Own Good : 150 Years of the Experts' Advice to Women*, New York, Doubleday Anchor, 1979, p. 124-125.

95. Telle était du moins l'opinion de Sinclair *in* art. cité [76], p. 589-592.

96. Nicolas Puzos, *Traité des accouchements*, Paris, 1759, p. 133.

97. Women's Cooperative Guild, *Maternity : Letters from Working-Women*, Londres, 1915, p. 70.

98. Selon Elseluise Haberling, *Beiträge zur Geschichte des Hebammenstandes* I : *Der Hebammlenstand in Deutschland von seinen Anfängen bis zum Dreissigjährigen Krieg*, Berlin, 1940, p. 72.

99. Jacques Mesnard, *le Guide des accoucheurs*, 2ᵉ éd., Paris, 1753, p. 333-334.

100. Adams Walther, « Zur Hebammenfrage », *ZBG*, 8, 1884, p. 306.

101. Marie Stopes, *op. cit.* [13], p. 32-33.

102. De La Motte, *op. cit.* [55], p. 638.

103. Voir J. Matthews Duncan, *Clinical Lectures on the Diseases of Women*, Londres, 1889, p. 423. C'est ce que l'on appelle une rectocèle.

104. Gertrud Dyhrenfurth, *Ein schlesisches Dorf und Rittergut*, Leipzig, 1906, p. 104-113.

105. Mᵐᵉ Rondet, *Guide des sages-femmes*, Paris, 1836, p. 5-6.

106. George Van S. Smith *et alii*, « Procidentia », *AJO-G*, 17, 1929, p. 669-670 ; nombre moyen d'enfants par malade : 3,9.

107. John Duffy, s.d., *The Rudolph Matas History of Medicine in Louisiana*, 2 vol., Baton Rouge, Louisiana State University Press, 1962, t. II, p. 65-66.

108. Ilza Veith, *Hysteria : the History of a Disease*, Chicago, University of Chicago Press, 1965, p. 23.

109. Rondet, *op. cit.* [105], p. 15 et 30.

110. Cité dans Marcelle Bouteiller, *Médecine populaire d'hier et d'aujourd'hui*, Paris, Maisonneuve, 1966, p. 68-70.

111. *Medieval Woman's Guide to Health : the First English Gynecological Handbook*, présenté par Beryl Rowland, Kent, Kent State University Press, 1981, p. 103.

112. Voir, par exemple, Zahler, *op. cit.* [26], p. 68 et 89 ; et Werlin, art. cité [24], p. 266.

113. Voir Mosse et Tugendreich, *op. cit.* [65], p. 248 ; John Roberton, *Essays and Notes on the Physiology and Diseases of Women*, Londres, 1851, p. 406 ; et John Leake, *Medical Instructions towards the Prevention and Cure of Chronic Diseases Peculiar to Women*, 5ᵉ éd., Londres, 1781, t. I, p. 129.

114. Thomas Madden, *AJO*, 5, 1872-1873, p. 53.

115. Rondet, *op. cit.* [105], p. 20.

116. « Gutachten eine Ehescheidungsklage, wegen angeblich relativer Unmöglichkeit der ehelichen Beiwohnung betreffend », *Zeitschrift für die Staatsarzneikunde*, 25 Ergänzungsheft, 1838, p. 99.

117. Jean-Marie Munaret, *le Médecin des villes et des campagnes*, 3ᵉ éd., Paris, 1862, p. 422, voir également Bernhard Christian Faust, *Gedanken über Hebammen... auf dem Lande*, Francfort, 1784, p. 20.

118. Tiré de Elaine Tyler May, *Great Expectations : Marriage and Divorce in Post-Victorian America*, Chicago, University of Chicago Press, 1980, p. 36.

119. Voir Speert, *op. cit.* [83], p. 108-115 ; sur l'histoire des traitements du prolapsus, voir également « History and Review of the Literature on Prolapse of the Uterus and Vagina », *Acta Obstetricia et Gynecologica Scandinavica*, vol. 36, suppl. 1. 1957, p. 18-26 ; et Ludwig A. Emge et R.B. Durfee, « Pelvic Organ Prolapse : Four Thousand Years of Treatment », *Clinical Obstetrics and Gynecology* », 9, 1966, p. 997-1032.

120. Ministère américain de la santé, *Office Visits by Women : the National Ambulatory Medical Care Survey, United States, 1977*, Hyattsville, National Center for Health statistics, Department of Health, Education and Welfare, publication n° (PHS) 80-1796, 1980, p. 26-27.

121. Ministère américain de la Santé, *Acute Conditions, Incidence and Associated Disability, United States, July 1977-June 1978*, Hyattsville, National Center for Health

Statistics, Department of Health, Education and Welfare, publication n° (PHS) 79-1560, 1979, p. 10 et 11.

122. Louise Bourgeois, *Observations diverses sur la stérilité*, Paris, 1626, p. 37.

123. Catharine Beecher, *Letters to the People on Health and Happiness*, New York, 1855, p. 121, 122, 125 et 129.

124. Paul Mundé, « A Report of the Gynecological Service of Mount Sinai Hospital », *AJO*, 32, 1895, p. 466.

125. James N. West, « When Shall we Perform Myomectomy », *AJO*, 56,. 1907, p. 701-702.

126. Cesar Hawkins, note, *LMG*, 12, 1833, p. 459.

127. Voir Lawrence D. Longo, « The Rise and Fall of Battey's Operation : a Fashion in Surgery », *Bulletin of the History of Medicine*, 53, 1979, p. 244-267.

128. Mundé, art. cité [124], p. 679.

129. John A. Sampson, *Archives of Surgery*, 3, 1921, p. 245-323. Voir également Magnus Haines, « The Emergence of Pathology in Gynecology », *Journal of Clinical Pathology*, 24, 1971, p. 378-379.

130. Voir C. Frederic Fluhmann, « The Rise and Fall of Suspension Operations for Uterine Retrodisplacement », *Johns Hopkins Medical Journal*, 1955, p. 59-70.

131. Sarah Stage, *Female Complaints : Lydia Pinkham and the Business of Women's Medicine*, New York, Norton, 1979, chap. III.

132. Stopes, *op. cit.* [13], p. 34.

133. Margery Spring Rice, *Working-Class Wives : their Health and Conditions*, 2e éd., 1939, rééd. Londres, Virago, 1981, p. 45.

134. Hunter Robb, « The Use of Morphine and Other Strong Sedatives in Gynecological Practice », *Maryland Medical Journal*, 14 mai 1892, p. 617-618.

135. Françoise Loux et Philippe Richard, *Sagesses du corps. La santé et la maladie dans les proverbes français*, Paris, Maisonneuve, 1978, p. 133.

136. G. Himmelfarb, « Zur Kasuistik der Scheidenverletzungen durch den Coitus », *ZBG*, 14, 1890, p. 395-398.

137. Ehrenreich et English, *op. cit.* [94], p. 104-105.

138. Ben Barker-Benfield, « Sexual Surgery in Late-Nineteenth-Century America », *International Journal of Health Services*, 5, 1975, p. 287.

139. Barbara J. Berg, *The Remenbered Gate : Origins of American Feminism*, Oxford, Oxford University Press, 1978, p. 121-122.

Chapitre II

1. Martine Segalen, *Mari et Femme dans la société paysanne*, Paris, Flammarion, 1980, p. 136 et 138.

2. On trouvera un résumé de ces croyances dans Ilza Veith, *Hysteria : the History of a Disease*, Chicago, University of Chicago Press, 1965, chap. II.

3. L'ouvrage de base est celui d'Alexander Berg, *Der Krankheitskomplex der Kolik-und Gebärmutterleiden in Volksmedizin*, Berlin, 1935, citation provenant de la page 50.

4. *Ibid.*, p. 52.

5. G. Lammert, *Volksmedizin und medizinischer Aberglaube in Bayern*, Würzburg, 1869, p. 252.

6. Carly Seyfarth, *Aberglaube und Zauberei in der Volksmedizin Sachsens*, Leipzig, 1913, p. 89 : « Mutter, du Luder, packe dich nach deinem Hause. »

7. Sur l'énorme littérature relative aux taboux menstruels, on pourra consulter les deux ouvrages récents : Penelope Shuttle et Peter Redgrove, *The Wise Wound : Menstruation and Everywoman*, Londres, Gollancz, 1978 ; et Paula Weideger, *Mens-truation and Menopause : the Physiology and Psychology, the Myth and the Reality*, New York, Alfred A. Knopf, 1976.

8. Cité dans Heinrich Fasbender, *Geschichte der Geburtshilfe*, 1906, rééd. Hildes-heim, Olms, 1964, p. 89.

9. Guillaume de La Motte, *Traité complet des accouchements*, éd. revue et corrigée, Leyde, 1729, p. 57.

10. Lucienne Roubin, *Chambrettes des Provençaux*, Paris, Plon, 1970, p. 157.

11. Bernard Edeine, *la Sologne*. *Contribution aux études d'ethnologie métropolitaine*, 2 vol., Paris, Mouton, 1974, t. II, p. 658.

12. Rudolf Temesvary, *Volksbräuche und Aberglauben in der Geburtshilfe und der Pflege des Neugebornen in Ungarn*, Leipzig, 1900, p. 3.

13. Yvonne Verdier, *Façons de dire, façons de faire*, Paris, Gallimard, 1979, p. 43.

14. Voir, dans Weideger, *op. cit.* [7], p. 91, la gravure représentant le bain rituel des femmes juives de Fürth. Sur sainte Hildegarde, voir Esther Fischer-Homberger, *Krankheit Frau*, Berne, Huber, 1979, p. 54.

15. Voir Hans Fehr, *Die Rechtstellung der Frau und der Kinder in den Weistümern*, Iéna, 1912, p. 4-10.

16. E. Pelkonen, *Über volkstümliche Geburtshilfe in Finnland*, Helsinki, 1931, p. 117.

17. Temesvary, *op. cit.* [12], p. 89-90.

18. Max Hippe, « Die Gräber der Wöchnerinnen », *Mitteilungen der schlesischen Gesellschaft für Volkskunde*, 7, 1905, p. 102.

19. Temesvary, *op. cit.* [12], p 100.

20. Ludwig Strackerjan, *Aberglaube und Sagen aus dem Herzogtum Oldenburg*, 2 vol., Oldenbourg, 1909, t. II, p. 204.

21. Freddy Sarg, *la Naissance en Alsace*, Strasbourg, Oberlin, 1974, p. 57.

22. Jacques Toussaert, *le Sentiment religieux en Flandre à la fin du Moyen Âge*, Paris, Plon, 1963, p. 100-101.

23. J.E. Vaux, *Church Folk Lore*, Londres, 1902, p. 112. Je remercie Alwyne Graham de m'avoir fait connaître cet ouvrage.

24. Franz Hempler, *Psychologie des Volksglaubens... des Weichsellandes*, Königsberg, 1930, p. 89 : « das Gesicht der gestorbenen Wöchnerin ganz " zerspickt vom Bart der Unterirdischen " ».

25. Arnold Van Gennep, *Manuel de Folklore français contemporain*, 7 vol., Paris, Picard, 1943-1958, t. I, p. 120.

26. Sarg, *op. cit.* [21], p. 43 ; voir aussi Lammert, *op. cit.* [5], p. 177.

27. L.-J.-B. Bérenger-Féraud, *Réminiscences populaires de la Provence*, Paris, 1885, p. 176-177.

28. Christian Jensen, *Die nordfriesischen Inseln*, Hambourg, 1891, p. 344-345.

29. Seyfarth, *op. cit.* [6], p. 27.

30. Sur Luther, voir Reinhard Worschech, *Frauenfeste und Frauenbräuche in vergleichender Betrachtung mit besonderer Berücksichtigung Frankens*, thèse de doctorat, Würzburg, 1971, p. 218 ; sur Breslau, voir Hippe, art. cité [18], p. 102 et 103.

31. *Ibid.*, p. 103.

32. B. Kahle, « Noch einmal die " Gräber der Wöchnerinnen " », *Mitteilungen der schlesischen Gesellschaft für Volkskunde*, 8, 1906, p. 60.

33. Th. Imme, « Geburt und Kindheit in Sitte und Volksglauben Altessens und seiner Umgebung », *Zeitschrift des Vereins für rheinische und westfälische Volkskunde*, 10, 1913, p. 170.

34. Kahle, art. cité [32], p. 60.

35. Voir OMS, Bureau régional pour la Méditerranée orientale, *Traditional Practices Affecting the Health of Women and Children*, Alexandrie, 1979, *passim*.

36. Voir, par exemple, Georg Burckhard, *Die deutschen Hebammenordnungen von ihren ersten Anfängen bis auf die Neuzeit*, Leipzig, 1912, p. 22.

37. Voir Edward Shorter, « The " Veillée " and the Great Transformation », dans Jacques Beauroy, s.d., *The Wolf and the Lamb : Popular Culture in France*, Saratoga, Anma Libri, 1977, p. 127-140.

38. Segalen, *op. cit.* [1], p. 151.

39. Voir André Varagnac, *Civilisation traditionnelle et Genres de vie*, Paris, Albin Michel, 1948, p. 182-212.

40. Worschech, thèse citée [30], p. 184-185.

41. *Ibid.*, p. 108 et 111.

42. Walter Diener, *Hunsrücker Volkskunde*, Bonn, 1925, p. 146-147.

43. Ruth-E. Mohrmann, *Volksleben in Wilster im 16. und 17. Jahrhundert*, Neumünster, Wacholtz, 1977, p. 304.

44. Par exemple, pour la France, voir G. Michel Coissac, *Mon Limousin*, Paris, 1913, p. 260 ; et Van Gennep, *op. cit.* [25], t. I, p. 120-121. Je n'ai cité ici que quelques exemples.

45. Worschech, thèse citée [30], p. 223.

46. *Ibid.*, p. 218.

47. Voir Van Gennep, *op. cit.* [25], t. I, p. 743 et 751. L'observation de Van Gennep concerne tous les décès de femmes, et pas seulement les décès en couches.

48. Cité dans une note sans nom d'auteur in *Mein Elsassland*, 1, 1920, p. 106 : « Morjerot un Wiwerweh esch am Metäuj nix meh. »

49. J'ai essayé de montrer l'avènement du mariage d'inclination dans Edward Shorter, *The Making of the Modern Family*, New York, Basic Books, 1975, trad. fr. *Naissance de la famille moderne*, Paris, Éd. du Seuil, 1977.

50. Voir, tout récemment encore, Carl N. Degler, *At Odds : Women and the Family in America from the Revolution to the Present*, New York, Oxford, 1980, chap. VII et *passim*.

51. Verdier, *op. cit.* [13], p. 97-98 ; remarques faites par différentes femmes.

52. Voir plus particulièrement Carroll Smith-Rosenberg, « The Female World of Love and Ritual : relation between Women in Nineteenth-Century America », *Signs*, 1, 1975, p. 1-29 ; et Nancy F. Cott, *The Bonds of Womanhood : " Women's Sphere " in New England, 1780-1835*, New Haven, Yale University Press, 1977, *passim*.

53. J. Jill Suitor, « Husbands' Participation in Childbirth : a Nineteenth-Century Phenomenon », *Journal of Family History*, 6, 1981, p. 278-293.

54. H. Höhn, « Sitte und Brauch bei Tod und Begräbnis », *Württembergische Jahrbücher*, 1913, p. 356.

55. H. Höhn, « Sitte und Brauch bei Geburt, Taufe und in der Kindheit », *Wüttembergische Jahrbücher*, 1909, p. 263.

56. Johann Rehli, « Tod und Sterben im Vorderprättigau », *Schweizerisches Archiv für Volkskunde*, 36, 1937-1938, p. 159.

Notes des tableaux

Tableau 5.1 (page 76)

Marie Kopp, *Birth Control in Practice*, 1934, rééd. New York, Arno Press, 1972, p. 127-128. 10 000 mères interrogées entre 1923 et 1929 par le Birth Control Clinical Research Bureau de Margaret Sanger. Ces femmes avaient eu une moyenne de quatre grossesses chacune. Supposant que 25 % environ de ces grossesses s'étaient terminées par une fausse couche ou un avortement provoqué, j'ai attribué à chacune de ces femmes, à la date du questionnaire, une moyenne de trois grossesses menées à terme.

Tableau 5.2 (page 91)

Émile Rigaud, *Examen clinique de 396 cas de rétrécissements du bassin observés à la Maternité de Paris de 1860 à 1870*, Paris, 1870, p. 131-134. Les pages 134 à 136 font état de quelques cas supplémentaires observés par G.-C. Stanesco sur une période de seize ans à la Clinique d'accouchements de Paris.

Tableau 5.3 (page 95)

TOUTES HÉMORRAGIES

Rotunda Hospital, Dublin, années 1770. Chiffres donnés par Fleetwood Churchill, *On the Theory and Practice of Midwifery*, 3e éd., Philadelphie, 1848, p. 431 (2,3 pour 1 000).

Rotunda Hospital, Dublin, 1826-1831 : Robert Collins, *A Practical Treatise of Midwifery*, Boston, 1841, p. 59 et suiv. ; 131 hémorragies sur 16 000 accouchements, dont la moitié jugées « graves » (8 pour 1 000).

Londres, 1820-1828 : voir Francis Ramsbotham, *The Principles and Practice of Obstetric Medicine and Surgery*, Londres, 1841 (9,2 pour 1 000).

Royal Maternity Charity, Londres-Ouest, 1842-1864 : voir John Hall Davis, *Parturition and its Difficulties, with Clinical Illustrations and Statistics of 13,783 Deliveries*, Londres, 1865 (12 pour 1 000).

Maternité de Munich : Carl von Hecker, *Beobachtungen und Untersuchungen aus der Gebäranstalt zu München, 1859-1879*, Munich, 1881, p. 10 ; calculé sur 17 000 accouchements, en majorité des multipares (24,8 pour 1 000).

Hôpital de Cincinnati, 1894-1913 : Magnus A. Tate, « Maternal Obstetrical Records in the Cincinnati Hospital for a Period of Twenty Years », *Lancet-Clinic*, 9 mai 1914, p. 558 ; établi sur 4 300 accouchements (1,9 pour 1 000).

Sursee, 1891-1929 : voir Rudolf Beck, *Geburten und Geburtshilfe in ländlichen Verhältnissen : eine statistische Studie aus den Geburtstabellen des Amtes Sursee über die letzten 39 Jahre*, thèse de médecine, Bâle, 1930 (54,5 pour 1 000).

New York, 1920 : voir note *supra*, tableau 5.1 (13,3 pour 1 000).

Lying-In Hospital de Chicago, 1931-1945 : M. Edward Davis, « Review of the

NOTES DES TABLEAUX

Maternal Mortality at the Chicago Lying-In Hospital », *AJO-G*, 51, 1946, p. 499-500 (environ 20 pour 1 000).

PLACENTA PRAEVIA

Rotunda Hospital, Dublin, années 1770 et période 1826-1831 : voir Churchill, *Theory and Practice*, et Collins, *Practical Treatise* (0,4 et 0,7 pour 1 000).
Londres, 1820-1828 : voir Ramsbotham, *Obstetric Medicine* (1,5 pour 1 000).
Londres, 1842-1864 : voir Davis (1,9 pour 1 000).
Maternité de Munich, 1859-1879 : voir Hecker, *Beobachtungen* (2,4 pour 1 000).
Bavière, Hesse et Saxe à la fin du XIXe siècle, Berlin en 1895 : Erwin Zweifel, « Erfahrungen an den letzten 10 000 Geburten mit besonderer Berücksichtigung des Altersbildes », *Archiv fur Gynäkologie*, 101, 1913-1914, p. 689-690 (taux respectifs de 1,5, 0,6, 0,6 et 1,3 pour 1 000).
Taux relatifs à un certain nombre de maternités à la fin du XIXe siècle : Wilhelm Bokelmann, « Die Mortalität der königl. Universitätsfrauenklinik zu Berlin », *ZGH*, 12, 1886, p. 147 ; et Ploeger, « Statistischer Bericht über die Geburten der... Frauenklinik in Berlin während 15 Jahren », *ZGH*, 53, 1905, p. 237 (moyenne de 4,2 pour 1 000).
Adolphe Pinard, *Du fonctionnement de la maternité de Lariboisière*, Paris, 1889, *passim* (5,8 pour 1 000).
Pour les lieux qui suivent, se reporter aux notes *supra* et à celles du chapitre 5 : Mecklembourg, 1904 (2,6 pour 1 000) : Büttner, « Mecklenburg-Schwerins Geburtshilfe » ; Cincinnati, 1894-1913 (0,9 pour 1 000) : Tate, « Obstetrical Records » ; Sursee, 1891-1935 (4 pour 1 000) : Beck, *Geburten und Geburtshilfe;* Chicago, 1931-1945 (0,6 pour 1 000) : Davis, *Parturition.*
Maternité de Cleveland, 1922-1930 : Arthur H. Bill, « Placenta Previa », *AJO-G*, 21, 1931, p. 104 (3 pour 1 000 sur 34 000 accouchements).
Maternité d'Helsinki, 1910-1924 : Sally Hjelt, « Placenta previa », *Finska Läksällsk Handlungen*, 67, mars 1925, p. 254-255, résumé en allemand à la fin (3,2 pour 1 000).
Hambourg, 1932-1935 : Th. Heynemann, « Ergebnisse und Lehren der erweiterten geburtshilflichen Landesstatistik Hamburgs », *ZGH*, 114, 1937, p. 262 ; établi sur 69 000 accouchements (4,8 pour 1 000, la moitié traités par césarienne).
Actuellement : Jack A. Pritchard et Paul C. Macdonald évaluent la fréquence du placenta praevia à environ 0,5 % des accouchements et celle des hémorragies post-partum (avec perte de plus de 1 000 millilitres de sang) à environ 5 %. Mais les définitions antérieures de l'hémorragie grave ayant sans doute été limitées à des pertes de sang plus importantes encore, il eût été trompeur de faire figurer « 6 % » dans le tableau ; Pritchard et Macdonald, *Williams Obstetrics*, 16e éd., New York, Appleton-Century-Crofts, 1980, p. 508 pour le placenta praevia et p. 877 pour les hémorragies du post-partum.

Tableau 5.4 (page 98)

PRIMIPARES ESSENTIELLEMENT

Maternité de Paris, 1804-1811 : Marie-Louise Lachapelle, *Pratique des accouchements*, Paris, 1825, t. III, p. 3 ; sur 16 000 accouchements (2,3 pour 1 000).
Hôpital de Bourg, 1823-1829 : rapporté par Alfred Velpeau, *Traité complet de l'art des accouchements*, 2e éd., Paris, 1834, t. II, p. 121 ; sur 11 000 accouchements (4,2 pour 1 000).
Rotunda Hospital, Dublin, 1826-1831 : voir Collins, *Practical Treatise*, p. 123 ; sur 30 cas, 29 chez des primipares (5,8 pour 1 000).
Aerztlicher Bericht des k. k. Gebär- und Findelhauses zu Wien, 1861, Vienne, 1863, p. 4 ; sur 8 700 accouchements (2,4 pour 1 000).
Pour les maternités allemandes à la fin du XIXe siècle, voir Bokelmann, « Mortali-

tät », et Ploeger, « Statistischer Bericht » ; pour la Maternité de Munich, voir Hecker, *Beobachtungen* (3,9 pour 1 000).
Munich, 1909-1913 : voir Zweifel, « Erfahrungen » (12,1 pour 1 000).
Sursee, 1891-1929 : voir Beck, *Geburten und Geburtshilfe* (4,7 pour 1 000).

MULTIPARES ESSENTIELLEMENT

Pour le Rotunda Hospital de Dublin et pour Londres, 1820-1828 et 1842-1864, voir tableaux *supra* (taux respectifs : 1,2 et 0,6 pour 1 000).
Lewes (Angleterre), 1813-1828 : Gideon Mantell, « On the Secale Cornutum », *LMG*, 2, 1828, p. 782 (sur 2 400 accouchements, 6 cas d'éclampsie).
Paris : voir Pinard sur Lariboisière (tableau 5.3) (taux pour les seules multipares : 4,7 pour 1 000).
Maternité de Munich : voir Hecker, *Beobachtungen* (tableau 5.3) (taux pour les seules multipares : 0,5 pour 1 000).
Pays de Bade, 1886-1900 : Max Hirsch, « Der Weg der operativen Geburtshilfe », *Archiv für Frauenkunde*, 13, 1927, p. 211 (1 pour 1 000).
Sète, vers 1855-1870 : Adolphe Dumas, *Quelques Faits d'éclampsie puerpérale*, Montpellier, 1871, p. 21 ; sur 12 000 accouchements (1,6 pour 1 000).
Pour le Sursee (1 pour 1 000, multipares uniquement), l'Uni-Klinik de Munich (2,9 pour 1 000, multipares uniquement), le Mecklembourg (2,7) et le pays de Bade, 1901-1925 (1,6), voir références précédentes dans ce tableau et tableaux *supra*.
Kansas, vers 1916 : Elizabeth Moore, *Maternity and Infant Care in a Rural County in Kansas*, 1917, rééd. New York, Arno Press, 1972, p. 30 ; sur 1 269 accouchements de 330 femmes interrogées en 1916, 3 cas d'éclampsie (2,4 pour 1 000).
Pour Hambourg (2,9 pour 1 000) et Cincinnati (2,8), voir notes précédentes.
Nouvelle-Zélande, 1928-1933 : J.M. Munro Kerr, s.d., *Historical Review of British Obstetrics and Gynaecology, 1800-1950*, Édimbourg, Livingstone, 1954, p. 155 (3,1 pour 1 000).
Sloane Hospital, New York, 1901-1923 : James D. Voorhees, « Can the Frequency of Some Obstetrical Operations be Diminished ? », *AJO*, 77, 1918, p. 4. Le taux moyen pour 1901-1905, 1911-1915 et 1919-1923 est de 10,4 pour 1 000, mais il se produit dans ces vingt-trois années un recul considérable. Sur les 54 cas de la dernière période, 29 étaient des admissions d'urgence — ce qui donne à penser que l'incidence de la maladie était nettement moindre pour les accouchements normalement prévus.

Tableau 5.5 (page 100)

VILLAGES ALLEMANDS

Sur 140 *altmärkische Dörfer*, 1766-1774, Salzwedel et Arendsee, 1766-1774, Kurmark et Neumark en Brandebourg, 1789-1798, et Ravensberg, 1782-1792, chiffres empruntés à Boris Schaefer, *Die Wöchnerinnensterblichkeit im 18ten Jahrhundert*, thèse de médecine, Berlin, 1923, p. 47, 55 et 56. Sur Apoda, 1768-1774 et 1784-1786, données tirées de Schulze, « Anhang zu den Auszügen aus den Kirchenbüchern im Weimarischen besonders die Wochnerinnen betreffend », *Johann Christ. Starks Archiv für die Geburtshülfe*, 1 (*ii*), 1787, p. 95-96. Sur le duché d'Eisenach, 1783-1786, voir Heusinger, « Geburts- und Sterbelisten », *Johann Christ. Starks Archiv für die Geburtshülfe*, 1 (*ii*), 1787, p. 96-97. Chiffres sur le district de Calvörde, 1688-1790, empruntés à August Hinze, « Tabellarische Verzeichnisse der Getauften, Getrauten... nach den Kirchenbüchern des calvördischen Physicats-Districts », *Johann Christ. Starks Archiv für die Geburtshülfe*, 4, 1792, p. 289-295 (source qui, de plus, nous fournit les seuls chiffres pour la période 1650-1699). Chiffres concernant le Mecklembourg-Schwerin, 1789-1849, dans Masius, « Die 30-jährigen Bevölkerungs... listen », *Zeitschrift für die Staatsarzneikunde*, 3, 1823, p. 27. Sur la Frise orientale, 1765-1807, voir Toel, « Bevölkerungs... Listen Osnabrück », *Zeitschrift für die Staatsarzneikunde*, 10,

1825, tableau 5 après la page 92. Sur Querfurt, 1841-1850, voir Schraube, « Medicinisch-topographische Skizze des Kreises Querfurt », *Monatsblatt für medicinische Statistik*, nᵒ 8-10, 1864, accouchements p. 59, décès de mères p. 69. Chiffres sur deux groupes de villages autrichiens dans Franz Fliri, *Bevölkerungsgeographische Untersuchungen im Unterinntal*, Innsbruck, Universitäts-Verlag Wagner, 1948, p. 56, et Gisela Winkler, *Bevölkerungsgeographische Untersuchungen im Martelltal*, Innsbruck, Verlag Wagner, 1973, p. 70-71 (dans les deux cas à partir de 1700). Sur Zillhausen, 1755-1854, voir Elisabeth Eckle, *Über die Gesundheitsverhältnisse in Zillhausen von der Mitte des 18. bis zum Beginn des 20. Jahrhunderts*, thèse de médecine, Freie Universität, Berlin, sans date, p. 25-26. Et pour le Wurtemberg, 1821-1825, étude de « Riecke » citée par Alfred Velpeau, *Traité complet de l'art des accouchements*, 2ᵉ éd., Paris, 1835, t. I, p. 131.

VILLAGES DU BRABANT

Claude Bruneel, *la Mortalité dans les campagnes. Le duché de Brabant aux xviiᵉ et xviiiᵉ siècles*, Louvain, Nauwelaerts, 1977, p. 455 (trois villages pour 1624-1640, six pour 1701-1756, cinq pour 1750-1791).

LONDRES

1583-1599 : d'après Thomas R. Forbes, *Chronicle from Aldgate : Life and Death in Shakespeare's London*, New Haven, Yale University Press, 1971, p. 106 (paroisse de St. Botolph).

1629-1636 : chiffres des « baptêmes » empruntés à John Graunt, *Natural and Political Observations Made upon the Bills of Mortality*, rééd. Baltimore, Johns Hopkins, 1939, p. 80-81. A quoi ont été ajoutés, pour compléter le dénominateur, les chiffres des « avortés » et des mort-nés donnés par J. Marshall, *Mortality of the Metropolis*, Londres, 1832, dernier tableau de la « première période ». Chiffres de la mortalité en couches également empruntés à Marshall.

1670-1699 (nombreuses lacunes) : chiffres relatifs au nombre des baptisés, des « avortés », des mort-nés et des décès maternels provenant de Thomas Short, *New Observations on... Bills of Mortality*, 1750, rééd. Londres, Gregg International, 1973, p. 188-189.

1701-1746 : chiffres des baptêmes tirés de W. Heberden, *Observations on the Increase and Decrease of Different Diseases*, 1801, rééd. Londres, Gregg International, 1973, p. 2-5 ; chiffres des avortés, mort-nés et décès maternels repris de William Black, *An Arithmetical and Medical Analysis of the Diseases and Mortality of the Human Species*, 1789, rééd. Londres, Gregg International, 1973, tableau après la page 42.

1747-1795 (en fait 1747-1777 et 1795) : empruntés à Black, *ibid.*, et Heberden, *ibid.*

1828-1850 : service de consultations externes de la Royal Maternity Charity, division est ; calculé sur 49 000 accouchements à domicile pratiqués par des « sages-femmes bien formées », d'après J.M. Munro Kerr, s.d., *Historical Review of British Obstetrics and Gynaecology, 1800-1950*, Édimbourg, Livingstone, 1954, p. 263.

ÉDIMBOURG

J'ai retenu la plus faible des deux séries d'estimations pour les trois décennies données par Michael Flinn, s.d., *Scottish Population History from the 17th Century to the 1930s*, Cambridge, Cambridge University Press, 1977, p. 296.

KONIGSBERG, 1769-1814

Voir Schaefer, *Wöchnerinnensterblichkeit*, p. 40-41.

BERLIN

1720-1822 : *ibid.*, p. 15-28.
1835-1841 : chiffres empruntés à H. Wollheim, *Versuch einer medicinischen Topographie und Statistik von Berlin*, Berlin, 1844, p. 362-385.

Tableau 5.6 (page 101)

ÉTAT DE BADE, 1864-1866

Alfred Hegar, *Die Sterblichkeit während Schwangerschaft, Geburt und Wochenbett*, Fribourg, 1868, p. 7-16 : 187 décès sur 34 600 accouchements à domicile dans l'Oberrheinkreis, 1864-1866, pratiqués essentiellement par des sages-femmes. Parmi les 107 décès par infection, j'ai inclus 24 cas de « péritonite », 2 cas d' « albuminurie et hydropisie » et 80 autres décès de causes diverses mais présentant manifestement une évolution infectieuse. Parmi les maladies « médicales » connexes figurent 11 cas de tuberculose, 3 de typhus et 7 maladies diverses. Presque tous les décès survenus à terme.

NEW YORK, 1930-1932

Ransom S. Hooker, *Maternal Mortality in New York City : a Study of all Puerperal Deaths, 1930-1932*, New York, 1933, tableau p. 232-233 : 1 564 décès sur 348 000 accouchements à domicile ou en milieu médical, 1930-1932. Sur les 510 décès des suites d'infection, 148 étaient consécutifs à une césarienne ; sur 14 décès de causes « diverses », 8 étaient attribués à des vomissements aigus. Parmi les 344 décès de causes médicales connexes, on note surtout : 99 cas de « maladie de cœur chronique », 52 « pneumonies lobaires », 21 « grippes » et 18 « néphrites chroniques ». A quoi s'ajoutaient 357 décès par avortement, dont 262 infectieux ; et 120 décès des suites de grossesses extra-utérines.

ÉTATS-UNIS, 1976

Vital Statistics of the United States, 1976, vol. II : *Mortality*, Hyattsville (Maryland), U.S. National Center for Health Statistics, 1980, p. 134-139 : 355 décès maternels sur 3 168 000 accouchements. Parmi les décès de la rubrique « phlébite-embolie », 3 seulement ont été provoqués par une phlébite, et 54 par une embolie. Dans la rubrique « choc-traumatismes », j'ai inclus 5 décès dus à la rétention du placenta. Aucun décès par vomissements. Parmi les 45 décès de causes médicales, 20 étaient dus à une hémorragie cérébrale, 8 à une nécrose du foie (jadis le « foie jaune de la grossesse »), 6 à une affection rénale, 8 à une dyscrasie sanguine et 2 à une infection des voies urinaires. Exclus du calcul : 39 décès provoqués par une grossesse extra-utérine et 16 par un avortement. Les décès des suites de maladies de cœur liées à la grossesse ou à l'accouchement ne sont pas classés à part. Ils arrivaient dans les années 1950 au quatrième rang des causes de mortalité maternelle ; voir K. Ueland, « Cardiac Surgery and Pregnancy », *AJO-G,* 92, 1965, p. 150.

Tableau 7.1 (page 150)

ALLEMAGNE

1877 et 1891 : d'après Philipp Ehlers, *Die Sterblichkeit « im Kindbett »*, Stuttgart, 1900, p. 1 (sur la Prusse).
1924 et 1936 : d'après W. Bickenbach, « Über die Müttersterblichkeit bei klinischer Geburtshilfe », *ZBG,* 64, 1940, p. 818 (ensemble du Reich).

NOTES DES TABLEAUX

1952 et 1962 : H. Rummel, « Die Entwicklung der Anstaltsgeburtshilfe in der Bundesrepublik », *Medizinische Welt*, déc. 1966, p. 2538. En 1962, 93 % des accouchements en RDA avaient lieu en milieu hospitalier (p. 2539). 1970 et 1973 : K.-H. Wulf, « Panoramawandel in der Geburtshilfe », *Geburtshilfe und Frauenheilkunde*, 35, 1975, p. 395 (pour la RFA, semble-t-il).

ÉTATS-UNIS, 1935-1950

Rapporté par Neal Devitt, « The Transition from Home to Hospital Birth in the United States, 1930-1960 », *Birth and the Family Journal*, 4, 1977, p. 5. Chiffres de l'année 1977 dans *U.S. Statistical Abstract*, 1979, p. 63.

Tableau 7.2 (page 155)

Sur la mortalité des années 1890-1909 en général, voir article de Rudolph W. Holmes, « Cesarean Section for Placenta Previa : an Improper Procedure », *JAMA*, 44, 1905, p. 1594. Taux de mortalité des césariennes pratiquées en cas de placenta praevia : 20 %. 1900-1909.
C.P. Monahan *et alii*, « The Experience of the Johns Hopkins Hospital with Cesarean Section », *AJO-G*, 44, 1942, p. 1001 (femmes blanches seulement) ; James D. Voorhees, « Can the Frequency of Some Obstetrical Operations be Diminished ? », *AJO*, 77, 1918, p. 10.

1910-1919

Monahan *et alii*, et Voorhees (voir 1900-1909) ; Morris Courtiss, « Analytic Study of 1000 Cases of Cesarean Section », *AJO-G*, 32, 1932, p. 680-681 (Massachusetts Memorial Hospital) ; Isadore Daichman, « Review of Cesarean Section », *AJO-G*, 37, 1939, p. 138 (Hôpital juif de New York) ; J.P. Greenhill, « Analysis of 874 Cervical Cesarean Sections Performed at the Chicago Lying-In Hospital », *AJO-G*, 19, 1930, p. 615 (Lying-In Hospital de Chicago, consultantes externes et hospitalisées) ; E.M. Hawks, « Maternal Mortality in 582 Abdominal Cesarean Sections », *AJO-G*, 18, 1929, p. 396 (New York Nursery and Child's Hospital) ; et E.D. Plass, « The Relation of Forceps and Cesarean Section to Maternal and Infant Morbidity and Mortality », *AJO-G*, 22, 1931, p. 190 (hôpital général de Hartford, Connecticut).

1920-1929

Voir toutes les études citées pour 1900-1909 et 1910-1919. En outre : Ralph L. Barrett, « A Fifteen-Year Study of Cesarean Section in the Woman's Hospital in the State of New York », *AJO-G*, 37, 1939, p. 436 ; William J. Dieckmann, « Cesarean Section Mortality », *AJO-G*, 50, 1945, p. 32 (chiffres concernant les hôpitaux de La Nouvelle-Orléans et le Lying-In Hospital de Boston) ; et E.D. Plass, « A Statistical Study of 129,539 Births in Iowa », *AJO-G*, 28, 1934, p. 299 (accouchements en milieu hospitalier uniquement).

1930-1939

Voir *supra* : Barrett, « Fifteen-Year Study », Daichman, « Cesarean Section », Dieckmann, « Cesarean Section », Monahan, « Johns Hopkins Hospital », et Plass, « 129,539 Births » ; en outre : Henry Buxbaum, « Obstetrics in the Home », *Surgical Clinics of North America*, févr. 1943, p. 57 (Maternity Center de Chicago) ; Robert DeNormandie, « Five-Year Study of Cesarean Section in Massachusetts », *NEJM*, 8 oct. 1942, p. 533 (en pourcentage des accouchements en milieu hospitalier) ; D. Anthony D'Esopo, « Trends in the Use of the Cesarean Section Operation », *AJO-*

G, 58, 1949, p. 1121 (taux pour quatre grands hôpitaux new-yorkais) ; Clifford Lull, « A Survey of Cesaren Sections in Philadelphia », *AJO-G*, 46, 1943, p. 314 (chiffres de quarante-cinq hôpitaux pour l'année 1931) ; Roy W. Mohler, « A Report of the Cesarean Sections Done at the Philadelphia Lying-In Pennsylvania Hospital », *AJO-G*, 45, 1943, p. 467 et 470 (période 1932-1937) ; New York Academy of Medicine, Ransom S. Hooker, s.d., *Maternal Mortality in New York City*, New York, 1933, p. 130 (hôpitaux uniquement) ; James K. Quigley, « A Ten-Year Study of Cesarean Section in Rochester and Monroe County, 1937 to 1946 », *AJO-G*, 58, 1949, p. 42 (chiffres remontant jusqu'à 1926) ; et Abraham B. Tamis, « A Critical Analysis of Cesarean Section in a Large Municipal Hospital », *AJO-G*, 40, 1940, p. 251 (pour le Morrisania City Hospital de New York, qui, par suite de sa politique consistant à n'opérer que les cas désespérés, avait un faible taux d'accouchements par voie haute — 8 % — et une très forte mortalité — 11 pour 100 césariennes).

1940-1949

Voir ci-dessus Dieckmann, D'Esopo, Lull et Quigley. Voir également : commentaires de R.D. Bryant sur sept hôpitaux de Cincinnati dans la discussion de l'article de Charles Gordon, « Cesarean Section Death », *AJO-G*, 63, 1952, p. 293 ; Nicholson Eastman, *Williams Obstetrics*, 11ᵉ éd., New York, Appleton-Century-Crofts, 1956, p. 1137 (chiffres sur Minneapolis en 1946, le comté de Ramsay, Minnesota, dans les années 1940, et l'Alabama en 1945-1947) ; et O. Hunter Jones, « Cesarean Section in Present-Day Obstetrics », *AJO-G*, 126, 1976, p. 522 (sur le Charlotte Memorial Hospital depuis 1940).

1950-1959

Voir ci-dessus Jones, « Cesarean Section » (contenant des remarques d'E.D. Colvin sur l'hôpital d'Emory University) et Gordon, « Cesarean Section » ; voir en outre : Nicholson Eastman et Louis Hellman, *Williams Obstetrics*, 13ᵉ éd., New York, Appleton-Century-Crofts, 1966, p. 1126 (chiffres des grands hôpitaux universitaires de l' « Obstetrics Statistical Cooperative », 1951-1962, et de sept autres grands hôpitaux à la fin des années 1950) ; et Nejdat Mulla et James Bates, « Cesarean Section in a General Community Hospital », *AJO-G*, 82, 1961, p. 669 (sur Youngstown, Ohio).

1960-1969

American College of Obstetricians and Gynecologists, *National Study of Maternity Care : Survey of Obstetric Practice and Associated Services in Hospitals in the United States*, Chicago, ACOG, 1970, p. 17 (sur les hôpitaux ayant eu plus de 2 000 accouchements en 1967, et d'autres moins importants) ; John R. Evrard *et alii*, « Cesarean Section and Maternal Mortality in Rhode Island, 1965-1975 », *Obstetrics and Gynecology*, 50, 1977, p. 595 (contient également des chiffres sur cinq hôpitaux new-yorkais pour la période 1965-1975) ; Fredric D. Frigoletto *et alii*, « Maternal Mortality Rate Associated with Cesarean Section », *AJO-G*, 136, 1980, p. 969 (taux de mortalité zéro pour 10 231 césariennes pratiquées au Boston Hospital for Women entre 1968 et 1978) ; Louis M. Hellman et Jack A. Pritchard, *Williams Obstetrics*, 14ᵉ éd., New York, Appleton-Century-Crofts, 1971, p. 1168 (chiffres de l'Obstetrics Statistical Cooperative pour la période 1965-1968, ainsi que pour sept autres grands hôpitaux et pour celui de Hartford, Connecticut, dont le taux de césariennes en 1964 était de 9,7 %) ; et Diana Petitti *et alii*, « Cesarean Section in California, 1960 through 1975 », *AJO-G*, 133, 1979, p. 392.

1970-1978

Voir Evrard, « Cesarean Section », Frigoletto, « Maternal Mortality », et Petitti, « Cesarean Section » ; également Sidney F. Bottoms, « The Increase in the Cesarean

Birth Rate », *NEJM,* 6 mars 1980, p. 559 (enquête de 1976 sur 64 hôpitaux « dans l'ensemble des États-Unis ») ; et Jack A. Pritchard et Paul C. MacDonald, *Williams Obstetrics,* 16e éd., New York, Appleton-Century-Crofts, 1980, p. 1082 (statistiques de 1978 sur plusieurs grands hôpitaux).

Tableau 8.1 (page 184)

1901-1909

Bertel von Bonsdorff, *The History of Medicine in Finland, 1828-1918,* Helsinki, Société finlandaise des sciences, 1975, p. 219 (sur un hôpital d'Helsinki en 1901 : 10 %) ; Erik Lindqvist, *Uber die Aborte in Malmö, 1897-1928,* Helsinki, 1931, p. 121 (un hôpital de Malmö, années 1903-1909 : 25 %) ; Paul Seegert, « Verlauf und Ausbreitung der Infektion beim septischen Abortus », *ZGH,* 67, 1906, p. 344 (un hôpital de Berlin, 1896-1906 : 15 %) ; et Paul Titus, « A Statistical Study of a Series of Abortions Occurring in the Obstetrical Department of the Johns Hopkins Hospital », *AJO,* 65, 1912, p. 962-967 (Johns Hopkins Hospital de Baltimore autour de 1900-1910 : 49 %).

1910-1919

Bonsdorff, *Medicine in Finland* (38 %) ; Lundqvist, *Aborte in Malmö* (21 %) ; Eida Aronson, *Contribution à l'étude des avortements,* thèse de médecine, Paris, 1914, p. 19-20 (hôpital de la Pitié, 1911-1913 : 36 %) ; Emil Bovin, « Die Resultate exspektativer Behandlung bei... Abortus », *Acta Gynecologica Scandinavica,* 3, 1924-1925, p. 94 (un hôpital de Stockholm, 1914-1919, 28 %) ; Bleichröder, « Uber die Zunahme der Fehlgeburten in den Berliner städtischen Krankenhäusern », *Berliner klinische Wochenschrift,* 9 mars 1914, p. 452 (1912, 48 %) ; Rudolf Commichau, « Ein Beitrag zur Abortfrage », *ZGH,* 94, 1929, p. 177 (un hôpital de Nuremberg, 1910, 15 %) ; Max Gerstmann, « Statistisches über Aborte », *MGH,* 68, 1925, p. 225-227 (un hôpital de Breslau, 1912-1919, 57 %) ; Josef Halban, « Zur Behandlung der Fehlgeburten », *ZGB,* 45, 1921, p. 441 (un hôpital de Vienne, 1910-1920, 29 %) ; W. Latzko, « Die Behandlung des fieberhaften Abortus », *ZBG,* 45, 1921, p. 427 (hôpital Bettina de Vienne, 1911-1919, 33 %) ; et Ludwig Nebel, « Uber das Verhältnis von Aborten zu Geburten in Mainz », *ZBG,* 45, 1921, p. 1659 (Mayence, 1910-1919, 16 %).

1920-1929

Bovin, « Behandlung » (29 %) ; Gerstmann, « Statistisches » (62 %) ; Commichau, « Abortfrage » (Iéna : 25 %) ; Lundqvist, *Malmö* (22 %) ; et Nebel, « Mainz » (21 %). Atle Berg, « Statistische Untersuchungen der von 1920 bis 1929 im städtischen Krankenhaus Ullevaal in Oslo behandelten Aborte », *Acta Obstetricia et Gynecologica Scandinavica,* 11, 1931, p. 73 (56 %) ; Hugo Lappin, *Statistik der Aborte in den Jahren 1925-1926,* thèse de médecine, Munich, 1927, p. 9 (48 %) ; Henri Latargez, *Étude statistique de 588 cas d'avortements,* thèse de médecine, Lille, 1938, p. 41 (hôpital de la Charité à Lille, 1924-1936, 37 %) ; Thomas V. Pearce, « Three Hundred Cases of Abortion », *JOB,* 37, 1930, p. 806 (un hôpital de Camberwell, à Londres, 1923-1929, 34 %) ; Sigismund Peller, *Fehlgeburt und Bevölkerungsfrage,* Stuttgart, 1930, p. 143 (un hôpital de Vienne, 1925-1927, 28 %) ; Raymond E. Watkins, « A Five-Year of Abortion », *AJO-G,* 26, 1933, p. 164 (un hôpital de l'Oregon, 1927-1932, 33 %) ; Witherspoon, *AJO-G,* 26, 1933, p. 368 (un hôpital de La Nouvelle-Orléans, 1924-1932, 9 %, « diagnostiqués au microscope ») ; et H. Wellington Yates, « Treatment of Abortion », *AJO-G,* 3, 1922, p. 45 (un hôpital de Detroit, 1921, 37 %).

1930-1939

T.K. Brown, « A Bacteriologic Study of 500 Consecutive Abortions », *AJO-G,* 32, 1936, p. 805 (un hôpital de Saint Louis, Missouri, milieu des années 1930, 60 % de

« cultures utérines positives », état fébrile non mentionné) ; R.D. Dunn, « A Five-Year Study of Incomplete Abortions at the San Francisco Hospital », *AJO-G*, 33, 1937, p. 150 (période 1930-1935, 85 % d'infections, « comme en témoigne la présence de fièvre et de leucocytose ») ; Fuchs, résumé de conférence, *ZBG*, 55, 1931, p. 1921 (Danzig, vers 1930, 10 %) ; Charles E. Galloway, « Treatment of Early Abortion », *AJO-G*, 38, 1939, p. 249 (hôpital d'Evanston, Illinois, années 1930, 12 %) ; Virginia Clay Hamilton, « The Clinical and Laboratory Differentiation of Spontaneous and Induced Abortion », *AJO-G*, 41, 1941, p. 62 (Bellevue Hospital de New York, 1938-1939, 20 %) ; Harry P. Mencken et Henry H. Lansman, « The Results in Treatment of 600 Incomplete Abortions », *AJO-G*, 40, 1940, p. 1012 (un hôpital de New York, 1935-1940, 24 %) ; Henry J. Olson *et alii*, « The Problem of Abortion », *AJO-G*, 45, 1943, p. 673 (un hôpital du Milwaukee, 1937-1940, 17 %) ; H.S. Pasmore, « A Clinical and Sociological Study of Abortion », *JOB*, 44, 1937, p. 456-457 (un hôpital de Londres, 1935, 69 %) ; E. Philipp, « Der heutige Stand der Bekämpfung der Fehlgeburt », *ZBG*, 64, 1940, p. 227 (un hôpital de Kiel, 1933-1938, 44 %) ; et Jalmar H. Simons, « Statistical Analysis of One Thousand Abortions », *AJO-G*, 37, 1939, p. 843 (un hôpital de Minneapolis, 1930-1933, 26 %).

Tableau 9.1 (page 216)

FRANCE

Jean Bourgeois-Pichat, « Évolution générale de la population française depuis le XVIIIe siècle », *Population*, 6, 1951, p. 659-660 ; d'après les taux de mortalité par âge pour 10 000 habitants.

ANGLETERRE ET PAYS DE GALLES

Chester Beatty Research Institute, *Serial Abridged Life Tables, England and Wales, 1841-1965*, 2e éd., Londres, Royal Cancer Hospital, 1970 ; d'après les « Conventional Abridged Life Tables », p. 39-86, qui vont jusqu'en 1970.

ITALIE

Associazione per lo sviluppo dell'industria nel Mezzogiorno, *Un secolo di statistiche Italiane Nord i Sud, 1861-1961*, Rome, Svimez, 1961, p. 118-119 ; *probabilità di morte* calculée à partir des tables de vie.

Tableau 9.2 (page 218)

W.P.D. Logan, « Mortality in England and Wales from 1848 to 1947 », *Population Studies*, 4, 1950-1951, p. 138-165, tableaux 2.A-9.A. Rapport mortalité masculine-mortalité féminine d'après la mortalité annuelle moyenne pour un million d'habitants.

Tableau 9.3 (page 220)

ANGLETERRE-PAYS DE GALLES

W.P.D. Logan, « Mortality in England and Wales from 1848 to 1947 », *Population Studies*, 4, 1950-1951, p. 138-165 (« maladies de l'appareil digestif »).

VILLES DU DANEMARK, 1876-1885

Denmark, Its Medical Organization, Hygiene and Demography, Copenhague, 1891, p. 429 (« maladies des organes de la nutrition »).

NOTES DES TABLEAUX

NORVÈGE, 1899-1902

Dodeligheten og dens Arsaker i Norge, 1856-1955, Oslo, Statistik Sentralbyra, 1961, p. 150 et 180 (« maladies intestinales »).

Tableau 9.4 (page 223)

OLDENBOURG, 1855-1864

Statistische Nachrichten über das Grossherzogthum Oldenburg, 11, 1870, p. 220.

DANEMARK, 1840-1844

Otto Andersen, *Regional Mortality Differences in Denmark around the Middle of the 19th Century,* Copenhague, Universitetets Statistiske Institut, 1975, p. 11.

NORVÈGE, 1899-1902

Dodeligheten og dens Arsaker i Norge, 1856-1955, Oslo, Statistisk Sentralbyra, 1961, p. 136.

Tableau 10.1 (page 262)

Paul F. Mundé, « A Report of the Gynecological Service of Mount Sinai Hospital, New York, from January 1st, 1883, to December 31st, 1894 », *AJO,* 32, 1895, tableau 1, p. 468-470.

Index

Accouchement : activités physiques avant et après, 60-61, 71-73 ; cause d'anémie, 227 ; anesthésie, 139-142 ; appréhension, 74-75 ; atmosphère surchauffée, 62, 72 ; autorité du médecin, 133-138, 157-167 ; diamètre du bassin, 23, 34-39, 80, 90-92, 146, 155, 156 ; chaises spéciales, 47, 49, 56, 63-65, 138-139 ; complications, 75-102 ; complications dues à l'âge de la mère, 92 ; source de contamination, 269-272 ; coût et importance, 20 ; déchirures, 256-257, 262 ; déchirures du périnée, 162-164, 256-257, 262 ; déclenchement artificiel du travail, 65, 161-162, 187 ; descente de matrice, 257-260, 262 ; dilatation du col, 67-69 ; éclampsie, 96-99, 101 ; fêtes des femmes, 72-73, 273-274 ; fistules, 253-255, 262 ; insuffisance de la formation des médecins, 143-145 ; hémorragies, 69-70, 93-96, 101, 154 ; intervention du médecin, 68, 70, 76, 80-99, 143-149, 156-167 ; interventions destinées à protéger le fœtus, 156-167 ; interventions destinées à protéger la mère, 58-61, 65-71, 75, 77-99, 143-149 ; mortalité maternelle, 19, 20, 74-75, 93-102, 227, 270-274, 279-294, 298-299 ; mutilations du fœtus, 83-84, 86, 88-90, 144 ; participants traditionnels, 62-63 ; participation du mari, 63 ; positions de la mère, 63-65, 138-139, 160-161 ; positions du fœtus, 77-80, 83-90 ; poussée, 64 ; problèmes dus au rachitisme, 36-39, 90-92 ; rasage du pubis, 159-160 ; relevailles, 269-270 ; repos post-partum dans la société traditionnelle, 71-73 ; reprise des rapports exigée par le mari, 21 ; séquelles, 252-260 ; solidarité féminine,

62-63, 272-274 ; superstitions, 62 ; surveillance du fœtus, 160-161 ; techniques modernes, 133-167.
Voir aussi : accouchement à domicile, accouchement au forceps, accouchement à l'hôpital, césarienne, fœtus, grossesse, infections après accouchement, médecins, placenta, sages-femmes, surveillance prénatale, travail.

Accouchement à domicile : analgésiques, 139-142 ; aversion des médecins, 147-148, 151 ; déclin en faveur de l'hôpital, 149-152 ; fréquence de la césarienne, 156 ; emploi du forceps, 146-149 ; cause d'infection et de mortalité, 123-129, 150-151, 279-294 ; usage du lit, 138-139, 142, 160-161 ; mauvaise formation des médecins, 143-146 ; problèmes, 143-149.

Accouchement à l'hôpital : rapport avec l'abus du forceps, 146-149 ; cause d'infection et de mortalité, 123-129, 150-151, 279-294 ; favorisé par le développement de la césarienne, 152-156 ; préféré par les médecins, 149-151 ; rôle des sages-femmes, 138, 151 ; supplante l'accouchement à domicile, 149-152.

Activités physiques : avant l'accouchement, 60-61, 223-225, 260 ; après l'accouchement, 71-73 ; chez les rurales, 222-225.

Âge de la mère et complications de l'accouchement, 92.

Alcool : employé comme analgésique, 140.

Allaitement maternel : et cancer, 229-230 ; et infections vaginales des nourrices, 242 ; et mortalité infantile, 229-230.

Rasage du pubis avant l'accouchement, 159-160.

Récamier (Joseph), 193.

Rectum : et déchirures du périnée, 256-257 ; et fistules, 253-255 ; et mort en couches, 271-272 ; et sages-femmes, 52, 54.

Régime alimentaire : cause d'anémie, 233-235 ; pendant la grossesse, 59-60 ; de l'homme et de la femme, 59-60 ; influence sur les règles, 30-31 ; cause de rachitisme, 34-37 ; influence sur la stature des femmes, 29-30.

Règles : et anémie, 30-31 ; croyances populaires, 268-269 ; et hygiène personnelle, 245-246 ; rôle de l'alimentation, 30-31 ; et méthodes d'avortement, 171-172 ; peurs suscitées chez l'homme, 268-269 ; régulation par l'apiol, 201-204.

Relevailles, 269-270.

Renaux (Jean), 176.

Rieger (Dr), 72.

Rondet (Mᵐᵉ), 257, 258, 259.

Rösslin (Eucharius), 45, 51, 84.

Rue, comme abortif, 175-176.

Rueff (Jakob), 69.

Rupture de la poche des eaux : pour provoquer artificiellement le travail, 65-66, 161-162, 187 ; pour provoquer l'avortement, 187 ; par les sages-femmes, 65-66, 67.

Sabine : frelatée, 196 ; comme abortif, 177, 178.

Sages-femmes : appel au médecin, 47-48, 51-52, 75-76, 130 ; attitude devant l'accouchement à l'hôpital, 138, 151 ; attitude devant la douleur, 139-141 ; autorité, 46-50 ; comparées aux médecins, 134-138 ; comportement en cas d'accouchement difficile, 83-84 ; délaissées au profit des médecins, 134-138, 166 ; extraction du placenta, 69-71 ; formation, 47-56, 166 ; impatience, 65-71 ; jalouses de leurs secrets, 48 ; manœuvres sur le fœtus, 65-69 ; sur le placenta, 69-71 ; sur l'utérus, 66-67 ; sur le vagin, 65-68 ; manuels, 45, 46, 51 ; pauvreté, 53 ; remontée, 138 ; portrait, 53-55 ;

positions d'accouchement utilisées, 63-65 ; pratique de l'antisepsie, 127-129 ; de l'avortement, 174-179, 187-190, 191 ; de la césarienne, 153 ; du forceps, 87, 148 ; de l'ondoiement, 51 ; de la version, 84-86 ; préférence des parturientes pour le médecin, 133-138, 157-167 ; présence aux autopsies, 52 ; qualités et défauts des – traditionnelles, 53-56 ; rang social, 54 ; relations avec l'Église, 50-51 ; réponses à une enquête sur l'hygiène, 245-246 ; réglementation de la profession, 50-52 ; responsabilité dans les fistules, 253, 255 ; dans les infections du post-partum, 121-122, 130-131 ; dans la mortalité maternelle, 69-70 ; rupture de la poche des eaux, 65-67 ; matrone traditionnelle et sage-femme urbaine, 46-50 ; témoins des brutalités maritales, 17 ; usage de la chaise d'accouchement, 47, 49, 56, 63-65, 67, 138-139 ; usage de plantes, 173.
Voir aussi : accouchement.

Saignée : cause d'anémie, 234 ; durant la grossesse, 58-59 ; comme traitement de l'éclampsie, 98.
Voir aussi : hémorragie.

Sanger (Margaret), 76.

Saucerotte (Nicolas), 70.

Scholten (Catherine), 73.

Schottmüller (Hugo), 115.

Schütte (W.), 187.

Schwarzwaeller (Dr G.), 199.

Schwieghäuser (Jakob Friedrich), 188.

Segalen (Martine), 24, 267, 273.

Sein (cancer du), 229-230.

Sellheim (H.), 237.

Semmelweis (Ignaz), 123, 127.

Semple (Robert), 231.

Senff (C. F.), 66.

Septicémie, 107-108, 110-111.

Seringues à usage abortif, 187-191.

Sexualité : dans la chanson populaire, 22, 23, 25, 26, 245 ; qualité des rapports dans le mariage traditionnel, 21-28.

Sheehy (Dr W. H.), 41.

Siège (présentation par le), 77.

Siegemundin (Justine), 69.

Simpson (James), 140.

Sims (James Marion), 255.

Smellie (William), 37, 86.

Liste des tableaux

Table

TROISIÈME PARTIE

Fin d'une inégalité ?

IMPRIMERIE S.E.P.C. À SAINT-AMAND (CHER).
DÉPÔT LÉGAL : OCTOBRE 1984. N° 6971 (1345-978).